Disney World et Orlando

10e édition

If you can dream it, you can do it. Always remember that the whole thing was started with a dream and a mouse.

Ce à quoi vous pouvez rêver, vous pouvez le réaliser. Rappelez-vous que tout cela a débuté avec un rêve et une souris.

- Walt Disney

QUOI DE NEUF ?
DUMBO
MEET THEM TODAY!
INCREDIBLE
LIVE!
PETE'S
SILLY
MEET THE WORLD'S
WORLD FAMOUS
1
2
3
4

Le New Fantasyland du Magic Kingdom

Le réaménagement du secteur Fantasyland constitue le plus important agrandissement jamais effectué au Magic Kingdom depuis son ouverture au début des années 1970. La majorité des nouveaux attraits sont maintenant accessibles et donnent aux visiteurs une bonne idée du résultat final lorsque l'ensemble sera achevé en 2014. (voir p. 99)

1. Esquisse de la nouvelle version double du manège Dumbo the Flying Elephant. (p. 104) Artist concept only © Disney
2. Le château de la Bête, au pied duquel loge le très beau restaurant Be Our Guest. (p. 268) © Claude Morneau
3. Le lieu de rencontre des personnages du Pete's Silly Sideshow, dans la sous-section Storybook Circus. (p. 106) © Claude Morneau
4. La statue du détestable Gaston, devant le restaurant qui porte son nom. (p. 267) © Claude Morneau
5. Ariel souhaite la bienvenue aux visiteurs d'Under the Sea - Journey of the Little Mermaid. (p. 104) © Claude Morneau

Disney's Art of Animation Resort

Inauguré en 2012, ce complexe hôtelier est le premier hôtel construit par Disney depuis 2003. Classé dans la catégorie Value, c'est-à-dire « économique », il abrite 1 120 suites et 864 chambres standards dans une mise en scène qui évoque les films d'animation *Le Roi Lion*, *Finding Nemo*, *Cars* et *La Petite Sirène*. (voir p. 250)

1. L'immense Ursula. dans l'aile inspirée de *La Petite Sirène*. © Disney/Pixar

2. L'une des piscines du secteur *Finding Nemo*. © Disney/Pixar

3. Le décor impressionnant de la section *Cars*. © Disney/Pixar

4. L'entrée du complexe, agrémentée de personnages appréciés, tel Simba. le Roi Lion. © Disney/Pixar

The Legend of Jack Sparrow

Aux Disney's Hollywood Studios, cette attraction a remplacé l'insipide Journey Into Naria : Prince Caspian, un gain net pour les visiteurs... Au menu, décor impressionnant, effets spéciaux réussis et présence virtuelle de Johnny Depp lui-même. (voir p. 148)

Kilimanjaro Safaris

Le parcours des fort appréciés Kilimanjaro Safaris, au Disney's Animal Kingdom, a été quelque peu modifié au cours de l'année 2012 afin de rendre possible l'observation d'encore plus d'animaux réels. (voir p. 165)

Test Track

Fermée pendant plusieurs mois afin de suivre une cure de rajeunissement, cette attraction a rouvert ses portes à la fin de 2012 sous le nom de Test Track Presented by Chevrolet. Le tout coïncide avec le 30e anniversaire d'Epcot et le centenaire du fabricant d'automobiles américain. (voir p. 121)

1. L'affiche des plus évocatrices de l'attraction The Legend of Jack Sparrow. (p. 148) © Claude Morneau
2. Le clou du spectacle à Test Track : la course folle sur la piste d'accélération extérieure. (p. 121) © Disney
3. Encore plus d'animaux à observer aux Kilimanjaro Safaris. (p. 165) © Disney

The Amazing Adventures of Spider-Man

Ce manège des Universal's Islands of Adventure, déjà fascinant, a fait l'objet d'une mise à niveau exceptionnelle et inclut désormais des séquences animées haute résolution beaucoup plus claires et précises. (voir p. 223)

Despicable Me Minion Mayhem

Les personnages colorés du film d'animation *Despicable Me* ont remplacé Jimmy Neutron et sa bande dans cette présentation des Universal Studios au rythme trépidant, qui amusera petits et grands. (voir p. 205)

1. Le super-héros Spider-Man, plus vrai que nature. (p. 223)

2. Le méchant au cœur tendre Dru et les autres personnages du film *Despicable Me* devant l'attraction Despicable Me Minion Mayhem. (p. 205)

Universal's Cinematic Spectacular

Ce nouveau spectacle nocturne à grand déploiement a pris l'affiche en 2012 sur le lagon central des Universal Studios. Un hommage spectaculaire aux films qui ont marqué l'histoire du cinéma américain. (voir p. 203)

Hollywood Drive-In Golf

Ce golf miniature inauguré en 2012 à l'Universal CityWalk est composé de deux parcours. Son aménagement et ses éléments interactifs évoquent les films d'horreur et de science-fiction de série B des années 1950. (voir p. 293)

Transformers: The Ride-3D

Les robots géants Transformers s'amènent aux Universal Studios au cours de l'été 2013 dans le cadre d'une attraction à la fine pointe de la technologie, déjà en place dans les parcs d'Universal à Hollywood et à Singapour. (voir p. 206)

1. Le spectacle Universal's Cinematic Spectacular - 100 Years of Movie Memories. (p. 203)
2. Le golf miniature Hollywood Drive-In Golf, à l'Universal CityWalk. (p. 293)
3. Les Transformers aux Universal Studios. (p. 206)

TurtleTrek

Cette attraction récente de SeaWorld permet de découvrir l'environnement des tortues de mer de leur point de vue (littéralement !), grâce à un extraordinaire film 3D projeté sur un écran qui prend la forme d'un dôme. (voir p. 232)

One Ocean

Le nouveau spectacle de l'emblématique Shamu et de ses amis épaulards constitue toujours l'un des moments forts d'une visite à SeaWorld. (voir p. 238)

1. L'entrée de TurtleTrek, à SeaWorld Orlando. (p. 232) © Claude Morneau

2. Les lamantins sont toujours présents malgré la transformation de leur environnement en TurtleTrek . (p. 232) © Claude Morneau

3. Les gracieux épaulards, vedettes du nouveau spectacle One Ocean. (p. 238) © Claude Morneau

LEGOLAND Florida

Situé à Winter Haven, à 45 km au sud de Disney World, le parc LEGOLAND Florida a ouvert ses portes en 2011, là où se trouvaient auparavant les vénérables Cypress Gardens. Il renferme une cinquantaine de manèges, attractions et spectacles qui, pour la grande majorité, s'adressent aux familles avec jeunes enfants. (voir p. 246)

1. Quelques-uns des nombreaux animaux reproduits à l'aide des célèbres briques Lego. © Claude Morneau

2. Le secteur Miniland reconstitue en modèles réduits plusieurs villes de la Floride et d'ailleurs aux États-Unis. © Claude Morneau

3. Une portion des Cypress Gardens a été conservée, et les Southern Belles ont été remplacées par des modèles... en Lego. © Claude Morneau

MAGIC KINGDOM

1. Le château de Cendrillon, emblème du Magic Kingdom et même de Disney World tout entier. (p. 100) © Disney

2. Le magnifique navire à aubes Liberty Square Riverboat sillonne les Rivers of America. (p. 98) © Claude Morneau

3. Le Big Thunder Mountain Railroad®, d'exubérantes montagnes russes. (p. 95) © Disney

4. Un bâtiment futuriste abrite le Space Mountain®, un autre parcours de montagnes russes, en pleine obscurité celui-là, qui donne l'impression d'un voyage dans l'espace à la vitesse de l'éclair. (p. 107) © Disney

3

4

1. Splash Mountain®, peut-être la meilleure attraction du Magic Kingdom. (p. 96) © Disney
2. Peter Pan's Flight propose une balade aérienne au-dessus de Londres à bord de bateaux de pirates multicolores. (p. 102) © Claude Morneau
3. Mickey's PhilharMagic, avec le personnage Lumière de *La Belle et la Bête*. (p. 101) © Disney
4. Pirates of the Caribbean, une enlevante expédition en bateau au cœur de sombres et humides repaires de pirates. (p. 93) © Claude Morneau

3

4

1
2

1. Le manège Soarin' du pavillon The Land d'Epcot®. (p. 125) © Disney

2. L'irrésistible attraction Turtle Talk with Crush, dans le pavillon The Seas with Nemo & Friends. (p. 125) Turtle Talk with Crush is inspired by the Walt Disney Pictures presentation of a Pixar Animation Studios film, *Finding Nemo*. © Disney/Pixar

3. Le pavillon du Canada du World Showcase d'Epcot. (p. 133) © Disney

4. Mission : SPACE® propose une balade en fusée vers la planète Mars. (p. 120) © Disney

5. La sphère géante du Spaceship Earth. (p. 118) © Disney

DISNEY'S HOLLYWOOD STUDIOS

1. Le Rock 'n' Roller Coaster® Starring Aerosmith, l'un des plus enivrants manèges de Disney. (p. 145) © Disney

2. Le Lights, Motors, Action! Extreme Stunt Show dévoile les secrets du métier de cascadeur. (p. 152) © Disney

3. Le chapeau de sorcier géant emblématique des Disney's Hollywood Studios. (p. 143) © Disney

4. Le Hollywood Tower Hotel, où se cache la Twilight Zone Tower of Terror™. (p. 144) The Twilight Zone™ is a registered trademark of CBS, Inc. and is used pursuant to a licence from CBS, Inc. © Disney

2

3

4

DISNEY'S ANIMAL KINGDOM

1. Les animaux façonnés à même le réseau de racines du *Tree of Life*®. (p. 162) © Disney
2. Des tigres donnent l'impression d'être les maîtres des lieux au Maharajah Jungle Trek. (p. 168) © Disney
3. Descentes abruptes et virages très serrés sont la marque de commerce du manège Primeval Whirl®. (p. 171) © Disney
4. Expedition Everest™ – Legend of the Forbidden Mountain, dans le secteur Asia. (p. 169) © Disney
5. Pour se rafraîchir, rien de mieux que les Kali River Rapids. (p. 169) © Disney

AILLEURS À DISNEY

1
2
3

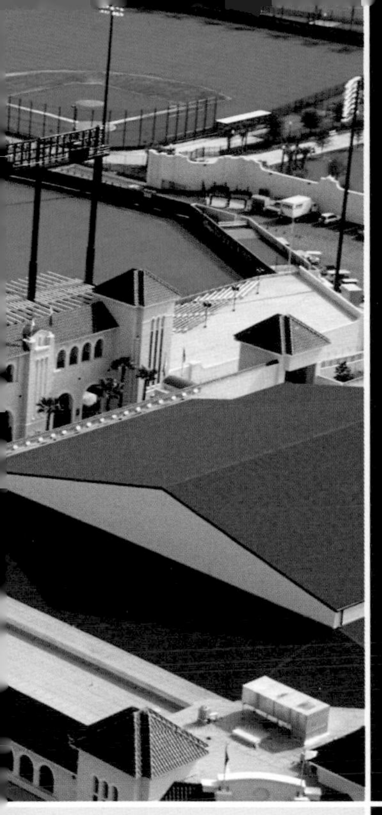

1. Vue aérienne du gigantesque complexe sportif multidisciplinaire de l'ESPN Wide World of Sports. (p. 185) © Disney

2. Mickey lui-même accueille les convives au restaurant Chef Mickey's, dans le Disney's Contemporary Resort. (p. 279) © Disney

3. Slush Gusher, l'un des toboggans du parc aquatique Blizzard Beach. (p. 183) © Disney

4. Le spectacle *La Nouba*™ du Cirque du Soleil®, présenté en permanence à Downtown Disney. (p. 187) © *La Nouba* by Cirque du Soleil®

5. Le golf à la sauce Disney... (p. 188) © Disney

1. Dans les montagnes russes Hollywood Rip Ride Rockit, les passagers sont invités à choisir la trame musicale qui accompagnera leur folle course. (p. 206)

2. Revenge of the Mummy emmène les amateurs de sensations fortes dans une balade mouvementée. (p. 203)

3. The Simpsons Ride, une occasion unique de rencontrer les personnages de la série *Les Simpson*. (p. 200)

4. Les Universal Studios, les plus grands studios de cinéma et de télévision à l'extérieur d'Hollywood. (p. 189)

UNIVERSAL'S ISLANDS OF ADVENTURE

1. La monstrueuse silhouette de The Incredible Hulk Coaster s'étend en arrière-plan de la tour qui marque l'entrée du parc Universal's Islands of Adventure. (p. 207 et 224)

2. Le manège Flight of the Hippogriff propose un périple à dos d'hippogriffe, cette créature géante, mi-aigle, mi-cheval, bien connue des amateurs des aventures d'Harry Potter. (p. 218)

3. L'extraordinaire reproduction de l'école de Poudlard, qui abrite l'attraction Harry Potter and the Forbidden Journey, est devenue l'icône principale du parc. (p. 218)

SEAWORLD ORLANDO

1. Il faut avoir le cœur solide pour monter à bord du « convoi de raies » de Manta, un manège à couper le souffle ! (p. 236)
   © SeaWorld Orlando

2. Le tunnel parcouru par le tapis roulant de Shark Encounter permet une incursion dans l'univers sous-marin de dizaines de requins. (p. 235)
   © SeaWorld Orlando

3. Le Shamu Underwater Viewing donne aux visiteurs la chance d'observer de près de majestueux épaulards entre les spectacles du Shamu Stadium. (p. 238) © Claude Morneau

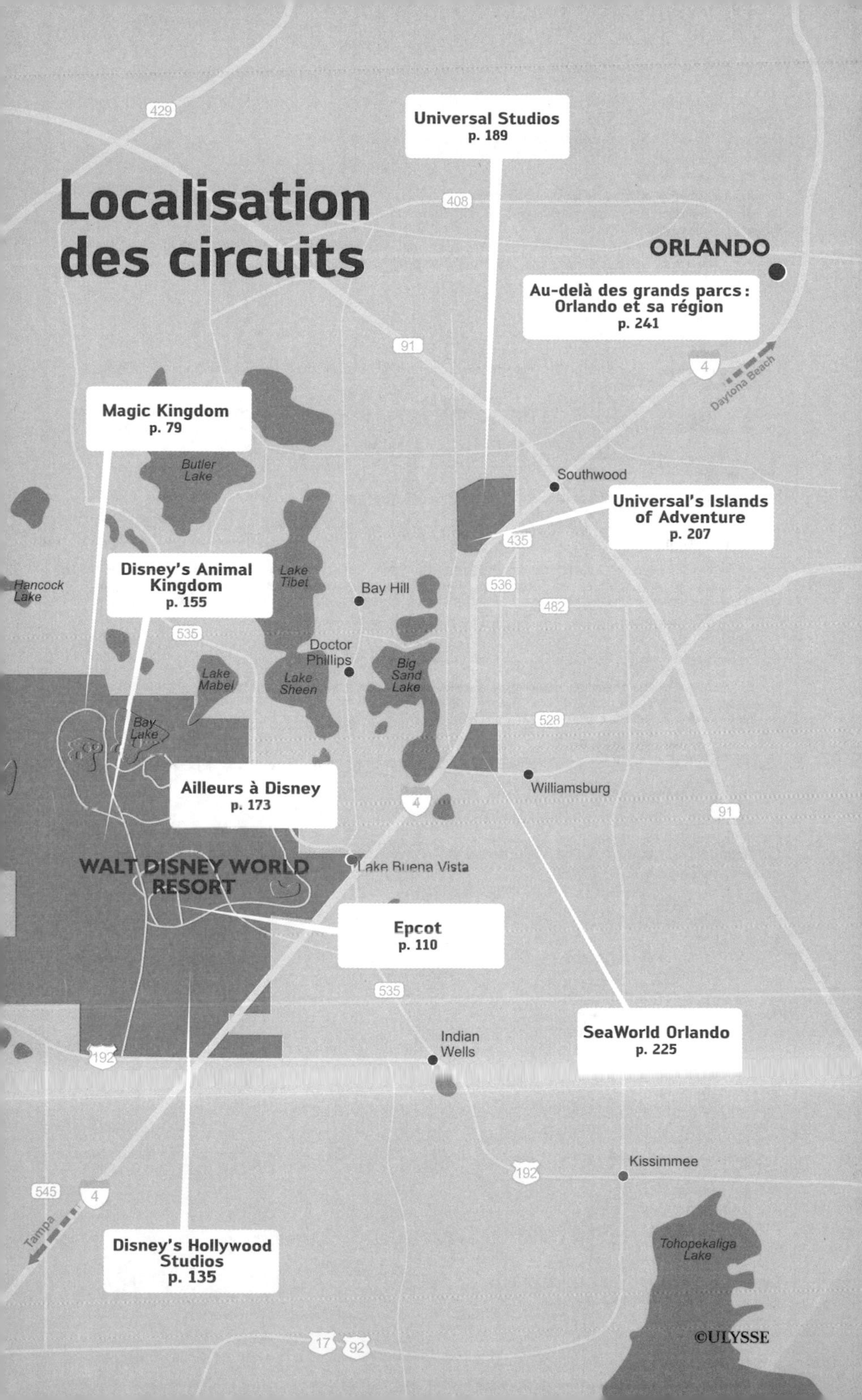

Localisation des circuits
Universal Studios
p. 189
ORLANDO
Au-delà des grands parcs : Orlando et sa région
p. 241
Daytona Beach
Magic Kingdom
p. 79
Butler Lake
Southwood
Universal's Islands of Adventure
p. 207
Disney's Animal Kingdom
p. 155
Hancock Lake
Lake Tibet
Bay Hill
Doctor Phillips
Lake Mabel
Lake Sheen
Big Sand Lake
Bay Lake
Williamsburg
Ailleurs à Disney
p. 173
Lake Buena Vista
WALT DISNEY WORLD RESORT
Epcot
p. 110
SeaWorld Orlando
p. 225
Indian Wells
Kissimmee
Tampa
Disney's Hollywood Studios
p. 135
Tohopekaliga Lake
©ULYSSE
429
408
91
4
435
536
482
535
528
192
545
17
92

Crédits

Mise à jour de la 10e édition : Claude Morneau
Éditeur : Pierre Ledoux
Correcteur : Pierre Daveluy
Infographistes : Annie Gilbert, Judy Tan, Philippe Thomas
Recherche, rédaction et collaboration aux éditions antérieures : Pierre Corbeil, Pierre Daveluy, Catherine O'Neal, Lisa Oppenheimer, Stacy Ritz
Photographies : Page couverture, Deux enfants sur un tapis volant de l'attraction The Magic Carpets of Aladdin : © Disney; Page de titre, Cendrillon signant un autographe pour une jeune fille : © Disney; Mickey's PhilharMagic, mettant en vedette Donald le canard : © Disney

Remerciements

L'auteur remercie Todd Heiden de Disney Destinations, Steven Calamusa d'Universal Orlando Resort, Dagmar Cardwell de SeaWorld Parks & Resorts et Diane Harnois.

Guides de voyage Ulysse reconnaît l'aide financière du gouvernement du Canada par l'entremise du Fonds du livre du Canada (FLC) pour ses activités d'édition.

Guides de voyage Ulysse tient également à remercier le gouvernement du Québec – Programme de crédit d'impôt pour l'édition de livres – Gestion SODEC.

Guides de voyage Ulysse est membre de l'Association nationale des éditeurs de livres.

Note aux lecteurs

Tous les moyens possibles ont été pris pour que les renseignements contenus dans ce guide soient exacts au moment de mettre sous presse. Toutefois, des erreurs peuvent toujours se glisser, des omissions sont toujours possibles, des adresses peuvent disparaître, etc.; la responsabilité de l'éditeur ou des auteurs ne pourrait s'engager en cas de perte ou de dommage qui serait causé par une erreur ou une omission.

Écrivez-nous

Nous apprécions au plus haut point vos commentaires, précisions et suggestions, qui permettent l'amélioration constante de nos publications. Il nous fera plaisir d'offrir un de nos guides aux auteurs des meilleures contributions. Écrivez-nous à l'une des adresses suivantes, et indiquez le titre qu'il vous plairait de recevoir.

Guides de voyage Ulysse
4176, rue Saint-Denis, Montréal (Québec), Canada H2W 2M5, www.guidesulysse.com, texte@ulysse.ca

Les Guides de voyage Ulysse, sarl
127, rue Amelot, 75011 Paris, France, www.guidesulysse.com, voyage@ulysse.ca

Catalogage avant publication de Bibliothèque et Archives nationales du Québec et Bibliothèque et Archives Canada

Vedette principale au titre :

Morneau, Claude, 1961-
Disney World et Orlando
10 éd.
(Guides de voyage Ulysse)
Comprend un index.
ISBN 978-2-89464-572-7
1. Walt Disney World (Flor.) - Guides. 2. Orlando (Flor.) - Guides. I. Titre. II. Collection : Guide de voyage Ulysse.

GV1853.3.F62W34 2013 791.06'875924 C2013-940638-7

Bibliothèque et Archives nationales du Québec
Dépôt légal – Troisième trimestre 2013
ISBN 978-2-89464-572-7 (version imprimée)
ISBN 978-2-76580-060-6 (version numérique PDF)
ISBN 978-2-76580-072-9 (version numérique ePub)
Imprimé au Canada

À moi... Disney World et Orlando!

Découvrir le royaume de Mickey avec des tout-petits, courir d'un manège à sensations fortes à un autre avec des ados, explorer le tout nouveau monde d'Harry Potter en famille, s'émerveiller en couple devant l'inventivité déployée dans la conception d'attractions qui semblent repousser sans cesse les limites de la technologie...

Quelles que soient vos motivations, la composition de votre groupe, les activités que vous privilégiez ou la durée de votre séjour, nos suggestions d'itinéraires ou d'attraits incontournables vous permettront de profiter au maximum de votre visite des grands parcs thématiques de la région d'Orlando, en Floride.

Le meilleur de Disney World et d'Orlando

Les meilleures attractions pour les jeunes enfants

Disney World

- **Camp Minnie-Mickey** (Disney's Animal Kingdom) p. 164
- **Dumbo the Flying Elephant** (Magic Kingdom) p. 104
- **It's a Small World** (Magic Kingdom) p. 102
- **The Magic Carpets of Aladdin** (Magic Kingdom) p. 92
- **The Many Adventures of Winnie the Pooh** (Magic Kingdom) p. 103
- **The Seas with Nemo and Friends** (Epcot) p. 125
- **Under the Sea – Journey of the Little Mermaid** (Magic Kingdom) p. 104
- **The Voyage of the Little Mermaid** (Disney's Hollywood Studios) p. 147

Universal Orlando

- **Despicable Me Minion Mayhem** (Universal Studios) p. 205
- **Seuss Landing** (Universal's Islands of Adventure) p. 212
- **Toon Lagoon** (Universal's Islands of Adventure) p. 221
- **Woody Woodpecker's KidZone** (Universal Studios) p. 198

SeaWorld Orlando

- **Shamu's Happy Harbor** p. 237
- Les spectacles des dauphins, épaulards et otaries au **Sea Lion and Otter Stadium** (p. 234), au **Whale & Dolphin Theater** (p. 231) et au **Shamu Stadium** (p. 238)

Les meilleures attractions à sensations fortes

Disney World

- **Big Thunder Mountain Railroad** (Magic Kingdom) p. 95
- **Expedition Everest – Legend of the Forbidden Mountain** (Disney's Animal Kingdom) p. 169
- **Rock 'n' Roller Coaster Starring Aerosmith** (Disney's Hollywood Studios) p. 145
- **Space Mountain** (Magic Kingdom) p. 107
- **Test Track Presented by Chevrolet** (Epcot) p. 121
- **The Twilight Zone Tower of Terror** (Disney's Hollywood Studios) p. 144

Universal Orlando

- **Dragon Challenge** (Universal's Islands of Adventure) p. 217
- **Hollywood Rip Ride Rockit** (Universal Studios) p. 206
- **The Incredible Hulk Coaster** (Universal's Islands of Adventure) p. 224
- **Revenge of the Mummy** (Universal Studios) p. 203

SeaWorld Orlando

- **Kraken** p. 233
- **Manta** p. 236

Les meilleures attractions pour se faire tremper

Disney World

- **Casey Jr. Splash 'N' Soak Station** (Magic Kingdom) p. 106
- **Kali River Rapids** (Disney's Animal Kingdom) p. 169
- **Splash Mountain** (Magic Kingdom) p. 96

Universal Orlando

- **Dudley Do-Right's Ripsaw Falls** (Universal's Islands of Adventure) p. 222
- **Jurassic Park River Adventure** (Universal's Islands of Adventure) p. 219
- **Popeye & Bluto's Bilge-Rat Barges** (Universal's Islands of Adventure) p. 221

SeaWorld Orlando

- **Journey to Atlantis** p. 233

Les meilleures attractions à la fine pointe de la technologie

Disney World

- **DINOSAUR** (Disney's Animal Kingdom) p. 170
- **The Haunted Mansion** (Magic Kingdom) p. 98
- **Mission: SPACE** (Epcot) p. 120
- **Soarin'** (Epcot) p. 125
- **Spaceship Earth** (Epcot) p. 118
- **Toy Story Midway Mania!** (Disney's Hollywood Studios) p. 149
- **Universe of Energy** (Epcot) p. 120

Universal Orlando

- **The Amazing Adventures of Spider-Man** (Universal's Islands of Adventure) p. 223
- **Disaster!** (Universal Studios) p. 201
- **Harry Potter and the Forbidden Journey** (Universal's Islands of Adventure) p. 218
- **The Simpsons Ride** (Universal Studios) p. 200
- **Twister... Ride It Out** (Universal Studios) p. 204

SeaWorld Orlando

- **TurtleTrek** p. 232
- **Wild Arctic** p. 238

Les meilleurs films 3D

Disney World

- **Captain EO** (Epcot) p. 122
- **Honey, I Shrunk the Audience** (Epcot) p. 123
- **It's Tough to be a Bug!** (Disney's Animal Kingdom) p. 163
- **Mickey's PhilharMagic** (Magic Kingdom) p. 101
- **Muppet Vision 3D** (Disney's Hollywood Studios) p. 151

Universal Orlando

- **Shrek 4-D** (Universal Studios) p. 204
- **Terminator 2-3D** (Universal Studios) p. 190

Les meilleures attractions où voir des personnages audio-animatroniques

Disney World

- **The American Adventure** (Epcot) p. 131
- **The Great Movie Ride** (Disney's Hollywood Studios) p. 142
- **The Hall of Presidents** (Magic Kingdom) p. 97
- **Jungle Cruise** (Magic Kingdom) p. 93
- **Pirates of the Caribbean** (Magic Kingdom) p. 93
- **Studio Backlot Tour** (Disney's Hollywood Studios) p. 150
- **Walt Disney's Carousel of Progress** (Magic Kingdom) p. 108

Les meilleurs spectacles et défilés

Disney World

- **The Beauty and the Beast – Live on Stage** (Disney's Hollywood Studios) p. 144
- **Electrical Water Pageant** (Seven Seas Lagoon) p. 291
- **Fantasmic!** (Disney's Hollywood Studios) p. 146
- **Festival of the Lion King** (Disney's Animal Kingdom) p. 164
- **Hoop-Dee-Doo Musical Revue** (Fort Wilderness) p. 178
- **IllumiNations: Reflections of Earth** (Epcot) p. 127
- **Indiana Jones Epic Stunt Spectacular!** (Disney's Hollywood Studios) p. 153
- ***La Nouba*** (Downtown Disney) p. 187
- **Main Street Electrical Parade** (Magic Kingdom) p. 91
- **Mickey's Backyard Barbecue** (Fort Wilderness) p. 178
- **SpectroMagic Parade** (Magic Kingdom) p. 90

Universal Orlando

- **Blue Man Group** (Universal CityWalk) p. 292
- **Universal's Cinematic Spectacular – 100 Years of Movie Memories** (Universal Studios) p. 203

SeaWorld Orlando

- **One Ocean** (épaulards) p. 238
- **Blue Horizons** (dauphins et baleines) p. 231
- **Clyde & Seamore** (otaries) p. 234
- **Reflections Fireworks and Fountain Spectacular** p. 236
- **Shamu Rocks** p. 238

Les meilleurs parcs aquatiques

Disney World

- **Blizzard Beach** p. 181
- **Typhoon Lagoon** p. 178

SeaWorld Orlando

- **Aquatica** p. 239

Au-delà des grands parcs: Orlando

- **Wet'n Wild** p. 244

Les meilleurs endroits pour observer des animaux

Disney World

- **Flights of Wonder** (Disney's Animal Kingdom) p. 168
- **Kilimanjaro Safaris** (Disney's Animal Kingdom) p. 165
- **Maharajah Jungle Trek** (Disney's Animal Kingdom) p. 168

SeaWorld Orlando

- **Discovery Cove** p. 237
- **Dolphin Cove** p. 231
- **Pacific Point Preserve** p. 234
- **Shark Encounter** p. 235

Les meilleurs attraits hors des grands parcs

- **Bok Tower Gardens** p. 246
- **Charles Hosmer Morse Museum of American Art** p. 245
- **Harry P. Leu Gardens** p. 244
- **LEGOLAND Florida** p. 246
- **Orlando Museum of Art** p. 242
- **Orlando Science Center** p. 244

Les meilleures tables dans les parcs thématiques

- **Les Chefs de France** (pavillon de la France, Epcot) p. 272
- **Hollywood Brown Derby** (Disney's Hollywood Studios) p. 274
- **Lombard's Seafood Grille** (Universal Studios) p. 282
- **Monsieur Paul** (pavillon de la France, Epcot) p. 273
- **Mythos Restaurant** (Universal's Islands of Adventure) p. 283
- **San Angel Inn Restaurante** (pavillon du Mexique, Epcot) p. 271
- **Sharks Underwater Grill** (SeaWorld Orlando) p. 285
- **Yak & Yeti** (Disney's Animal Kingdom) p. 275

Les meilleures tables hors des parcs thématiques

- **California Grill** (Disney's Contemporary Resort) p. 281
- **Christini's** (centre-ville d'Orlando) p. 286
- **Le Coq au Vin** (centre-ville d'Orlando) p. 285
- **Emeril's Restaurant Orlando** (Universal CityWalk) p. 284
- **Fulton's Crab House** (Downtown Disney) p. 278
- **Todd English's Bluezoo** (Walt Disney World Dolphin) p. 281
- **Victoria & Albert's** (Disney's Grand Floridian Resort & Spa) p. 281
- **Wolfgang Puck Grand Café** (Downtown Disney) p. 278

Les meilleurs restaurants familiaux dans les parcs thématiques

- **Be Our Guest** (Magic Kingdom) p. 268
- **Crystal Palace** (Magic Kingdom) p. 268
- **Mel's Drive-In** (Universal Studios) p. 282
- **50's Prime Time Café** (Disney's Hollywood Studios) p. 274
- **Sci-Fi Dine-In Theater Restaurant** (Disney's Hollywood Studios) p. 274
- **Three Broomsticks** (Universal's Islands of Adventure) p. 283
- **Via Napoli** (pavillon de l'Italie, Epcot) p. 272

Les meilleurs restaurants familiaux hors des parcs thématiques

- **Giordano's of Kissimmee** (Kissimmee) p. 286
- **Pizzeria Uno** (Lake Buena Vista) p. 286
- **Planet Hollywood** (Downtown Disney) p. 277
- **Rainforest Cafe** (Downtown Disney) p. 277
- **T-Rex** (Downtown Disney) p. 278

Les meilleurs restaurants où les repas sont animés par des personnages

- **Cinderella's Royal Table** (Magic Kingdom) p. 268
- **Chef Mickey's** (Disney's Contemporary Resort) p. 279
- **Crystal Palace** (Magic Kingdom) p. 268
- **The Garden Grill Restaurant** (Epcot) p. 270
- **Tusker House** (Disney's Animal Kingdom) p. 275

Disney World et Orlando en temps et lieux

Dans le but de vous aider à organiser votre visite, nous vous présentons ci-dessous des itinéraires conçus pour une famille passant quatre jours à Disney World et dans les autres parcs thématiques, de même que des suggestions pour une cinquième, une sixième et une septième journée si vous disposez de suffisamment de temps.

Pour les deux premiers jours, consacrés à la visite du Magic Kingdom, deux choix vous sont proposés, selon que vous êtes accompagné ou non d'enfants en bas âge (de trois à cinq ans). Une autre option se présente au quatrième jour, soit la visite des Disney's Hollywood Studios ou d'Universal Orlando.

Ces itinéraires ne sont fournis qu'à titre indicatif; ne vous sentez donc pas obligé de les suivre à la lettre. Ainsi, il se peut que vous décidiez de visiter Epcot plutôt que le Magic Kingdom le deuxième jour. Il faut toutefois savoir qu'Epcot a été conçu pour les adultes, aussi n'est-il pas conseillé aux familles avec de jeunes enfants. Mais, si vous choisissez d'ignorer cette recommandation, allez-y plutôt le premier jour, car, si vos enfants voient d'abord le Magic Kingdom, il ne fait aucun doute qu'Epcot leur semblera bien terne par la suite. Tous les itinéraires ont été tracés en tenant pour acquis que vous logez dans un hôtel à Disney World même ou à quelques kilomètres à peine de là. Si votre lieu d'hébergement se trouve à plus de 8 km, prenez vos repas du midi dans un restaurant de Disney. Et quel que soit votre plan de visite, rappelez-vous qu'il s'agit de vacances, et non d'une corvée.

Jour 1: Magic Kingdom (avec tout-petits)

Le matin

Soyez dans Main Street, U.S.A. de bon matin (ouverture 30 min avant le reste du Magic Kingdom) afin de vous procurer tout le nécessaire pour la journée: poussettes, plans, etc. Dès que le reste du Magic Kingdom ouvrira, rendez-vous au château de Cendrillon (**Cinderella Castle**) pour placer vos réservations en vue du dîner de 18h à la Cinderella's Royal Table. Dirigez-vous ensuite vers le cœur de Fantasyland pour visiter les attractions suivantes dans l'ordre où elles apparaissent:

- **Under the Sea – Journey of the Little Mermaid**
- **Enchanted Tales with Belle**
- **Dumbo The Flying Elephant**
- **Prince Charming Regal Carrousel**
- **Mickey's PhilarMagic**
- **The Many Adventures of Winnie the Pooh**
- **Peter Pan's Flight** *(peut effrayer les jeunes enfants)*
- **It's A Small World**

Le midi

Retournez à l'hôtel pour déjeuner et faire la sieste.

L'après-midi

Rendez-vous au **Town Square Theater** pour rencontrer Mickey et Minnie et vous faire photographier à leurs côtés.

Prenez le **Walt Disney World Railroad** (train) afin de faire le tour du Magic Kingdom, puis, au pied de Main Street, U.S.A., montez à bord d'un *jitney* (petit autobus) ou d'une voiture tirée par des chevaux afin de vous rendre au château de Cendrillon pour le dîner de 18h.

En soirée

Si vous en avez le temps après le dîner (et si le cœur vous en dit), emmenez vos enfants au **Prince Charming Regal Carrousel** pour un tour de manège nocturne.

Jour 2: Magic Kingdom (avec tout-petits)

Le matin

Encore une fois, présentez-vous tôt dans Main Street, U.S.A. À l'ouverture du Magic Kingdom, allez à Adventureland pour faire la **Jungle Cruise**, après quoi vous verrez le Walt Disney's **Enchanted Tiki Room**, puis ferez un tour de tapis volant à **The Magic Carpets of Alladin**. Traversez au Tomorrowland à pied et essayez:

- **Tomorrowland Transit Authority PeopleMover**
- **Tomorrowland Indy Speedway**
- **Buzz Lightyear's Space Ranger Spin**

À Fantasyland, joignez-vous au **Mad Tea Party**, puis laissez les enfants remonter à bord des manèges qu'ils ont préférés dans cette zone.

Le midi

Vers l'heure du déjeuner, rendez-vous à Frontierland pour prendre un radeau jusqu'à la **Tom Sawyer Island**. Détendez-vous pendant que vos enfants dépensent leur énergie. Achetez des sandwichs chez **Aunt Polly's Dockside Landing**, où il y a rarement beaucoup de monde, et reprenez le radeau jusqu'à la terre ferme pour assister au **Country Bear Jamboree**.

L'après-midi

Après le jamboree, retournez vers **Main Street, U.S.A.** pour trouver une place afin d'assister au défilé du jour.

Le soir

Assistez à la **SpectroMagic Parade** ou à la **Main Street Electrical Parade**, puis allez admirer une dernière fois le château de Cendrillon sur fond de feux d'artifice.

Jour 1: Magic Kingdom (sans tout-petits)

Le matin

Soyez dans Main Street, U.S.A. de bon matin (ouverture 30 min avant le reste du Magic Kingdom) afin de vous procurer tout le nécessaire pour la journée (plans, poussettes, etc.). Dès l'ouverture du Magic Kingdom, foncez vers le **Space Mountain**, puis allez à Frontierland pour essayer le **Splash Mountain** et le **Big Thunder Mountain Railroad**. Marchez ensuite jusqu'à Adventureland, où vous trouverez **Pirates of the Caribbean** et la **Jungle Cruise**.

Le midi

Après le déjeuner à l'hôtel ou dans un des restaurants du Magic Kingdom, visitez **The Haunted Mansion** et **The Hall of Presidents** au Liberty Square, et allez voir l'hilarant film 3D **Mickey's PhilarMagic** à Fantasyland.

En fin d'après-midi

Vers 17h, dînez à l'extérieur du Magic Kingdom, puis retournez-y.

Le soir

Retournez à Fantasyland, où vous aurez l'occasion d'essayer:

Mad Tea Party It's A Small World et tous les autres manèges de Fantasyland qui vous attirent. Puis, pour terminer votre soirée en beauté, retournez à Frontierland pour monter de nouveau à bord du **Big Thunder Mountain Railroad**, à moins que vous ne préfériez revivre l'expérience du **Splash Mountain**.

En été, ou durant la période des Fêtes, restez pour voir les feux d'artifice baptisés **Wishes Fireworks**.

Jour 2: Magic Kingdom (sans tout-petits)

Le matin

Encore une fois, présentez-vous tôt dans Main Street, U.S.A. À l'ouverture du Magic Kingdom, allez à Tomorrowland et amusez-vous de nouveau au **Space Mountain**. Essayez ensuite, dans l'ordre:

- **Stitch's Great Escape!**
- **Buzz Lightyear's Space Ranger Spin**
- **Monsters, Inc. Laugh Floor**
- **Tomorrowland Transit Authority PeopleMover**
- **Walt Disney's Carousel of Progress**

En milieu de matinée

Rendez-vous à pied à Adventureland, et profitez-en pour revoir **Pirates of the Caribbean** ou toute autre attraction qui vous plaît. Allez ensuite faire un tour à Frontierland pour assister au **Country Bear Jamboree**. Puis faites une croisière de détente sur le **Liberty Square Riverboat** ou retournez au **Splash Mountain**.

L'après-midi

Après le déjeuner, réessayez vos manèges préférés à Fantasyland. À 15h, rendez-vous dans Main Street, U.S.A. pour assister au défilé du jour. Après ce défilé, quittez le Magic Kingdom.

Le soir

Assistez à la **SpectroMagic Parade** ou à la **Main Street Electrical Parade**, puis aux feux d'artifice.

Jour 3 : Epcot

Le **World Showcase** ouvre tard le matin, habituellement vers 11h; ainsi vous pourrez passer la première moitié de la journée au Future World.

Le matin

Arrivez tôt car le **Spaceship Earth** et la zone où il se trouve sont accessibles 30 min avant le reste d'Epcot. Aux *Guest Relations*, vous devriez réserver une table pour 17h30 dans un des restaurants du World Showcase. Montez ensuite à bord du **Spaceship Earth**. Dès que le reste du Future World ouvre, rendez-vous directement à **Mission: SPACE**, puis à **Test Track Presented by Chevrolet**. Allez ensuite au pavillon **The Seas with Nemo & Friends**.

L'après-midi

Allez au pavillon **Imagination!** et assistez au film **Captain EO** (ou **Honey, I Shrunk the Audience**). Visitez ensuite **The Land** et ses attractions **Soarin'**, **Living with the Land** et **The Circle of Life**.

Le soir

Retournez à Epcot à 17h, ce qui vous donnera amplement le temps de vous rendre au **World Showcase**. Dînez à 17h30, puis visitez les différents pavillons des pays. À la fermeture du parc, trouvez un emplacement sur le bord du lagon du World Showcase pour regarder le spectaculaire **IllumiNations: Reflections of Earth**.

Jour 4 : Disney's Hollywood Studios ou Universal Studios

Disney's Hollywood Studios

Le matin

Arrivez tôt sur le Hollywood Boulevard et le Sunset Boulevard, qui ouvrent 30 min avant le reste des Disney's Hollywood Studios. Marchez jusqu'au bout du Sunset Boulevard et, lorsque le reste du site ouvre enfin, dirigez-vous tout droit vers **The Twilight Zone Tower of Terror** (notez que les enfants de moins de 1,02 m ne peuvent monter à bord et que quelques enfants admis ont parfois peur), puis vers **Rock 'n' Roller Coaster Starring Aerosmith** et **Toy Story Midway Mania!**. Remettez-vous ensuite de vos émotions en assistant au spectacle **Beauty and the Beast**.

Traversez le parc et offrez-vous **Star Tours – The Adventures Continue**. Puis passez le coin pour faire une réservation pour 13h30 chez **Mama Melrose's Ristorante Italiano**.

Si vous avez des enfants en bas âge, sautez ces manèges et rendez-vous plutôt directement au **Voyage of the Little Mermaid**, puis assistez au spectacle de **Beauty and the Beast**, présenté en milieu de matinée.

Terminez la matinée en allant visiter **The Great Movie Ride**.

L'après-midi

Après le déjeuner, vous avez deux options :

(1) Avec de jeunes enfants, voyez :

- **Muppet Vision 3D**
- **Honey, I Shrunk the Kids Movie Set Adventure**

(2) Sans jeunes enfants, participez au **Studio Backlot Tour**, pour lequel il faut compter de 2h à 2h30 (y compris le temps d'attente), ou assistez aux spectacles de cascadeurs **Indiana Jones Epic Stunt Spectacular!** et **Lights, Motors, Action! Extreme Stunt Show**.

Universal Studios

Le matin

Tâchez d'arriver 30 min avant l'ouverture du parc et procurez-vous au centre d'accueil (**Front Lot**) tout le nécessaire pour la journée (plans, poussettes, etc.). Tenez-vous prêt et, dès l'ouverture du parc, précipitez-vous pour assister aux films 3D **Shrek 4-D** et **Despicable Me Minion Mayhem**. Rendez-vous ensuite à **World Expo** pour monter à bord de **Men in Black: Alien Attack** (notez que les enfants mesurant moins de 1,06 m n'y sont pas admis) et de **The Simpsons Ride** (taille minimale: 1,01 m). Allez ensuite à **E.T. Adventure**, tout près, ou encore aux montagnes russes **Hollywood Rip Ride Rockit** (taille minimale: 1,29 m).

L'après-midi

Après le déjeuner, essayez **Revenge of the Mummy** (taille minimale: 1,21 m) et vivez l'expérience d'une tornade au **Twister... Ride it Out**. Dirigez-vous ensuite vers San Francisco et montez à bord de **Disaster!**. Puis, admirez les décors d'Hollywood et faites un saut en direction de **Terminator 2-3D**.

Le soir

À moins que vous ne soyez complètement vidé de toute énergie, vous devriez assister à la **Beetlejuice's Graveyard Revue**.

Jour 5: Disney's Animal Kingdom ou Universal's Islands of Adventure

Disney's Animal Kingdom

Le matin

Arrivez très tôt (les heures de fermeture du parc sont les plus hâtives) et allez tout droit aux **Kilimanjaro Safaris** après avoir pris un *Fastpass* pour **Expedition Everest – Legend of the Forbidden Mountain**. Baladez-vous ensuite dans le **Pangani Forest Exploration Trail**.

En milieu de matinée

Marchez jusqu'au **Camp Minnie-Mickey** pour assister (en fin de matinée ou en début d'après-midi) au spectacle **Festival of the Lion King**. Rendez-vous ensuite à DinoLand U.S.A. et montez à bord de **DINOSAUR** (notez que les enfants de moins de 1,02 m ne peuvent pas l'utiliser).

L'après-midi

Offrez-vous **It's Tough to be a Bug!**, puis une descente des **Kali River Rapids** (grandeur de 0,97 m requise), suivie du spectacle **Finding Nemo – The Musical** et du manège **Primeval Whirl**.

Universal's Islands of Adventure

Le matin

Arrivez tôt et rendez-vous directement dans le **Wizarding World of Harry Potter** pour y essayer l'attraction phare **Harry Potter and the Forbidden Journey** (taille minimale: 1,21 m) et monter à bord des montagnes russes **Dragon Challenge** (taille minimale: 1,37 m).

Ensuite, dirigez-vous vers le manège **Jurassic Park River Adventure**. Si vous avez des enfants, arrêtez au **Camp Jurassic** et au **Jurassic Park Discovery Center**. Puis, rendez-vous à la **Marvel Super Hero Island** pour découvrir **The Amazing Adventures of Spider-Man** (taille minimale: 1,01 m) et/ou les montagnes russes **The Incredible Hulk Coaster** (taille minimale: 1,37 m).

En après-midi

Offrez-vous les manèges «aquatiques» **Dudley Do-Right's Ripsaw Falls** et **Popeye & Bluto's Bilge-Rat Barges**.

Flânez autour de **Seuss Landing** (vous y passerez plus de temps si vous êtes avec des enfants). Assistez ensuite au spectacle **The Eighth Voyage of Sinbad Stunt Show**, puis visitez **Poseidon's Fury**.

Le soir

Si vous n'êtes pas complètement satisfait de votre journée, retournez-y et payez-vous ces balades en montagnes russes que vous avez manquées ou offrez-vous une vue de nuit sur le parc entier depuis le sommet de **Dr. Doom's Fearfall**.

Possibilités pour les jours 6 et 7

Disney's Hollywood Studios ou Universal Studios

Si vous êtes un mordu de cinéma, allez visiter le parc que vous avez manqué au jour 4.

SeaWorld Orlando

Les enfants adoreront les animaux, les adolescents n'en auront que pour les montagnes russes **Manta** et **Kraken**, et les adultes apprécieront cette pause au milieu des attractions à la fine pointe de la technologie comme le tout récent TurtleTrek.

La région d'Orlando

Visitez le centre-ville d'Orlando ou la ravissante ville de **Winter Park**.

LEGOLAND Florida

Si vous avez de jeunes enfants, faites l'excursion jusqu'à Winter Haven pour visiter le tout nouveau LEGOLAND Florida.

Space Coast

À seulement 50 min de route de Disney World se trouvent de belles **plages** de sable blanc ainsi que le **Kennedy Space Center**.

Busch Gardens Tampa Bay

Passez une journée et une nuit (si vous le pouvez) à Busch Gardens (à 90 min d'Orlando). Le lendemain, vous pourrez visiter les **quartiers historiques de Tampa** ou encore profiter de la **plage de Clearwater**.

Parcs thématiques secondaires

Vous pouvez aussi passer ces journées dans les parcs thématiques secondaires de Disney World, comme le **Typhoon Lagoon** et **Blizzard Beach**. Mais, quoi qu'il en soit, n'oubliez pas de prendre une matinée pour emmener vos enfants partager leur petit déjeuner avec les personnages de Disney (**Disney Character Breakfast**); ils vous en seront infiniment reconnaissants!

Sommaire

Liste des cartes

Liste des encadrés

Tableau des distances

Distances en kilomètres et en milles

Exemple: la distance entre Orlando et Miami est de 379 km ou 235 mi.

1 mille = 1,62 kilomètre
1 kilomètre = 0,62 mille

	Toronto, ON	Tampa	Tallahassee	Pensacola	Orlando	Ocala	Montréal, QC	Miami	New York, NY	Key West	Key Largo	Jacksonville	Fort Myers	Fort Lauderdale	Daytona Beach
Fort Lauderdale															381/236
Fort Myers														226/140	347/215
Jacksonville													483/299	521/323	149/92
Key Largo												658/408	330/205	143/89	519/322
Key West											165/102	820/508	495/307	300/186	687/426
New York, NY										2303/1428	2140/1327	1484/920	1963/1217	2097/1300	1628/1009
Miami									2037/1263	268/166	99/61	559/347	250/155	43/27	418/259
Montréal, QC								2631/1631	609/378	2893/1794	2724/1689	2079/1289	2555/1584	2595/1609	2219/1376
Ocala							2239/1388	492/305	1644/1019	756/469	588/365	168/104	356/221	454/281	132/82
Orlando						128/79	2303/1428	379/235	1718/1065	642/398	476/295	233/144	257/159	340/211	88/55
Pensacola					734/455	615/381	2493/1546	1104/684	1887/1170	1372/851	1203/746	583/361	961/596	1062/658	723/448
Tallahassee				318/197	417/259	291/180	2331/1383	781/484	1746/1083	1044/647	879/545	265/164	645/400	744/461	410/254
Tampa			447/277	998/619	139/86	157/97	2445/1516	450/279	1853/1149	693/430	528/327	367/228	204/126	426/264	229/142
Toronto, ON		2200/1364	1972/1223	1953/1211	2066/1281	1997/1238	545/338	2394/1484	825/512	2651/1644	2487/1542	1841/1141	2321/1439	2352/1458	1983/1229
W. Palm Beach	2288/1419	375/233	680/422	760/471	275/171	388/241	2524/1565	107/66	1939/1202	376/233	200/124	458/284	294/182	69/43	316/196

Derrière les mots

Claude Morneau

Claude Morneau voyage à Disney World et ailleurs en Floride depuis de nombreuses années, en famille, en couple ou en solo, par plaisir ou pour affaires. Ses explorations dans tous les recoins de Walt Disney World l'ont à la fois amené à apprécier l'extraordinaire créativité qui y prévaut et à en découvrir les coulisses et l'envers du décor. En plus d'effectuer les mises à jour du guide Ulysse *Disney World et Orlando*, il tient un blogue sur cette destination et sur la Floride en général.

À l'origine de la création des Guides de voyage Ulysse, Claude occupe aujourd'hui la fonction de vice-président, éditions chez Ulysse, où il œuvre depuis près de 25 ans. Il est aussi l'auteur de plusieurs autres ouvrages, parmi lesquels figurent *Escale à Chicago* et les guides Ulysse *Floride* et *Chicago*.

En couverture

Le manège The Magic Carpets of Aladdin est situé dans le secteur Adventureland du Magic Kingdom. Les enfants adorent prendre place sur ses tapis volants, et les faire virevolter autour d'une bouteille de génie tout en en contrôlant les mouvements ascendants et descendants.

Situation géographique dans le monde

Orlando

Superficie : 287 km²
Population :
ville d'Orlando : 240 000 hab.
région métropolitaine : 2 100 000 hab.
Climat : subtropical
Fuseau horaire : Est (UTC –5)
Langue : anglais
Monnaie : dollar américain

Disney World

Création : 1971
Superficie : 122 km²
Parcs thématiques : Magic Kingdom, Epcot, Disney's Hollywood Studios, Disney's Animal Kingdom

SeaWorld Orlando

Création : 1973
Superficie : 0,8 km²
Parcs thématiques : SeaWorld, Discovery Cove, Aquatica

Universal Orlando

Création : 1990
Superficie : 3,4 km²
Parcs thématiques : Universal Studios, Universal's Islands of Adventure

Le rêve de Disney

Walt Disney World, c'est l'évasion suprême! Un voyage dans la réalité quotidienne au royaume de l'imaginaire! Destination voyage la plus courue du monde, Disney World attire chaque année des millions de gens qui franchissent ses tourniquets pour s'abandonner dans la fontaine de l'imaginaire, et s'y abreuver de rêves.

Il ne fait aucun doute que ce complexe touristique constitue un univers en soi: à n'importe quel moment, ses 122 km^2 accueillent en effet plus de gens et de circulation, et contiennent plus d'hôtels et de restaurants que la plupart des villes. Mais par-dessus tout, Disney World, c'est un état d'esprit. En une seule génération, il a su marquer la psyché américaine en faisant partager les rêves d'un seul homme à un pays tout entier. Car c'est ici qu'en 1971 Walt Disney a offert au monde le plus grand terrain de jeu qui soit, et le monde s'est empressé de le faire sien.

Mais les vacances de rêve dans ce coin de pays sont loin de s'arrêter à Disney World. Pour tous ceux qui désirent découvrir les mille et une facettes de la Floride centrale, le voyage ne fait que commencer. Aussi y trouve-t-on deux autres grands lieux de divertissement: Universal Orlando et SeaWorld Orlando. Le premier se subdivise lui-même en deux parcs thématiques majeurs, soit les Universal Studios, un montage surréaliste de fantaisies ludiques et d'illusions hollywoodiennes, et les Universal's Islands of Adventure, truffées d'attractions à sensations fortes ou à la fine pointe de la technologie. Quant à SeaWorld Orlando, qui propose un regard sur la mer dans un cadre de détente, il a fait l'objet d'une rénovation majeure au cours des dernières années.

Puis, il y a Orlando, qui pourrait bien se révéler le secret le mieux gardé de la région, avec son nouveau centre-ville, son architecture du début du XXe siècle, ses beaux musées, ses boutiques rénovées et ses restaurants colorés. Et il ne faudrait pas oublier la nature environnante, qu'il s'agisse des plantations d'agrumes qui s'étendent jusqu'à l'horizon, des lacs transparents jalousement protégés par des forêts de cyprès ou des pâturages sans fin où broutent paisiblement les troupeaux.

Le présent ouvrage se concentre principalement sur le monde fantaisiste de Disney et sur les autres grands parcs thématiques qui lui font concurrence, sans toutefois oublier les musées et autres attraits majeurs d'Orlando, de Kissimmee et d'autres villes des environs. L'accent est mis sur la qualité, les prix, l'exemplaire et l'exceptionnel, mais sans pour autant perdre de vue notre public cible: la famille. Pourquoi la famille? Pour la simple et bonne raison que, chaque jour, de plus en plus de voyageurs choisissent de se rendre à Disney World en famille pour partager l'expérience unique qu'on y offre.

En parcourant ce guide, vous découvrirez les meilleurs hôtels et restaurants, de même que les attractions de la Floride centrale destinées spécialement aux familles. De plus, vous y trouverez une foule de conseils qui vous permettront d'économiser temps et argent. Les besoins spécifiques des familles y sont aussi abordés, qu'il s'agisse de garde d'enfants, de lieux appropriés à l'allaitement des nourrissons ou de la location d'une poussette. Vous apprécierez aussi nos encadrés soulignant des faits intéressants, des statistiques peu connues et des anecdotes variées.

Chacun des quatre grands parcs thématiques de Walt Disney World fait l'objet d'un chapitre distinct. Il y a bien sûr le **Magic Kingdom**, qui représente la genèse de Disney World et le creuset par excellence de l'imaginaire; c'est d'ailleurs celui que les enfants préfèrent, avec ses manèges extravagants et son ambiance joyeuse. Pour les amateurs de haute technologie et de culture, **Epcot** allie pour sa part une atmosphère de foire mondiale permanente à des attractions futuristes qui enflamment l'imagination. Les **Disney's Hollywood Studios** proposent des spectacles remplis de vedettes et des visites palpitantes recréant la magie cinématographique d'Hollywood. Quant au **Disney's Animal Kingdom**, il propulse la faune à l'avant-scène avec plus de 200 espèces sauvages.

Les parcs secondaires de Disney World sont décrits dans le chapitre «Ailleurs à Disney». Souvent considérés comme les joyaux de la couronne de Disney, ces mondes enchanteurs comprennent **Fort Wilderness**, un vaste terrain de camping boisé où les familles peuvent tranquillement se retirer; le **Typhoon Lagoon**, véritable paradis tropical du rafting et des toboggans aquatiques; **Blizzard Beach**, un autre parc aquatique, version «hivernale»; l'**ESPN Wide World of Sports Complex**, un gigantesque complexe sportif multidisciplinaire; et **Downtown Disney**, où l'on peut magasiner (au Marketplace) ou dîner (au West Side ou à Pleasure Island) en toute quiétude.

Mais la liste ne s'arrête pas là. On retrouve encore **Universal Orlando**, qui comprend deux parcs thématiques auxquels des chapitres distincts sont consacrés: les **Universal Studios** et les **Universal's Islands of Adventure**. Plus grands studios de cinéma et de télévision à l'extérieur d'Hollywood, les Universal Studios présentent des scènes de films renversantes, des balades époustouflantes et des effets spéciaux fabuleux. À côté, les Universal's Islands of Adventure mettent en vedette des promenades pétaradantes et d'autres attractions axées sur Dr. Seuss, le Jurassic Park, les bandes dessinées de Marvel Super Hero et l'univers d'Harry Potter. Entre les deux parcs, on trouve aussi le secteur baptisé **Universal CityWalk**, où restaurants, boutiques, salles de spectacle et boîtes de nuit s'alignent dans une ambiance festive.

Et non loin de là, **SeaWorld Orlando**, qui a aussi droit à son chapitre, dévoile les mystères cachés de l'océan. Parc marin le plus couru du monde, il fait connaître à ses visiteurs 9 000 espèces de toutes tailles. On lui a de plus adjoint deux nouveaux parcs au cours des dernières années, soit **Discovery Cove**, qui permet entre autres expériences de nager avec des dauphins, et **Aquatica**, un parc de toboggans aquatiques hors de l'ordinaire.

Le chapitre «Au-delà des grands parcs: Orlando et sa région» présente pour sa part quelques-uns des musées et autres attractions d'Orlando, de Kissimmee et d'ailleurs dans les environs.

Pour terminer, les chapitres intitulés «Hébergement», «Restaurants», «Sorties» et «Achats» vous suggèrent différents hôtels, terrains de camping, restaurants, boutiques, bars et boîtes de nuit, aussi bien à l'intérieur qu'à l'extérieur des parcs thématiques.

Un peu d'histoire

Naturellement, tout commença par un rêve. Il y a quelques décennies, Disney World n'existait en effet que dans l'esprit d'un visionnaire californien. Walt Disney avait certes donné le jour à son Disneyland sur la Côte Ouest américaine, mais il voyait plus grand encore, tellement qu'il chercha carrément à l'autre extrémité du pays un espace assez vaste pour contenir son rêve. Mais bien avant qu'il ne choisisse la Floride, cette péninsule parsemée de palmiers avait déjà inspiré les esprits romanesques. Ainsi, dès 1513, Ponce de León avait tenté d'y dénicher la légendaire fontaine de Jouvence ainsi que les fabuleuses cachettes d'or qui attendaient, croyait-on, les ambitieux chasseurs de trésors. Il n'y trouva ni l'or ni la jeunesse, mais découvrit plutôt un territoire aux brises embaumées, aux plages bordées de palmiers et aux fleurs épanouies à longueur d'année. Il l'appela «Floride» (de l'espagnol *florida*, c'est-à-dire «la fleurie»).

Ponce de León s'en retourna après avoir exploré le littoral est de la péninsule, mais il revint quelques années plus tard, en 1521, cette fois dans l'espoir d'y implanter une petite colonie du côté sud-ouest. Les Autochtones, hostiles à ce projet, sabotèrent ses efforts, mais nombreux étaient déjà ceux qui avaient compris que la Floride valait bien des batailles.

Au début des années 1700, des colons anglais commencèrent à donner du fil à retordre aux Espagnols. Ils ravagèrent les missions du nord de la Floride, réduisirent à néant la «première colonie» et exterminèrent beaucoup d'Amérindiens. Plus l'emprise de l'Espagne s'effritait, plus la convoitise de l'Angleterre pour ce territoire se consolidait. Finalement,

Quelques dates marquantes

1901 Naissance de Walt Disney à Chicago.

1926 Les frères Walt et Roy Disney établissent à Hollywood (Californie) le Walt Disney Studio, qui fera œuvre de pionnier au cours des années suivantes avec la création du personnage de Mickey Mouse et la production du premier dessin animé parlant de l'histoire (*Steamboat Willie*, 1928).

1937 Lancement de *Blanche-Neige et les sept nains*, signé par Walt Disney et premier long métrage d'animation de l'histoire.

1955 Inauguration de Disneyland à Anaheim près de Los Angeles, qui révolutionnera l'industrie des parcs d'attractions.

1964 Incapable de développer son parc d'Anaheim, qui est cerné par les développements environnants, Disney acquiert dans le plus grand secret 11 138 ha à 32 km au sud-ouest d'Orlando sur lesquels il entend construire son nouveau «royaume».

1966 Décès de Walt Disney.

1971 Ouverture à Orlando de Walt Disney World, qui ne comprend alors que le Magic Kingdom.

1973 Un parc thématique concurrent voit le jour: SeaWorld. La personnalité particulière de la région d'Orlando commence alors à prendre forme.

1982 Epcot, second parc thématique de Walt Disney World, ouvre ses portes.

1989 Ouverture des Disney-MGM Studios, qui seront rebaptisés Disney's Hollywood Studios en 2007, du parc aquatique Typhoon Lagoon et de la zone de boîtes de nuit Pleasure Island.

en 1763, après les ravages de la guerre de Sept Ans, l'Espagne échangea la Floride contre Cuba, renonçant ainsi à ses rêves glorieux de jeunesse éternelle et de richesses étincelantes.

Les Anglais nourrissaient de grands projets pour la Floride, dont bien peu se réalisèrent cependant, car leur attention se tourna, après les palmiers et les plages ensoleillées, vers les sombres champs de bataille de la Révolution américaine. Même les Espagnols, qui profitèrent de la confusion pour reprendre la colonie aux Tuniques rouges, se virent incapables de la maintenir et durent la revendre aux États-Unis en 1821.

En 1845, la Floride était devenue un État, et l'âge d'or du bateau à vapeur commençait déjà à promouvoir le tourisme et l'agriculture. Des rumeurs voulant qu'il y eût réellement une fontaine de Jouvence à DeLeon Springs, près de DeLand, et qu'une eau étonnamment chaude et colorée coulât à Silver Springs, contribuèrent par la suite à intensifier la circulation maritime. De superbes bateaux à vapeur transportant denrées et marchandises dans leurs cales entraînaient désormais les riches et les puissants vers l'intérieur des terres.

Vers la fin des années 1880, deux millionnaires aux rêves aussi grandioses que ceux de Ponce de León voulurent rendre accessible ce paradis entouré par la mer, et donnèrent le coup d'envoi à un développement territorial qui se poursuivit jusqu'au XXe siècle. Tout commença lorsque Henry B. Plant et Henry Flagler construisirent des chemins de fer le long de chaque côte, les ponctuant de somptueux centres de villégiature qui conviaient le pays tout entier à venir jouir de ce paradis. Et au cours des décennies qui suivirent, c'est effectivement par milliers que des gens envoûtés par le rêve accoururent vers cette terre promise. Certains y cherchaient un meilleur emploi, ou l'éternelle chance de «commencer une nouvelle vie», alors que d'autres voulaient tout simplement se dorer au soleil et profiter de ses eaux on ne peut plus invitantes.

1990 Un autre géant hollywoodien vient défier l'empire Disney dans son fief d'Orlando en y installant les Universal Studios.

1995 Ouverture à Disney World d'un autre parc aquatique: Blizzard Beach.

1997 Création du secteur West Side, qui, avec Pleasure Island et le Marketplace, forme dorénavant le Downtown Disney.

Ouverture du complexe Disney's Wide World of Sports, rebaptisé ESPN Wide World of Sports Complex en 2010.

1998 Inauguration du Disney's Animal Kingdom.

1999 Ouverture des Universal's Islands of Adventure, second parc thématique de l'empire cinématographique concurrent de Disney, qui rebaptise alors son complexe Universal Orlando. Suivent des hôtels et une zone nocturne, Universal CityWalk, qui visent à faire d'Universal Orlando une destination touristique à part entière, comme Walt Disney World.

Arrivée du Cirque du Soleil dans le secteur West Side de Downtown Disney.

2000 Ouverture de Discovery Cove, second parc du complexe SeaWorld, où il est notamment possible de nager avec des dauphins.

2008 Inauguration du parc Aquatica à SeaWorld.

Fermeture des boîtes de nuit de Pleasure Island. Disney entend alors réaménager ce secteur pour lui donner une couleur plus familiale.

2010 Inauguration de la section consacrée à Harry Potter des Universal's Islands of Adventure.

2012 Inauguration de la première phase d'un ambitieux projet d'agrandissement du secteur Fantasyland du Magic Kingdom, qui a toutefois nécessité la fermeture de la zone Mickey's Toontown Fair trois ans plus tôt.

Pendant ce temps, la région d'Orlando accueillait une autre espèce de rêveurs: les cowboys floridiens. Ces colons, travailleurs et terre à terre, tirèrent leur subsistance des étendues broussailleuses (*ocali*), qui s'avérèrent d'ailleurs idéales pour l'élevage. Ayant l'habitude de faire claquer leur fouet alors qu'ils conduisaient leurs troupeaux, ils furent bientôt surnommés *crackers*. Mais ils établirent également de vastes plantations d'orangers et de pamplemoussiers, donnant ainsi naissance à l'empire agrumicole de Floride.

Toutefois, les agrumiculteurs ne connurent pas tous la réussite. Vers la fin du XIXe siècle, une gelée dévastatrice fit perdre à un Canadien du nom d'Elias Disney les oranges de sa plantation de 32 ha. Elias était parti du Kansas pour venir en Floride centrale afin de profiter de cette terre promise. Il tint tout d'abord un hôtel à Daytona Beach (un des premiers de cette région) et acheta ensuite une plantation dans la localité voisine, Paisley. L'hôtel n'attirant pas autant de touristes que prévu, il fit faillite et perdit du même coup sa ferme. Puis, en 1889, Elias s'installa à Chicago et est devenu un ouvrier de la construction. Il mourut en 1930 sans jamais avoir remis les pieds en Floride.

Quelle ironie du sort que le fils d'Elias, Walt Disney, vienne un peu plus de 30 ans plus tard ouvrir ses propres hôtels non loin de Daytona Beach. D'autant plus que si l'hôtel de son père a été un échec, ceux de Walt constituent un héritage sans pareil.

Lorsque Walt Disney vint à Orlando au début des années 1960, la région, un «territoire vierge» au dire des *crackers*, ne demandait qu'à s'ouvrir au tourisme et au développement. Dans son petit centre-ville, des rangées d'édifices peu élevés s'étendaient bien sur plusieurs rues, prolongées par des banlieues sur quelques kilomètres, mais pour bientôt céder la place à de grands espaces où le ciel rencontrait directement la brousse. Et, même si 90 000 personnes y avaient déjà élu domicile, Orlando ne possédait alors que deux «grandes» attractions: Gatorland et le musée Tupperware.

Avant même que Walt Disney ne pose la première pierre de son monde fantaisiste, la région était déjà un paradis pour les puristes avec ses grandes pinèdes, ses lacs sans fond d'une limpidité cristalline et ses kilomètres de terres silencieuses. C'est exactement ce qu'il fallait à Disney, à la recherche d'espaces vastes et intouchés. Car c'est précisément l'absence de telles terres qui l'avait poussé à quitter la Californie, où son Disneyland de 41 ha était cerné par les développements environnants.

En 1964, Disney acheta donc 11 138 ha à 32 km au sud-ouest d'Orlando et entreprit d'y bâtir son royaume. Le personnage mourut en 1966, mais son Magic Kingdom vit le jour cinq ans plus tard, ouvrant ses portes le 1er octobre 1971; et un an plus tard, il avait déjà attiré 10,7 millions de visiteurs, soit plus de monde que n'en comptait alors l'État tout entier de la Floride. L'avènement de Disney World eut l'effet d'une onde de choc sur Orlando, et entraîna une métamorphose physique et culturelle qui s'étendit à tout le centre de la Floride. D'un seul coup, ce petit patelin d'arrière-pays est devenu une ville champignon. L'ouverture du Magic Kingdom devait en outre décider de la destination vacances de millions d'Américains pour les décennies suivantes.

Le Magic Kingdom n'était pourtant qu'un début, une infime partie du plan dressé par Disney pour son projet floridien. Son rêve véritable était celui d'une ville où des gens vivraient et travailleraient, d'une communauté climatisée et régie par ordinateur, avec des appartements, des boutiques, des terrains de golf, des églises et un hôpital. Elle serait couronnée d'un dôme de verre, pour la protéger, disait Disney, de la chaleur et de l'humidité. Et elle s'appellerait **Epcot** (*Experimental Prototype Community of Tomorrow*, ou «prototype expérimental de communauté futuriste»).

Epcot ouvrit bien en 1982, mais non tel que l'avait projeté Disney. Sa «ville» d'un milliard de dollars prit plutôt la forme d'un parc thématique abritant une foire mondiale permanente ainsi qu'un éventail d'attractions scientifiques. Sa construction stimula encore davantage l'économie déjà florissante de la Floride centrale. Au cours des 10 années qui avaient suivi l'ouverture du Magic Kingdom, la population de l'agglomération d'Orlando avait presque doublé; SeaWorld avait créé un parc aquatique concurrençant Disney World, et des douzaines de motels, de grandes chaînes hôtelières, des comptoirs de restauration rapide et des attractions touristiques tentaculaires s'étaient implantés tout autour de Disney World, attirés par l'assiette au beurre du mégaprojet. Partout en Floride, on appelait Orlando la ville de Mickey Mouse, tandis que le reste des États-Unis continuait à investir des millions de dollars dans cette terre de vacances sans précédent.

Ce développement effréné se poursuivit au cours des années suivantes. Tout comme elle avait séduit Elias et Walt Disney, la Floride centrale demeure un pôle d'attraction pour d'innombrables visionnaires caressant rêves et projets divers, avec tout l'espace nécessaire pour les réaliser. Ainsi, Disney World s'enorgueillit bientôt de deux parcs aquatiques, d'un gigantesque terrain de camping, d'un parc naturel, d'une trentaine de complexes hôteliers, de plus de 150 restaurants, de centres commerciaux et de boîtes de nuit. Et le parc de stationnement du Magic Kingdom à lui seul pourrait contenir la totalité du Disneyland de Californie, le précurseur du Walt Disney World.

L'offre ne suffit tout simplement pas à la demande. La région d'Orlando reçoit quelque 50 millions de visiteurs par an. On évalue que, chaque année, plus de 35 millions de personnes arrivent à l'aéroport d'Orlando ou y prennent l'avion, et la région métropolitaine grossit au rythme de 25 000 nouveaux résidents par année.

Depuis quelque temps, c'est Hollywood qui est à l'avant-scène du décor de rêve d'Orlando. Disney World, avec ses Disney's Hollywood Studios, ouverts aux visiteurs en 1989 sous le nom de Disney-MGM Studios, et Universal Orlando, créé au début des années 1990, ont mis sur pied

Walt Disney World embauche quelque 62 000 personnes! Cela en fait le plus important employeur œuvrant en un site unique aux États-Unis.

L'expérience de Celebration

La vision d'origine de Walt Disney pour Epcot (l'acronyme d'*Experimental Prototype Community of Tomorrow*) englobait la création d'une véritable communauté de l'avenir, d'une ville modèle tournée vers le futur. Ces visées ne se concrétisèrent jamais dans le projet Epcot même, tel que réalisé par ses successeurs. Par contre, elles trouvent enfin leur écho dans le projet Celebration, aménagé à quelque 20 km au sud de Disney World.

La corporation Disney s'est portée acquéreur de près de 2 000 ha de terrain au cours des années 1990 afin de développer une ville modèle dans laquelle, à terme, vivront 12 000 personnes. Suivant un plan d'urbanisme qui favorise un design harmonieux et une vie communautaire active, Celebration s'inspire des villes traditionnelles du sud-est des États-Unis de la première moitié du XXe siècle dans l'architecture de ses habitations. Celles-ci sont construites sur des terrains de taille modeste afin d'inciter les résidents à fréquenter régulièrement les parcs et lieux publics de la ville. Elles s'élèvent d'ailleurs près les unes des autres afin d'encourager les échanges entre voisins. Mais, malgré ce regard romantique sur le passé, Celebration se tourne résolument vers l'avenir par l'utilisation au quotidien des technologies les plus avancées.

Le plan d'urbanisme qui a présidé au développement de cette ville privée est l'œuvre des firmes d'architectes new-yorkaises Robert A. M. Stern, qui a également signé l'hôtel Disney's Yacht Club Resort, et Cooper Robertson & Partners, groupe qui a notamment œuvré à la planification des projets de Battery Park City, à New York, et du Cityfront Center, à Chicago. Plusieurs autres architectes de renom participent de plus à l'expérience, qui se veut la contribution de Disney à un courant que certains nomment le *New Urbanism*.

La ville est organisée autour de Market Street, ce quartier commerçant qui fait office de centre-ville avec ses boutiques, ses restaurants, ses bureaux, son hôtel et sa mairie (Philip Johnson, Ritchie & Fiore, architectes). Elle possède aussi un splendide terrain de golf dessiné par les réputés spécialistes Robert Trent Jones, père et fils.

Considérant avoir atteint ses objectifs, la Walt Disney Company commence toutefois à se retirer graduellement du développement et de l'administration de Celebration dès 2002, notamment en revendant des terrains couvrant une importante superficie et en confiant à un tiers la gestion des espaces commerciaux du centre-ville. Conséquemment, le nom de Disney n'est aujourd'hui associé à Celebration que sur le plan historique aux yeux de plusieurs.

des centres de production télévisuels et cinématographiques qui font en même temps office de parcs thématiques à part entière. C'est pourquoi on surnomme présentement Orlando la «Hollywood de l'Est».

Mais Hollywood ne contribue qu'en partie à la frénésie qui jaillit de cette fontaine de plaisir. Disney World continue à se développer, multipliant les nouvelles attractions, s'employant à créer de nouveaux complexes d'hébergement majeurs et inaugurant en 1998 un quatrième parc thématique: Disney's Animal Kingdom.

Puis, Disney se lance dans le développement d'une communauté du nom de «Celebration» (voir l'encadré ci-dessus), qui comprend des habitations, des écoles, des églises et un centre commercial.

Et, pendant que ces tisserands de l'imaginaire continuent à étendre les frontières de leur monde, Orlando ne cesse de redéfinir son identité. Certains prétendent que la région s'est développée trop rapidement et trop tôt, et qu'elle a voulu plaire à trop de gens. Aujourd'hui, elle est envahie par la circulation, barbouillée de panneaux publicitaires et teintée d'un tou-

Acquisition de Marvel par Disney

À l'été 2009, la Walt Disney Company a annoncé l'acquisition au coût de quelque 4 milliards de dollars de Marvel Entertainment, à qui l'on doit la création d'une galerie de plus de 5 000 personnages, incluant les super-héros Spider-Man, X-Men, Iron Man, Captain America et compagnie.

Quel impact aura cette transaction sur les parcs thématiques de la région d'Orlando? Bien malin qui pourrait répondre à cette question actuellement. Le parc Universal's Islands of Adventure, concurrent direct de Disney World, possède une licence qui lui permet d'utiliser de nombreux personnages de Marvel dans ses attractions, spectacles et animations. Étant donné que ce type de licence est d'ordinaire négocié pour plusieurs années, il y aura sans doute un délai avant que des changements majeurs ne soient visibles pour le grand public. Mais ça ne manquera pas d'arriver un jour… À l'heure actuelle, la seule manifestation tangible de cette association à Disney World est l'apparition encore bien timide de présentoirs de bandes dessinées de type *comics* dans certaines de ses boutiques. Mais le jour où Mickey serrera la main aux Fantastic Four n'est sans doute pas bien loin.

risme ringard, à tel point qu'on se demande si l'on doit se réjouir de cette croissance ou au contraire s'en affliger.

Quoi qu'on puisse en penser, de nombreux grands projets de développement sont en cours de réalisation actuellement et contribueront à façonner l'Orlando de demain. Parmi ceux-ci, mentionnons le nouvel amphithéâtre Amway Center, qui a été inauguré à l'automne 2010, le Dr. Phillips Center for the Performing Arts, un complexe culturel qui comprendra trois salles de spectacle et dont la finalisation est prévue pour 2014, la rénovation du stade de football Citrus Bowl, dont les travaux devraient débuter en 2014, et le développement à Lake Nona, une petite ville située tout juste à l'est de l'aéroport d'Orlando, d'un imposant regroupement d'entreprises et d'institutions du secteur de la recherche médicale, connu sous le nom de Medical City.

Mais ce n'est là que la moitié de l'histoire d'Orlando. L'autre moitié est celle d'un endroit qui s'accroche aux idéaux sans prétention, aux beautés intrinsèques et à la tranquillité d'esprit. Somme toute, il s'agit d'un lieu à cheval sur l'imaginaire et la réalité.

Quand visiter Disney World?

La clé pour réussir son voyage à Disney World, c'est de s'y rendre au bon moment. Si vous y allez en haute saison, vous passerez une grande partie de vos vacances dans les files d'attente et les embouteillages. De plus, vous paierez le plein tarif sur tout. Une famille qui s'est rendue au Magic Kingdom un dimanche de Pâques (jour de grande affluence) calcula qu'elle y avait passé six heures dans les queues et seulement 35 min dans les manèges. Par contre, si vous y allez en basse saison, vous aurez une expérience tout autre, celle de vraies vacances.

Malheureusement pour les familles, l'été (lors des grandes vacances scolaires) est la haute saison. La période des Fêtes n'est pas non plus un bon moment pour le visiter, puisque Disney World connaît ses pires engorgements entre Noël et le jour de l'An. La fin de semaine de l'Action de grâce américaine (Thanksgiving), un congé férié à l'échelle nationale, suit, bonne deuxième, devant les semaines entourant Pâques. Durant ces jours fous, Disney World et Universal Orlando atteignent souvent leur point de saturation (80 000 visiteurs par site) au beau milieu de l'avant-midi, et doivent alors fermer leurs portes. Bonne chance à ceux qui peuvent y entrer!

La Guerre des étoiles chez Disney

À l'automne 2012, la Walt Disney Company a créé une certaine surprise en faisant l'acquisition, au coût de plus de 4 milliards de dollars, de Lucasfilm, la firme de production cinématographique de George Lucas à laquelle on doit la série *Star Wars* (*La Guerre des étoiles*).

Difficile à ce stade-ci de prévoir si cette méga-transaction aura des répercussions dans les parcs de l'empire Disney. Il y a bien déjà, et ce, depuis plusieurs années, une attraction inspirée de la célèbre saga intergalactique aux Disney's Hollywood Studios. Mais comme l'annonce de la sortie d'un septième épisode de *Star Wars* en 2015 a accompagné celle de la transaction, toutes sortes de rumeurs se sont rapidement mises à circuler, d'autant plus que la création d'attractions en lien avec la production de nouveaux films constitue actuellement une tendance lourde dans l'industrie américaine des parcs thématiques. Une histoire à suivre...

La meilleure période de toutes pour visiter Disney World se situe entre la fin de semaine de la Thanksgiving américaine (à la fin de novembre) et la semaine précédant Noël. D'autres périodes moins frénétiques sont les mois d'août, septembre et octobre, ainsi que celle qui va de la deuxième semaine de janvier à la troisième semaine de mars (en excluant les jours fériés).

Planifier son séjour

Un minimum de planification rendra votre voyage beaucoup plus agréable, et cette consigne s'applique à tous les membres de la famille. Les parents peuvent prendre connaissance du plan d'aménagement et des attraits de chaque parc thématique, de façon à se prémunir contre la confusion et les décisions précipitées après l'arrivée sur le site. Les préadolescents et les adolescents qui veulent faire bande à part doivent nécessairement apprendre à s'orienter sur les lieux, et les jeunes enfants peuvent, quant à eux, se préparer (et s'enflammer) en lisant les contes de Disney et en visionnant ses plus importants films d'animation, cela afin de les familiariser avec les personnages et les manèges qu'ils trouveront sur place. Certaines familles louent même des DVD de Disney et organisent des soirées de projection à domicile pour mieux se mettre dans le bain. Parmi les plus grands classiques d'animation, retenons *Cendrillon*, *Peter Pan*, *Alice au pays des merveilles* et *Dumbo*.

Les enfants devraient aussi savoir qu'ils se verront refuser l'accès à certains manèges s'ils n'ont pas encore atteint la taille régle-

Tailles minimales pour accéder à certains manèges

Magic Kingdom

The Barnstormer 0,89 m

Big Thunder Mountain Railroad 1,02 m

Space Mountain 1,12 m

Splash Mountain 1,02 m

Stitch's Great Escape! 1,02 m

Tomorrowland Speedway (pour conduire seul le véhicule) 1,37 m

Epcot

Mission: SPACE 1,12 m

Soarin' 1,02 m

Test Track 1,02 m

Disney's Hollywood Studios

Rock 'n' Roller Coaster Starring Aerosmith 1,22 m

Star Tours – The Adventures Continue 1,02 m

The Twilight Zone Tower of Terror 1,02 m

Disney's Animal Kingdom
DINOSAUR 1,02 m
Expedition Everest – Legend of the Forbidden Mountain 1,12 m
Kali River Rapids 0,97 m
Primeval Whirl 1,22 m

Universal Studios
Despicable Me Minion Mayhem 1,01 m
E.T. Adventure 0,86 m
Hollywood Rip Ride Rockit 1,29 m
Men in Black Alien Attack 1,06 m
Revenge of the Mummy 1,21 m
The Simpsons Ride 1,01 m
Woody Woodpecker's Nuthouse Coaster 0,91 m

Universal's Islands of Adventure
The Amazing Adventures of Spider-Man 1,01 m
Doctor Doom's Fearfall 1,32 m
Dragon Challenge 1,37 m
Dudley Do-Right's Ripsaw Falls 1,11 m
Flight of the Hippogriff 0,91 m
Harry Potter and the Forbidden Journey 1,21 m
The High in the Sky Seuss Trolley Train Ride! 0,86 m
The Incredible Hulk Coaster 1,37 m
Jurassic Park River Adventure 1,06 m
Popeye & Bluto's Bilge-Rat Barges 1,06 m
Pteranodon Flyers 0,91 m

SeaWorld Orlando
Journey to Atlantis 1,07 m
Kraken 1,38 m
Manta 1,38 m
Shamu Express 0,97 m

mentaire (voir l'encadré ci-contre). Les parcs thématiques font respecter ces normes à la lettre; si vos enfants ne sont pas assez grands pour certains manèges, il vaut mieux les en informer **avant** votre départ.

L'ampleur phénoménale de Walt Disney World et des points d'intérêt environnants transforme une visite de trop courte durée en une véritable course contre la montre, pour ne pas dire en cauchemar. Il vaut donc mieux prévoir un séjour d'au moins trois jours, surtout si vous venez de l'extérieur de la Floride, et l'idéal serait de consacrer une semaine complète à votre périple, dont deux ou trois jours à l'extérieur des grands parcs thématiques. Car même le visiteur le plus enthousiaste se lassera de marcher sur le bitume 10 heures par jour, sans compter que la Floride centrale présente une foule d'attraits secondaires.

Quelle que soit la durée de votre séjour, il importe de savoir qu'on ne s'entend que rarement (même si vous n'êtes accompagné que d'une seule personne) sur la meilleure façon de visiter Disney World. Qu'à cela ne tienne, il existe de bonnes et de mauvaises façons d'organiser votre emploi du temps, et les quelques directives qui suivent vous aideront à rendre vos vacances un peu moins laborieuses. En tout premier lieu, arrivez tôt (au moins 30 min avant l'heure d'ouverture officielle). Deuxièmement, prenez un petit déjeuner copieux avant d'arriver à Disney World; et plus tard dans la journée, rompez avec vos habitudes en déjeunant et en dînant plus tôt ou plus tard que de coutume. Troisièmement, faites-vous une idée claire de l'ordre dans lequel vous comptez voir les diverses attractions; le système d'étoiles utilisé dans ce guide pour coter les attractions vous aidera à établir vos priorités. Gardez aussi à l'esprit que les enfants (et même les adultes!) voudront remonter plus d'une fois à bord de leurs manèges favoris; allouez donc le temps nécessaire à ces «reprises».

Finalement, ne faites pas de zèle. Décidez de ce que vous aimeriez vraiment voir, et

Passez en tête de file

Dans les quatre parcs thématiques principaux de Walt Disney World, une utilisation astucieuse des laissez-passer ***Fastpass*** peut représenter une façon efficace de gagner du temps. Ces billets, qui permettent de passer devant la file d'attente à une heure fixée par rendez-vous, sont disponibles aux manèges les plus fréquentés. On les obtient, sans frais supplémentaires, en glissant son billet d'entrée dans des machines distributrices bien indiquées. Il s'agit ensuite de revenir à l'heure dite pour visiter sans attente l'attraction choisie. Entre-temps, vous avez le loisir d'aller visiter d'autres attractions plutôt que d'attendre en ligne.

Dans le présent guide, les manèges pour lesquels il est possible de se procurer un ***Fastpass*** sont identifiés dans un encadré placé au début de chacun des chapitres portant sur les parcs thématiques de Disney World (Magic Kingdom, Epcot, Disney's Hollywood Studios et Disney's Animal Kingdom), ainsi que par le symbole FP que vous retrouverez dans la description de ces manèges. À noter que, dans le cas de certaines attractions, des ***Fastpass*** ne sont distribués que de manière ponctuelle, soit lors de périodes de grande affluence. Ces attractions sont indiquées dans l'encadré au début de chaque chapitre.

Dans les parcs d'Universal Orlando (Universal Studios et Universal's Islands of Adventure), il existait bien un système équivalent, mais il a été abandonné il y a quelques années. En lieu et place, il est possible d'ajouter l'option ***Universal Express Plus*** à votre billet pour pouvoir accéder en tout temps aux attractions par la voie rapide. Il faut alors prévoir un supplément au coût du billet d'entrée (voir la section «Billets et tarification» à la page 69).

Du côté de SeaWorld, on a adopté une approche similaire. Il est donc maintenant possible d'ajouter l'option ***Quick Queue*** à votre billet pour accéder sans attente aux attractions les plus en demande (voir les détails p. 231).

coupez vos projets de moitié. Une mère de famille écrivant au magazine *Parents* dit avoir pris une «*dure décision qui a eu pour effet de rendre beaucoup plus agréable notre séjour à Disney World: celle de ne pas chercher à tout voir en un seul voyage*».

› Bagages

Souvenez-vous d'une chose lorsque vous préparerez vos bagages en vue de vos vacances à Disney World: prévoyez des vêtements légers et confortables. À moins que vous ne projetiez de dîner dans les restaurants les plus chics, tout ce dont vous aurez besoin en fait de vêtements peut s'énumérer comme suit: des shorts, des chemises légères ou des polos, des pantalons d'été, un maillot de bain et de quoi vous couvrir en sortant de l'eau, ainsi qu'une tenue moyennement décontractée en prévision de tout événement qui demanderait une apparence plus habillée.

Consacrez le reste de l'espace disponible à quelques articles essentiels, comme un bon chapeau, des verres fumés de bonne qualité et un bon insectifuge. Faites aussi ample provision de crème solaire (sans huile autant que possible), car même les journées d'hiver les plus ennuagées peuvent vous brûler la peau et vous donner cette apparence rougeaude si caractéristique des touristes mal avisés. Une veste légère et un imperméable sont aussi indispensables, les impers les plus pratiques étant ceux qui possèdent un capuchon et qui, une fois pliés dans leur enveloppe, tiennent aisément dans la main; on en trouve dans les pharmacies (*drugstores*) pour quelques dollars, tandis qu'à Disney World et à l'intérieur d'autres parcs thématiques ils vous coûteront plusieurs fois ce prix.

Calendrier des événements annuels

Janvier

Walt Disney World : quelque 20 000 personnes participent au **Walt Disney World Marathon**, dont le tracé traverse l'ESPN Wide World of Sports Complex et les différents parcs thématiques.

SeaWorld Orlando : de nombreux spectacles pour les enfants sont organisés dans le cadre du festival **Just for Kids**.

Orlando : le premier de l'An, le **Citrus Bowl Parade** (défilé à large déploiement) donne le coup d'envoi à la partie de football décisive qu'est le **Florida Citrus Bowl**.

Février

Daytona Beach : le **Daytona 500** est le point culminant de la semaine de la vitesse (Speed Week), avec sa course de *stock cars* de 200 tours de piste, tenue au Daytona International Speedway.

Kissimmee : artisanat, nourriture et jeux agrémentent l'**Osceola Art Festival**, sur les rives du lac Tohopekaliga.

Mars

Walt Disney World : l'**Epcot International Flower & Garden Festival** tapisse Epcot de plus de 30 millions de fleurs (du début mars à la mi-mai).

Floride centrale : les professionnels du baseball s'entraînent à l'occasion du **Major Leagues Spring Training**. Voyez entre autres les Braves d'Atlanta à l'ESPN Wide World of Sports Complex, les Astros de Houston à Kissimmee, les Tigers de Detroit à Lakeland.

Winter Park : des artisans venus des quatre coins de l'Amérique du Nord convergent en ce lieu à l'occasion du **Winter Park Sidewalk Art Festival**, l'un des événements artistiques les plus saillants du sud des États-Unis.

Avril

Orlando : le **Florida Film Festival** présente plus de 100 films, documentaires et courts métrages du monde entier.

Walt Disney World : Mickey Mouse et le Lapin de Pâques (Easter Bunny) descendent Main Street, U.S.A. pour l'**Easter Parade** du Magic Kingdom (a parfois lieu en mars).

Mai

Orlando : pour une durée de 12 jours, l'**Orlando International Fringe Theatre Festival** célèbre le théâtre, l'art et la musique au moyen de centaines de spectacles et concerts présentés dans différentes salles de la ville.

Juin

Walt Disney World : les **Disney Gay Days**, qui célèbrent annuellement la fierté gay et lesbienne, invitent des milliers de personnes à participer à divers événements spéciaux.

Juillet

Walt Disney World : le 4 juillet, l'**Independence Day** (fête de l'Indépendance américaine) se termine par un feu d'artifice majestueux dans trois des quatre grands parcs thématiques, soit le Magic Kingdom, Epcot et les Disney's Hollywood Studios.

Octobre

Walt Disney World: l'**Epcot International Food and Wine Festival** bat son plein de la fin septembre à la mi-novembre dans la section World Showcase du parc. Sont alors proposées aux visiteurs des dégustations de mets et vins provenant de divers pays, incluant des contrées n'ayant pas de pavillon dans le World Showcase. Des soirées costumées baptisées **Mickey's Not-So-Scary Halloween Parties** (billets d'entrée spécifiques) sont organisées au Magic Kingdom de la mi-septembre jusqu'à la fin octobre.

Universal Studios: ne manquez pas les **Halloween Horror Nights** du Back Lot, transformé pour une période de quelques semaines en un dédale de maisons hantées. On y présente des spectacles à faire peur, et des centaines de monstres et de mutants envahissent le site pour l'occasion.

Winter Park: le **Winter Park Autumn Art Festival** présente des exposants locaux et nationaux.

Novembre

Walt Disney World: à l'occasion d'une des meilleures manifestations artistiques de l'État, le **Festival of Masters at Downtown Disney**, on expose de superbes œuvres d'art du pays tout entier.

Orlando: le festival de musique **Orlando Calling** se tient au Citrus Bowl d'Orlando. Des concerts de blues, de rock *indie*, de R&B et de country sont alors à l'affiche.

Décembre

Walt Disney World: la souris préférée de Disney vous invite à faire la fête lors de son **Mickey's Very Merry Christmas Party** dans Main Street, U.S.A. (voir aussi l'encadré «Les fêtes de fin d'année dans les parcs de la région d'Orlando», p. 58).

Orlando: le père Noël arrive tôt pour mener le bal lors de la **Christmas Parade**, un défilé qui traverse le centre-ville.

Floride centrale: plusieurs villes soulignent la saison par des **défilés de Noël**, des installations de sapins et d'autres festivités appropriées.

De bonnes chaussures flexibles, légères et confortables sont nécessaires à la «survie» de vos pieds. Un visiteur moyen marche environ 6 km par jour dans un parc thématique (et plus souvent qu'autrement sur le béton brûlant!), de sorte que vous aurez besoin d'un bon support à ce niveau. Les chaussures omnisports conviennent parfaitement au tourisme; gardez les sandales et les tongs pour la piscine.

Les familles avec des enfants en bas âge qui se rendent à Disney World en voiture devraient faire ample provision de nourriture pour bébés et de couches jetables. On peut bien sûr acheter ces produits dans les parcs thématiques, mais les prix en sont alors très élevés. Pour les fringales de l'après-midi, emballez à l'avance des collations dans des sacs à glissière; des craquelins, du maïs soufflé et les céréales préférées des enfants les aideront à tenir le coup jusqu'au prochain repas. Les berlingots de jus constituent par ailleurs de bons substituts aux boissons gazeuses vendues dans les parcs thématiques.

Les fêtes de fin d'année dans les parcs de la région d'Orlando

Beaucoup de familles choisissent la période des fêtes de fin d'année pour visiter les parcs thématiques de la région d'Orlando. À cette occasion, des attractions particulières et des présentations spéciales sont toujours prévues. Voici un aperçu de ce que les différents parcs réservent à leurs visiteurs en cette période.

Au **Magic Kingdom**, un défilé spécial dont la vedette est nulle autre que le père Noël en personne est habituellement organisé en après-midi; en soirée, les feux d'artifice qui illuminent le ciel au-dessus du château de Cendrillon, encore plus féerique qu'à l'habitude parce que décoré alors de 250 000 lumières scintillantes, sont accompagnés de musique de Noël. Des soirées spéciales intitulées **Mickey's Very Merry Christmas Party**, pour lesquelles il faut débourser un droit d'entrée spécifique, sont aussi organisées en novembre et en décembre.

Au **Disney's Animal Kingdom**, le défilé de l'après-midi, auquel participent de nombreux personnages, prend aussi une couleur de circonstance.

Le World Showcase d'**Epcot** organise pendant ce temps le festival **Holidays Around the World**, où les traditions entourant les célébrations de fin d'année dans les différents pays représentés font l'objet de divers spectacles et activités.

Aux **Disney's Hollywood Studios**, **The Osborne Family Spectacle of Dancing Lights**, une présentation au cours de laquelle des milliers de lumières de toutes les couleurs sont synchronisées à différents thèmes musicaux, est à ne pas manquer. Ce spectacle féerique se termine même par une chute de neige artificielle.

Du côté d'**Universal Orlando**, une version locale de la célèbre **Macy's Holiday Parade** de New York, avec ses chars allégoriques surplombés par des ballons géants, est présentée tous les jours aux **Universal Studios**.

Aux **Universal's Islands of Adventure**, un parc thématique aux tendances un brin subversives, c'est l'occasion de rencontrer le **Grinch**, ce personnage du Dr. Seuss qui n'aime pas Noël...

Finalement, les divers spectacles et attractions de **SeaWorld** évoquent tous à leur façon les fêtes de fin d'année dans le cadre de ce que l'on a baptisé la **SeaWorld's Christmas Celebration**.

Renseignements généraux

Le présent chapitre a pour but de vous aider à planifier votre voyage, aussi bien avant votre départ qu'une fois sur place. Il renferme plusieurs indications générales qui pourront vous être utiles lors de vos déplacements. Nous vous souhaitons un excellent séjour à Walt Disney World et dans la région d'Orlando.

Les formalités d'entrée

› Passeports et visas

Pour entrer aux États-Unis par voie aérienne, les citoyens canadiens ont besoin d'un passeport. S'ils entrent par voie terrestre ou maritime, ils pourront présenter soit leur passeport ou leur «permis de conduire Plus», qui sert à la fois de permis de conduire et de document de voyage.

Les résidents d'une trentaine de pays dont la France, la Belgique et la Suisse, en voyage d'agrément ou d'affaires, n'ont plus besoin d'être en possession d'un visa pour entrer aux États-Unis à condition de:

- avoir un billet d'avion aller-retour;
- présenter un passeport électronique sauf s'ils possèdent un passeport individuel à lecture optique en cours de validité et émis au plus tard le 25 octobre 2005; à défaut, l'obtention d'un visa sera obligatoire;
- projeter un séjour d'au plus 90 jours (le séjour ne peut être prolongé sur place: le visiteur ne peut changer de statut, accepter un emploi ou étudier);
- présenter des preuves de solvabilité (carte de crédit, chèques de voyage);
- remplir le formulaire de demande d'exemption de visa (formulaire I-94W) remis par la compagnie de transport pendant le vol;
- le visa est toujours nécessaire pour certaines catégories de voyageurs (étudiants ou visa précédemment refusé).

Depuis janvier 2009, les ressortissants des pays bénéficiaires du *Programme d'exemption de visa* doivent obtenir une autorisation de séjour avant d'entamer leur voyage aux États-Unis. Afin d'obtenir cette autorisation, les voyageurs éligibles doivent remplir le questionnaire du Système électronique d'autorisation de voyage (ESTA) au moins 72h avant leur déplacement aux États-Unis. Ce formulaire est disponible gratuitement sur le site Internet administré par le **U.S. Department of Homeland Security** *(https://esta.cbp.dhs.gov/esta/esta.html).*

Précaution: les soins hospitaliers étant extrêmement coûteux aux États-Unis, il est conseillé de se munir d'une bonne assurance maladie.

L'arrivée

› Par avion

L'**Orlando International Airport (MCO)** *(407-825-2001, www.orlandoairports.net)* sert de porte d'entrée aérienne à la région de Walt Disney World. Du tout dernier cri, il est situé à 39 km au nord-est de Disney World et à 21 km au sud-est du centre-ville d'Orlando. Il est desservi par une quarantaine de lignes aériennes, nationales et étrangères, dont Air Canada, Air Transat, American Airlines, British Airways, CanJet, Continental Airlines, Delta, Lufthansa, Sunwing Airlines, United, US Airways, Virgin Atlantic et WestJet.

À l'arrivée, le comptoir de renseignements de Walt Disney World (dans l'édifice principal) peut vous aider. Un service de navette bon marché vers la région de Disney World est offert par **Mears Transportation** *(407-423-5566, www.mearstransportation.com).* La majorité des hôtels de la région sont ainsi desservis. Comptez entre 20$ et 30$ par adulte pour un aller simple, ou de 33$ à 50$ pour un billet aller-retour.

Les visiteurs qui logent dans les hôtels de Walt Disney World peuvent pour leur part utiliser le **Disney's Magical Express Service**, une navette gratuite mise à leur disposition exclusive. Ce service, pour lequel vous devez faire votre réservation en même temps que celle de votre chambre d'hôtel, permet aussi,

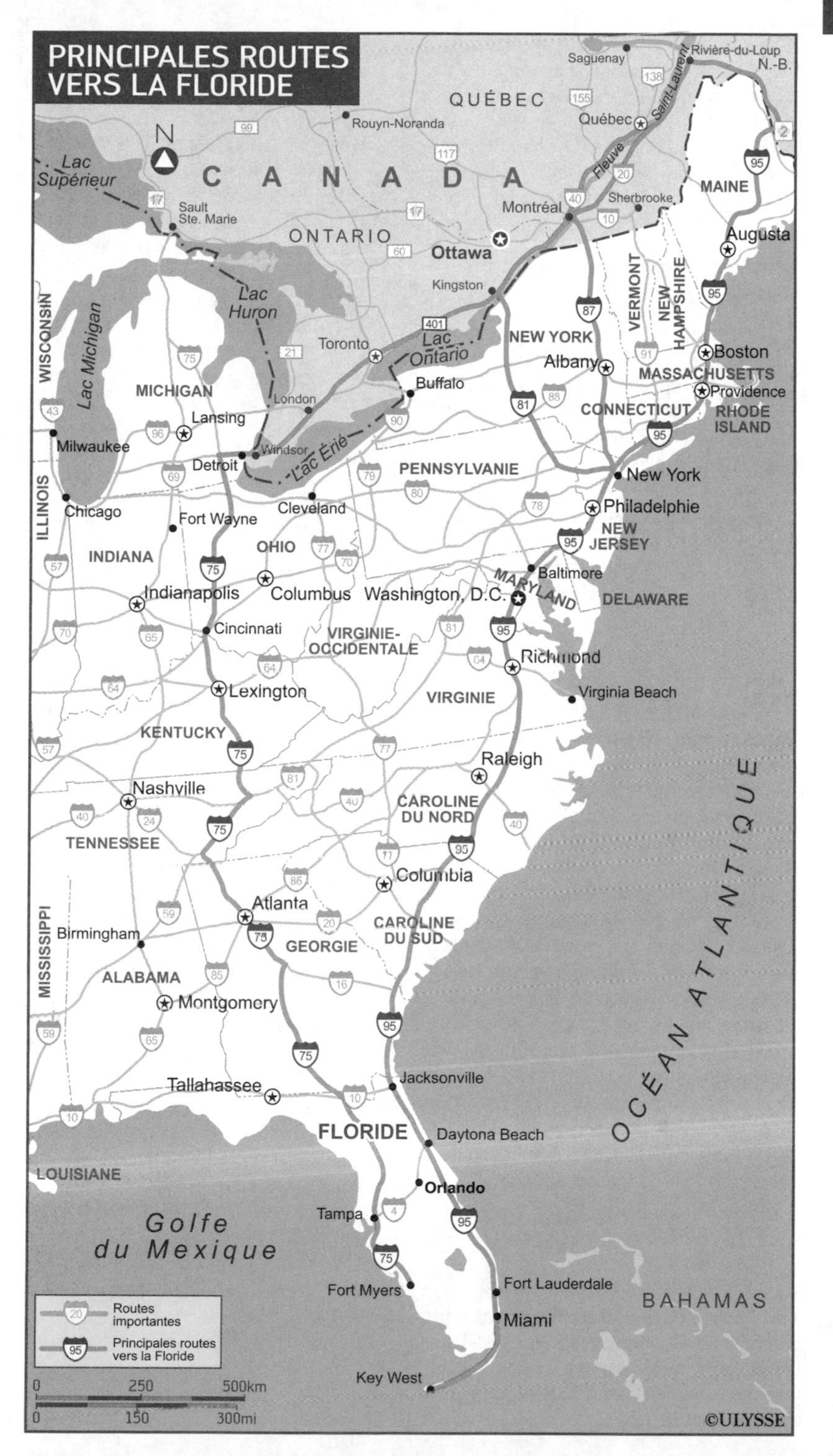
PRINCIPALES ROUTES VERS LA FLORIDE
CANADA
QUÉBEC
ONTARIO
Saguenay
Rivière-du-Loup
N.-B.
Rouyn-Noranda
Québec
Fleuve Saint-Laurent
Montréal
Sherbrooke
Ottawa
Kingston
Toronto
Buffalo
London
Windsor
Detroit
Sault Ste. Marie
Lac Supérieur
Lac Huron
Lac Michigan
Lac Ontario
Lac Érié
MAINE
Augusta
VERMONT
NEW HAMPSHIRE
NEW YORK
Albany
Boston
MASSACHUSETTS
Providence
CONNECTICUT
RHODE ISLAND
New York
Philadelphie
NEW JERSEY
PENNSYLVANIE
Baltimore
MARYLAND
DELAWARE
Washington, D.C.
WISCONSIN
MICHIGAN
Lansing
Milwaukee
ILLINOIS
Chicago
Fort Wayne
Cleveland
INDIANA
OHIO
Columbus
Indianapolis
Cincinnati
VIRGINIE-OCCIDENTALE
Richmond
Virginia Beach
VIRGINIE
Lexington
KENTUCKY
Raleigh
Nashville
CAROLINE DU NORD
TENNESSEE
Columbia
Atlanta
CAROLINE DU SUD
GEORGIE
MISSISSIPPI
Birmingham
ALABAMA
Montgomery
Tallahassee
Jacksonville
FLORIDE
Daytona Beach
Orlando
Tampa
Fort Myers
Fort Lauderdale
Miami
Key West
LOUISIANE
Golfe du Mexique
OCÉAN ATLANTIQUE
BAHAMAS
Routes importantes
Principales routes vers la Floride
0 250 500km
0 150 300mi
©ULYSSE

si vous le désirez et si vous voyagez avec une compagnie aérienne participante (Air Canada, American Airlines, Delta, United ou US Airways par exemple), de faire livrer vos valises directement à votre chambre sans avoir à vous soucier d'aller les récupérer sur le carrousel à bagages. Notez toutefois que la livraison peut nécessiter quelques heures.

En **taxi**, comptez entre 60$ et 70$ pour la course jusqu'à Walt Disney World.

En **voiture**, la Beachline Expressway (anciennement la Bee Line Expressway), ou route 528 (péage), permet d'atteindre rapidement la route I-4, qui donne accès à Walt Disney World, à SeaWorld Orlando et à Universal Orlando. Dans le cas spécifique de Disney World, une autre option consiste à emprunter la sortie sud de l'aéroport pour aller rejoindre la route 417 Sud (péage), que l'on suit jusqu'à la sortie 6, qui donne directement accès au royaume. Ce trajet, qui nécessite environ 30 min, peut être plus rapide que le précédent, car on déplore souvent d'importants embouteillages sur la route I-4.

C'est par ailleurs à l'**Orlando Sanford International Airport (SFB)** *(407-585-4045, www.orlandosanfordairport.com)* qu'atterrissent les vols d'Allegiant Air en provenance de Plattsburgh. Il s'agit d'un petit aéroport avec services minimaux situé au nord-est d'Orlando. Plusieurs voyageurs de la région de Montréal optent pour cette possibilité en raison du prix avantageux des billets d'avion. Rappelez-vous toutefois que cet aéroport est plus éloigné de Disney World que ne l'est l'Orlando International Airport et que Disney n'y propose pas son service de navette gratuite Disney's Magical Express. Prévoyez donc devoir débourser un peu plus pour la course en taxi et les autres services de transport terrestre. En voiture, il faut compter entre 45 min et 1h de route pour faire le trajet entre cet aéroport et Disney World.

› En voiture

Plusieurs autoroutes importantes mènent à la région d'Orlando. Si vous partez du Québec ou du nord-est des États-Unis, prenez la **route 95** Sud vers Daytona Beach, puis la **route I-4** Ouest (Interstate 4), qui traverse Orlando en ligne droite.

Des problèmes de voiture?

Si vous tombez en panne à Disney World, à Universal Orlando ou à SeaWorld, un agent de sécurité se portera à votre aide. Les véhicules de sécurité arpentent les parcs de stationnement toutes les 5 ou 10 minutes. Hélez simplement l'une de ces voitures, qui ressemblent à celles des patrouilles motorisées de la police, et les agents verront à faire démarrer votre voiture ou, le cas échéant, à faire venir sur les lieux quelqu'un de plus compétent en la matière.

En venant de l'Ontario et du Midwest des États-Unis, prenez la **route 75** Sud jusqu'au **Florida's Turnpike**, que vous emprunterez vers le sud jusqu'à la route I-4.

› Par autocar

L'autocar ne constitue pas le moyen le plus rapide pour se rendre à Orlando, mais c'est habituellement le meilleur marché. **Greyhound Bus Lines** *(800-231-2222, www.greyhound.com)* possède une gare routière à Orlando *(555 N. John Young Pkwy., 407-292-3424)* ainsi qu'à Kissimmee, près de Walt Disney World *(103 E. Dakin Ave., 407-847-3911)*.

› Par train

Dans le centre de la Floride, **Amtrak** *(800-872-7245, www.amtrak.com)* effectue les arrêts suivants: Orlando *(1400 Sligh Blvd.)*, Kissimmee *(111 E. Dakin Ave.)*, Winter Park *(150 W. Morse Blvd.)*, DeLand *(2491 Old New York Ave.)* et Palatka *(220 N. 11th St.)*. Si vous vous rendez dans la région d'Orlando en partant des alentours de New York, songez à prendre l'**Auto Train** d'Amtrak; vous pourrez mettre votre voiture sur le train à Lorton (Virginie), à 4h de route de New York, et repartir de Sanford *(600 S. Persimmon Ave.)*, à 37 km au nord-est d'Orlando.

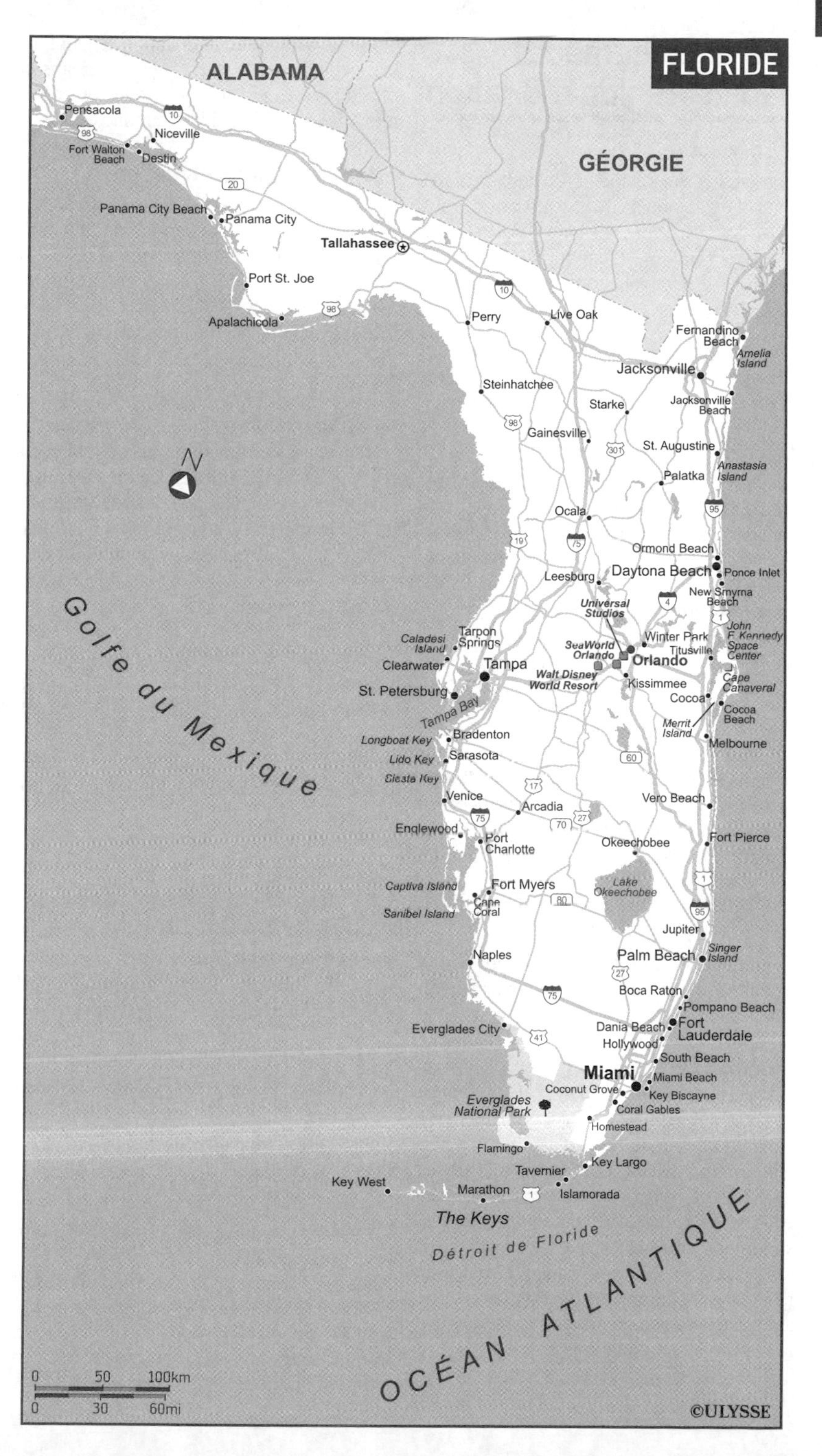
FLORIDE
ALABAMA
GÉORGIE
Pensacola
Niceville
Fort Walton Beach
Destin
Panama City Beach
Panama City
Tallahassee
Port St. Joe
Apalachicola
Perry
Live Oak
Fernandino Beach
Amelia Island
Jacksonville
Steinhatchee
Starke
Jacksonville Beach
Gainesville
St. Augustine
Anastasia Island
Palatka
Ocala
Ormond Beach
Leesburg
Daytona Beach
Ponce Inlet
New Smyrna Beach
Universal Studios
Golfe du Mexique
Caladesi Island
Tarpon Springs
SeaWorld Orlando
Winter Park
Titusville
John F. Kennedy Space Center
Orlando
Clearwater
Tampa
Walt Disney World Resort
Kissimmee
Cape Canaveral
St. Petersburg
Cocoa
Tampa Bay
Cocoa Beach
Merrit Island
Longboat Key
Bradenton
Melbourne
Lido Key
Sarasota
Siesta Key
Venice
Arcadia
Vero Beach
Englewood
Port Charlotte
Okeechobee
Fort Pierce
Captiva Island
Fort Myers
Lake Okeechobee
Cape Coral
Sanibel Island
Jupiter
Naples
Palm Beach
Singer Island
Boca Raton
Pompano Beach
Everglades City
Dania Beach
Fort Lauderdale
Hollywood
South Beach
Miami
Miami Beach
Coconut Grove
Key Biscayne
Everglades National Park
Coral Gables
Homestead
Flamingo
Key Largo
Tavernier
Key West
Marathon
Islamorada
The Keys
Détroit de Floride
OCÉAN ATLANTIQUE
0 50 100km
0 30 60mi
©ULYSSE

Les déplacements dans la région d'Orlando

› En voiture

La route I-4, qui s'étend de Daytona Beach à Tampa, est le principal axe routier traversant Orlando. Les sorties menant à Walt Disney World, à Universal Orlando et à SeaWorld Orlando se trouvent toutes le long de la route I-4.

Plus on approche de Disney World, plus l'essence coûte cher. Faites donc le plein avant d'arriver sur place.

Location de voitures

Les agences de location de voitures ayant un comptoir à l'Orlando International Airport incluent **Alamo** *(800-327-9633, www.alamo.com)*, **Avis** *(800-831-2847, www.avis.com)*, **Budget** *(800-527-0700, www.budget.com)*, **Dollar** *(800-800-4000, www.dollar.com)*, **L&M Car Rental** *(407-888-0515, www.lmcarrental.net)* et **National** *(800-227-7368, www.nationalcar.com)*.

D'autres agences ont leurs bureaux dans les environs et sont reliées à l'aéroport par navette. Parmi celles-ci, mentionnons **Enterprise** *(800-325-8007, www.enterprise.com)*, **Hertz** *(800-654-3131, www.hertz.com)* et **Thrifty** *(800-367-2277, www.thrifty.com)*.

Toutes ces agences desservent également l'Orlando Sanford International Airport.

Si vous ne désirez louer une voiture que le temps d'une excursion à l'extérieur du royaume de Disney, adressez-vous à la réception de votre hôtel. C'est l'agence Alamo qui est présente sur le site de Disney World. Ses locaux et son stationnement se trouvent non loin du Magic Kingdom, mais un service de navette est offert depuis chacun des hôtels de Disney. N'utilisez toutefois cette option que pour de brèves excursions, car les tarifs pratiqués sont sensiblement plus élevés que ceux que vous obtiendrez en réservant via les centrales de réservations ou les sites Internet de chaque agence, en vue d'une prise de possession de la voiture à l'un des aéroports.

Nombre d'agences de location exigent de leurs clients qu'ils soient âgés de 25 ans et plus, et toutes insistent pour que vous déteniez une carte de crédit reconnue.

› En transports en commun

La société **Lynx** *(407-841-5969, www.golynx.com)* assure le service de transport en commun par autobus (tarif: 2$) dans la région d'Orlando. Les autobus sillonnent les rues du centre-ville, mais vont aussi jusqu'aux parcs d'attractions Disney World, Universal Orlando et SeaWorld, ainsi qu'à l'aéroport.

Le **I-Ride Trolley** *(866-243-7483, www.iridetrolley.com)* parcourt quant à lui l'International Drive d'un bout à l'autre avec arrêts fréquents. Il en coûte, pour les adultes, 1,50$ par passage ou 5$ pour un billet quotidien avec nombre de passages illimité. Ce service est gratuit pour les enfants de 12 ans et moins accompagnés d'un adulte.

Déplacements sur le site

Walt Disney World est si étendu et urbanisé qu'on peut en être intimidé à prime abord. Mais ne vous en faites pas, car le personnel de Disney se montre particulièrement habile à guider les visiteurs. De plus, les sorties qui mènent aux parcs thématiques sont très bien indiquées sur toutes les routes importantes et, une fois à Disney World, vous n'aurez plus qu'à suivre les indications.

Disney possède son propre réseau de **transport en commun**, qui n'a rien à envier à ceux de bien des grandes villes. Malgré son importance et sa conception des plus modernes, il n'offre cependant pas toujours le moyen le plus facile et le plus rapide de se déplacer. D'une manière générale, c'est le monorail qui vous permettra de vous transporter le plus rapidement d'un point à un autre, alors que les autobus assurent le service le plus lent.

Toutefois, le monorail ne dessert que quelques points précis, dont le Magic Kingdom, Epcot, le Grand Floridian Resort & Spa, le Polynesian Resort, le Contemporary Resort et le Transportation and Ticket Center, tandis que les autobus peuvent vous emmener partout.

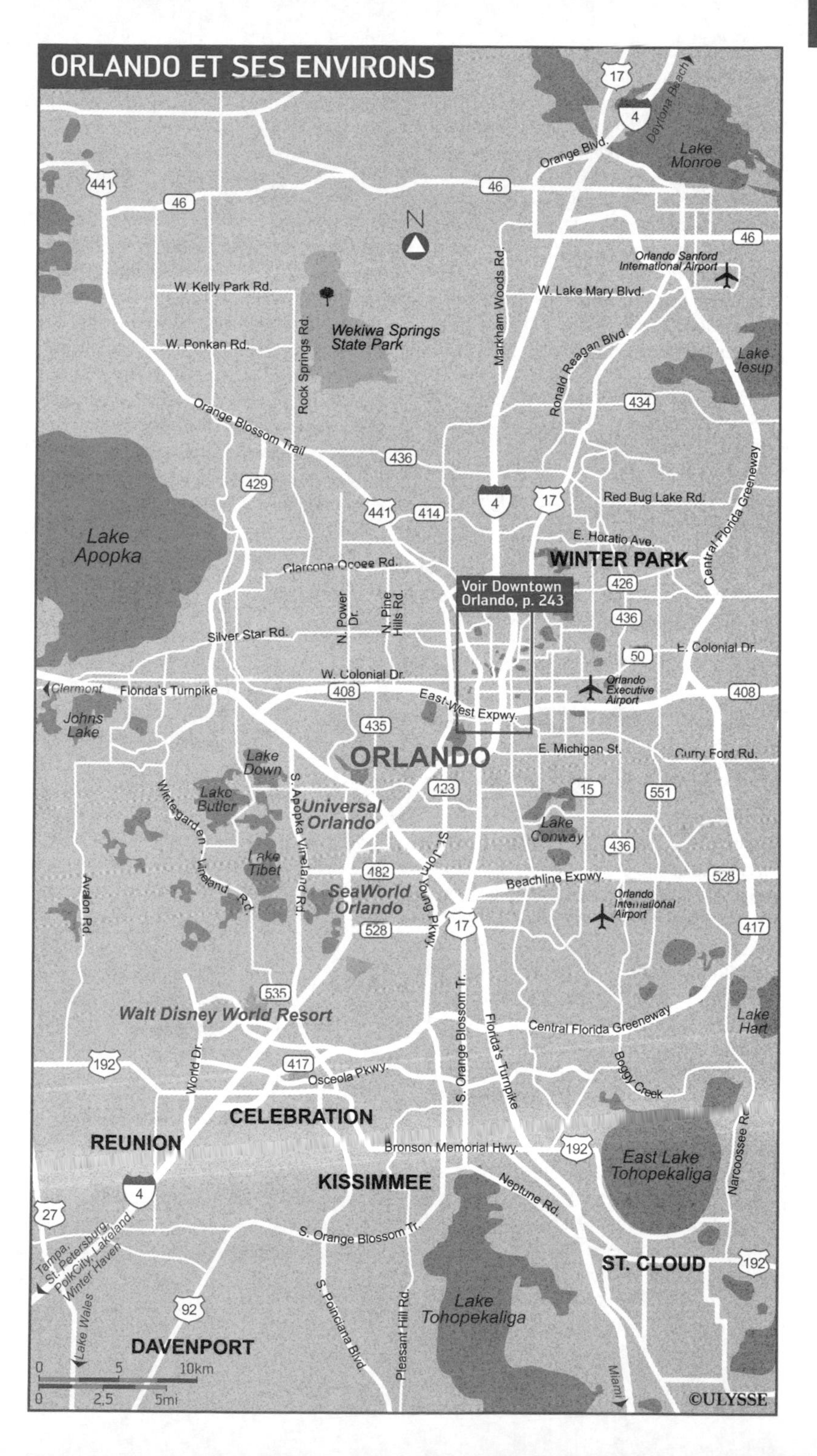
ORLANDO ET SES ENVIRONS
Lake Monroe
Orange Blvd.
Daytona Beach
Orlando Sanford International Airport
W. Kelly Park Rd.
W. Lake Mary Blvd.
Wekiwa Springs State Park
W. Ponkan Rd.
Rock Springs Rd.
Markham Woods Rd.
Ronald Reagan Blvd.
Lake Jesup
Orange Blossom Trail
Red Bug Lake Rd.
Central Florida Greeneway
Lake Apopka
E. Horatio Ave.
WINTER PARK
Clarcona Ocoee Rd.
Voir Downtown Orlando, p. 243
N. Power Dr.
N. Pine Hills Rd.
Silver Star Rd.
E. Colonial Dr.
W. Colonial Dr.
Clermont
Florida's Turnpike
Orlando Executive Airport
East-West Expwy.
Johns Lake
ORLANDO
E. Michigan St.
Curry Ford Rd.
Lake Down
Lake Butler
Winter Garden - Vineland Rd.
S. Apopka Vineland Rd.
Universal Orlando
Lake Conway
Lake Tibet
St. John Young Pkwy.
Beachline Expwy.
Avalon Rd.
SeaWorld Orlando
Orlando International Airport
Walt Disney World Resort
S. Orange Blossom Tr.
Florida's Turnpike
Central Florida Greeneway
Lake Hart
World Dr.
Osceola Pkwy.
Boggy Creek
CELEBRATION
REUNION
Bronson Memorial Hwy.
East Lake Tohopekaliga
Narcoossee Rd
KISSIMMEE
Neptune Rd.
Tampa, St. Petersburg, PolkCity, Lakeland, Winter Haven
S. Orange Blossom Tr.
ST. CLOUD
S. Poinciana Blvd.
Pleasant Hill Rd.
Lake Tohopekaliga
Lake Wales
DAVENPORT
Miami
0 5 10km
0 2,5 5mi
©ULYSSE

Le **Transportation and Ticket Center** fait office de grande gare centrale à Disney.

Si vous logez dans un des complexes hôteliers de Disney, on vous fournira des plans et des indications détaillées qui vous aideront dans vos déplacements. Sinon, vous pouvez vous procurer les plans du réseau de transport au Transportation and Ticket Center et aux guichets des parcs thématiques. De toute façon, où que vous désiriez aller, un préposé de Disney saura toujours vous indiquer le plus court chemin.

En théorie, vous devez être muni d'une carte d'identité spéciale, qui vous est remise à votre arrivée à l'hôtel, pour prendre le monorail, les autobus ou les navettes lacustres de Disney. Dans les faits, on ne vous demandera toutefois que bien rarement de la montrer. Cette carte est émise aux résidents des complexes hôteliers de Disney et aux détenteurs d'un laissez-passer de quatre ou cinq jours pour les parcs thématiques.

Renseignements utiles, de A à Z

› Aînés

Comme des millions de gens ont déjà pu le constater, le centre de la Floride convient parfaitement aux voyageurs plus âgés, à tel point que certains y élisent domicile de façon temporaire ou permanente. Le climat est doux, le terrain plat, et les tarifs pratiqués au cours de la saison morte rendent cette destination fort attrayante pour les voyageurs à revenu modeste. De plus, les personnes âgées de 60 ans ou plus se voient consentir (toujours en basse saison) des rabais à Walt Disney World, aux Universal Studios, à SeaWorld Orlando et dans certaines autres attractions locales. Les résidents de la Floride âgés de 65 ans et plus bénéficient en outre de tarifs de camping réduits dans la plupart des parcs d'État, et le «passeport de l'âge d'or» (Golden Age Passport), qu'on doit se procurer en personne et qui donne droit à l'entrée gratuite aux parcs et aux monuments nationaux, est accordé à toute personne âgée de 62 ans ou plus qui en fait la demande.

L'**American Association of Retired Persons (AARP)** *(601 E Street NW, Washington, DC 20049, 888-687-2277, www.aarp.org)* accepte comme membre toute personne de 50 ans et plus, et offre entre autres des rabais sur les voyages auprès de nombreuses entreprises.

Côté santé, faites preuve d'une grande diligence. En plus des médicaments que vous avez l'habitude de prendre, il serait sage d'emporter vos ordonnances de façon à pouvoir les renouveler au besoin. Songez également à vous munir de votre dossier médical (incluant vos antécédents médicaux, votre état de santé actuel ainsi que les nom, adresse et numéro de téléphone de votre médecin). Enfin, assurez-vous que votre assurance vous protège à l'étranger.

› Animaux de compagnie

En septembre 2010, Walt Disney World a inauguré son **Best Friends Pet Care Resort** *(877-493-9738, www.bestfriendspetcare.com)*, une sorte d'«hôtel de luxe» pour animaux de compagnie. L'établissement peut accueillir quelque 270 chiens, 30 chats et quelques autres animaux (hamsters, cochons d'Inde et autres). Ce nouveau service remplace les cinq chenils qui étaient en exploitation depuis plusieurs années à différents endroits à travers le royaume. Il est situé au 2510 Bonnet Creek Parkway, non loin du Disney's Port Orleans Resort.

À Universal Orlando, le chenil se trouve dans le stationnement intérieur. Au moment de régler le coût du stationnement, mentionnez que vous souhaitez utiliser ce service et l'on vous donnera les indications précises pour vous y rendre.

À SeaWorld, un service de garde d'animaux de compagnie se trouve entre le terrain de stationnement et l'entrée du parc.

› Appareils photo et caméscopes

Que serait un voyage à Disney World sans photos-souvenirs? Que vous apportiez votre appareil photo ou votre caméscope (et pourquoi pas les deux?), ce ne sont pas les occasions qui vous manqueront d'immortaliser les scènes classiques de Disney.

Il est interdit de prendre des photos avec un flash dans la plupart des salles de spectacle des parcs thématiques ainsi que dans plusieurs attractions intérieures.

Dans tous les parcs thématiques, vous trouverez des boutiques où vous procurer films, cassettes vidéo, cartes mémoire, piles et appareils photo jetables. Par contre, il ne fait aucun doute qu'il vous coûtera plus cher de vous procurer ces articles dans les parcs que chez votre marchand habituel.

› Argent et services financiers

Monnaie et change

La monnaie américaine repose sur le dollar, que vous trouverez en coupures de 1$, 5$, 10$, 20$, 50$ et 100$. Chaque dollar se divise en 100 cents, et les pièces en circulation sont de 1¢ (*penny*), 5¢ (*nickel*), 10¢ (*dime*) et 25¢ (*quarter*). Le billet de 2$ et les pièces de 50¢ et 1$ existent également, mais sont très rares et peu utilisés.

Il importe de savoir qu'on ne peut payer aucun produit ou service en devises étrangères aux États-Unis. Il est possible d'échanger des devises aux bureaux des *Guest Relations* situés près de l'entrée de chacun des parcs principaux de Disney World, d'Universal Orlando et de SeaWorld Orlando (se référer aux chapitres sur chacun de ces parcs pour connaître la localisation exacte de ces bureaux). Vous pourrez également changer vos devises dans les complexes hôteliers de Disney et dans plusieurs hôtels de la région, mais à des taux moins avantageux.

Tous les prix indiqués dans ce guide sont en dollars américains.

Cartes de crédit

Ne partez surtout pas sans elles, car à Disney World vous en aurez certainement besoin. Les principales cartes (Visa, MasterCard et American Express) sont acceptées partout sur le site et dans les attractions environnantes. Font cependant exception à cette règle les marchands de babioles des parcs thématiques et certains comptoirs de restauration rapide. Pour les avances de fonds ou les retraits de votre compte en banque, vous trouverez des guichets automatiques à l'entrée de tous les parcs thématiques.

› Assistance aux non-anglophones

Le Magic Kingdom, Epcot, les Disney's Hollywood Studios et le Disney's Animal Kingdom mettent à la disposition des visiteurs étrangers des **audioguides** en plusieurs langues pour un grand nombre d'attractions. Vérifiez-en la disponibilité auprès des *Guest Services* (bureaux de service à la clientèle) de chaque parc. Nous avons identifié dans ce guide les attractions où les audioguides fournissent la traduction en français à l'aide du symbole suivant: 🎧. On trouve aussi à l'entrée des quatre parcs majeurs de Disney des plans en plusieurs langues, dont le français. Le bureau des *Guest Relations* d'Universal Orlando propose également des plans en langues étrangères.

› Attractions

Un des buts premiers de cet ouvrage consiste à faciliter vos choix devant l'éventail impressionnant d'attractions offertes par les différents parcs thématiques. Le système de classification retenu dans ces pages reflète l'originalité, l'inventivité, la qualité de conception et l'intérêt général (pour l'ensemble de la famille) de chacune des attractions. Or, comme il va sans dire que tous les membres de la famille ne s'entendront pas toujours sur les «meilleurs» manèges et visites, nous nous adressons essentiellement aux chefs de l'expédition, soit les parents.

Taux de change

1$US	=	1,01$CA
1$US	=	0,77€
1$US	=	0,96FS
1$CA	=	0,99$US
1€	=	1,30$US
1FS	=	1,04$US

N.B. Les taux de change peuvent fluctuer en tout temps.

Souriez!

Même s'il est difficile de prendre une photo sans intérêt dans le cadre fabuleux des parcs thématiques de Disney World, certains endroits se révèlent tout à fait exceptionnels. Voici donc quelques idées de photos d'enfants inoubliables:

- Avec Cendrillon, devant son palais (Magic Kingdom).
- Sur Dumbo, avant le départ (Magic Kingdom).
- Près des Dancing Waters (fontaines dansantes) d'Imagination! (Epcot).
- Avec les «acteurs» et les «actrices» du Great Movie Ride (Disney's Hollywood Studios).
- Sous le parapluie et le réverbère de *Singin' in the Rain* (la pluie s'écoule du parapluie si ce dernier est touché), à l'arrière de New York Street, au-delà de Backlot Tour (Disney's Hollywood Studios).
- En nourrissant les dauphins, au bassin du Dolphin Cove at Key West (SeaWorld Orlando).

C'est ainsi que certains manèges fort appréciés des jeunes enfants n'obtiennent qu'une faible cote du fait qu'ils suscitent peu d'intérêt chez les adultes, ou même chez les enfants un peu plus âgés.

Une étoile (★) signifie **« vous pouvez passer outre »** et désigne une attraction ennuyeuse qui risque de vous faire perdre votre temps. Deux étoiles (★★) signifient **« inférieur à la moyenne »**, mais sans pour autant exclure certaines vertus divertissantes. Trois étoiles (★★★) désignent une **« attraction moyenne »**, faisant preuve d'un minimum d'imagination, mais pas nécessairement susceptible d'éveiller l'intérêt du plus grand nombre. Quatre étoiles (★★★★) signifient **« supérieur à la moyenne »**, c'est-à-dire ingénieux, fantaisiste et de conception irréprochable. Enfin, cinq étoiles (★★★★★) signifient **« à ne pas manquer »** et désignent une attraction très courue, une réussite telle que vous ne songerez qu'à en redemander.

› Billets et tarification

Quel que soit le parc thématique que vous comptez visiter, le meilleur conseil que nous puissions vous donner consiste à vous procurer vos billets à l'avance. En vous présentant billet en main, vous éviterez en effet de longues files d'attente; or, en toute honnêteté, qui voudrait commencer sa journée par une attente de 20 min ou plus?

Walt Disney World

La structure de prix au Walt Disney World est pour le moins complexe. Aussi est-il possible d'ajouter de nombreuses options au prix de base, comme nous l'expliquons ci-après. Prenez note que les prix changent souvent (à la hausse la plupart du temps...) et que ceux qui apparaissent ici sont inscrits en dollars américains et donnés à titre indicatif seulement.

Le prix du **billet de base** (*base ticket*) est établi en fonction du nombre de jours de visite des grands parcs thématiques (Magic Kingdom, Epcot, Disney's Hollywood Studios et Disney's Animal Kingdom) que vous souhaitez réserver. Les jours d'utilisation de ces billets n'ont pas à être consécutifs:

	Adultes	Enfants (3 à 9 ans)
1 jour	95$	88$
2 jours	187$	175$
3 jours	258$	241$
4 jours	273$	255$
5 jours	285$	266$
6 jours	296$	277$
7 jours	307$	288$
8 jours	317$	298$
9 jours	328$	309$
10 jours	339$	320$

À ces tarifs, il faut ensuite ajouter environ 37$ au prix du billet d'un jour si l'on souhaite pouvoir passer d'un parc à un autre au cours de la journée (option ***Park Hopper***), ou autour de 60$ au prix des billets de toute autre durée. Cette possibilité est particulièrement appréciable pour les séjours de plusieurs jours, car elle permet de revenir dans un parc afin d'y essayer les attractions qu'on n'a pu visiter la première fois.

Si vous souhaitez inclure dans votre séjour des visites aux parcs aquatiques (Typhoon Lagoon et Blizzard Beach), à DisneyQuest et à l'ESPN Wide World of Sports Complex (option ***Water Park Fun & More***), il faut ajouter 60$ additionnels au prix de votre billet.

Finalement, vous pouvez aussi ajouter l'option ***No Expiration***, qui ne fixe aucune date limite pour l'utilisation des journées de visite réservées. Sans cette option, il faut vous rappeler que votre billet ne sera plus valide après une période de 14 jours suivant son premier jour d'utilisation. L'option *No Expiration* coûte 32$ pour un billet de 2 jours, 42$ pour 3 jours, 90$ pour 4 jours, 139$ pour 5 jours, 176$ pour 6 jours, 202$ pour 7 jours, 229$ pour 8 jours, 266$ pour 9 jours et 293$ pour 10 jours.

À noter que des passeports annuels pour les quatre parcs principaux (***Theme Park Annual Pass***) et pour l'accès aux parcs principaux et secondaires (***Premium Annual Pass***) sont également disponibles.

On peut acheter les billets par téléphone *(407-934-7639)*, par Internet *(www.disneyworld.com)*, ainsi qu'à l'entrée de chaque parc, dans les hôtels de Walt Disney World, au Transportation and Ticket Center et à Downtown Disney.

Universal Orlando

Trois types de billets s'offrent à vous : le billet d'une journée, le billet de deux jours et le passeport annuel. Encore une fois, tous les prix sont sujets à augmentation.

Le complexe thématique connu sous le nom d'Universal Orlando englobe les Universal Studios et Universal's Islands of Adventure, inclusion faite de City Walk.

	Adultes	**Enfants (3 à 9 ans)**
1 jour/1 parc	88$	82$
1 jour/accès aux 2 parcs	123$	117$
2 jours/ 1 parc par jour	120$	110$
2 jours/accès chaque jour aux 2 parcs	140$	130$
Passeport annuel/ 2 parcs	260$	260$

À ces tarifs de base, il est possible d'ajouter l'option ***Universal Express Plus***, qui permet un accès plus rapide à la majorité des attrac-

Émergence d'une nouvelle génération de billets d'entrée

Dès le début de 2013, Disney a enclenché le processus par lequel les billets d'entrée en papier donnant accès à ses parcs d'attractions, ainsi que les cartes magnétiques servant de clés pour les chambres d'hôtel, seront graduellement remplacés par des bracelets munis d'une puce électronique.

Baptisé MyMagic+, ce nouveau service permettra aussi aux visiteurs qui le désirent de payer leurs achats et même, éventuellement, de se procurer jusqu'à 60 jours à l'avance une certaine quantité de *Fastpass*, ces laissez-passer qui permettent d'éviter les files d'attente aux attractions les plus en demande.

Toutes ces informations seront stockées dans la puce du bracelet, que des lecteurs spéciaux permettront de décoder un peu partout à Disney World et dans les autres *resorts* de l'empire Disney.

tions et spectacles. Le prix de cet ajout varie en fonction des taux d'affluence prévus et du fait que le billet de base soit valide pour un ou deux parcs. Ainsi faut-il compter entre 21$ et 64$ pour cet ajout. À noter que les visiteurs qui logent dans les hôtels d'Universal Orlando bénéficient automatiquement de ce privilège.

On peut acheter les billets par téléphone *(407-363-8000)*, par Internet *(www.universalorlando.com)*, ainsi qu'à l'entrée de chaque parc et dans les hôtels d'Universal Orlando.

SeaWorld Orlando

Plusieurs types de billets sont également proposés à SeaWorld Orlando. Les plus populaires sont les billets d'un jour, le billet de deux jours permettant de visiter SeaWorld et Aquatica, et le billet de deux jours permettant de visiter SeaWorld et le parc d'attractions Busch Gardens de Tampa.

	Adultes	Enfants (3 à 9 ans)
1 jour/SeaWorld	79$	71$
1 jour/Aquatica	45$	40$
2 jours/SeaWorld et Aquatica	119$	11$
2 jours/SeaWorld et Busch Gardens	129$	121$
3 jours/SeaWorld, Aquatica et Busch Gardens	149$	141$
Passeport annuel/ SeaWorld	149$	149$
Passeport annuel/ SeaWorld et Aquatica	179$	179$

Un peu comme Universal Orlando, SeaWorld propose d'ajouter à votre billet l'option ***Quick Queue*** pour un accès sans attente à ses principales attractions, moyennant la somme de 14,99$ (accès unique à chaque attraction) ou de 19,99$ (accès illimité).

Quant à Discovery Cove, plusieurs forfaits dont les prix varient en fonction des saisons sont également proposés. Une journée au parc incluant la baignade avec les dauphins coûte entre 259$ et 319$, et sans cette possibilité entre 169$ et 219$. Dans les deux cas, ce billet donne en plus un accès illimité à SeaWorld et à Aquatica pour une période de 14 jours.

Les dollars Disney

Devant l'ampleur de cet univers imaginaire, il n'est guère étonnant que Disney ait songé à y faire circuler des dollars fantaisistes. Ainsi, comme si votre argent ne suffisait pas, Disney World vous offre des «dollars Disney». Voici comment cela fonctionne: lorsque vous pénétrez à l'intérieur des parcs thématiques, vous avez la possibilité d'échanger au pair vos billets américains contre des dollars Disney, honorés dans tous les restaurants et boutiques de Disney World.

Il va sans dire qu'aucune raison logique ne justifie l'achat de ces dollars à l'effigie de Mickey. Ils ne présentent aucun avantage sur les billets courants et ne permettent d'obtenir aucun rabais. Ils peuvent, par contre, vous inciter à acheter davantage! Ainsi que le fait remarquer une mère de famille: *«Les dollars Disney ressemblent à de l'argent de Monopoly. Je pouvais les dépenser sans compter, ce que je n'aurais jamais osé faire avec mon propre argent.»*

On peut acheter les billets par téléphone *(407-351-3600 ou 888-800-5447)*, par Internet *(www.seaworld.com)*, ainsi qu'à l'entrée du parc.

› Casiers

Un casier peut se révéler salutaire. Pratiques pour ranger les articles encombrants, comme une veste, des bagages ou des sacs de couches, les casiers sont accessibles à peu de frais dans tous les grands parcs thématiques.

› Climat

L'été n'est pas seulement synonyme de foules, c'est aussi l'époque des journées de chaleur accablante, avec des averses l'après-midi qui tombent avec la ponctualité d'une horloge. La pluie fait alors chuter la chaleur, suivie de nuits fraîches aux éclairs silencieux qui traversent le ciel. L'automne et le printemps apportent pour leur part des températures idéales, à l'air vif et au ciel bleu, sans le moindre nuage, faisant monter en flèche votre niveau d'énergie. En hiver, on peut passer, en l'espace de quelques heures, du chaud au froid le plus glacial, bien que la plupart des journées soient tout simplement fraîches. Les habitants de la Floride centrale, vous l'aurez compris, n'ont pas souvent l'occasion de porter des manteaux!

› Décalage horaire

Il n'y a pas de décalage horaire entre Orlando et le Québec. Le décalage horaire pour la France, la Belgique ou la Suisse est de six heures. Lorsqu'il est midi dans un de ces pays, il est 6h du matin en Floride.

Attention cependant aux changements d'heures, qui ne se font pas aux mêmes dates qu'en Europe: aux États-Unis et au Canada, l'heure d'hiver entre en vigueur le premier dimanche de novembre et prend fin le deuxième dimanche de mars.

› Électricité et équipement électronique

L'alimentation électrique des prises de courant est de 110 volts (60 cycles). Les appareils conçus pour d'autres types d'alimentation doivent être utilisés conjointement avec un transformateur ou un adaptateur approprié. Les voyageurs utilisant un ordinateur portatif à des fins de télécommunications doivent savoir que les configurations de modem propres au système téléphonique américain ne correspondent pas nécessairement à celles de leurs pendants européens. Les DVD américains n'utilisent pas non plus le même format que les européennes, mais les centres d'accueil des parcs nationaux et divers commerces proposant des souvenirs les tiennent souvent également en format européen.

› Forfaits et rabais

Tout le monde peut obtenir des rabais à Disney World. Si vous savez où chercher et à qui vous adresser, vous trouverez une foule de réductions applicables aux restaurants, aux hôtels, aux boîtes de nuit, aux boutiques et même aux parcs thématiques.

Le meilleur truc consiste à visiter fréquemment le site Internet de Walt Disney World *(www.disneyworld.com)*, sur lequel des promotions de diverses natures sont fréquemment mises de l'avant, depuis les réductions périodiques sur les prix d'entrée aux parcs thématiques jusqu'aux forfaits à prix spéciaux incluant hébergement et accès aux parcs.

Moyennes des températures et des précipitations

	Temp. max. moyenne (°C)	Temp. min. moyenne (°C)	Préc. (cm)
Janvier	22	9	5,8
Février	23	10	7,6
Mars	26	13	8,1
Avril	28	15	4,6
Mai	31	19	9,1
Juin	33	22	18,5
Juillet	33	23	18,5
Août	33	23	17,3
Septembre	32	22	15,2
Octobre	29	19	6,1
Novembre	26	14	5,8
Décembre	23	11	5,6

Disney World et la région d'Orlando sur Internet

www.disneyworld.com
www.disneyworld.ca
Le site officiel du Walt Disney World Resort, ainsi que sa version canadienne qui comprend une importante section en français.

http://blogues.guidesulysse.com/Disney-World-Floride/
Blogue tenu par l'auteur des guides Ulysse de la Floride et de Disney World, un complément au présent guide pour les renseignements d'ordre plus ponctuel et pour être mis au courant de changements susceptibles de survenir en tout temps.

www.wdworld.com
Un site québécois très bien fait qui renferme des informations de toute nature sur Disney World. Idéal pour obtenir des renseignements d'ordre ponctuel: attractions et établissements fermés pour rénovation, offres spéciales et réductions, horaires...

www.disney.com/d23
Le site communautaire officiel de l'empire fondé par Walt Disney en 1923, pour les maniaques qui veulent en connaître toujours plus sur Disney World, les autres parcs à travers le monde ainsi que les films et émissions de télé produits par Disney. En anglais seulement.

www.universalorlando.com
Le site officiel d'Universal Orlando. En anglais seulement.

www.seaworld.com
Le site officiel de SeaWorld Orlando. En anglais seulement.

www.visitorlando.com
Le site de l'Orlando Tourism Bureau. En anglais seulement.

www.experiencekissimmee.com
Le site du Kissimmee Convention & Visitors Bureau. Version française disponible.

www.visitflorida.com
Le site officiel de l'organisme de promotion touristique de l'État de Floride: Visit Florida. Version française disponible.

Les résidents de la Floride. Durant certains mois (généralement janvier, mai et septembre), ils se voient offrir jusqu'à 30% de rabais sur l'accès aux parcs thématiques de Disney World. Un permis de conduire de la Floride fera foi du lieu de résidence.

Universal Orlando et **SeaWorld Orlando** offrent des rabais aux personnes âgées et aux résidents de la Floride. Pour plus de détails, informez-vous auprès de chaque parc.

Les parcs **SeaWorld**, **Aquatica**, **Universal Studios**, **Universal's Islands of Adventure** et **Wet'n Wild** ont uni leurs efforts pour proposer l'***Orlando Flexticket***, valable pour les cinq parcs pour une période de 14 jours consécutifs. Le prix (taxes non comprises) en est de 288$ pour les adultes et de 269$ pour les enfants de 3 à 9 ans. Une version élargie de ce laissez-passer inclut l'entrée aux Busch Gardens de Tampa, au coût de 328$ pour les adultes et de 307$ pour les enfants.

Le **Kissimmee Convention and Visitors Bureau** *(www.experiencekissimmee.com)* distribue dans les commerces des environs des brochures gratuites offrant des rabais dans les attractions, magasins, boîtes de nuit et restaurants situés en dehors des grands parcs thématiques.

Vous trouverez aussi de bonnes affaires concernant les hôtels et les motels dans la publicité des rubriques voyage de tous les journaux importants. Beaucoup de ces prix sont avantageux, mais pas tous. Méfiez-vous particulièrement des hébergements à bas prix qui affichent «près de Disney», alors qu'ils s'en trouvent parfois assez éloignés. Si l'endroit est situé à plus de 8 km, cherchez ailleurs; vous perdriez en effet la moitié de la journée à vous rendre aux parcs thématiques et à en revenir. La commodité et la tranquillité d'esprit valent bien quelques dollars de plus.

Un nombre étourdissant de **forfaits** sont proposés aux visiteurs de Disney World. L'achat d'un forfait dépend surtout de vos besoins. Si vous prenez l'avion jusqu'à Orlando et que vous logez dans un complexe hôtelier de Disney, un forfait peut probablement vous faire réaliser des économies. Recherchez les forfaits qui incluent le transport aérien, l'hébergement, la location d'une voiture et les billets d'accès aux parcs thématiques; vous épargnerez ainsi jusqu'à 20% sur les prix courants. Les forfaits ont également l'avantage de vous donner une idée de ce que coûtera votre voyage, car la plupart des frais seront couverts dès le départ. Ils permettent en outre d'éliminer plusieurs incertitudes et nombre de décisions de dernière minute.

Surtout, n'hésitez pas à «magasiner». Les agents de voyages peuvent vous aider à comparer les prix et les options des différents forfaits; compte tenu de la concurrence farouche que se livrent les hôtels et les centres d'intérêt de la région, vous ne devriez avoir aucun mal à trouver une bonne affaire correspondant à vos besoins.

Méfiez-vous toutefois des kiosques situés un peu partout dans les environs de Disney World, qui vendent des billets d'entrée à prix réduits pour les différents parcs thématiques. Il s'agit d'un coup de dés: tout peut bien se passer, mais il n'y a aucune garantie. De plus, ces comptoirs sont souvent associés à des vendeurs d'appartements en copropriété de type *time sharing*, et vous devrez vous taper une visite et une séance d'information avant d'enfin pouvoir mettre la main sur vos billets.

Il faut également faire preuve de beaucoup de prudence face aux sites Internet qui proposent la vente de portions inutilisées de billets de plusieurs jours. Pour éviter les mauvaises surprises, mieux vaut s'en remettre au site de Disney et aux agents de voyages reconnus.

› Hébergement

Possédant plus de chambres d'hôtel (au-delà de 75 000) que toute autre ville américaine, l'agglomération d'Orlando offre des possibilités d'hébergement pour ainsi dire infinies. Des petits motels familiaux et des appartements conventionnels aux somptueux complexes hôteliers ressemblant à des petites villes, vous avez l'embarras du choix pour vous loger à Orlando. Mais quel que soit l'établissement pour lequel vous opterez, réservez toujours longtemps à l'avance. Durant la haute saison, il est recommandé de le faire jusqu'à un an avant la date de votre séjour si vous comptez loger dans les complexes hôteliers de Disney. Après tout, Disney World n'est-elle pas la destination voyage la plus courue du monde?

Dans ce guide, nous avons répertorié les lieux d'hébergement de la région qui s'avéraient les mieux adaptés aux familles, y compris les différents complexes hôteliers de Disney World et les lieux d'hébergement avoisinants qui offrent des services spéciaux tels que comptoirs d'enregistrement pour enfants et restaurants familiaux. Afin d'harmoniser toutes les bourses, les établissements sont classés par ordre de prix. Les prix indiqués sont ceux de la haute saison, mais sachez qu'on trouve parfois de bonnes affaires hors saison; à vous de mener votre enquête.

Les hôtels **« petit budget »** *($)* coûtent en général **moins de 80$** par nuitée pour deux adultes et deux enfants; les chambres y sont propres et confortables, mais manquent de commodités. Les hôtels de catégorie **« moyenne »** *($$)* affichent des prix variant **entre 80$ et 125$**, et offrent des chambres plus grandes, des meubles plus confortables et un environnement plus attrayant. Pour les hôtels de catégorie **« moyenne-élevée »**

($$$), vous devez compter **entre 126$ et 200$** pour deux adultes avec enfants; vous aurez ainsi une chambre spacieuse et dotée de toutes les installations modernes (en plus d'un hall chic, on y trouve habituellement un restaurant, un salon et quelques boutiques). Si l'envie vous prend de séjourner dans les hôtels dits de catégorie **« supérieure »** *($$$$)*, vous aurez certes droit au luxe et à tous les services possibles, mais on vous demandera alors **de 201$ à 300$** par nuitée. Finalement, les établissements de **«très grand luxe»** *($$$$$)* sont les plus élégants et les plus raffinés, et il faut débourser **plus de 300$** par nuitée pour y séjourner.

Camping

Le camping constitue un bon choix pour les familles voulant séjourner dans la région d'Orlando. Non seulement est-il beaucoup moins cher que l'hôtel, mais il permet en outre d'économiser sur la nourriture, car, en cuisinant vous-même certains repas, vous échapperez au piège qui consiste à manger trois fois par jour la nourriture on ne peut plus onéreuse des parcs thématiques. Le camping vous soulagera par ailleurs des rigueurs physiques et mentales inhérentes à la visite des sites touristiques. Qui plus est, la plupart des terrains de camping sont axés sur la famille et organisent une myriade d'activités en plein air pour tous les groupes d'âge.

Les campeurs devront prévoir un nécessaire de cuisine. Pour le reste, sauf en hiver, un sac de couchage léger, une tente dotée de bonnes moustiquaires et un tapis de sol suffiront, sans oublier, bien entendu, les accessoires habituels (gamelles, trousse de premiers soins, lampe de poche, insectifuge, etc.).

Walt Disney World possède son propre terrain de camping, **Fort Wilderness** (voir p. 256), mais on trouve aussi plusieurs terrains de camping privés aux abords immédiats de Disney. Pour une sélection de ces campings, reportez-vous au chapitre qui est consacré à l'hébergement (voir p. 263).

Location d'appartements ou de maisons

La location d'un appartement ou d'une maison dans les environs est aussi à considérer. Quelques agences en font d'ailleurs leur spécialité. Ce type d'hébergement conviendra aux familles et aux groupes qui souhaitent économiser sur les repas en les préparant eux-mêmes plutôt que de toujours s'en remettre aux restaurants. Le confort accru par rapport à une chambre d'hôtel classique en séduira aussi plusieurs. Il faut cependant se rappeler que la location d'une voiture devient pratiquement indispensable si l'on choisit cette formule.

› Heures d'ouverture

Les heures d'ouverture des parcs thématiques peuvent fluctuer énormément d'une saison, d'un mois, d'une semaine et même d'une journée à l'autre. En fait, Walt Disney World, Universal Orlando et SeaWorld Orlando ajustent leurs heures d'ouverture et de fermeture en fonction de l'affluence prévue. Vous disposez cependant d'un certain nombre de points de repère:

- en été et durant les jours fériés, les parcs thématiques ferment plus tard (22h, 23h ou 24h);
- en hiver, ils ferment à 18h ou 19h;
- enfin, il importe de savoir qu'à Disney World les heures affichées ne correspondent pas toujours aux vraies heures d'ouverture. Si le personnel de Disney attend une foule nombreuse, il se peut qu'on ouvre les parcs de 30 min à 60 min plus tôt que prévu. Vous ne saurez jamais ce qu'il en sera exactement, mais il vaut toujours mieux arriver tôt, au cas où...

Il est d'ailleurs recommandé de toujours se présenter au moins 1h à l'avance au Magic Kingdom et à Epcot, et 30 min à l'avance aux Disney's Hollywood Studios et au Disney's Animal Kingdom.

À noter que les horaires officiels pour tous les parcs de Walt Disney World sont publiés six mois à l'avance sur le site *www.disneyworld.com*. On y trouve également le calendrier des ***Extra Magic Hours***, ces périodes additionnelles pour visiter les grands parcs thématiques et les parcs aquatiques qui sont réservées certains matins et certains soirs aux résidents des hôtels Disney.

Un réseau sans fil enfin accessible à Disney World

Bien des visiteurs ont ragé par le passé en découvrant qu'il n'y avait pas de réseau sans fil dans les hôtels de Disney World, et que la seule façon de se brancher à Internet consistait à utiliser le système payant par câble disponible au prix fort dans leur chambre. «Une autre façon de nous couper du monde extérieur», se plaignaient les plus critiques.

Heureusement, cette époque est révolue depuis 2012, lorsque Disney a annoncé qu'un réseau sans fil serait dorénavant accessible gratuitement dans les hôtels de Disney World. À compter de ce moment, les clients ont pu se prémunir de ce service dans leur chambre, mais aussi dans de nombreuses aires publiques (restaurants d'hôtel, abords des piscines et autres). Même un géant comme Disney aura finalement dû rendre les armes devant la force d'attraction des communications modernes. Devant les pressions de plus en plus insistantes des visiteurs, il n'a eu d'autre choix que de finalement consentir à ouvrir les vannes.

L'accès au réseau sans fil a d'ailleurs ensuite été étendu aux parcs thématiques principaux, ce qui a permis à Disney de prendre les devants sur ses concurrents Universal et SeaWorld, chez lesquels aucun service du genre n'est encore offert, à Downtown Disney, bien que des ratés y aient été observés jusqu'au début de 2013, et au Fort Wilderness Resort and Campground, où le service est toutefois réservé aux résidents.

Du côté d'Universal Orlando, les horaires des différents parcs sont disponibles quatre mois à l'avance sur le site *www.universalorlando.com*. Il en est de même pour SeaWorld Orlando, sur le site *www.seaworld.com*.

› Personnes à mobilité réduite

Walt Disney World et les parcs thématiques environnants sont, dans leur presque totalité, facilement accessibles aux personnes à capacité physique restreinte. Les attractions sont équipées de larges rampes à faible inclinaison, et les restaurants ainsi que les toilettes ont été aussi conçus pour eux. Des fauteuils roulants et des véhicules motorisés à trois roues sont par ailleurs offerts en location à l'entrée de chaque parc. Pour les malentendants, Disney World dispose, à l'intérieur de chaque parc, de descriptions écrites de la plupart des attractions ainsi que d'appareils de communication spécialement adaptés. Moyennant un léger dépôt, les malvoyants et non-voyants peuvent, quant à eux, se munir d'un audioguide expliquant chacune des attractions. Adressez-vous au bureau du service à la clientèle (comptoir des *Guest Relations*). Pour recevoir une brochure concernant les autres services, appelez Walt Disney World Resort Special Reservations au 407-939-7807.

Pour tout renseignement au sujet des services offerts aux personnes à mobilité réduite dans la région, adressez-vous au **Center for Independent Living** *(720 N. Denning Dr., Winter Park, 407 623-1070, www.cilorlando.org)*.

Pour des conseils de voyage, communiquez avec le réseau **Travelin' Talk** *(www.travelintalk.net)*. D'autres organismes sont également susceptibles de fournir des renseignements utiles aux personnes à mobilité réduite: **Society for Accessible Travel & Hospitality** *(347 5th Ave., Suite 605, New York, NY 10016, 212-447-7284, www.sath.org)* et **MossRehab ResourceNet** *(Korman Building, 1200 W. Tabor Rd., Philadelphia, PA 19141, 215-456-9900, www.mossresourcenet.org)*.

Renseignez-vous bien avant de réserver une chambre, car bon nombre d'hôtels et de motels sont équipés pour accueillir les personnes en fauteuil roulant.

Les *Extra Magic Hours*; de quoi s'agit-il au juste?

L'un des avantages que procure le fait de loger dans un des hôtels de Disney est de pouvoir profiter de périodes exclusives pour visiter les parcs thématiques et les parcs aquatiques. Au cours de ces périodes, seuls les résidents des hôtels Disney sont admis sur le site ou aux attractions.

Comment cela fonctionne-t-il? Eh bien, il faut d'abord obtenir l'horaire des ***Extra Magic Hours***, car il varie constamment. On peut obtenir cette information plusieurs mois à l'avance en consultant la section «calendrier» du site officiel de Disney World *(www.disneyworld.com)*.

Les ***Extra Magic Hours*** peuvent aussi bien être prévues pour le matin, avant l'ouverture officielle des parcs, que pour le soir, après l'heure de fermeture affichée. Dans les deux cas, le fonctionnement est tout simple: seules les personnes en mesure de présenter leur carte démontrant qu'ils résident sur le site sont admis au parc. Ensuite, ils devront aussi présenter leur carte à l'entrée de chaque attraction.

› Renseignements touristiques et service à la clientèle

Walt Disney World

Renseignements généraux
407-824-4321, www.disneyworld.com
À noter que le site canadien de Disney *(www.disneyworld.ca)* contient une section détaillée en français.

Réservations de chambres: 407-934-7639

Réservations de restaurants: 407-939-3463

Bureau des objets trouvés
Pour réclamer un bien perdu ou déposer un objet trouvé, veuillez vous présenter le jour même au comptoir de service prévu à cet effet dans chacun des parcs (voir la section «Renseignements utiles» au début de chaque chapitre), au Transportation and Ticket Center ou à la réception de votre hôtel.

Le lendemain ou les jours suivant la perte, communiquez avec la **Lost and Found Station** du **Transportation and Ticket Center** *(407-824-4245)*.

Universal Orlando

Renseignements généraux: 1000 Universal Studios Plaza, Orlando, FL 32819, 407-363-8000, www.universalorlando.com

SeaWorld Orlando

Renseignements généraux: 7007 SeaWorld Dr., Orlando, FL 32821, 888-800-5447, www.seaworld.com

Orlando et Kissimmee

Orlando Tourism Bureau: *lun-ven 8h à 17h30, sam-dim 9h à 15h, fermé le 25 déc;* 407-363-5872, www.visitorlando.com

Kissimmee Convention and Visitors Bureau: *lun-ven 8h à 17h;* 407-742-8200, www.experiencekissimmee.com

› Restaurants

On dirait presque qu'il y a plus de restaurants que de gens dans le centre de la Floride. Afin de vous aider à choisir parmi cette pléiade de restos, nous les avons répertoriés en fonction de leurs prix et de l'intérêt qu'ils présentent pour les familles.

Les repas servis au dîner par les restaurants **« petit budget »** *($)* coûtent **moins de 15$**; l'atmosphère y est décontractée, le service habituellement rapide et la clientèle souvent locale. Les restaurants de catégorie **« moyenne »** *($$)* offrent des dîners dont les prix varient **de 15$ à 25$**; le cadre y est détendu mais agréable, le menu se révèle plus varié et le service généralement un peu moins bousculé. Les établissements de catégorie **« moyenne-élevée »** *($$$)* proposent quant à eux des dîners dans une fourchette de prix allant **de 26$ à 35$**; la cuisine y est tantôt simple, tantôt élaborée, selon le contexte, mais le décor y est toujours plus somptueux et le service plus personnel. Les restaurants de catégorie **« supérieure »** *($$$$)*, où le prix des dîners s'élève à **plus de 35$**, relèvent le plus souvent de l'expérience gastronomique; la cuisine devient alors un art raffiné et le service doit être pour le moins impeccable.

À noter que si vous souhaitez prendre tous vos repas dans les établissements situés à l'intérieur des limites de Walt Disney World, il vous est possible d'ajouter un *Disney Dining Plan* aux forfaits qui combinent déjà hébergement et entrées dans les parcs. Ce système peut vous permettre d'économiser en bout de ligne jusqu'à 30% du prix des repas, avant pourboire et boissons alcoolisées (voir les détails du programme, p. 267).

Certains restaurants changent souvent de propriétaire, tandis que d'autres ferment à l'occasion durant la saison morte. Nous nous sommes donc efforcés de sélectionner des établissements bénéficiant d'une solide réputation de stabilité et de qualité. Notez enfin que les prix des petits déjeuners et des déjeuners varient moins d'un restaurant à l'autre que ceux des dîners. Tous les restaurants servent le déjeuner et le dîner, sauf indication contraire.

› Services aux familles

Poussettes et sièges-autos

Une poussette peut s'avérer salutaire dans les parcs thématiques. À défaut d'apporter la vôtre, vous pouvez en louer une dans n'importe quel parc de Disney World, à Universal Orlando ou à SeaWorld Orlando. La poussette est généralement recommandée pour les enfants de moins de trois ans et devient nécessaire pour les trois à cinq ans à Epcot et à Universal Orlando, ce qui n'est pas forcément le cas aux Disney's Hollywood Studios, beaucoup moins étendus. Dans le Magic Kingdom, on préférera s'en passer en début de journée, quitte à s'en procurer une plus tard si la fatigue vient à gagner les plus jeunes. Conservez toujours votre reçu de location, car, en cas de vol, il vous suffira de le présenter pour qu'on vous donne une autre poussette sans frais additionnels.

Si votre voyage à Orlando se fait par avion et inclut la location d'une voiture, l'organisme **Kids in Safety Seats** *(407-857-0353 ou 877-990-5477, www.kidsinsafetyseats.com)* vous fournira sièges-autos et poussettes; moyennant une modique somme, on vous les livrera n'importe où dans la région de Disney World. Il peut aussi vous fournir des berceaux et des chaises hautes. Souvenez-vous qu'en Floride la loi exige que les jeunes enfants voyagent dans un siège-auto.

Garderies

Les résidents des complexes hôteliers de Walt Disney World bénéficient des services de garderie du centre **Kids Nite Out** *(407-828-0920 ou 800-696-8105, www.kidsniteout.com)*, qui accueille les enfants jusqu'à l'âge de 12 ans. Il est conseillé de réserver au moins 24 heures à l'avance. Les com-

Quelques applications mobiles

My Disney Experience
L'application officielle développée par Disney permet, entre autres choses, de faire des réservations dans les restaurants des parcs thématiques et des hôtels de Disney World. Combinée à la nouvelle technologie MyMagic+, en cours d'implantation au moment de mettre ce guide sous presse, elle permettra également bientôt de réserver des *Fastpass* et des places pour assister aux spectacles, défilés et feux d'artifice.

Disney World Wait Times, Dining and Maps
Estimations en temps réel des temps d'attente aux manèges et attractions des quatre parcs thématiques de Disney World. Infos sur les heures d'ouverture des parcs et horaires des spectacles et défilés. Le même producteur a créé une application similaire pour les parcs d'Universal Orlando: Universal Studios Wait Times.

plexes hôteliers de Disney et la plupart des autres hôtels de la région offrent également le service de gardiennes aux chambres, bien que les coûts soient alors beaucoup plus élevés. Enfin, dans bon nombre d'entreprises privées, vous pouvez louer les services d'une gardienne qui vous accompagnera dans les parcs thématiques et veillera sur vos enfants pendant que vous les visitez; appelez **Super Sitters** *(407-382-2558, www.super-sitters.com)*, qui offre aussi le service de gardiennes aux chambres.

Centres de services aux nourrissons (Baby Services)

Situés au Magic Kingdom, à Epcot, aux Disney's Hollywood Studios et au Disney's Animal Kingdom, ces centres disposent de salles tranquilles à l'éclairage tamisé, avec des tables à langer et de confortables berceuses (fauteuils à bascule) pour l'allaitement. On peut également s'y procurer des chaises hautes, des bavoirs, des tétines, du lait en poudre, des céréales et des petits pots de nourriture. Des couches jetables y sont aussi disponibles, de même que dans plusieurs boutiques de Disney, qui les tiennent généralement sous le comptoir, de sorte que vous devez les demander.

Magic Kingdom

Pour beaucoup de gens, le Magic Kingdom, c'est Walt Disney World. C'est en effet ici que Walt Disney a tout d'abord mis la Floride sous le charme de sa formule fantasmagorique, en faisant sortir d'un marécage une architecture féerique, des réalisations artistiques purement fantaisistes, des jardins florissants et des attractions ultramodernes.

C'est ici que ce brillant créateur de dessins animés poussa l'illusion à son comble, en donnant le jour à un royaume fictif peuplé de personnages imaginaires, de villages et de jungles inventés, de musiques joyeuses, de rues étincelantes de propreté, de plans d'eau chatoyants et de manèges palpitants... Tout pour en faire une expérience unique, colorée et pleine de joie.

Le Magic Kingdom n'occupe que 43 des 12 100 ha de Walt Disney World (soit, à peu de chose près, l'équivalent d'une goutte dans un étang), mais il n'en constitue pas moins le cœur de ce monde. Clone presque parfait du Disneyland de la Californie, il compte une quarantaine d'attractions, 28 restaurants, une trentaine de comptoirs d'alimentation ambulants, 39 boutiques et une vingtaine de chariots de marchandises répartis à travers six zones (*lands*) pleines d'imagination et fort différentes les unes des autres. Le plus populaire de ces domaines est **Fantasyland**, une toile de rêve tissée au fil des livres de contes, avec ses tours de bateaux, ses carrousels et sa musique joyeuse. On s'affaire actuellement à agrandir substantiellement la section Fantasyland (voir l'encadré p. 99), ce qui ne manquera pas de plaire aux familles comptant de jeunes enfants. Malheureusement, cet agrandissement a cependant impliqué la fermeture du secteur Mickey's Toontown Fair en février 2011. **Adventureland** offre, grâce à ses huttes de chaume, ses perroquets jacasseurs et son périple dans la jungle, une randonnée sans danger dans les régions sauvages d'Afrique et d'Amérique du Sud. **Frontierland** apparaît parmi des buttes rocailleuses d'aspect cuivré, truffé de scènes d'Indiens et de cowboys, tandis qu'à côté le **Liberty Square** reproduit l'Amérique coloniale avec ses devantures d'autrefois et ses attractions patriotiques. À un tout autre pôle, **Tomorrowland** avait d'abord été conçu comme un ensemble d'édifices blanchis à la chaux, destiné à représenter le futur tel que le voyait Disney dans les années 1960. Cette vision n'a toutefois pas survécu; en 1995, Tomorrowland a subi un remodelage qui a transformé les monumentales masses de béton blanc en un paysage coloré et festonné de formes convexes à la Tinkertoy. Aujourd'hui, Tomorrowland est mieux connue pour abriter l'un des manèges les plus populaires du parc, soit le Space Mountain.

Puis, il y a **Main Street, U.S.A.**, le centre névralgique du Magic Kingdom et la toute première attraction à accueillir les visiteurs. Ses rues en brique, ses lampadaires à l'ancienne et ses façades élaborées reproduisent avec éclat l'idée qu'on se fait de la petite ville américaine modèle. Il y a aussi la gare colorée du Walt Disney World Railroad, un train à vapeur qui couvre le périmètre du Magic Kingdom en faisant teuf-teuf. Un peu plus loin, passé Main Street, U.S.A., se trouve un jardin luxuriant du nom de Central Plaza, auréolé d'un cours d'eau d'un bleu à faire rêver et parsemé de chênes majestueux ainsi que de bancs laqués. Plus loin encore se dresse le somptueux château de Cendrillon, devant les tourelles effilées duquel s'émerveillent les visiteurs à toute heure du jour, rêvant de contes de fées.

L'attention toute spéciale qui est accordée aux détails (allant des poubelles décorées aux costumes des employés, en passant par les astucieux menus des restaurants) ne cesse d'étonner même les visiteurs les plus habitués. On éprouve une joie indicible à s'imprégner de l'ambiance d'une zone donnée pour ensuite succomber au charme d'une autre, complètement différente. Même les jours les plus insensés, alors que le parc est bondé de gens et que la chaleur devient suffocante, personne ne peut résister à l'esprit du Magic Kingdom.

La nuit ne fait qu'ajouter aux illusions du royaume magique, illuminant de mille feux les arabesques des toits et projetant les hautes silhouettes irisées des flèches du château contre un ciel d'encre. La fête atteint alors son paroxysme, au son triomphant des défilés, des chanteurs costumés qui envahissent les rues et des feux d'artifice qui rivalisent avec les étoiles.

Depuis l'ouverture du Magic Kingdom en 1971, Disney World s'est étendu par la création d'autres parcs thématiques, dont Epcot, qui s'étale sur 105 ha (plus de deux fois la superficie du Magic Kingdom). Malgré la concurrence, le Magic Kingdom demeure le lieu d'évasion par excellence, celui qui sort le plus de l'ordinaire. C'est un endroit conçu pour les enfants, et où les adultes retrouvent leurs rêves d'enfants. Il envoûte littéralement les cœurs sensibles, et même ceux des sceptiques qui méprisent son humour enfantin, ses accents conservateurs et son approche idéaliste.

Tous ceux qui ont vécu la fascination du château de Cendrillon, la montée d'adrénaline que provoque le Space Mountain ou la douce joie d'It's a Small World savent que le Magic Kingdom n'a pas son pareil. En fait, plus de gens visitent le Magic Kingdom que tout autre parc thématique au monde.

À ne pas manquer!

› Les attractions

SpectroMagic Parade p. 90
Main Street Electrical Parade p. 91
Pirates of the Caribbean p. 93
Big Thunder Mountain Railroad p. 95
Splash Mountain p. 96
The Haunted Mansion p. 98
Cinderella Castle p. 100
Mickey's PhilharMagic p. 101
Under the Sea – Journey of The Little Mermaid p. 104
Space Mountain p. 107

› Les bonnes adresses

Restaurants

Crystal Palace (Main Street, U.S.A.) p. 268
Cinderella's Royal Table (château de Cendrillon) p. 268
Be Our Guest (New Fantasyland) p. 268

Achats

Emporium (Main Street, U.S.A.) p. 296
The Art of Disney (Main Street, U.S.A.) p. 296
Crystal Arts (Main Street, U.S.A.) p. 296
Bonjour! Village Gifts (New Fantasyland) p. 297

Accès et déplacements

Il peut s'avérer fastidieux et compliqué de se rendre au Magic Kingdom, sans compter le temps précieux que vous risquez de perdre. Pour cette raison (et parce que ceux qui arrivent tôt évitent les longues files d'attente), il est impératif de s'y rendre de **30 min à 1h** avant l'heure d'ouverture affichée. Les autobus et le monorail fonctionnent habituellement 2h avant l'ouverture, et Main Street, U.S.A. ouvre normalement 30 à 60 min plus tôt que le reste du parc.

› Orientation

Afin de mieux vous représenter le Magic Kingdom, disons qu'il s'agit d'une immense roue dont les rayons aboutissent aux six zones thématiques, la base de cette roue étant constituée par Main Street, U.S.A., qui sert d'entrée au parc et de point de repère principal. Le Walt Disney World Railroad (petit train) circule sur la jante de cette roue. Le moyeu de cette roue est Central Plaza, un jardin verdoyant qui s'étend au pied du château de Cendrillon. Cette place constitue un bon point de rencontre si vous vous séparez pendant la journée ou si un membre de la famille vient à se perdre. On y trouve en outre plusieurs grandes pelouses où les parents peuvent se reposer pendant que les enfants dépensent leur énergie. Certains y étalent même des couvertures à l'ombre des arbres pour pique-niquer et discuter des manèges à essayer.

Du moyeu de notre roue, des passerelles et des ponts conduisent aux différentes zones thématiques. En circulant dans le sens des aiguilles d'une montre, vous croiserez dans l'ordre, à partir d'Adventureland, Frontierland, Liberty Square, Fantasyland et Tomorrowland. Sur un plan, il semble facile de passer d'un *land* à l'autre, mais, dans la réalité, c'est une tout autre histoire. Le royaume tout entier est parcouru d'allées et de ruisseaux sinueux qui ne débouchent pas toujours là où vous croyez. Par exemple, si, en sortant du Space Mountain, vous croyez pouvoir atteindre le Big Thunder Mountain Railroad en moins de deux avec les enfants en remorque, vous risquez de perdre très vite vos illusions. Autrement dit, servez-vous d'un plan pour tracer votre itinéraire et déplacez-vous sans vous presser jusqu'à ce que les lieux vous soient plus familiers. De toute façon, sachez que, si vous vous perdez, les employés de Disney se feront toujours un plaisir de vous orienter.

› En voiture

Sur la **route I-4** (Interstate 4), recherchez les panneaux indiquant les sorties *(exits)* pour Disney World. Prenez celle du Magic Kingdom (sortie 64) et faites environ 3 km, soit jusqu'aux guérites du parc. Après que vous aurez acquitté votre droit de stationnement *(14$)*, on vous guidera vers un terrain si immense qu'il semble se perdre à l'horizon. De ce point, comptez encore une bonne vingtaine de minutes pour accéder au Magic Kingdom.

Vous devez absolument **prendre note de la section et de la rangée où vous êtes stationné** (les sections portent le nom de personnages de Disney, comme Pluto, Goofy ou Chip and Dale), sans quoi vous risquez de ne pas retrouver votre véhicule à la fin de la journée! Prenez ensuite le tramway jusqu'au Transportation and Ticket Center, ni plus ni moins qu'une grande gare centrale où vous achèterez vos billets d'entrée, avant de monter à bord d'un monorail ou d'un traversier qui vous permettra de franchir le kilomètre (plus exactement 0,8 km) qui vous sépare du Magic Kingdom. Le monorail est plus rapide (2 min plutôt que 5 min), mais les queues y sont généralement plus longues, étant donné que les visiteurs veulent éviter de marcher jusqu'au quai du traversier. Si le monorail semble bondé, choisissez donc plutôt le traversier: le voyage sera, en fin de compte, plus rapide et plus relaxant.

› En transports en commun

Du Contemporary Resort, du Polynesian Resort ou du Grand Floridian Resort & Spa: prenez le monorail directement jusqu'au Magic Kingdom.

D'Epcot: prenez le monorail d'Epcot jusqu'au Transportation and Ticket Center, puis le monorail du Magic Kingdom ou le traversier.

Des Disney's Hollywood Studios et du Disney's Animal Kingdom: prenez un autobus jusqu'au Transportation and Ticket Center, puis le monorail du Magic Kingdom ou le traversier.

Du Wilderness Lodge et de Fort Wilderness: prenez un bus ou le bateau de Disney, qui vous emmènera directement au Magic Kingdom.

De tous les autres complexes hôteliers de Disney: prenez un autobus Disney directement jusqu'au Magic Kingdom.

Du Typhoon Lagoon, de Blizzard Beach ou de Downtown Disney: prenez un autobus Disney jusqu'à l'un des hôtels Disney, puis un autre jusqu'au Magic Kingdom.

Des hôtels de la région ne faisant pas partie de Disney World: la plupart disposent d'un service de navette pour le Magic Kingdom. Cependant, dans bien des cas, le service ne se fait qu'aux heures, si ce n'est toutes les deux ou trois heures. Il vaut alors mieux s'y rendre en voiture.

Les attractions du Magic Kingdom où l'on peut obtenir un *Fastpass* FP▸

Il est possible de se procurer un *Fastpass*, permettant d'éviter les files d'attente, aux attractions suivantes du Magic Kingdom:

The Barnstormer (Fantasyland) p. 105

Big Thunder Mountain Railroad (Frontierland) p. 95

Buzz Lightyear's Space Ranger Spin (Tomorrowland) p. 108

Dumbo the Flying Elephant (Fantasyland) p. 104

Jungle Cruise (Adventureland) p. 93

The Many Adventures of Winnie the Pooh, The (Fantasyland) p. 103

Peter Pan's Flight (Fantasyland) p. 102

Space Mountain (Tomorrowland) p. 107

Splash Mountain (Frontierland) p. 96

Town Square Theater (Main Street, U.S.A.) p. 88

Under the Sea – Journey of The Little Mermaid (Fantasyland) p. 104

Renseignements utiles

› Quelques précieux conseils

N'oubliez surtout pas qu'il est préférable de se rendre au Magic Kingdom de 30 à 60 min avant l'heure d'ouverture officielle; il vous sera alors facile de planifier votre matinée. Par exemple, si, à Disney, on vous dit que le parc ouvre à 9h, stationnez votre voiture vers 8h, de manière à être dans Main Street, U.S.A. autour de 8h30. Vous pourrez alors louer une poussette ou un casier, obtenir des plans et des renseignements, ainsi que réserver vos places pour les spectacles, prendre votre petit déjeuner et voir les boutiques et les autres attraits de Main Street, U.S.A. avant l'arrivée de la foule.

Mieux encore, vous pourrez peut-être même entrer dans le reste du parc plus tôt que prévu. Pendant l'été, durant les jours fériés et en période d'affluence, le Magic Kingdom ouvre en effet ses portes jusqu'à une heure plus tôt qu'à l'ordinaire pour les clients des complexes hôteliers de Disney World, cela afin d'empêcher les engorgements et les trop longues files d'attente aux guichets, surtout lorsqu'on prévoit remplir les lieux à pleine capacité, et devoir refuser des visiteurs bien avant que ne sonne midi. On ne peut jamais prévoir une telle situation, mais une chose reste certaine: le fait d'arriver tôt peut vous épargner plusieurs heures d'attente devant les attractions, éliminant ainsi des désagréments qui n'ont pas lieu de ternir une expérience aussi réjouissante et fantaisiste.

Cependant, la même souplesse ne s'applique pas aux heures de fermeture. Les attractions et les manèges s'arrêtent habituellement à l'heure dite, bien que Main Street, U.S.A. reste ouverte 30 min ou 1h de plus, et que les autobus et le monorail demeurent en service jusqu'à 2h après la fermeture. Il s'agit bien entendu du moment rêvé pour visiter **Main Street, U.S.A.**, car, pendant que le reste du parc se vide peu à peu, vous pouvez tranquillement explorer les lieux et les boutiques à votre aise. De plus, le fait d'acheter vos souvenirs juste avant la fermeture vous évitera d'avoir à louer un casier ou à transporter des sacs toute la journée.

Essayez de visiter à fond chaque zone thématique, ou *land*, avant de passer à une autre. Le Magic Kingdom est en effet si complexe qu'il peut s'avérer désastreux de le parcourir en tous sens, en sautant du coq à l'âne.

Prenez votre temps. Vouloir couvrir l'ensemble du Magic Kingdom en une seule journée, c'est comme essayer de voir 10 films en une soirée: vous n'y arriverez tout simplement pas!

Rompez avec vos habitudes en déjeunant et en dînant plus tôt ou plus tard que de coutume, soit avant 11h30 ou après 14h pour le déjeuner, et avant 16h30 ou après 20h pour le dîner. Vous éviterez ainsi la cohue à l'heure des repas et aurez plus de temps à consacrer à l'objet réel de votre voyage.

› Animaux de compagnie

Ils ne sont pas admis à l'intérieur du Magic Kingdom. Vous pouvez cependant les faire garder pour la journée, ou même la nuit, au **Best Friends Pet Care Resort** (voir p. 66).

› Argent

Vous trouverez des guichets automatiques à l'entrée du parc près des casiers, dans City Hall, dans le secteur Fantasyland (près du restaurant Pinocchio Village Haus) et à la Tomorrowland Light & Power Company (près du Space Mountain). Au bureau des *Guest Relations* de City Hall, vous pourrez en outre changer des devises.

› Bureau des objets perdus et trouvés

Signalez tout objet perdu ou trouvé aux *Guest Relations*.

› Casiers

Des casiers sont disponibles sur la droite, tout juste passé les barrières d'entrée, ainsi qu'au Ticket and Transportation Center. Il en coûte 7$ par jour pour un petit casier ou 9$ pour un grand, dans les deux cas avec un accès illimité, plus un dépôt de 5$ remboursable au moment où vous rendrez la clé.

› Centre de services aux nourrissons *(Baby Care Center)*

Situé à côté du restaurant Crystal Palace, dans Main Street, U.S.A, on y trouve entre autres des tables à langer et des berceuses (fauteuils à bascule) pour allaiter. Couches, lait en poudre et autres articles pour bébés y sont également disponibles, de même que dans certains magasins du Magic Kingdom.

Des visites guidées pour arpenter les coulisses du Royaume

Quelques formules de visites guidées permettent d'accéder aux coulisses du Magic Kingdom. Pour vous inscrire, composez le 407-939-8687. À noter que les tarifs, en sus du prix d'entrée au parc, ainsi que les horaires peuvent varier et que, par conséquent, ils ne sont donnés ici qu'à titre indicatif. À noter aussi qu'il faut avoir une bonne compréhension de l'anglais pour apprécier ces visites à leur juste valeur et que, pour certaines d'entre elles, il faut aimer les détails techniques.

Disney's Keys to the Kingdom Tour *(5 heures; 70$ incluant un repas; 16 ans et plus; tlj à 8h30, 9h et 9h30)*: visite des installations logistiques et techniques du Magic Kingdom (voir l'encadré «Les clés du Royaume», p. 90).

Backstage Magic *(7 heures; 224$ incluant un repas; 16 ans et plus; lun-ven à 9h)*: visite à pied et en tram des coulisses du Magic Kingdom, d'Epcot et des Disney's Hollywood Studios.

Disney's Magic behind Our Steam Trains Tour *(3 heures; 49$; 10 ans et plus; lun-sam à 7h30)*: découverte des trains à vapeur du Walt Disney World Railroad.

Disney's Family Magic Tour *(2 heures; 34$; 4 ans et plus; tlj à 10h)*: découverte du parc dans le cadre d'une sorte de course aux trésors.

Walt Disney: Marceline to Magic Kingdom *(3 heures; 30$; 12 ans et plus; lun, mer et ven à 8h15)*: cette visite établit un parallèle entre les événements qui ont marqué la vie de Walt Disney et la conception des décors et attractions du Magic Kingdom.

› Enfants perdus

Signalez les enfants perdus au City Hall, aux *Baby Services* situés dans Main Street ou à tout employé de Disney.

› Poussettes et fauteuils roulants

Des poussettes et des fauteuils roulants peuvent être loués sous la gare du Walt Disney World Railroad, qui se trouve au pied de Main Street, U.S.A.

› Renseignements et audioguides

Le bureau des *Guest Relations*, situé dans City Hall, est l'endroit où vous arrêter pour obtenir tout renseignement de même que pour trouver des plans du parc en français. Vous pouvez aussi vous y procurer des audioguides qui traduisent en français la narration de plusieurs attractions. Ce service est gratuit, mais on vous demandera un dépôt qui vous sera remboursé lorsque vous rapporterez l'appareil. Les plans et les audioguides sont également disponibles en espagnol, en allemand, en japonais et en portugais.

› Service de collecte de paquets *(Package Pickup)*

Ceux qui magasinent beaucoup devraient songer à profiter de ce service gratuit. Il permet, si vous résidez dans un hôtel Disney, de faire livrer tous vos achats directement à votre lieu d'hébergement (généralement à la boutique de votre hôtel). Si vous logez à l'extérieur du Royaume, il offre aussi la possibilité de faire envoyer vos paquets à la Main Street Chamber of Commerce qui se trouve près de l'entrée principale, juste à côté du City Hall. Vous pourrez ainsi passer prendre vos emplettes au moment de quitter le parc, sans avoir à les traîner toute la journée. Mais attention: il y a souvent des «embouteillages» entre 17h et 18h, ainsi que durant la demi-heure qui précède la fermeture du parc.

Main Street, U.S.A.

Quelle plus belle initiation à un royaume enchanté qu'une rue de carte postale! Cette réplique d'une charmante petite ville américaine présente un assemblage fascinant de balcons en fer forgé, de balustrades richement décorées, de constructions au style tarabiscoté, de lampadaires à l'ancienne, de bancs soigneusement peints, d'arbres touffus, de musiques joyeuses, de comptoirs à café express et à pâtisseries, et de jardinières suspendues. Les voitures de pompiers font tinter leurs cloches, les *jitneys* (minibus) filent en tous sens, et les chevaux musclés tirent des tramways bondés de visiteurs.

Main Street, U.S.A. est en grande partie bordée de boutiques et d'établissements habilement conçus dont l'objet semble être aussi bien de divertir que de vendre. Pour quelque chose d'original, il y a Uptown Jewelers, qui offre un choix somptueux d'œufs en céramique. Et n'oublions surtout pas l'Harmony Barber Shop, contre la vitrine de laquelle se pressent les gens (surtout les enfants) pour observer le travail des barbiers moustachus faisant des rasages et des coupes «à l'ancienne».

Parmi les boutiques, on retrouve divers lieux d'intérêt et des restaurants d'où s'échappent des effluves capiteux. Il y a une pâtisserie, un comptoir à glaces surmonté d'auvents rouges et blancs, et une confiserie où l'on s'emploie à malaxer de grandes cuves de pâte friable aux cacahuètes. Chaque endroit offre une atmosphère qui lui est propre; certains sont bondés et éclaboussés de lumière, d'autres plus conventionnels et d'allure victorienne, et d'autres encore, plutôt rustiques et boisés.

Jitneys, tramways à cheval et autres véhicules farfelus

On peut visiter Main Street, U.S.A. sur quatre roues (ou plus) en prenant place à bord d'un des drôles de moyens de transport qui circulent le long de cette artère pavée de briques. On y trouve des *jitneys* (petits bus) et des voitures de pompiers d'un rouge éclatant, des tramways tirés par des chevaux musclés et des bus à deux étages. La plupart font des allers simples du début de Main Street, U.S.A. jusqu'au château de Cendrillon.

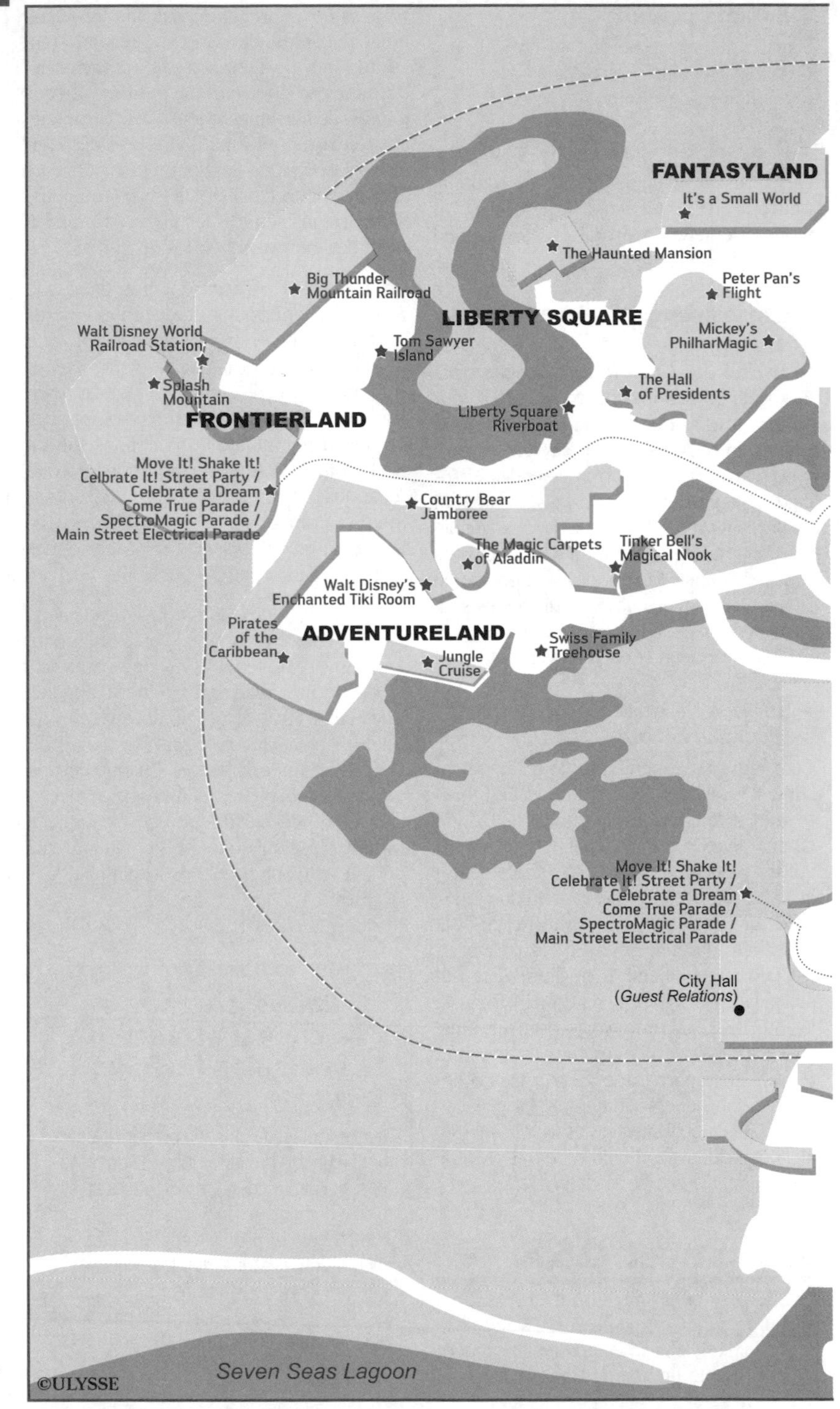
FANTASYLAND
It's a Small World
The Haunted Mansion
Peter Pan's Flight
Big Thunder Mountain Railroad
LIBERTY SQUARE
Mickey's PhilharMagic
Walt Disney World Railroad Station
Tom Sawyer Island
The Hall of Presidents
Splash Mountain
FRONTIERLAND
Liberty Square Riverboat
Move It! Shake It! Celbrate It! Street Party / Celebrate a Dream Come True Parade / SpectroMagic Parade / Main Street Electrical Parade
Country Bear Jamboree
The Magic Carpets of Aladdin
Tinker Bell's Magical Nook
Walt Disney's Enchanted Tiki Room
Pirates of the Caribbean
ADVENTURELAND
Swiss Family Treehouse
Jungle Cruise
Move It! Shake It! Celebrate It! Street Party / Celebrate a Dream Come True Parade / SpectroMagic Parade / Main Street Electrical Parade
City Hall (Guest Relations)
Seven Seas Lagoon
©ULYSSE

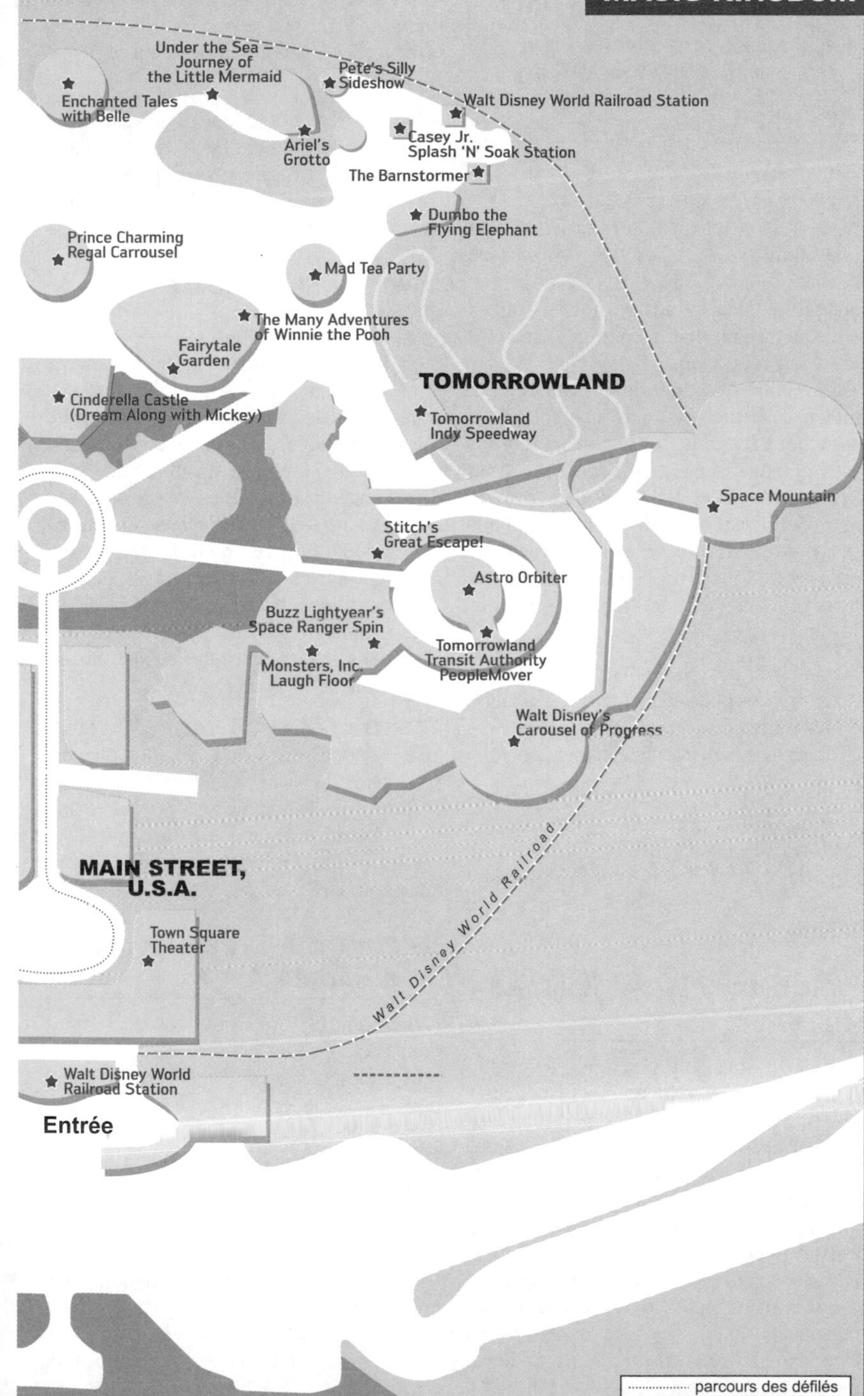
MAGIC KINGDOM
Under the Sea – Journey of the Little Mermaid
Pete's Silly Sideshow
Enchanted Tales with Belle
Walt Disney World Railroad Station
Ariel's Grotto
Casey Jr. Splash 'N' Soak Station
The Barnstormer
Dumbo the Flying Elephant
Prince Charming Regal Carrousel
Mad Tea Party
The Many Adventures of Winnie the Pooh
Fairytale Garden
TOMORROWLAND
Cinderella Castle (Dream Along with Mickey)
Tomorrowland Indy Speedway
Space Mountain
Stitch's Great Escape!
Astro Orbiter
Buzz Lightyear's Space Ranger Spin
Monsters, Inc. Laugh Floor
Tomorrowland Transit Authority PeopleMover
Walt Disney's Carousel of Progress
Walt Disney World Railroad
MAIN STREET, U.S.A.
Town Square Theater
Walt Disney World Railroad Station
Entrée
parcours des défilés

Un rasage à l'ancienne

Vous aimeriez vous offrir un rasage «à l'ancienne»? Rendez-vous à l'Harmony Barber Shop de Main Street, U.S.A.

Les yeux et l'esprit sont sollicités de toutes parts, à tel point qu'il faut beaucoup plus que 40 min (le temps moyen consacré à la visite de Main Street, U.S.A.) pour tout enregistrer. Mais le plus beau, c'est que cet endroit très rarement engorgé peut être visité en tout temps. Essayez de vous y rendre entre le milieu de la matinée et le milieu de l'après-midi, au moment où les attractions les plus populaires attirent les plus grandes foules et où le soleil est au zénith. Main Street, U.S.A. est également un lieu où un parent peut garder les enfants pendant que l'autre part seul à la conquête du Space Mountain ou de quelque autre manège interdit aux plus jeunes.

Votre visite de Main Street, U.S.A. commence par un arrêt aux *Guest Relations*, où vous trouverez des plans, l'horaire des spectacles et des dîners, le bureau des objets trouvés et divers renseignements d'intérêt général.

Main Street, U.S.A. constitue le lieu privilégié où s'installer pour observer les célèbres défilés du Magic Kingdom, et accueille également deux attractions traditionnelles (le Walt Disney World Railroad et le Town Square Theater).

Walt Disney World Railroad

★★★

Avec leurs auvents rayés, leurs sièges aux couleurs vives et leurs teuf-teuf lancinants, ces trains à vapeur d'époque vous promettent beaucoup de plaisir. Vous pouvez ici monter à bord d'un des quatre trains du tournant du siècle dernier qui font le tour du Magic Kingdom, traversant ce qu'un narrateur appelle la *«frontière originelle de la Floride»*, soit des bosquets de fougères et de palmiers nains, ponctués de silhouettes des personnages de Disney. Les enfants adorent cette expérience en plein air et apprécient tout particulièrement de pouvoir voyager à bord d'un «vrai train». Pour les adultes, il s'agit d'une bonne occasion de se reposer tout en se familiarisant avec chaque zone thématique. De fait, le train est le seul à vous offrir une vue aussi complète sur le Magic Kingdom.

À NOTER: Il y a deux autres gares du Walt Disney World Railroad, l'une dans le secteur Frontierland et l'autre dans la portion baptisée Storybook Circus de Fantasyland. Les trains passent toutes les 4 à 10 min.

Town Square Theater

FP ★★★

Depuis la fermeture du secteur Mickey's Toontown Fair et son intégration à la nouvelle version de Fantasyland, le Town Square Theater, qui loge dans un élégant bâtiment victorien situé tout juste à l'entrée du Magic Kingdom, sur la droite, est devenu un lieu de rencontre avec Mickey, Minnie et les princesses de Disney. Le Town Square Theater abrite en outre une boutique d'équipement photographique. Il n'est par contre plus possible, comme c'était le cas jadis, d'y visionner les dessins animés classiques comme *Steamboat Willie* et *Mickey's Big Break*.

À NOTER: Comme à l'époque où il fallait faire la queue pour se faire photographier en compagnie de Mickey non loin de sa maison de Toontown, l'attente peut ici s'avérer extrêmement longue. On ne peut donc que saluer le fait que Disney rende disponibles ici ses fameux laissez-passer *Fastpass*.

Celebrate A Dream Come True Parade ★★★

D'innombrables personnages de Disney, dont Mickey et ses amis, Cendrillon et son prince, ainsi que la Belle et la Bête, prennent place sur de splendides chars allégoriques et défilent chaque jour dans Main Street, U.S.A. et dans le secteur Frontierland. Ils sont accompagnés de chanteurs et, surtout, de danseurs qui invitent les spectateurs à célébrer leurs rêves.

Le défilé suit un parcours qui débute dans Frontierland, puis remonte Main Street, U.S.A. jusqu'à l'entrée du parc. Fort divertissant et haut en couleur, ce défilé dure environ 20 min.

À NOTER: Ce défilé s'ébranle généralement à 15h quotidiennement, mais il convient de vérifier l'horaire du jour lors de votre visite, car un changement est toujours possible. Deux bons postes d'observation: devant Casey's Corner ou le Plaza Ice Cream Parlor, le défilé s'y arrêtant pour présenter des numéros.

Move It! Shake It! Celebrate It! Street Party ★★★

Cette présentation à l'affiche depuis février 2009 combine le défilé traditionnel à la Disney (un convoi remonte Main Street, U.S.A. jusqu'à la place qui s'étend au pied du château de Cendrillon) et le spectacle de rue où danseurs, acrobates et, bien entendu, personnages disneyens invitent les gens à s'éclater avec eux au son d'une musique entraînante.

À NOTER: Ce défilé interactif a lieu plusieurs fois par jour. Il convient donc de consulter l'horaire quotidien remis à l'entrée du parc si vous souhaitez l'inscrire à votre programme de la journée. Le meilleur poste d'observation pour profiter du spectacle se trouve devant le château de Cendrillon. C'est là que certains des personnages descendent de leur char thématique pour faire la fête dans la rue avec le public.

Où rencontrer les personnages de Disney au Magic Kingdom

Les enfants adorent rencontrer les personnages des films de Disney qu'ils préfèrent. Ceux-ci sont toujours disposés à signer des autographes ou à figurer sur les photos de famille. Avant de les approcher, rappelez toutefois à vos enfants que la plupart ne parlent pas, mais s'expriment plutôt par des gestes (assez efficacement d'ailleurs). Sachez également qu'ils sont beaucoup plus grands en personne que dans les films ou à la télévision, ce qui intimide parfois les jeunes enfants. Enfin, comme partout ailleurs, attendez-vous à faire la queue.

Voici quelques lieux où vous pourrez faire connaissance avec divers personnages au Magic Kingdom:

Plusieurs d'entre eux se tiennent à Town Square, la place située au pied de Main Street, U.S.A., à l'entrée du parc, au cours de la matinée et en début d'après-midi. Tout près de là, le Town Square Theater héberge Mickey, Minnie et les princesses de Disney depuis la fermeture du secteur Mickey's Toontown Fair.

À Fantasyland, Merida, l'héroïne du film d'animation Brave, fait des apparitions dans le Fairytale Garden, à l'ombre du château de Cendrillon. Winnie l'ourson et son ami Tigrou se tiennent parfois près de The Many Adventures of Winnie the Pooh, en plus d'animer les repas au restaurant The Crystal Palace.

Cendrillon joue son rôle d'hôtesse auprès des chanceux qui s'installent à la Cinderella's Royal Table (il faut réserver plusieurs mois à l'avance...), située à l'étage de son emblématique château.

Dans la nouvelle portion de Fantasyland, la Petite Sirène accueille les enfants dans l'Ariel's Grotto, alors que Belle en fait autant dans l'attraction Enchanted Tales with Belle. On peut en outre serrer la pince de plusieurs autres personnages sous le chapiteau du Pete's Silly Sideshow, dans le Storybook Circus de Fantasyland.

À Frontierland, il est possible de croiser le cowboy Woody et ses amis Jessy et Bullseye, vedettes de *Toy Story*.

Du côté d'Adventureland, ce sont les personnages du film Aladin que l'on peut rencontrer à l'occasion.

Les clés du Royaume

Une façon différente de découvrir le Magic Kingdom consiste à s'inscrire à l'une des visites guidées qui y sont proposées (voir aussi l'encadré « Des visites guidées pour arpenter les coulisses du Royaume », p. 84). Parmi les diverses options possibles, le **Disney's Keys to the Kingdom Tour** s'avère un fort bon choix. Bien sûr, il faut vous préparer psychologiquement à subir ici un véritable *pitch* de vente sur l'empire Disney, mais la visite n'en contient pas moins de nombreuses informations intéressantes sur l'histoire du parc, depuis sa genèse dans la fertile imagination de Walt Disney lui-même jusqu'à aujourd'hui.

Les guides attirent par exemple votre attention sur toutes sortes de petits détails, comme le fait que les noms qui apparaissent dans les vitrines des bureaux situés à l'étage des bâtiments qui longent Main Street, U.S.A. sont ceux des collaborateurs de Disney, acteurs importants dans la concrétisation de Disney World. Ou encore que, dans l'attraction The Hall of Presidents, on a reproduit à l'identique les vêtements et accessoires portés par les six derniers présidents américains lors de leur cérémonie d'assermentation, incluant la montre de George W. Bush et l'anneau de Barack Obama.

Ils vous conduisent aussi dans l'arrière-scène, là où sont garés les chars allégoriques utilisés dans les différents défilés. Puis, l'expérience devient vraiment fascinante quand vous descendez dans les fameux tunnels « souterrains » (ils se trouvent en fait au niveau du sol; c'est le parc lui-même qui a été aménagé un étage au-dessus). Ces longs couloirs utilitaires, que l'on appelle d'ailleurs *utilidors*, permettent au personnel de circuler rapidement d'un point à l'autre du parc et d'accéder aux entrepôts, cafétérias et autres services à leur intention. Fils électriques, téléphone, Internet, tuyauterie, tout passe par-dessous et est facilement accessible grâce aux *utilidors* pour effectuer des réparations, évitant ainsi la création de chantiers de construction dans le parc.

Un de ces *utilidors* fait littéralement le tour du Magic Kingdom, formant un grand cercle, et un autre, très long, conduit en ligne droite, puis de l'entrée du parc, jusque dans le secteur Fantasyland en passant sous le château de Cendrillon.

C'est donc une brève incursion dans les coulisses du Royaume que permettent ces visites. Mais n'allez pas vous imaginer qu'on ira jusqu'à vous montrer là où sont entreposés les costumes de mascottes, au risque que vous aperceviez Mickey ou Minnie sans leur tête... Après tout, il faut bien préserver la magie, non?

SpectroMagic Parade
★★★★★

L'éclat de ce défilé s'amenuisait considérablement à Disneyland, et on le croyait sur le point de s'éteindre complètement lorsqu'il fut ressuscité à Disney World. Ceux qui n'ont pas eu la chance de le voir au cours des nombreuses années où il était présenté en Californie auront le bonheur de découvrir un spectacle éblouissant au cours duquel 26 chars thématiques s'illuminent de milliers d'ampoules, d'autant plus que la mélodie d'accompagnement, qu'elle vous plaise ou non, a le don de vous faire taper du pied et de vous coller au cerveau longtemps après avoir quitté le parc.

Ce défilé suit le même parcours que la Celebrate A Dream Come True Parade, mais en sens inverse : les chars allégoriques et les nombreux personnages empruntent Main Street, U.S.A. et se dirigent vers le château de Cendrillon, avant de bifurquer vers Frontierland. Intitulé **Wishes**, le fameux spectacle de feux d'artifice qui illumine le ciel au-dessus du château clôture habituellement en beauté cette célébration.

Il faut prévoir s'installer le long du parcours au moins une heure avant le début du défilé pour être certain de bien voir le spectacle. À noter qu'en haute saison ce défilé est présenté deux fois au cours de la soirée et que la foule est habituellement moins compacte lors de la seconde présentation, qui n'est cependant pas suivie de feux d'artifice. L'horaire, qui varie selon les jours et les périodes de l'année, est publié quotidiennement.

À NOTER: Le défilé a fait long feu à Anaheim avant d'être présenté ici. Si vous l'avez déjà vu dans votre enfance, ne manquez surtout pas l'occasion d'en faire revivre la magie dans votre cœur.

Main Street Electrical Parade ★★★★★

Lors de votre passage, il est possible que ce soit ce défilé nocturne qui soit au programme plutôt que la SpectroMagic Parade. Ne vous en faites pas toutefois, car vous ne perdrez rien au change. Ce défilé est construit sur un mode similaire, proposant aux spectateurs ébahis une suite de chars thématiques illuminés de milliers d'ampoules. Le concept est donc le même, mais peut-être en plus coloré encore.

Mené par la fée Clochette, suivi pas très loin derrière de Mickey, Minnie et Goofy, le cortège suit le parcours habituel le long de Main Street, U.S.A. en direction du château de Cendrillon, puis à travers Frontierland. Chaque char compose un tableau féerique qui évoque un des films d'animation classiques de Disney: *Alice aux pays des merveilles, Cendrillon, Blanche-Neige et les sept nains, Peter Pan, Pinocchio.*

À NOTER: L'Electrical Parade a déjà tenu l'affiche au Magic Kingdom de 1977 à 1991. Après avoir été présenté pendant plusieurs années au parc Disney California Adventure d'Anaheim, le défilé a fait un retour remarqué à Disney World en 2010.

Adventureland

Le pont en bois brut qui relie Central Plaza à Adventureland vous entraîne dans une véritable métamorphose: d'un côté, les allées pavées de briques, les pelouses soignées et la symétrie éclatante de la place; de l'autre, des sentiers obscurs longeant des cours d'eau, un fouillis de lianes et des coassements de crapauds. Adventureland, ou le royaume de l'exotisme tel que vu par Disney, regorge de totems, de lances sculptées, de cascades bouillonnantes qui s'écrasent sur des rochers recouverts de mousses vertes, et de fleurs radieuses en bordure des sentiers. Et le tout est rehaussé d'accents africains, polynésiens et caribéens: cris rauques de perroquets, battements de tambours et barrissements d'éléphants mécaniques. L'air même se charge de parfums humides des tropiques.

L'architecture ne fait qu'accentuer cette impression de contrée perdue, avec ses huttes de chaume, ses constructions pastel aux toits de tôle ondulée, ses bois sculptés et ses façades en pisé couronnées de tuiles d'argile. Une des plus belles constructions est sans doute la Caribbean Plaza, regroupant une série de boutiques aérées dont les marchandises s'alignent sous des arches de stuc. Des femmes vêtues d'étoffes bigarrées ou de voiles de harem vous y proposent des chapeaux de pirate, des bracelets, des

Spectacles de rue

Vous marchez dans Main Street, U.S.A. en contemplant son architecture splendide quand, soudain, un quatuor se met à chanter. Avec leurs costumes à rayures aux couleurs vives, ces artistes chantent à pleins poumons une chanson drôle et lèvent leur chapeau aux applaudissements de la foule. Dans la jungle d'Adventureland, voilà qu'apparaît un groupe des Caraïbes, frappant sur des tambours de métal. Et près du château de Cendrillon, un pianiste remplit d'airs de ragtime une cour ornée de ballons.

Les spectacles de rue qui agrémentent gaiement le Magic Kingdom en lui donnant un air de fête sont offerts tous les jours en divers points du parc. Les heures des représentations changent fréquemment, de sorte que vous feriez bien de consulter la brochure offerte à l'entrée pour vérifier l'horaire détaillé.

coffres au trésor et d'autres «butins» du genre, donnant aux lieux un air de foire.

De toutes les zones thématiques du Magic Kingdom, Adventureland est peut-être celle qui exerce le plus grand attrait sur les visiteurs de tout âge. Qu'il s'agisse des familles, des couples sans enfant, des personnes seules ou des aînés, tous en raffolent. Aucune attraction n'y est vraiment conçue qu'à l'intention des seuls enfants, et pourtant même les plus jeunes ont accès à toutes. De la gigantesque maison dans les arbres à la croisière pleine d'aventures au cœur de la jungle, en passant par ce voyage en bateau où l'on repousse les attaques des pirates, chacun y trouvera son compte.

Tinker Bell's Magical Nook ★★

La Fée Clochette a maintenant son lieu coloré bien à elle où il est possible de se faire tirer le portrait en sa compagnie. D'autres fées de Disney se joignent à elle de temps à autre.

À NOTER: Pour les mordus seulement. Si vous faites partie de cette catégorie de visiteurs, ouvrez l'œil car le lieu en question n'est pas facile à repérer. Il se trouve sur la droite quand vous entrez dans Adventureland en arrivant de Main Street, U.S.A.

The Magic Carpets of Aladdin ★★★

Après un long métrage, une série télévisée et quelques suites directement diffusées en DVD, il était temps pour le jeune homme coiffé d'un fez d'avoir son propre manège! Rien de bien excitant toutefois (on y tourne en rond à la Dumbo), si ce n'est qu'on y voit déjà un classique de demain. Les passagers prennent place dans ce qui se veut être des tapis volants accueillant chacun quatre personnes, et virevoltent autour d'une bouteille de génie tout en contrôlant les mouvements ascendants et descendants de leur moyen de transport. Ceux qui ont déjà attendu sans fin devant le manège de l'éléphant précité à Fantasyland s'imaginent sans doute qu'ils devront attendre encore plus longtemps ici. Néanmoins, même si Aladin ne manquera pas d'attirer les foules, son manège comporte 16 nacelles, ce qui veut dire qu'il peut accueillir un grand nombre de passagers à la fois. Qui plus est, la randonnée est de courte durée; vous en aurez donc bien peu pour votre argent et préférerez sans doute passer outre si vous visitez le Magic Kingdom sans jeunes enfants. Dans le cas contraire, il y a fort à parier qu'ils ne voudront pas laisser passer l'occasion de renouer avec un de leurs héros; il ne vous restera plus qu'à leur faire un beau sourire et à prendre votre mal en patience. Et, tandis que vous êtes dans le secteur, pourquoi ne pas jeter un coup d'œil sur les étals de l'**Agrabah Marketplace**, un bazar à ciel ouvert à la mode du Moyen-Orient?

À NOTER: Prenez garde aux chameaux, car ils crachent!

Swiss Family Treehouse ★★★

Certains visiteurs dédaignent cette attraction, la jugeant inintéressante ou trop exigeante, mais la plupart relèvent volontiers le défi que représente l'escalade d'un arbre aussi imposant. D'un diamètre de plus de 27 m, et comptant environ 600 branches, ce banian abrite une maison à niveaux multiples inspirée de celle où habitaient les héros du conte désormais classique *Les Robinson suisses*. D'une conception et d'une ingéniosité remarquables, ce spécimen unique arbore quelque 800 000 feuilles en vinyle plus vraies que nature (au coût d'un dollar par feuille au début des années 1970!) et un tronc pour le moins ahurissant. D'étroits escaliers en bois serpentent autour du tronc et entre les branches, donnant vue sur des pièces si bien aménagées qu'on croirait que la célèbre famille de naufragés y vit réellement; des courtepointes recouvrent les lits à colonnes, et des conduits de bois alimentent chacune des pièces en eau fraîche. Remarquez la spacieuse cuisine à la base de l'arbre, avec son sol dallé de pierres, son four en brique et son attirail de casseroles.

À NOTER: L'escalade de l'arbre est assez ardue, peut-être même trop pour les personnes âgées et les jeunes enfants.

Jungle Cruise

FP▶ 🎧 ★★★★

Cette folle et amusante croisière dans une jungle savamment reconstituée est sans contredit l'une des attractions les plus connues et appréciées de Disney World. Les visiteurs se serrent les coudes sur des embarcations couvertes aux noms pittoresques comme *Nile Nellie* ou *Amazon Annie*, et un capitaine portant chapeau de safari et veste cintrée accompagne le groupe dans une aventure subtropicale qu'il qualifie de «*périlleuse*». Il s'agit ici d'une des rares attractions commentées de vive voix, ce qui ne manque pas d'ajouter à son charme, d'autant plus que les animateurs font rire avec leurs plaisanteries et leurs bouffonneries loufoques.

Durant ce voyage de 10 min, l'action ne manque pas: les explorateurs de fortune déjouent les éléphants, les hippopotames, les zèbres, les gnous, les girafes et les pythons. Ils évitent également de justesse des chutes menaçantes, échappent aux pygmées et se faufilent secrètement par un temple cambodgien imprégné d'humidité. On aperçoit même sur une berge un campement pillé par des «sauvages», avec un tout-terrain renversé dont les roues tournent encore et dont la radio continue de hurler.

Rien de tout cela n'est réel, il va sans dire, mais certaines scènes sont assez vraisemblables pour effrayer des enfants d'âge préscolaire. On n'a cependant aucun mal à calmer ces derniers, tant et si bien qu'au terme du voyage ils ne veulent même plus descendre du bateau, faisant fi de l'admonition du guide: «*Laissez tous vos bijoux et objets de valeur, mais n'oubliez surtout pas de reprendre vos enfants.*»

À NOTER: Les files d'attente peuvent parfois être impressionnantes ici. Qui plus est, elles s'avèrent souvent trompeuses, car, à chaque détour, vous risquez de découvrir (à votre grand malheur) qu'elles se prolongent encore et encore. Il vaut donc mieux s'y rendre à la première heure le matin ou pendant le défilé de 15h dans Main Street, U.S.A.

> Afin de conserver à la Jungle Cruise son allure de jungle lorsque le mercure descend sous la marque des 2°C, 100 radiateurs à gaz et ventilateurs électriques (cachés dans les rochers) procurent de l'air chaud aux plantes et aux arbres.

Pirates of the Caribbean

★★★★★

Probablement l'une des plus grandes réussites de Disney World, cette attraction réunit tout à la fois des paysages réalistes, une musique enlevante, une courte descente en chute libre mais néanmoins saisissante, de l'action et encore de l'action. Par contraste avec les paysages ensoleillés de la Jungle Cruise, cette expédition en bateau vous transporte au cœur de sombres et humides repaires de pirates.

À la base, c'est ce manège qui a inspiré les films éponymes mettant en vedette Johnny Depp et non l'inverse comme c'est habituellement le cas. Cela dit, par un étonnant retour du balancier, ne voilà-t-il pas que depuis quelques années on retrouve désormais certains des personnages des films parmi les pirates audio-animatroniques qui peuplent le manège, dont l'inénarrable capitaine Jack Sparrow, criant de vérité et visible plus d'une fois au cours du périple (à vous de le repérer!).

Au début, on aperçoit des hommes à jambe de bois et aux dents ébréchées, enchaînés aux sols de pierre, alors que des vautours s'emploient à déchiqueter des squelettes éparpillés sur la plage. Pendant la presque totalité de l'expédition, des fiers-à-bras se livrent au pillage et sèment la pagaille sur l'île. Lors d'un raid chaotique contre une forteresse, ils font feu de leurs pistolets en tous sens, pourchassent les femmes et incendient le village. Les poules caquettent à qui mieux mieux, les chiens ne cessent d'aboyer, et les cochons enivrés se dandinent de façon étonnamment réaliste. Certaines scènes frisent la tragédie (dont celle où l'on vend les femmes aux enchères), mais on réussit malgré tout à les dédramatiser. Tous les détails sont gran-

Pirate d'un jour

Votre garçon ou votre fille rêve de devenir pirate ? Inscrivez-les à la Pirate's League, une activité qui se tient aux abords du manège Pirates of the Caribbean.

Le capitaine Jack Sparrow et ses complices sont à la recherche de nouvelles recrues. C'est donc avec plaisir qu'ils initieront votre rejeton aux rudiments du métier... moyennant 29,95$. L'une des premières étapes consistera à lui trouver un «vrai nom de pirate». Puis, le processus de transformation s'enclenchera alors que maquillage, tatouages et accessoires divers seront mis à contribution. On lui remettra aussi quelques souvenirs, telle une épée de pirate, et il participera à un défilé en compagnie des autres recrues du jour, après bien sûr s'être soumis à un «entraînement intensif complet».

Pour inscrire votre pirate en herbe, il faut composer le 407-939-2739. À noter que l'activité dure entre 30 min et 1h, et que les enfants doivent être accompagnés d'un adulte pendant toute sa durée. Une bonne compréhension de l'anglais est essentielle pour bien apprécier cette expérience.

D'autre part, le spectacle interactif *Captain Jack Sparrow's Pirate Tutorial* est présenté plusieurs fois par jour dans les parages. Le célèbre pirate et son second Mack y expliquent alors aux enfants les rudiments du métier pendant une vingtaine de minutes.

dement étudiés, jusqu'aux poils drus de la jambe d'un des pirates.

À NOTER: Les plus jeunes risquent d'être effrayés par certaines scènes. Même s'il s'agit d'une attraction très courue, les files avancent rapidement, et l'attente est rarement de plus de 30 min.

Walt Disney's Enchanted Tiki Room ★★

Cette attraction persistante du Magic Kingdom propose un spectacle ponctué de chants d'oiseaux audio-animatroniques. Il y a quelques années, dans un effort pour relancer cette présentation jugée poussiéreuse, les créatifs de Disney avaient intégré à l'ensemble les «vedettes» de l'heure Iago d'Aladin et Zazu du Roi Lion, sans grand succès toutefois. Après qu'un incendie eut endommagé les lieux en 2011, décision fut prise de virer les deux stars et de revenir à un spectacle plus proche de la version originale, qui portait à l'époque le nom de Tropical Serenade et qui avait été inauguré dès l'ouverture de Disney World en 1971, et même avant puisque l'attraction existait depuis 1963 à Disneyland, en Californie.

En fait, si l'on tient tant à conserver cette attraction chez Disney, c'est qu'elle a une importance historique particulière puisqu'il s'agit de la toute première à avoir mis en scène des personnages audio-animatroniques. Les oiseaux José, Pierre, Fritz et Michael reprennent donc du service et animent le tour de chant de cette chorale ailée composée de quelque 200 oiseaux audio-animatroniques.

À NOTER: La nouvelle (ancienne?) incarnation de ce spectacle fait encore surtout le bonheur des tout-petits. Si vous êtes à court de temps, n'hésitez pas à passer outre.

Frontierland

Passez ensuite à Frontierland, où les croassements des perroquets d'Adventureland se transforment en plaintes stridentes, soit celles de la locomotive du Big Thunder Mountain Railroad (un des manèges les plus rapides et excitants de Disney World). Rappelant une ville minière du XIXe siècle, Frontierland présente un paysage de cactus, de rochers cuivrés, de constructions en pisé et de comptoirs de traite, complété par une mairie recouverte de briques. Il y a aussi le Pecos Bill Café, flanqué d'un porche en bois,

Aunt Polly's Dockside Landing, le Churro Wagon, le Westward Ho et un Turkey Leg Wagon; ce dernier sert des portions géantes de nourriture, ses employés sont vêtus de cuir et prennent à l'occasion un accent nasillard, alors que les enfants s'en donnent à cœur joie avec leur nouveau chapeau de raton laveur.

Le Big Thunder Mountain Railroad, avec son haut profil irrégulier, est sans contredit la principale raison pour laquelle tant de gens se rendent à Frontierland; ils y restent toutefois plus longtemps lorsqu'ils découvrent la multitude d'activités qui s'y déroulent. De fait, l'endroit se révèle être un véritable paradis pour les familles: grande île boisée où les enfants peuvent gambader pendant des heures, revue musicale alliant divertissement et détente, manèges excitants... Prévoyez donc passer quelque temps ici, car, même avec de courtes files d'attente, il faut compter plusieurs heures pour visiter les plus beaux coins de cette zone thématique.

Big Thunder Mountain Railroad FP ★★★★★

Ces montagnes russes exubérantes et folles n'ont rien à envier à aucune autre installation du genre. Les plongeons ne sont peut-être pas très vertigineux, mais ils surviennent brusquement, et la vitesse comme les virages sont suffisants pour vous tenir en haleine. Campé dans un décor de ruée vers l'or, ce train de mine hors de contrôle serpente sur près d'un hectare dans les paysages les plus inventifs de Disney.

Gardez l'œil ouvert, sinon vous ne verrez pas, dans cette succession rapide d'images, la ville minière aux prises avec une crue subite, les animaux audio-animatroniques (dont des poulets, des opossums et des ânes), les éboulis et l'imbécile en caleçons longs allongé dans une baignoire à l'ancienne. Il y a aussi des douzaines d'antiquités minières éparpillées çà et là, et des chauve-souris survolent le tout. Puis il y a la montagne elle-même, haute de 60 m; il fallut deux ans pour la construire, 590 t d'acier, environ 60 000 l de peinture et 4 240 t de béton, sans compter d'innombrables rochers et d'importantes quantités de bonne vieille terre.

> La conception du Big Thunder Mountain Railroad a demandé 15 ans et sa construction 2 ans.

Après l'avoir essayé de jour, retournez-y le soir. La montagne et les rochers sont alors illuminés, et l'environnement est superbe. Soyez-y environ 30 min avant la fermeture du parc; la file d'attente devrait alors être courte, sinon inexistante.

À NOTER: Taille minimale 1,02 m. Ce manège n'est pas recommandé pour les personnes âgées ni pour les cœurs fragiles.

Tom Sawyer Island ★★★

L'île de Tom Sawyer, une des rares attractions de Disney axées sur la nature, est très bien conçue et doit figurer sur l'itinéraire de toutes les familles. Tel un beignet inversé, elle gît au centre des Rivers of America. Des bateaux à vapeur, des radeaux et des embarcations à quille font onduler les eaux d'un bleu-vert jusqu'au rivage. Les visiteurs s'entassent gaiement (debout) sur des radeaux de bois rond motorisés pour se rendre à l'île.

Fraîche et boisée, cette île offre non seulement l'occasion de se reposer des files d'attente, mais aussi plusieurs endroits où les enfants s'amuseront ferme: sentiers tortueux, collines, ruisseaux bouillonnants, un pont de tonneaux, un pont tournant à l'ancienne, un moulin à vent, un moulin à broyer et une «mine magnétique mystérieuse» dont les murs humides semblent recouverts de poudre d'or. Le meilleur endroit de tous demeure cependant le **Fort Sam Clemens**, une forteresse en rondins d'où vous pourrez faire feu sur les passagers ahuris du Liberty Square Riverboat avec des fusils à air comprimé (les effets sonores sont saisissants). Les coups de fusil retentissent toute la journée, et on les entend de tous les coins de Frontierland.

Pendant que les enfants dépensent leur énergie, les parents peuvent se promener tranquillement ou se reposer sur un des nombreux bancs disposés autour de l'île. Les familles aiment aussi se rendre au saisonnier **Aunt Polly's Dockside Landing** pour acheter de la limonade fraîchement pressée ou encore des sandwichs au beurre d'arachide et à la confiture. Vous pouvez enfin flâner sur le porche en bois et regarder passer les bateaux, ou simplement vous mêler aux autres familles.

L'environnement ombragé et reposant de l'île, loin des foules, en fait un lieu d'évasion idéal les après-midi de canicule où la plupart des attractions sont bondées. Une bonne idée serait d'y arriver en fin de matinée pour pouvoir pique-niquer.

À NOTER: Les adultes sans enfant devraient visiter l'île lors de leur deuxième jour au Magic Kingdom. On y fait rarement la queue; aussi en profiterez-vous pour visiter les lieux quand les autres attractions sont bondées. L'île ferme au crépuscule.

Splash Mountain

FP▶ ★★★★★

Il ne s'agit pas du manège qui donne le plus de frissons, mais il s'impose peut-être malgré tout comme le meilleur de tous, offrant 12 min de descentes, de plongeons et de virevoltes aquatiques sur le territoire hilarant des Frères Lapin, Ours et Renard. Assis au fond d'un tronc d'arbre évidé, vous remonterez puis descendrez le courant, croisant sur votre passage d'anciennes installations de moulin, Frère Ours s'évertuant à voler le miel d'une ruche bourdonnante et Frère Renard échappant de justesse aux mâchoires d'un alligator. Il y a également plusieurs autres personnages farfelus (une centaine en tout), tous tirés du film de Disney intitulé *Song of the South* et chantant à qui mieux mieux ce qui est désormais devenu l'hymne national de Disney World: *Zip-A-Dee-Doo-Dah!*

Les amateurs de sensations fortes seront servis dès le départ par un plongeon plutôt raide et inattendu, mais le clou du manège demeure une chute libre à 47 degrés d'une hauteur de cinq étages dans le Briar Patch (chair de poule et douche assurées!). Plusieurs enfants (jusqu'à 10 ans), et même certains adultes, sont effrayés par ce passage, mais la majorité des préadolescents et des adolescents en sont emballés. Un jeune habitué résume ainsi la pensée de ses pairs: *«Lorsque vient mon tour de prendre le départ, je retrouve le bonheur. Zip-A-Dee-Doo-Dah!»*

À NOTER: Taille minimale 1,02 m. Au début du grand plongeon, gardez les yeux ouverts pour une vue incroyable sur le château de Cendrillon. Si vous ne tenez pas à vous faire mouiller, ne vous assoyez surtout pas à l'avant!

Country Bear Jamboree

★★★

Depuis longtemps l'un des préférés à Disney, cet amusant spectacle décrit le monde du point de vue d'un ours. À l'intérieur du **Grizzly Hall**, généralement bondé, vous verrez chanter des ours audio-animatroniques (aux traits et aux gestes étonnamment réels) qui racontent en outre des blagues et des histoires à dormir debout. Le vénérable Big Al est devenu si populaire qu'on retrouve sa tête sur des chapeaux, des t-shirts et des cartes postales.

À NOTER: Une attraction pour tous les groupes d'âge, le Jamboree attire de grandes foules dans son petit auditorium. Allez-y avant 11h ou pendant le défilé présenté à 15h dans Main Street, U.S.A.

Liberty Square

À première vue, il est difficile de dire où finit Frontierland et où commence le Liberty Square. Tous deux sont en effet imprégnés de la même atmosphère de nostalgie américaine, et tous deux se caractérisent par des quais riverains et des promenades ombragées.

Mais le cœur du Liberty Square est résolument animé par l'esprit du colonialisme le plus pur: maisons de style *saltbox* dans les tons de vanille, commerces aux devantures de briques canneberge, toits en pignon, girouettes, et une multitude de drapeaux des États-Unis. Comme dans la plupart des autres zones thématiques de Disney World, les reproductions sont ingénieuses. De coquettes boutiques proposent confitures, gelées et couvertures crochetées, et une taverne accueillante arbore des planchers de bois grossièrement équarri de même qu'un grand foyer en pierre. Avec tant d'endroits douillets, l'air humide de la Floride semble presque s'adoucir.

La flore ne cesse pas non plus d'étonner. De resplendissantes azalées et de tendres ifs japonais peignent un tableau irisé autour des arbres, le long de la rivière et dans les boîtes à fleurs suspendues aux fenêtres. Au centre de la scène se dresse également un chêne vert majestueux du nom de **Liberty Tree** (l'arbre de la liberté), âgé de plus de 130 ans, et aux branches duquel sont suspendues 13 lanternes symbolisant les 13 premiers États de l'Union.

Avec son caractère chaleureux et ses accents typiquement américains, le Liberty Square plaît aux familles, qui passent souvent quelque temps le long de sa rivière et dans ses boutiques. Les parents trouveront un peu de calme et de solitude derrière la forge, où une série de bancs, de tables avec parasols et de grands feuillus créent une sorte de havre de paix.

Combien de présidents dites-vous?

Barack Obama est le 44e président des États-Unis. Les plus astucieux auront cependant remarqué qu'il n'y a que 43 présidents présents sur la scène de The Hall of Presidents. Comment cela se fait-il? S'agit-il d'une grossière erreur? A-t-on oublié volontairement un président mal aimé?

Rien de tout cela. La clé de l'énigme réside dans le fait que Grover Cleveland a été élu lors de deux mandats non consécutifs. Il est donc considéré comme le 22e et le 24e président américain. Le président Cleveland est bel et bien représenté parmi la collection de robots audio-animatroniques de l'attraction... mais une seule fois.

The Hall of Presidents

★★★★

À son ouverture, en 1971, cette attraction fut acclamée comme une des réalisations les plus marquantes de Disney, ses créateurs ayant réussi à donner à des robots des traits humains d'une telle perfection qu'on en éprouvait presque un malaise. Et, aujourd'hui encore, les visiteurs se sentent pris d'une admiration révérencieuse devant les expressions, les traits, les mouvements et les voix on ne peut plus réalistes des 43 présidents des États-Unis représentés ici. Les moindres rides, les sourcils, les taches de son, et même la prothèse fixée à la jambe du président Franklin Delano Roosevelt, sont tout simplement remarquables. Vous remarquerez par ailleurs que, pendant qu'Abraham Lincoln fait l'appel, quelques présidents s'agitent et commencent à donner des signes d'impatience.

Dans une salle confortable pouvant accueillir plus de 700 spectateurs, on présente diverses réalisations rehaussées, il va sans dire, d'accents patriotiques, le tout précédé d'un film tout à fait moyen sur l'histoire conventionnelle des États-Unis.

Puis, tous les présidents américains sont présentés un à un, de George Washington à Barack Obama. The Hall of Presidents a d'ailleurs dû fermer ses portes pendant plusieurs mois à la suite de l'élection du nouveau président, afin de pouvoir l'intégrer à son groupe sélect. Un Barack Obama plus vrai que vrai y a ainsi fait ses débuts en juillet 2009. On a en outre profité de l'occasion pour revamper l'ensemble de la présentation. Dans cette nouvelle incarnation, les présidents Washington, Lincoln et Obama sont les seuls à prendre la parole.

À n'en point douter, le côté patriotique et conservateur de cette attraction en agacera plus d'un. Par contre, l'incroyable précision de sa réalisation et le réalisme renversant de ses présidents audio-animatroniques forceront l'admiration des plus critiques.

À NOTER: Une des attractions préférées aux yeux des personnes âgées, elle retient cependant difficilement l'attention des enfants.

Liberty Square Riverboat

★★★

Ce navire à aubes de trois étages s'impose immanquablement aux regards lorsqu'il traverse le Liberty Square et Frontierland sur ces rivières artificielles que sont les **Rivers of America**. Tandis que la vapeur des chaudières s'échappe par ses cheminées, les passagers s'entassent le long de ses garde-corps pour contempler les rives et l'île de Tom Sawyer. Il n'y a pas de capitaine (le bateau circule sur un rail sous-marin), et le voyage de 17 min se révèle très lent et reposant, un moment de répit très apprécié des parents, qui peuvent s'asseoir tranquillement pendant que leurs enfants gambadent tout autour. Ceux-ci adorent d'ailleurs explorer le navire et essuyer les tirs (de fusils à air comprimé) d'autres enfants embusqués au fort qui domine l'île de Tom Sawyer. Les sièges ne manquent pas, mais, pour vous assurer d'en avoir un, soyez parmi les premiers à monter à bord du bateau.

À NOTER: Si vous n'aimez pas spécialement les balades en bateau, vous pouvez toujours explorer l'île de Tom Sawyer à pied. Le bateau attire des foules plus ou moins nombreuses, et l'attente est en moyenne de 15 à 20 min.

The Haunted Mansion

★★★★★

Ici gît le vieux Fred, qu'une grosse pierre a assommé raide. C'est là une des épitaphes farfelues qu'on peut lire dans le cimetière qui borde le manoir hanté, une vaste demeure peu rassurante perchée au sommet d'une colline. Il s'agit d'ailleurs d'une initiation appropriée à cette attraction, une des meilleures jamais réalisées à Disney World, dont l'ingénieuse conception et les innombrables effets spéciaux ou illusions vous feront dire: *«Je sais bien que tout cela n'est pas réel, et pourtant...»*

Un sinistre maître d'hôtel accueille les visiteurs à l'entrée et les conduit ensuite dans une galerie octogonale aux candélabres pleins de toiles d'araignée où le plafond semble s'élever (à moins que ce ne soit le plancher qui s'enfonce?). Après plusieurs imprécations, il mène ses invités vers leur cercueil respectif, qui les entraînera dans un voyage mouvementé à travers des salles peuplées de fantômes, de goules et d'autres horreurs. Il y a aussi un pianiste macabre qui n'est en fait qu'un spectre, un cimetière hanté, avec son gardien pétrifié, une théière versant du thé de son propre gré et un corbeau criard qui ne cesse de vous suivre. Des hurlements se font entendre, des créatures se promènent au plafond, et les fantômes semblent se matérialiser au fur et à mesure que les ténèbres s'épaississent.

Tous les effets spéciaux sont fantastiques, mais ce sont définitivement les hologrammes qui retiennent le plus l'attention. Faisant appel à une imagination débordante et à une technologie très poussée, les équipes de Disney ont porté l'art des projections tridimensionnelles à des sommets inégalés. C'est ainsi que des images grandeur nature de forme humaine et en tenue de tous les jours flottent ici et là, reproduisant les gestes des vivants qu'ils représentent. Dans une scène de bal, les hologrammes tourbillonnent même sur la piste en suivant la cadence. Le plus fascinant de tous (et celui dont on parle le plus) est probablement cette tête de femme enfermée dans une boule de cristal et parlant sans arrêt.

Mais vous n'êtes pas encore au bout de vos surprises: avant de quitter le manège, au moment de vous regarder dans un miroir, quel ne sera pas votre étonnement de trouver un revenant (c'est-à-dire un autre hologramme) à vos côtés!

Malgré les effets savamment étudiés de cette attraction, elle n'effraie que bien peu de gens. Les jeunes enfants risquent par contre d'être ébranlés par ces manifestations visiblement bien «réelles».

À NOTER: Même s'il s'agit d'un manège très prisé, le Haunted Mansion se cache dans un coin retiré du Liberty Square, de sorte que les files d'attente y sont intermittentes. Pour tout dire, elles fluctuent surtout en fonction des foules qui viennent de quitter le Hall of Presidents et le Liberty Square Riverboat, situés tout près; ces deux attractions relâchent en effet, toutes les 20 ou 30 min, plusieurs centaines de personnes qui se dirigent ensuite vers le manoir hanté. Autrement dit, soyez-y juste avant le moment où ces attractions libèrent leurs visiteurs.

Fantasyland

Lieu haut en couleur et en fantaisie, Fantasyland, où se mêlent chapiteaux, tourelles étincelantes et maisons en pain d'épices, est sillonné de ruisseaux jonchés de *pennies* rutilants. Dominé par le château de Cendrillon, il revêt l'aspect d'une cour de palais, si bien qu'en longeant ses allées on a effectivement l'impression de parcourir les chapitres d'un conte de fées.

Fantasyland possède plus d'attractions que toute autre zone thématique (13 au total). Évidemment, ce sont les enfants qui se montrent les plus friands de ces manèges conçus autour des chansons, des thèmes et des personnages les plus aimés de plusieurs films de Disney. On y retrouve ainsi Dumbo, l'éléphant volant, les tasses de thé géantes et tourbillonnantes et les chevaux blancs du carrosse de Cendrillon. La plupart des adultes apprécient également ces manèges, et les autres n'en savourent pas moins l'inventivité et le souci du détail dont témoignent les lieux (dans la plus pure tradition de Disney, même les poubelles sont éclaboussées de couleurs chatoyantes).

Aussi est-ce avec beaucoup d'enthousiasme que fut accueillie l'annonce faite par Disney à l'automne 2009 de l'agrandissement de Fantasyland (voir l'encadré ci-dessous). Trois ans plus tard, à la fin de 2012, la plus grande partie du «New Fantasyland» a enfin vu le jour. Il en résulte que cet univers féerique, dont la superficie a pratiquement doublé, se subdivise maintenant en trois parties distinctes.

Il y a tout d'abord le Fantasyland «classique», situé tout juste derrière le château de Cendrillon, et dont les attractions (It's a Small World, Peter Pan's Flight, Mickey's PhilharMagic, The Many Adventures of Winnie the Pooh et Mad Tea Party) entourent le grand carrousel (Prince Charming Regal Carrousel) qu'on a pu déplacer directement au centre de l'espace, dans l'axe de Main Street, U.S.A. et du château, à la suite du déménagement du manège Dumbo the Flying Elephant. L'effet d'ensemble obtenu s'avère d'ailleurs bien meilleur ainsi.

Un peu plus loin s'étend la toute nouvelle portion de Fantasyland, soit la Forêt enchantée, où se dresse le château de la Bête, au pied duquel loge le très beau restaurant **Be Our Guest** (voir p. 268) et s'étend le Village de Belle. Tout près, un autre château, celui du prince Éric, abrite le manège Under The Sea – Journey of The Little Mermaid. C'est aussi dans ces environs que s'élèveront, d'ici 2014, les montagnes russes consacrées aux sept nains amis de Blanche-Neige.

Finalement, la section dénommée Storybook Circus, qui correspond à l'ancien secteur Mickey's Toontown Fair, simule l'arrivée

Le «New Fantasyland»: la suite

Le réaménagement du secteur Fantasyland amorcé par Disney en 2009 constitue rien de moins que le plus important agrandissement jamais effectué au Magic Kingdom depuis son ouverture au début des années 1970. À la fin de 2012, avec l'inauguration de la majorité des nouveaux attraits, les visiteurs ont déjà pu se faire une bonne idée du résultat final.

Restait toutefois à venir un élément majeur, soit le manège **Seven Dwarfs Mine Train**, qui s'élèvera au cœur du secteur. Ces montagnes russes sur le thème des sept nains amis de Blanche-Neige auront la particularité d'avoir des wagons qui se balanceront de gauche à droite. Ouverture prévue pour 2014.

Entre-temps, au cours de l'année 2013, le **Princess Fairytale Hall** accueillera ses premiers visiteurs. Décrit comme une élégante cour royale, ce site permettra de rencontrer les diverses princesses disneyennes dans un environnement enchanteur.

d'un cirque au village. C'est là qu'on a déplacé Dumbo the Flying Elephant, dont on a doublé la capacité, au milieu de plusieurs chapiteaux colorés.

Il n'est donc pas surprenant que Fantasyland soit la section la plus courue et la plus engorgée de Disney World. Peut-être est-ce dû au fait que ce royaume fabuleux incarne le mieux l'art dans lequel Disney est passé maître : celui d'éveiller l'enfant qui sommeille en chacun de nous.

Cinderella Castle ★★★★★

Strictement parlant, cette formidable structure fait bien partie de Fantasyland, mais elle sert en réalité de point de référence à l'ensemble du Magic Kingdom. S'élevant à 55 m au-dessus de Main Street, U.S.A. et ceinturé de douves bordées de pierres, le château de Cendrillon s'impose comme une représentation magistrale du légendaire palais médiéval évoqué par le célèbre conte de fées français. Ses tourelles bleu royal et ses flèches dorées brillent au soleil, et ses multiples tours, parapets et balcons sont un véritable baume pour les yeux.

Le château resplendit à des kilomètres à la ronde et, chaque année, des douzaines de couples viennent sceller leur union dans les complexes hôteliers de Disney, profitant de la toile de fond romantique qu'il leur offre.

> Malgré son apparence granitique, le château de Cendrillon est en fibre de verre, soutenu par des poutres d'acier et revêtu de près de 2 000 litres de peinture.

Certains hôtels vont même jusqu'à annoncer des chambres «avec vue sur le château».

Cependant, le château ne renferme aucune attraction à proprement dit, si ce n'est une boutique et un restaurant (**Cinderella's Royal Table**). On peut aussi y admirer de belles mosaïques racontant l'histoire de Cendrillon.

Il y a aussi le spectacle musical d'une vingtaine de minutes intitulé **Dream Along With Mickey** qui est présenté plusieurs fois par jour devant le château, transformé pour l'occasion en décor féerique. Les enfants apprécient tout particulièrement cette présentation au cours de laquelle Mickey et ses amis Donald, Minnie et quelques autres doivent lutter contre une méchante sorcière qui cherche à transformer leurs rêves en cauchemars.

À NOTER : Il n'est pas permis de visiter le château lors de la présentation des spectacles. Évitez aussi de faire la visite durant le défilé de 15h dans Main Street, U.S.A., alors que les foules s'entassent tout le long du chemin.

La clé du château

Nombre de visiteurs sont déçus de ne pouvoir visiter le château de Cendrillon. Il existe cependant un moyen de pénétrer à l'intérieur de ses murs enchanteurs : prendre un repas à la **Cinderella's Royal Table**.

La salle de banquet se trouve au premier étage, au sommet d'un large escalier qui monte en spirale le long des murs argentés du château. Témoignant d'un grand souci du détail, elle arbore une rotonde très élevée, des arcs-boutants et des vitraux à travers lesquels on découvre de magnifiques vues sur le Magic Kingdom. Les hôtesses portent de longues robes médiévales et de spectaculaires coiffes françaises, et des mélodies de cour à l'ancienne emplissent la salle.

La chère (côte de bœuf, fruits de mer, poisson, poulet et salade de fruits) se révèle correcte. Sans compter que, pour le ravissement des plus jeunes, Cendrillon fait de fréquentes incursions. Il est primordial de réserver en appelant au 407-939-3463 dès que possible.

Fairytale Garden ★★

À l'ombre du château de Cendrillon se trouve un petit jardin où Belle, héroïne du film *La Belle et la Bête*, avait pour habitude de venir raconter des contes de fées aux enfants avant la création de l'attraction **Enchanted Tales with Belle** (voir p. 103) dans le «New Fantasyland». Depuis la fin de 2010, d'autres personnages, la plupart du temps issus de films récemment mis à l'affiche par Disney, ont pris le relais et font ici plusieurs apparitions chaque jour. On a ainsi par exemple eu droit à la présence des personnages du film d'animation *Tangled*, soit la princesse aux longs cheveux Rapunzel (Raiponce en français) et le voleur charismatique Flynn Ryder, puis à celle de Merida et des autres héros du film Brave.

À NOTER: Lors de votre visite, il est possible que d'autres personnages soient en vedette en ces lieux. Consultez l'horaire remis à l'entrée du parc pour connaître l'identité des «vedettes» en question et les heures auxquelles elles feront leurs apparitions.

Mickey's PhilharMagic ★★★★★

Vous devez venir à Disney World pour voir le plus récent film de Mickey. *Mickey's PhilharMagic*. Ce film en 3D, présenté depuis 2003, remplace *The Legend of the Lion King* à Fantasyland et met en vedette Mickey et ses copains qui se retrouvent sur un écran gigantesque de 46 m de largeur, le plus grand écran tridimensionnel monopièce sur la planète. Les effets spéciaux intégrés à la salle surprennent les spectateurs dans l'amphithéâtre même; donc soyez prévenu...

En fait, même si c'est le nom de Mickey qui apparaît dans le titre du film, la véritable vedette en est bien Donald, le canard gaffeur. Ainsi, pendant toute la durée de cet essoufflant dessin animé, il cherche à corriger une de ses bourdes en se lançant à la recherche du chapeau de magicien de Mickey. Il croisera au passage les personnages de plusieurs films de Disney, incluant *La Belle et la Bête*, *La Petite Sirène*, dont il tombera follement amoureux, *Le Roi Lion* et *Aladin*.

Les extraordinaires effets tridimensionnels vous feront «pénétrer» dans ce dessin animé, comme si vous y étiez. S'y ajoutent des odeurs de gâteaux diffusées dans la salle au moment opportun, des bouteilles de champagne qui arrosent l'assistance lorsqu'on en fait sauter les bouchons et bien d'autres effets encore au comique irrésistible.

À NOTER: Sachez que le film n'effrayera pas les tout-petits et émerveillera le plus blasé des adultes. Seule ombre au tableau: les enfants ne veulent plus quitter la salle à la fin de la représentation...

Prince Charming Regal Carrousel ★★★

De tous les manèges de chevaux de bois, s'il en est un qu'il faut voir, c'est bien celui-là, car c'est un carrousel original rénové. Des scènes peintes à la main sur toute la surface de la voûte aux coursiers qui montent et descendent inlassablement, tout est merveilleusement articulé et détaillé.

Les 18 scènes dont s'enorgueillit la voûte du manège, tirées du film *Cinderella* de Disney (1950), présentent la petite fille en haillons sous de vibrantes couleurs filmiques. Et, sous ce dais féerique, les chevaux se parent d'épées rutilantes, de chaînes d'or et même de roses jaunes. Notez que, même si la plupart des chevaux sont blancs, il n'y en a pas deux identiques. Quant à l'orgue de Barbarie, plutôt que de faire entendre la traditionnelle musique de carrousel, il reprend des classiques de Disney tels que *Chim-Chim-Cheree* ou *When You Wish Upon a Star*. Ces mélodies s'allient aux lumières scintillantes, aux miroirs et au mouvement presque continu du manège pour créer une expérience unique, appréciée de tous les groupes d'âge.

Lors de l'agrandissement de Fantasyland, les créatifs de Disney ont eu la brillante idée de relocaliser le manège Dumbo the Flying Elephant dans une nouvelle section baptisée «Storybook Circus», ce qui a permis de déplacer le Prince Charming Regal Carrousel en plein centre de la partie «classique» du secteur. Les autres attractions des environs, de même que le joli restaurant Pinocchio Village Haus, entourent désormais le flam-

Le manège de chevaux de bois qu'est le Prince Charming Regal Carrousel (autrefois le Cinderella's Golden Carrousel) est un pur joyau réalisé en 1917 par des sculpteurs italiens travaillant pour la Philadelphia Toboggan Company.

boyant carrousel du Prince Charmant dans un aménagement du plus bel effet.

À NOTER: Comme c'est le cas pour la plupart des carrousels, la file d'attente n'avance pas très vite. Tentez votre chance dans la matinée ou en soirée, alors qu'une profusion de lumières fait de ce manège l'un des plus beaux de tout le parc.

Peter Pan's Flight FP ★★★

Les jeunes enfants adorent cette balade aérienne à bord de bateaux de pirates multicolores. Le décor est celui du pays imaginaire du conte de fées de Sir James Matthew Barrie (1904) racontant l'histoire d'un garçon mi-lutin *«qui ne pouvait pas grandir»*. Les passagers contournent des scènes intérieures bien éclairées où ils croisent la fée Tinkerbell, le capitaine Hook et d'autres personnages marquants de *Peter Pan*.

À cause de sa popularité auprès des familles, ce court périple (2 min 30 s) suscite habituellement de longues queues. Il serait sage de passer outre si l'attente est de plus de 20 min ou de vous munir d'un *Fastpass*; quelque amusante qu'elle puisse être, une telle visite ne durant que 2 min 30 s ne vaut pas la peine d'attendre trop longtemps.

À NOTER: Impopulaire auprès des personnes âgées et des adultes sans enfants.

It's a Small World ★★★★

Cette divertissante croisière à bord de bateaux pastel vous transporte dans des décors éblouissants peuplés de centaines de figurines chantant et dansant à qui mieux mieux. Vous verrez des soldats de plomb, des poupées faisant tournoyer un cerceau autour de leur taille, des lutins, des rois et des reines, ainsi que des personnages de comptines tels que Little Bo Peep et Jack et Jill. Le thème de l'unité entre les peuples se dégage des costumes soignés et des décors de différents pays du monde. Il s'agit d'un des manèges préférés (si ce n'est LE préféré) des tout-petits, un bon moment rempli de mélodies que vous n'arriverez plus à chasser de votre esprit.

Ce délicieux manège a été créé sous la supervision de Walt Disney lui-même en vue

La tour de Raiponce pointe à l'horizon du Magic Kingdom

À la fin de 2012, la surprise fut totale quand apparut à l'horizon la tour de la princesse aux longs cheveux Raiponce (Rapunzel, dans la version originale anglaise du film d'animation *Tangled*), derrière les clôtures d'un petit chantier de construction situé entre le manège It's a Small World et le secteur Liberty Square.

Simple décor? Élément surprise du New Fantasyland? Nouvelle attraction de type *meet-and-greet* («lieu de rencontre avec des personnages»)? Toutes sortes de rumeurs se sont alors mises à circuler.

Mais Disney n'avait officiellement rien annoncé d'autre pour ce site que l'aménagement de nouvelles toilettes... et ce sont bel et bien de nouvelles toilettes qui ont ouvert leurs portes ici quelques semaines plus tard, mais des toilettes «thématisées» au moyen d'un décor fort élaboré qui s'insère à merveille dans l'ambiance de conte de fées qui règne dans le secteur Fantasyland.

Même les toilettes deviennent dorénavant des attractions à découvrir à Disney World!

de l'Exposition universelle de New York en 1964-1965, avant d'être rapatrié à Disneyland (Californie), puis au Magic Kingdom lorsque Disney World ouvrit ses portes en 1971. Une importante restauration réalisée en 2005 a redonné à l'ensemble son éclat original.

À NOTER : Bien que ce manège soit très couru, le roulement est rapide, de sorte qu'on attend rarement plus de 15 min.

The Many Adventures of Winnie the Pooh FP ★★★

Le fait que des adultes sans enfants fassent la queue au côté des familles pour voir cette attraction témoigne bien de la marque durable laissée par l'ourson fantaisiste de A.A. Milne. Inspiré de *Winnie the Pooh and the Blustery Day*, ce manège convie les visiteurs à prendre place à bord d'un pot de miel en mouvement pour revivre les scènes du célèbre film d'animation. Notre préférence va à celle où Winnie quitte son corps en rêve (vous saurez de quoi il s'agit lorsque vous le verrez), quoique les Hephalumps et les Woozles imaginaires soient aussi très mignons.

Au cours de l'automne 2010, l'aire d'attente de ce manège a été agrémentée de nombreux jeux interactifs des plus imaginatifs. Il y a, entre autres astuces, des melons et des citrouilles transformés en tambours, des écrans tactiles où il faut essuyer d'épaisses coulées de miel pour découvrir le personnage qui se cache derrière, ainsi que des abeilles auxquelles il faut faire suivre un tortueux parcours autour de leurs ruches. On peut aussi frapper à la porte du gentil Porcinet et l'entendre répondre qu'il ne veut être dérangé par personne et qu'il vaut mieux déguerpir si l'on ne veut pas avoir à faire à lui, une bête extrêmement féroce... Bref, tout ce qu'il faut pour que les tout petits s'amusent ferme et pour leur rendre l'attente, souvent longue, plus supportable.

À NOTER : Ce manège attire de longues files de visiteurs de tout âge. Cela dit, vous pouvez réduire un tant soit peu votre temps d'attente en vous y rendant pendant le défilé ou les feux d'artifice de Fantasyland, alors que les lieux se dégagent temporairement.

Mad Tea Party ★★

On vous fait ici tourner à toute vitesse pendant 2 min, et toujours dans le même sens, au point que vous ne voyez plus rien. Au moment où s'arrête le manège, vous êtes encore tout étourdi et avez le sentiment d'être devenu dingue. Cette attraction aux allures de fête foraine peut néanmoins être amusante pour certains. On a même vu des adolescents s'y précipiter en sortant du Space Mountain et attendre en file à plusieurs reprises afin de monter dans ces grandes tasses de thé aux tons pastel. L'idée originale de ce manège est tirée d'*Alice au pays des merveilles*.

À NOTER : Si vous n'aimez pas tourner à en perdre la tête, évitez ce manège.

Enchanted Tales with Belle ★★★

Personnage central du conte *La Belle et la Bête*, brillamment adapté par Disney dans son célèbre dessin animé de 1991, Belle accueille ici les enfants (et leurs parents, n'ayez crainte) dans un spectacle participatif des plus réussis.

La visite débute dans la maison de son père Maurice, que les participants sont invités à découvrir par petits groupes. Dans l'atelier du maître des lieux, inventeur de son métier, un grand miroir magique s'anime et « transporte » bientôt votre bande jusque dans le château de la Bête. Ici, l'une des pièces du mobilier prend vie et distribue à certains des enfants présents dans le groupe les rôles des personnages du film, tout cela dans le but de faire une surprise à Belle.

Vient enfin le moment où vous pénétrez dans la somptueuse bibliothèque du château alors que Belle fait son apparition. Le chandelier Lumière, en version audio-animatronique, narre alors l'histoire de *La Belle et la Bête*, dans laquelle chaque enfant préalablement sélectionné joue auprès de la princesse le rôle qui lui a été attribué.

Les parents apprécieront à coup sûr les nombreux détails qui évoquent le film dans les différents décors de cette attraction, depuis le cottage de Maurice jusqu'aux fabuleuses pièces du château. Les enfants quant à eux ouvriront grand les yeux en apercevant Belle dans sa splendide robe de bal, puisque, dans cette mise en scène, elle s'apprête à prendre part à son fameux dîner avec la Bête.

À NOTER: Au-delà d'une simple rencontre avec un personnage de Disney, on a affaire ici à un concept autrement plus imaginatif et élaboré. Une bonne connaissance de l'anglais est cependant utile pour bien apprécier le spectacle. À la sortie de cette attraction, ne manquez pas de flâner dans le Village de Belle, où vous pourrez siroter une Le Fou's Brew à la Taverne de Gaston et visiter la jolie boutique Bonjour! Village Gifts.

Under the Sea – Journey of the Little Mermaid

FP ★★★★

La nouvelle (et très prisée!) attraction consacrée à la Petite Sirène loge au pied du château du prince Éric. Il s'agit d'un manège du type «balade dans l'univers d'un personnage à bord d'un véhicule original», du genre de ceux qui sillonnent les mondes de Peter Pan et de Winnie l'ourson.

Le véhicule en question, qui prend ici la forme d'un coquillage (pensez aux *clamobiles* de The Seas with Nemo & Friends, à Epcot), vous conduit dans le monde sous-marin d'Ariel, la Petite Sirène, que vous apercevrez dès les premiers instants. Puis, les amis d'Ariel entonnent à l'unisson la chanson *Under the Sea* (Sous l'océan) dans un passage qui fera la joie des enfants au cours duquel apparaissent pas moins de 128 personnages animés dans un tableau on ne peut plus vivant et coloré.

Mais, évidemment, la méchante Ursula fait bientôt son apparition pour venir empoisonner la vie de tout ce beau monde et nuire aux projets de la Petite Sirène et du prince Éric. Ses plans seront toutefois contrecarrés et, au cas où vous en doutiez, tout finira bien pour Ariel et son prince.

Cette attraction charmante et bien conçue, qu'agrémentent en prime les airs entraînants tirés du célèbre film d'animation, mérite plus d'une visite afin d'en apprécier tous les détails. Les effets spéciaux qui suggèrent habilement les fonds marins, par exemple, s'avèrent fort convaincants (il faut voir les cheveux d'Ariel qui ondulent comme si elle était vraiment sous l'eau).

À NOTER: Inauguré récemment (décembre 2012), ce manège attire les foules. Essayez de vous y rendre dès le début de la journée ou procurez-vous un *Fastpass*, distribué près de Mickey's PhilharMagic.

Ariel's Grotto★★

Grâce à cette attraction classée dans la catégorie *meet-and-greet* chez Disney (ce qui signifie que tout ce qu'il y a à faire, c'est de se faire photographier en compagnie d'un personnage), que l'on retrouvait auparavant ailleurs dans le parc, les enfants peuvent rencontrer Ariel dans la grotte où elle conserve tous ses «trésors» venant du monde situé au-dessus du niveau de la mer. Maintenant réinstallée en toute logique dans le «New Fantasyland» à proximité d'Under the Sea – Journey of the Little Mermaid, la grotte d'Ariel fournit aux visiteurs une rare occasion de photographier la Petite Sirène et de recueillir sa signature, puisqu'elle ne peut déambuler dans le parc à l'instar des autres personnages.

À NOTER: Cette attraction mineure ne devrait pas faire partie de vos priorités, d'autant moins que l'attente peut s'avérer longue en période de pointe. Si vos enfants sont de très grands fans de la Petite Sirène et qu'ils «exigent» de la voir de près, allez-y avant 10h, durant le défilé nocturne ou juste avant la fermeture.

Dumbo the Flying Elephant

FP ★★★

Cette version à la Disney d'un manège de fête foraine a pour thème l'éléphant attachant aux grandes oreilles qu'est Dumbo. Très peu enlevant, mais tout de même amusant, il réunit plusieurs éléphants volants tournant autour d'un axe central, et s'élevant dans les airs lorsqu'on appuie sur un bouton. Les enfants en redemandent encore et encore.

Dans le cadre de l'agrandissement de Fantasyland, Disney a déplacé ce populaire manège dans sa portion baptisée «Sto-

Les robots audio-animatroniques

Walt Disney lui-même est à l'origine de la création des robots audio-animatroniques qui animent plusieurs des attractions comptant, encore aujourd'hui, parmi les plus marquantes des différents parcs thématiques de l'empire Disney. On raconte qu'il fit la découverte, lors d'un voyage en Europe à la fin des années 1940, d'un oiseau mécanique qui le fascina au point de lui inspirer le concept qu'il utilisera dans l'élaboration de plusieurs attractions-vedettes de son Disneyland, qui quant à lui révolutionnera le domaine alors très ordinaire du parc d'attractions.

Grâce à une remarquable synchronisation du son avec la reproduction très réaliste par des automates de mouvements humains ou animaliers, cette technologie issue de la fertile imagination de Disney a fait école. On fit d'ailleurs appel à lui pour qu'il l'utilise dans la création de spectacles lors de l'Exposition universelle de New York en 1964-1965.

Parmi les robots audio-animatroniques les plus réussis du Magic Kingdom, mentionnons les animaux de Jungle Cruise, les poupées chantantes d'It's A Small World, les présidents américains plus vrais que nature du Hall of Presidents et les inquiétants personnages de Pirates of the Caribbean. On les retrouve aussi dans bon nombre d'attractions d'Epcot (Spaceship Earth, The American Adventure) et des Disney's Hollywood Studios (The Great Movie Ride). On peut également admirer la reproduction audio-animatronique du président Lincoln créée pour l'Exposition universelle de New York en 1964-1965, partiellement dévêtue afin d'en montrer les rouages, dans l'attraction Walt Disney: One Man's Dream des Disney's Hollywood Studios.

rybook Circus» (rappelez-vous, l'histoire de Dumbo se déroule dans un cirque). On retrouve dorénavant ce «classique parmi les classiques» au milieu d'un environnement coloré où s'élèvent plusieurs chapiteaux. Mieux encore, on en a doublé la capacité puisqu'il y a maintenant deux manèges jumeaux qui tournent côte à côte, chacun en sens inverse. On a aussi joint des bassins et fontaines à la base des carrousels, et des jeux de lumière qui ajoutent en soirée une dimension féerique à l'ensemble.

Et là ne s'arrêtent pas les améliorations apportées. L'aire d'attente se trouve désormais à l'intérieur d'un chapiteau où l'on a prévu plein de jeux interactifs pour occuper la marmaille. On remet à chaque groupe un billet de cirque, qui est en fait un avertisseur qui vibrera quand viendra votre tour d'accéder au manège. Entre-temps, vos enfants pourront s'amuser ferme dans ce joli terrain de jeux, ce qui leur rendra l'attente bien plus amusante.

À NOTER: Cette attraction compte toujours parmi les plus appréciées des familles avec jeunes enfants. Les innovations qu'on y a introduites constituent autant de bonnes nouvelles pour les pauvres parents qui devaient jadis se taper une attente interminable en plein soleil parce que leurs rejetons insistaient pour faire et refaire CE manège. Malgré cela, si vous ne souhaitez pas trop investir de votre précieux temps dans cette attraction, allez-y tôt le matin ou munissez-vous d'un laissez-passer *Fastpass*.

The Barnstormer FP ★★★

Un enfant de cinq ans parlait sans doute au nom de millions d'autres enfants d'âge préscolaire lorsqu'il disait: «*Je n'aime pas les montagnes russes de Goofy, je les adore!*» Les adultes habitués aux sensations fortes des Space Mountain et Big Thunder Mountain Railroad se dirigeront sans doute sans grand enthousiasme vers ce manège, mais les petits téméraires qui, du seul fait de leur taille, n'ont pas accès aux grandes montagnes russes, plus rapides et turbulentes, seront indubitablement ravis par le Barnstormer.

Connu sous le nom de The Barnstormer at Goofy's Wiseacre Farm à l'époque du Mickey's Toontown Fair, ce manège a été «re-thématisé», dans le jargon disneyen, afin qu'il puisse s'insérer dans l'atmosphère de fête foraine du Storybook Circus. Il simule donc désormais un vol en compagnie de Goofy, devenu le Great Goofini, un pilote d'avion particulièrement casse-cou spécialisé dans les spectacles d'acrobaties aériennes.

À NOTER: Taille minimale 0,89 m. Bien que ce manège soit d'abord et avant tout conçu pour les tout-petits, il n'en demeure pas moins qu'il s'agit de montagnes russes. Ainsi, les enfants qu'effraient les versions plus impressionnantes de ce type de manège pourraient également appréhender celui-ci.

Casey Jr. Splash 'N' Soak Station ★★

Au cœur du Storybook Circus, vous ne manquerez pas de remarquer cette locomotive et ces wagons exubérants et colorés. Mais gare à vous si vous vous en approchez de trop près, car les singes, girafes et autres éléphants que l'on transporte à l'aide des wagons de ce train sont de joyeux plaisantins... Vous ne vous en tirerez assurément pas indemne et ne resterez sûrement pas au sec bien longtemps.

À NOTER: Par temps de canicule, ces jeux d'eau peuvent s'avérer une véritable bénédiction... mais rappelez-vous qu'il faudra ensuite que les enfants passent une partie de la journée dans des souliers et vêtements détrempés. Finalement, il est souvent plus amusant de regarder les autres se faire généreusement asperger plutôt que de subir soi-même les assauts de cette attraction un peu folle.

Pete's Silly Sideshow ★★

Cette attraction de type *meet-and-greet* prend la forme d'un vaste chapiteau à l'intérieur duquel il est possible de rencontrer plusieurs personnages de Disney devenus des artistes de cirque: Minnie Magnifique, dresseuse de chiens savants; l'Astounding Donaldo, charmeur de serpents et autres bêtes féroces; le Great Goofini, pilote et cascadeur casse-cou; Madame Daisy, diseuse de bonne aventure.

À NOTER: Voilà une attraction mineure, qui peut toutefois s'avérer rafraîchissante par temps chaud... et les enfants, la plupart du temps, adorent se faire photographier avec les personnages et obtenir leur autographe. Le chapiteau abrite de plus une boutique de souvenirs et un snack où l'on peut notamment se procurer de la barbe à papa.

Tomorrowland

Envolé, le bon vieux Tomorrowland qui nous promettait un futur austère, géométrique et envahi par le béton. Le nouveau Tomorrowland de Disney se présente plutôt comme une scène en Technicolor de vaisseaux vitrés, de planètes violettes virevoltantes et de pointes de métal argenté tournées vers le ciel. Du bleu électrique, du jaune vif et du vert mousse éclaboussent tout sur leur passage, des fusées tourbillonnent au firmament, et un train glisse au-dessus des têtes.

Le tout doit rappeler, au dire des employés de Disney, les aventures de Flash Gordon et de Buck Rogers, et nous soupçonnons même Gene Roddenberry (créateur de *Star Trek*) d'y être pour quelque chose. Envolés également, la très dépassée (mais aussi très manquée) attraction Mission to Mars de même que l'excellent film *American Journeys*, qui a tenu l'affiche bien longtemps. Place aux nouvelles étoiles: **Stitch's Great Escape!**, un suspense farfelu à vous faire bondir hors de vos sandales; **Buzz Lightyear's Space Ranger Spin**, une éprouvante chasse aux vilains extraterrestres; et **Monsters, Inc. Laugh Floor**, où les extravagants personnages de *Monsters, Inc.* prennent la vedette.

Évidemment, ce qui attire le plus de gens au Tomorrowland (souvent plusieurs fois par jour), c'est le **Space Mountain**, érigé à l'extrémité est. Il s'agit de la seule attraction située en dehors du périmètre du Walt Disney World Railroad (qui définit officieusement les limites du Magic Kingdom). Aussi bien en termes d'emplacement qu'au niveau des sensations qu'il procure, le Space Mountain symbolise définitivement le dépassement.

Space Mountain

FP▸ ★★★★★

Du haut de ses 55 m, cette structure de béton et d'acier ressemble à un cône blanc strié et garni de glaçons. Qualifiée de «troisième plus haute montagne de la Floride», elle abrite un manège considéré comme un classique de Disney. Le Space Mountain, bien que surpassé depuis sa création en 1975 par nombre de montagnes russes plus rapides et plus excitantes, n'en demeure pas moins encore aujourd'hui l'une des attractions les plus appréciées du Magic Kingdom.

Parcourir ces montagnes russes en pleine obscurité donne l'impression d'un voyage dans l'espace à la vitesse de l'éclair, et ce, même si la vitesse maximale atteinte par les «capsules spatiales» dépasse à peine 45 km/h. Au cours de ce périple de 2 min 38 s, les lumières stroboscopiques clignotent, les tunnels vacillent, et les soucoupes tournent sur elles-mêmes alors que vous vous aventurez de plus en plus profondément dans les ténèbres. Il y a suffisamment de virages, de virevoltes et de plongeons soudains pour vous mettre dans un état euphorique.

Space Mountain a fait l'objet d'une rénovation majeure en 2009, à laquelle Disney a attribué un budget de 12 millions de dollars. Les voies ont alors été remplacées, mais le parcours est demeuré le même. En définitive, peu de changements sont perceptibles pour les visiteurs, à part les écrans de type jeux vidéo qui ponctuent désormais le tracé de la file d'attente, et quelques effets sonores et visuels améliorés. Bien que toujours populaire, le Space Mountain ne provoque plus aujourd'hui la cohue de jadis, alors qu'une foule déchaînée s'y précipitait le matin sitôt les portes du Magic Kingdom entrouvertes. Il convient malgré tout de s'y rendre assez tôt, en fin de journée, ou encore de se procurer un *Fastpass* pour minimiser le temps d'attente.

À NOTER: Taille minimale 1,12 m. N'est pas recommandé pour les femmes enceintes ni pour les personnes ayant l'estomac fragile ou des problèmes de dos. En cas d'hésitation, prenez le train de la Tomorrowland Transit Authority, qui vous permettra de découvrir certaines sections du Space Mountain. Selon le cas, le décor sombre et les cris stridents des passagers du Space Mountain vous effrayeront carrément ou vous donneront au contraire une envie folle d'y aller.

Tomorrowland Transit Authority PeopleMover ★★★

Allez-y en tout premier lieu dès votre arrivée à Tomorrowland (ou immédiatement après le Space Mountain). Ce prototype futuriste de transport en commun aux wagons ouverts offre un excellent aperçu de Tomorrowland, car il traverse différentes structures sur des rails surélevés. Chaque train de cinq wagons plonge ainsi dans les sombres entrailles du **Space Mountain** (vous entendrez alors les hauts cris des passagers de ce manège), contourne **Astro Orbiter** (une balade extérieure en fusée) et explore **Buzz Lightyear's Space Ranger Spin**. Une bande enregistrée assure la narration, fournissant de nombreux détails intéressants sur chaque attraction visitée. Vous noterez que les trains, qui roulent à environ 12 km/h, se déplacent en douceur et en silence; cela s'explique par le fait qu'ils sont mus par des électro-aimants et ne dépendent d'aucune pièce mécanique.

À NOTER: Même si on l'aperçoit partout, le train du Tomorrowland Transit Authority PeopleMover ne compte pas parmi les attractions les plus prisées du parc, et c'est tant mieux, car ceux qui le prennent peuvent ainsi vivre une expérience à la fois reposante et enrichissante sans avoir eu à subir une longue attente (sauf exception rare). Attire plutôt les adultes, bien qu'on le trouve divertissant à tout âge.

Stitch's Great Escape!

★★★

Dans cette attraction inspirée du film d'animation *Lilo & Stitch*, les visiteurs sont des gardiens d'une prison intergalactique qui en sont à leur premier jour de formation. Des délinquants de partout dans l'univers sont téléportés dans ce centre de détention, et l'on annonce la venue imminente d'un prisonnier de catégorie 3, réservée aux pires criminels.

Lorsque c'est le mignon Stitch qui apparaît dans la *Prisoner Teleportation Chamber* (salle de téléportation), tout le monde le trouve bien attendrissant... jusqu'à ce qu'il sème la pagaille et se mette à courir un peu partout pendant que les gardiens recrus sont plongés dans l'obscurité.

Les habitués du Magic Kingdom reconnaîtront ici la trame de l'ancienne attraction que l'on retrouvait auparavant en ces lieux: l'ExtraTERRORestrial Alien Encounter. La mise en scène est en effet similaire, sauf qu'au lieu d'un monstre effrayant venu de l'espace, c'est le sympathique extraterrestre Stitch qui est maintenant la vedette, un scénario beaucoup plus disneyen. Ce prisonnier est d'ailleurs à ce point plus amusant qu'on entend parfois des enfants l'encourager à s'évader...

À NOTER: Taille minimale 1,02 m. Tenez-vous bien droit sur votre siège au moment où les ceintures de sécurité sont abaissées, sinon la suite du spectacle, qui dure en tout près de 20 min, peut être assez inconfortable. Les personnes souffrant de claustrophobie devraient éviter cette attraction.

Walt Disney's Carousel of Progress ★★★★

Cette salle de spectacle gravitant autour de six scènes stationnaires vous offre un voyage nostalgique à travers l'histoire de la technologie. Ayant fait ses débuts à l'Exposition universelle de New York en 1964-1965, le spectacle est sans doute quelque peu suranné, mais divertit tout de même encore grâce à ses charmants personnages audio-animatroniques et à une mélodie sentimentale que les spectateurs ne peuvent s'empêcher de reprendre en chœur. Les personnages en question incarnent les membres d'une famille américaine typique (le père, la mère, le garçon, la fille et leur fidèle chien) confrontée aux progrès des XXe et XXIe siècles. Chaque scène distincte comporte de nombreux détails, allant des lampes à gaz de la cuisine de la fin du XIXe siècle à la salle de séjour équipée d'écrans vidéo. Il s'agit d'un des plus longs spectacles présentés à Disney World (20 min), un sursis agréable dans une confortable salle climatisée.

À NOTER: Les personnes âgées et les adultes sans enfants adorent ce spectacle, alors que les enfants et les adolescents le trouvent parfois long et ennuyeux. Bien qu'il profite d'une certaine popularité, cet amphithéâtre peut accueillir plusieurs centaines de personnes et connaît donc rarement de longues files d'attente.

Buzz Lightyear's Space Ranger Spin FP ★★★★

Le méchant empereur Zurg, incontournable vengeur de Buzz Lightyear (dans *Histoire de jouets*), a résolu de se rendre maître de l'univers. Votre mission: débarrasser la galaxie de ses petits acolytes verts. Votre escadron de «pilotes interplanétaires» se rend donc dans l'espace pour y détruire les indésirables extraterrestres. Chaque vaisseau est équipé de deux pistolets à rayons infrarouges et d'une manette servant à la navigation, et vous obtenez des points pour chaque extraterrestre que vous abattez. Les obstacles ne manquent pas, quoique la plus grande difficulté consiste sans doute à contrecarrer les mouvements intempestifs de votre copilote (mon comparse, par exemple, avait la fâcheuse habitude de modifier notre trajectoire chaque fois que je m'apprêtais à ajuster mon tir). Mais il s'agit vraisemblablement là d'un bien maigre prix à payer pour sauver l'humanité!

À NOTER: Songez à «Buzz» comme à un jeu électronique grandeur nature. Il vous réserve beaucoup de plaisir... sauf si les virevoltes vous donnent la nausée.

Astro Orbiter ★★★

Les enfants adorent ce manège de foire qui les fait s'envoler à bord de jets futuristes pour un voyage de 2 min. Ces aéronefs à cockpit ouvert sont rattachés aux bras tentaculaires d'une grosse fusée, lesquels ressemblent à des membres défaillants chaque fois qu'ils s'élèvent dans les airs pour retomber aussitôt après. Le manège peut à la fois être insipide ou légèrement amusant, selon le nombre de fois que vous faites monter et descendre votre jet. Il offre par ailleurs une très belle vue sur les zones thématiques environnantes, et c'est pourquoi on voit monter à bord des gens de tout âge.

À NOTER : Les enfants de moins de sept ans doivent être accompagnés d'un adulte. Astro Orbiter est tout indiqué pour faire passer le temps aux plus jeunes pendant que votre conjoint(e) se rend au Space Mountain (tout près) avec les plus vieux (les enfants mesurant moins de 1,12 m ne sont pas admis au Space Mountain). Cela fonctionne normalement très bien, car les deux manèges ont de grandes files d'attente, et Astro Orbiter n'accueille que 22 passagers à la fois, sans compter qu'il faut un certain temps pour prendre l'ascenseur jusqu'aux aéronefs et en redescendre.

Monsters, Inc. Laugh Floor ★★★★

Cette attraction inaugurée il y a quelques années dans le secteur Tomorrowland permet d'assister à un spectacle virtuel et interactif de *stand-up comics* animé par l'ineffable Mike Wazowski, le héros cyclope du film d'animation *Monsters, Inc.* coproduit par Disney et Pixar.

Les participants s'installent dans un théâtre de 400 places qui a toutes les allures d'un cabaret, ou *comedy club*, classique. Mike Wazowski revêt ici les habits du «monstre de cérémonie» et invite des comédiens à l'humour désopilant à se succéder sur la scène. La mission de cette joyeuse bande est de recueillir le plus de rires possible afin d'alimenter en énergie la ville de Monstropolis.

La technologie du dessin animé interactif, utilisée pour la première fois dans Turtle Talk with Crush au pavillon **The Seas with Nemo & Friends** (voir p. 125) d'Epcot, est ici mise à contribution, de même que des caméras qui scrutent la salle à la recherche de «victimes» dont elles relaient l'image sur écran géant. Aussi la plus grande partie du spectacle est-elle improvisée, les personnages du film d'animation interagissant avec ces spectateurs, blaguant à qui mieux mieux avec eux... ou se payant carrément leur tête.

À NOTER : Il faut être prêt à faire face à la musique si, «par malheur», vous êtes sélectionné dans la salle par les caméramans à la recherche de têtes de Turc. Une connaissance minimale de l'anglais est nécessaire pour bien apprécier cette présentation... surtout si vous finissez par en faire partie. Cela dit, le simple plaisir d'assister au spectacle proprement renversant de personnages animés qui parlent en direct avec des gens vaut à lui seul le coup.

Tomorrowland Speedway ★★

Il s'agit d'une piste de course telle qu'on en trouve dans tous les parcs d'attractions, avec des autos miniatures fonctionnant à l'essence et guidées par un rail d'acier. Même s'il n'est pas futuriste, le décor se pare intelligemment de panneaux publicitaires de style Grand Prix, de routes sinueuses et de gradins souvent remplis de passionnés des courses de voitures. Les enfants adorent naturellement piloter ces «bolides», mais les parents déplorent incontestablement la forte odeur de carburant et le vrombissement des voitures, qui fait penser à un essaim d'abeilles déchaînées s'abattant sur Tomorrowland. Malheureusement, un règlement exigeant une taille minimale de 1,37 m empêche plusieurs pilotes en herbe de prendre part à la course (bien qu'ils puissent monter avec un adulte). Mais il y a pis, car il faut ici s'armer de patience : comptez de 30 à 60 min d'attente avant d'accéder à la piste, 1 ou 2 min de plus pour obtenir votre véhicule, et encore 2 à 3 min pour rapporter votre voiture à la fin. C'est un peu trop demander que de patienter tout ce temps pour une course ne durant que 3 min, et à une vitesse maximale de 12 km/h, avec interdiction absolue de tamponner le coureur qui vous précède!

À NOTER : Taille minimale pour accéder à ce manège sans la présence d'un adulte : 1,37 m. Ce manège est très prisé et nécessite en moyenne une attente d'une heure en haute saison. À moins que les enfants ne tiennent vraiment à y aller, ne perdez pas votre temps ici.

Si vous partagez une voiture avec deux jeunes enfants, vous pourrez faire le parcours deux fois (sans attente entre les deux), de manière à donner la chance à chacun des enfants de prendre le volant. Assurez-vous toutefois de cette politique auprès des responsables du manège avant de prendre place à bord des véhicules.

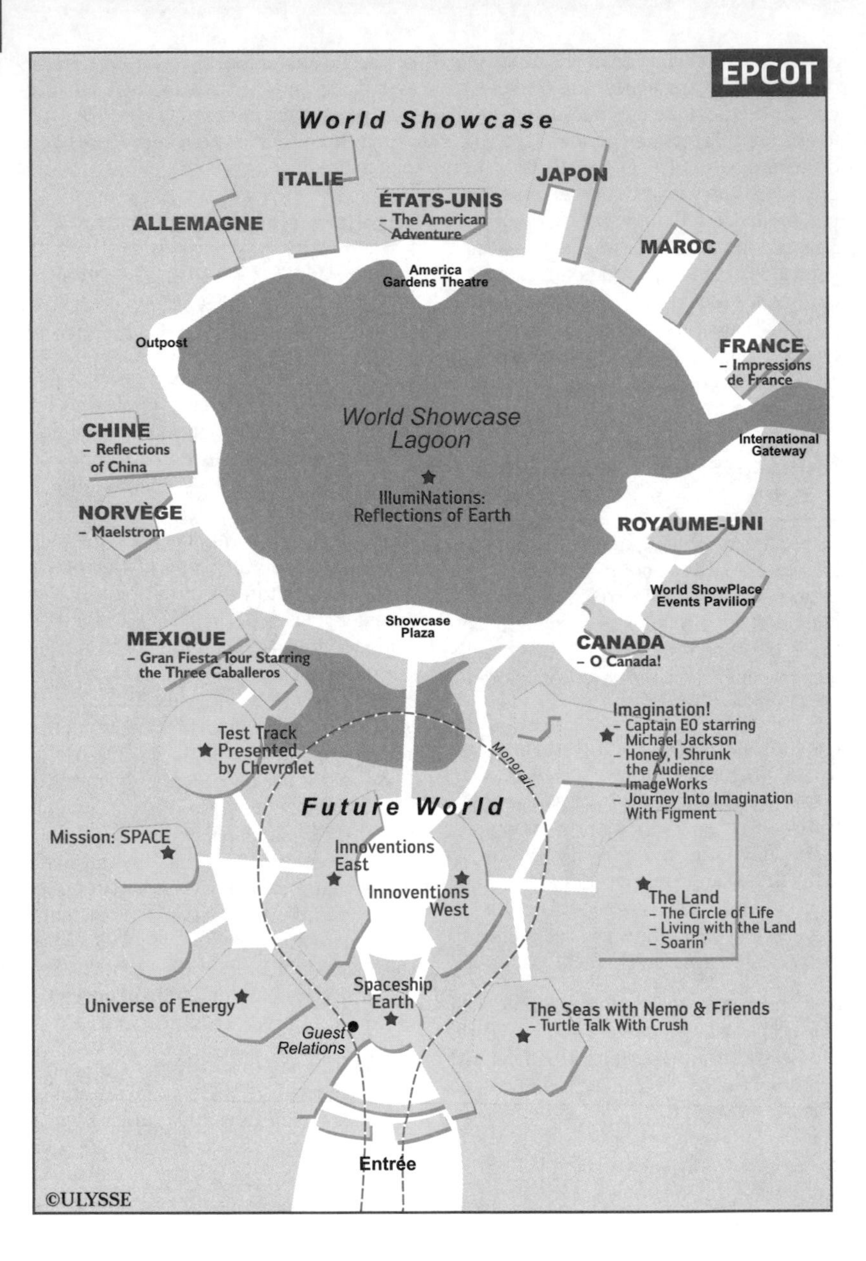
EPCOT
World Showcase
ITALIE
JAPON
ÉTATS-UNIS
– The American Adventure
ALLEMAGNE
MAROC
America Gardens Theatre
Outpost
FRANCE
– Impressions de France
World Showcase Lagoon
International Gateway
CHINE
– Reflections of China
IllumiNations: Reflections of Earth
NORVÈGE
– Maelstrom
ROYAUME-UNI
World ShowPlace Events Pavilion
Showcase Plaza
MEXIQUE
– Gran Fiesta Tour Starring the Three Caballeros
CANADA
– O Canada!
Imagination!
– Captain EO starring Michael Jackson
– Honey, I Shrunk the Audience
– ImageWorks
– Journey Into Imagination With Figment
Test Track Presented by Chevrolet
Monorail
Future World
Mission: SPACE
Innoventions East
Innoventions West
The Land
– The Circle of Life
– Living with the Land
– Soarin'
Spaceship Earth
Universe of Energy
The Seas with Nemo & Friends
– Turtle Talk With Crush
Guest Relations
Entrée
©ULYSSE

Epcot

Epcot était le grand rêve de Walt Disney, un rêve qui le hanta toute sa vie. Mickey Mouse, les films d'animation fantastiques, Disneyland et tout le reste n'étaient pour lui qu'autant d'étapes sur la route d'un monde futuriste où régneraient la paix et le bonheur.

De fait, à Epcot, les nations vivent en harmonie, et le futur appelle une prospérité déjà presque palpable. Une moitié du parc ressemble d'ailleurs à une exposition internationale permanente où différents pays font valoir les joyaux de leur architecture. Quant à l'autre moitié, elle présente des structures dignes de l'ère spatiale qui défient les frontières de la technologie.

«Epcot» est l'acronyme d'Experimental Prototype Community of Tomorrow (prototype expérimental de communauté futuriste). Ces mots, il faut en convenir, semblent bien savants pour un parc thématique, mais Epcot réussit néanmoins à nous servir la matière propre aux laboratoires et aux musées d'une manière on ne peut plus vivante et attrayante. Car il met tout en œuvre pour combler les passionnés de savoir et de culture: des expositions qui stimulent la pensée et nourrissent le goût de l'aventure, des manèges et des films qui amusent et informent tout à la fois, et des constructions empreintes d'histoire et de génie conceptuel.

C'est à Disneyland qu'a d'abord germé l'idée d'Epcot. Au cours des années 1950, Walt Disney prenait déjà conscience du fait que son parc thématique de Californie, emprisonné qu'il était par les projets résidentiels environnants, ne pourrait jamais s'étendre. Il forma alors le vœu de tout reprendre à zéro, mais cette fois sur des terres suffisamment vastes pour qu'une communauté puisse s'y développer pendant des siècles, sur un site futuriste et prometteur où des gens pourraient aussi bien vivre que travailler. Le site Internet *www.the-original-epcot.com* rend d'ailleurs compte de la vision initiale de Walt Disney pour son projet Epcot, et ce, de manière très détaillée.

Même si cette vision fut quelque peu modifiée en cours de route (par exemple, personne ne vit vraiment à Epcot), la plus grande partie du rêve de Disney se réalisa. Plusieurs attractions sont commanditées par de grandes entreprises et servent de bancs d'essai à de nouveaux concepts appelés à révolutionner nos habitudes de vie. Des pays du monde entier y investissent sommes, matériaux et compétences afin de créer des chefs-d'œuvre qui témoignent de leurs richesses respectives. Et du point de vue environnemental, le site a un pas d'avance sur son temps: l'énergie solaire est à l'honneur dans une grande partie des installations, l'eau de pluie recueillie des bâtiments sert à alimenter des étangs et des lagons, et l'on cultive les jardins sans l'aide de pesticides et d'engrais chimiques.

Epcot fait preuve de maturité et de raffinement, voire de cérébralité. Il suggère et explique, mais tout en divertissant. Cette «ville» d'un milliard de dollars, émergeant d'un domaine de 105 ha du centre de la Floride autrefois envahi de pinèdes et de palmeraies, explore l'espace et l'énergie, les transports et la biologie, les communications, l'agriculture et les gens. Le parc se divise en deux sections très différentes: le World Showcase (une vitrine sur le monde d'aujourd'hui) et le Future World (le monde de demain).

Au cœur du World Showcase, on trouve un lagon d'un vert océanique moucheté de traversiers et de petites îles verdoyantes. Onze «pavillons», qui représentent autant de pays, se déploient en éventail autour de ce lagon et révèlent des architectures variées, témoignant de traditions parfois plus que millénaires. La juxtaposition des styles Tudor, gothique, colonial, aztèque, japonais et marocain donne ici l'impression d'une tarte dont chacune des pointes aurait une saveur différente; savourées une à une, elles ont un effet vivifiant, tandis que réunies elles produisent une sensation enivrante.

La cité des nations de Walt Disney est une oasis de paix et de bonheur: pas de discours sur la pauvreté au pavillon du Mexique et aucune allusion au respect des droits de l'homme en Chine. Tous ces pays sont ici représentés, comme le décrit si bien un guide d'Epcot, tels que les Américains les idéalisent. Il est d'ailleurs presque impossible de visiter un «pays» sans être emballé par sa beauté et ses mystères. Et, en sortant des pavillons, les visiteurs se posent souvent la même question: comment pourrais-je bien me rendre dans ce pays?

Dans chaque pavillon, tous les détails sont reproduits avec une précision stupéfiante, qu'il s'agisse des tuyaux de cheminée des toits parisiens ou des hiéroglyphes du calendrier aztèque du pavillon mexicain. Les restaurants servent des mets ethniques, et les boutiques emploient des artistes et artisans originaires de chacun des pays. Et non seulement la flore distinctive de chaque contrée agrémente-t-elle les différents pavillons, mais elle change en outre au fil des saisons, comme si vous y étiez vraiment.

Étalé, quant à lui, au pied du décor fascinant que présente le World Showcase, le Future World prend des allures galactiques. Ses constructions de verre et de métal argenté, dont les formes rappellent celles des pièces d'un casse-tête, portent des noms tels que Universe of Energy, Innoventions East et Innoventions West. Près d'un édifice en forme de cône, une molécule d'ADN métallique virevolte, alors qu'ailleurs de l'eau jaillit dans les airs en décrivant des arabesques.

Mais le pavillon qui éclipse incontestablement tous les autres, c'est le Spaceship Earth (vaisseau spatial Terre). Recouvert d'aluminium et soutenu par des poutres d'acier, il ressemble à une immense balle de golf argentée et, tout au long de la journée, un convoyeur y fait pénétrer une mer de visiteurs pour un voyage au centre de la Terre.

Les thèmes sérieux du Future World et le nombre restreint de manèges du World Showcase peuvent impatienter les jeunes enfants. Bien qu'au cours des années on ait ajouté des attractions pour attirer les plus jeunes (entre autres des spectacles et des repas en compagnie des personnages de Disney), pour la plupart d'entre eux, rien ne vaut le Magic Kingdom.

Pour tout dire, lors de l'ouverture d'Epcot en 1982, certains adultes ne l'accueillirent eux-mêmes qu'avec curiosité, pour ne pas dire avec réticence. Tous n'étaient pas encore prêts à des thèmes aussi futuristes, du moins pas après la fantaisie du Magic Kingdom.

Mais, avec le temps, les sceptiques se sont réconciliés avec Epcot, séduits par son haut niveau de sophistication, sa capacité à inspirer et son approche tridimensionnelle. C'est ainsi que, chaque année, de plus en plus de gens se rendent en ce lieu alliant le plaisir à la cognition. Un lieu qui, au dire de Walt Disney, ne sera jamais achevé, mais continuera plutôt à introduire, à évaluer et à démontrer de nouveaux concepts.... Bref, une expérience cosmique et multiculturelle sans cesse renouvelée dans le creuset d'une vision prophétique.

Accès et déplacements

› Orientation

D'une superficie de 105 ha, Epcot est le plus grand parc thématique de Disney World. Il n'est donc pas étonnant qu'on l'ait surnommé «**E**very **P**erson **C**omes **O**ut **T**ired» (tout le monde en ressort fatigué). S'il s'agit de votre première visite, sachez bien ceci: **vous ne pouvez pas tout voir en une seule journée** (ni même en trois jours, d'ailleurs). Et tant mieux! Car après plus d'une douzaine de visites, on s'émerveille encore de la richesse des renseignements, des divertissements et des détails qu'on y découvre. Il est impossible de s'en lasser.

Malgré les dimensions titanesques du site, il est relativement facile de s'orienter à Epcot. Le parc se divise en deux zones thématiques distinctes: le **Future World** et le **World Showcase**. L'entrée principale (Entrance Plaza) se trouve en face du Spaceship Earth, qui fait partie du Future World et au pied duquel on trouve le bureau des *Guest Relations*, qui abrite le comptoir d'information du parc ainsi qu'une salle climatisée, dotée de nombreux sièges, où vous pourrez vous reposer au besoin. Ce lieu peut aussi servir de point de ralliement advenant le cas où un membre de votre groupe viendrait à se perdre.

À ne pas manquer!

› Les attractions

Spaceship Earth p. 118
Universe of Energy p. 120
Test Track Presented by Chevrolet p. 121
Soarin' p. 125
IllumiNations: Reflections of Earth p. 127
Reflections of China p. 130
The American Adventure p. 131
Impressions de France p. 133
O Canada! p. 133

› Les bonnes adresses

Restaurants

The Garden Grill Restaurant (The Land) p. 270
San Angel Inn Restaurante (pavillon du Mexique) p. 271
Tutto Italia Ristorante (pavillon de l'Italie) p. 272
Les Chefs de France (pavillon de la France) p. 272

Achats

The Art of Disney (Future World) p. 297
Mouse Gear (Future World) p. 297
Plaza de Los Amigos (pavillon du Mexique) p. 297

Le Future World forme un cercle presque parfait, entouré de six pavillons. En le parcourant dans le sens des aiguilles d'une montre, vous découvrirez tour à tour Universe of Energy, Mission: SPACE, Test Track Presented by Chevrolet, Imagination!, The Land et The Seas with Nemo & Friends. Au sommet du cercle se dressent le Spaceship Earth et, en son centre, deux constructions en forme de croissant: Innoventions East et Innoventions West.

Le World Showcase s'étend au sud du Future World, dont un pont panoramique le sépare. Onze «mini-villes» y ont été aménagées autour d'une promenade ceinturant un lagon de 16 ha. En vous déplaçant dans le sens des aiguilles d'une montre, vous verrez les pavillons du Mexique, de la Norvège, de la Chine, de l'Allemagne, de l'Italie, des États-Unis, du Japon, du Maroc, de la France, du Royaume-Uni et du Canada. Entre celui de la France et du Royaume-Uni se trouve l'International Gateway, qui fait office d'entrée arrière à Epcot. Vous pouvez notamment y louer des poussettes et des fauteuils roulants.

› En voiture

Epcot a sa propre sortie sur la **route I-4** (Interstate 4), soit la sortie 67, environ à mi-chemin entre l'embranchement de la **route 192** et de la **route 535**. Epcot se trouve approximativement à 2,5 km de la route I-4.

Après avoir payé 14$ pour votre stationnement (gratuit pour les résidents des lieux d'hébergement de Disney World), vous vous garerez à l'une des 9 000 places de cet immense désert de béton. Des tramways vous conduiront alors jusqu'à l'entrée principale d'Epcot.

Contrairement à celui du Magic Kingdom, le stationnement d'Epcot se remplit rarement à pleine capacité. Néanmoins, compte tenu du fait que ceux qui arrivent tôt épargnent des heures d'attente en file, il est bon d'arriver une heure avant l'ouverture officielle. Les tramways et le monorail entrent habituellement en fonction deux heures avant l'ouverture.

› En transports en commun

Du Contemporary Resort, du Polynesian Resort ou du Grand Floridian Resort & Spa: prenez le monorail de l'hôtel jusqu'au

Transportation and Ticket Center, puis celui qui conduit à Epcot.

Du Magic Kingdom: prenez le monorail express jusqu'au Transportation and Ticket Center, puis celui qui conduit à Epcot.

Des Disney's Hollywood Studios: prenez un autobus Disney directement jusqu'à Epcot, ou encore la navette lacustre qui mène à l'entrée du World Showcase d'Epcot.

Du Disney's Animal Kingdom: prenez un autobus Disney directement jusqu'à Epcot.

De Downtown Disney, de Blizzard Beach et du Typhoon Lagoon: prenez un autobus Disney jusqu'à un hôtel Disney, puis un autre jusqu'à Epcot.

Du Swan Hotel, du Dolphin Hotel, du BoardWalk Inn, du Yacht Club Resort ou du Beach Club Resort: prenez le traversier de l'hôtel jusqu'à l'entrée du World Showcase d'Epcot, beaucoup moins bondée que l'entrée principale du site au Future World. Vous pouvez aussi vous rendre à pied jusqu'à cette entrée.

De tous les autres hôtels de Disney World: prenez un autobus Disney directement jusqu'à Epcot.

Des hôtels de la région ne faisant pas partie de Disney World: la plupart disposent d'un service de navette pour Epcot. Cependant, dans bien des cas, le service ne se fait qu'aux heures, si ce n'est toutes les deux ou trois heures. Il vaut alors mieux s'y rendre en voiture.

Renseignements utiles

Voir le plan du parc p. 110.

› Quelques précieux conseils

Pour bien préparer votre visite d'Epcot, il est primordial de savoir que le **Spaceship Earth** et le **cœur du Future World** ouvrent de 30 à 60 min avant le reste du parc. L'occasion est rêvée pour prendre une longueur d'avance sur les autres visiteurs en vous procurant les plans et les renseignements dont vous pourriez avoir besoin, en louant une poussette, un casier ou un fauteuil roulant, et en montant à bord du **Spaceship Earth**, un des manèges les plus convoités du parc. Vous pourrez en outre réserver une table pour le déjeuner ou le dîner dans un des restaurants du World Showcase, évitant ainsi de recevoir cette réponse décevante qu'on entend si souvent après 10h: *«C'est complet»*.

Certains jours d'été, pendant les jours fériés et durant les autres périodes d'affluence, on ouvre parfois les portes d'Epcot jusqu'à une heure plus tôt que prévu pour les clients des établissements hôteliers de Disney World. Il est impossible de savoir quand cela se produira, mais vous pouvez toujours composer le 407-824-4321 pour vérifier les heures dites «officielles».

Le World Showcase ouvre en fin de matinée, généralement à 11h, de sorte que vous passerez la première partie de votre journée au Future World. Songez à vous rendre en premier lieu aux attractions les plus courues du Future World, à savoir Test Track Presented by Chevrolet, Mission: SPACE, The Seas with Nemo & Friends, The Land et Spaceship Earth, car elles deviennent bondées en milieu de journée et le demeurent jusqu'en début de soirée.

La plupart des gens contournent le lagon du World Showcase dans le sens des aiguilles d'une montre, de sorte que vous devriez procéder en sens contraire. Si vous faites votre visite le matin, sachez que les premiers pavillons seront alors pour ainsi dire déserts. Chacun d'eux forme un ensemble si cohérent qu'il est préférable de visiter un «pays» au complet avant de passer au suivant, d'autant plus qu'une fois que vous aurez effectué le trajet de 2 km autour du lagon (alors que le soleil darde ses rayons) vous n'éprouverez aucun désir de revenir sur vos pas (à moins que vous n'ayez réservé une table dans un des pavillons). Si vous arrivez du Future World, vous économiserez des pas en prenant le traversier du lagon jusqu'au pavillon de l'Allemagne (angle sud-est) ou du Maroc (angle sud-ouest).

Toutes les attractions d'Epcot ferment religieusement leurs portes aux heures indiquées (20h, ou 21h pour la plus grande partie de l'année); les restaurants acceptent toutefois les réservations jusqu'à l'heure de la fermeture. Si cela ne vous dérange pas de dîner tard (et de manquer le spectacle au laser et les feux d'artifice d'IllumiNations: Reflections of Earth), prenez une réservation tardive (la plupart du temps, on peut aussi se présenter sans réservation à cette heure avancée). En réservant une table près de la fenêtre au restaurant Chefs De France du pavillon de la France, vous pourrez même voir une partie du spectacle.

› Animaux de compagnie

Ils ne sont pas admis à l'intérieur d'Epcot. Vous pouvez cependant les faire garder pour la journée au **Best Friends Pet Care Resort** (voir p. 66).

› Argent

Vous trouverez des guichets automatiques à l'entrée principale d'Epcot, à l'entrée secondaire (International Gateway, sur le pont entre le Future World et le World Showcase), et à l'American Adventure (pavillon des États-Unis). Au bureau des *Guest Relations*, vous pourrez en outre changer des devises.

› Bureau des objets perdus et trouvés

Situé au bureau des *Guest Relations*, à l'est du Spaceship Earth.

Les attractions d'Epcot où l'on peut obtenir un *Fastpass* FP›

Pour éviter les files d'attente, procurez-vous un *Fastpass* aux attractions suivantes:

Living with the Land - The Land (Future World; en période de pointe) p. 124

Maelstrom - Norvège (World Showcase) p. 129

Mission: SPACE (Future World) p. 120

Soarin' - The Land (Future World) p. 125

Test Track Presented by Chevrolet (Future World) p. 121

› Casiers

Disponibles à l'ouest du Spaceship Earth à côté de la boutique Camera Center et à l'International Gateway (entrée qui donne directement accès au World Showcase). On trouve également d'autres casiers à l'extérieur de l'entrée principale, à l'arrêt d'autobus; ils ne sont toutefois pas très commodes si vous devez y accéder durant la journée. Il vous en coûtera 7$ par jour pour un petit casier et 9$ pour un grand, plus un dépôt remboursable de 5$. L'accès est alors illimité.

› Centre de services aux nourrissons *(Baby Care Center)*

Situé à l'Odyssey Center du Future World, du côté est du pont menant au World Showcase. On y trouve entre autres des tables à langer et des berceuses (fauteuils à bascule) pour allaiter. Couches, lait en poudre et autres articles pour bébés y sont également disponibles.

› Enfants perdus

Déclarez la perte d'un enfant au bureau des *Guest Relations* situé du côté est du Spaceship Earth ou au *Baby Care Center* du Future World.

› Poussettes et fauteuils roulants

Disponibles au pied du Spaceship Earth (du côté est) et à l'International Gateway (entrée qui donne directement accès au World Showcase).

› Renseignements et audioguides

Le bureau des *Guest Relations*, situé tout juste à l'est du Spaceship Earth, est l'endroit où vous arrêter pour obtenir tout renseignement de même que pour trouver des plans du parc en français. Vous pouvez aussi vous y procurer des audioguides qui traduisent en français la narration de plusieurs attractions. Ce service est gratuit, mais on vous demandera un dépôt qui vous sera remboursé lorsque vous rapporterez l'appareil. Les plans et les audioguides sont également disponibles en espagnol, en allemand, en japonais et en portugais.

Des visites guidées pour tous les goûts à Epcot

Plusieurs formules de visites guidées thématiques sont proposées aux visiteurs d'Epcot. Pour vous inscrire, composez le 407-939-8687. Les prix, en sus des frais d'entrée au parc, ainsi que les horaires peuvent varier; par conséquent, ils ne sont indiqués ici qu'à titre indicatif. À noter qu'il faut avoir une bonne compréhension de l'anglais pour apprécier ces visites à leur juste valeur et que, pour certaines d'entre elles, il faut aimer les détails techniques.

The Undiscovered Future World *(55$; 4 heures; 16 ans et plus; lun, mer et ven à 9h)*: présentation de l'histoire d'Epcot, depuis les premières esquisses de Walt Disney jusqu'à aujourd'hui.

Behind the Seeds at Epcot *(adultes 16$, enfants 12$; 1 heure; tlj toutes les 60 min entre 10h30 et 16h30)*: visite des jardins et des bassins d'aquaculture du pavillon The Land.

Around the World at Epcot *(99$; 2 heures; 16 ans et plus; tlj à 7h45, 8h30, 9h et 9h30)*: visite du World Showcase en Segway (gyropode).

Epcot DiveQuest *(175$; 2 heures et demie; 10 ans et plus; mar-jeu à 16h30, 17h30 et 18h30, ven-sam à 16h30 et 17h30)*: pour les plongeurs certifiés qui souhaitent nager avec les poissons du pavillon The Seas with Nemo & Friends. Les enfants de 10 à 12 ans doivent plonger avec un parent ou un répondant adulte.

Epcot Seas Aqua Tour *(140$; 2 heures et demie; 8 ans et plus; mar-sam à 12h30)*: version plus accessible de la précédente visite, qui s'adresse aux amateurs de plongée-tuba et non seulement aux plongeurs certifiés.

Dolphins in Depth *(194$; 3 heures; 13 ans et plus; mar-sam à 9h45)*: visite du centre de recherche sur les dauphins du pavillon The Seas with Nemo & Friends.

› Service de collecte de paquets *(Package Pickup)*

Ceux qui magasinent beaucoup devraient songer à profiter de ce service gratuit. Il permet, si vous résidez dans un hôtel Disney, de faire livrer tous vos achats directement à votre lieu d'hébergement (généralement à la boutique de votre hôtel). Si vous logez à l'extérieur du royaume, il offre aussi la possibilité de faire envoyer vos paquets aux *Gift Stops* situés près de l'entrée principale et de l'International Gateway (entrée donnant directement accès au World Showcase). Vous pourrez ainsi passer prendre vos emplettes au moment de quitter le parc, sans avoir à les traîner toute la journée. Mais attention: il y a souvent des «embouteillages» entre 17h et 18h, ainsi que durant la demi-heure qui précède la fermeture du parc.

Future World

Epcot se tourne d'abord et avant tout vers l'avenir. Au Future World, les plantes ont la forme de nacelles volantes, les trottoirs décrivent des parcours anguleux, et les parasols ressemblent à des vaisseaux spatiaux. Le béton est roi sur des kilomètres, surplombé d'un monorail à la proue aérodynamique. Les constructions de verre et d'acier reflètent les rayons du soleil en pointant vers le ciel. Et pour compléter ce paysage lunaire, on a ajouté des sculptures de métal tordues et des fontaines s'harmonisant avec l'architecture épurée des lieux. Quant au **Spaceship Earth**, cette sphère argentée qui domine l'horizon, il est le point de mire du site.

Les attractions du Future World portent sur le voyage, les transports, les communications, la biologie, l'agriculture, la vie marine, l'énergie et l'imagination humaine. Le défi de Disney consiste bien sûr à rendre ces

Les eaux dansantes

D'immenses jets d'eau s'élèvent et retombent, des torrents s'élancent telles des fusées dans les airs, et de fines pluies décrivent des pirouettes au son d'une musique puissante. Le spectacle se poursuit pendant plusieurs minutes, puis se termine par une explosion, comme si des feux d'artifice invisibles éclataient soudain.

Bienvenue à l'**Innoventions Fountain of Nations Show**, une symphonie dramatique toute liquide qu'on peut voir et entendre toutes les 15 min. Vous ne pouvez d'ailleurs manquer ce spectacle, puisqu'il se déroule dans la cour du Future World entre Innoventions East et Innoventions West.

D'autres grandes eaux vous attendent également à l'extérieur du pavillon d'Imagination!, où **The Dancing Waters** attirent une foule nombreuse tout au long de la journée et pendant une bonne partie de la soirée. Des trombes d'eau y sautent d'un étang à un autre, et les enfants s'en donnent à cœur joie en essayant de les attraper au vol.

sujets si intéressants et divertissants que les gens ne cessent d'en redemander et, dans l'ensemble, il faut avouer que le Future World s'impose comme un succès retentissant.

Contrairement au Tomorrowland du Magic Kingdom, lequel ne fait que jeter un regard furtif (et pas toujours exact) sur le monde de demain, le Future World offre des prévisions détaillées et crédibles. Plusieurs de ses attractions incarnent en fait le *nec plus ultra* de Disney World: effets spéciaux fantastiques, décors et projections à la fine pointe de la technologie, expositions interactives fascinantes et personnages audio-animatroniques saisissants de vérité. Et il y a plein de manèges. Peu de grandes chevauchées enivrantes, mais des attractions inventives qui durent souvent près de 15 min. Ainsi, l'**Universe of Energy** possède un théâtre qui se déplace de salle en salle, **The Land** offre une excursion dans des jardins hydroponiques, et le **Spaceship Earth** vous fera visiter dans tous les sens la plus grande sphère géodésique jamais construite par l'homme.

Le Future World est si complexe qu'il est impossible de le visiter au complet en une journée. Parmi toutes les attractions, certaines doivent indéniablement figurer en tête de liste: **Spaceship Earth**, **The Seas with Nemo & Friends** et **The Land**, même si vous décidez de n'explorer qu'un ou deux aspects de chacune d'entre elles. Si vous êtes accompagné d'adolescents toujours à la recherche de sensations fortes, **Test Track Presented by Chevrolet** et **Mission: SPACE** constituent également des arrêts obligés. À moins d'être un mordu des ordinateurs et des gadgets de science-fiction, remettez la visite d'**Innoventions East** et **Innoventions West** à une prochaine fois; ces deux édifices présentent en effet des démonstrations à caractère technologique et des expositions interactives qui nécessitent des heures d'approfondissement.

Surtout, ne visitez pas le Future World à la sauvette. Le souci du détail et la précision en tout contribuent grandement au charme de ce parc thématique, et plus vous vous complairez dans ces raffinements, plus vous serez porté à dire: *«Apprendre n'a jamais été aussi agréable.»*

Spaceship Earth ★★★★★

D'un diamètre de 55 m et aussi haut qu'un édifice de 18 étages, cet «engin» de l'ère spatiale semble avoir été trempé dans l'aluminium, puis garni de milliers d'arêtes. De loin (en avion, on le distingue depuis les côtes de Floride), ce globe de 455 t semble venir d'un autre monde. De près, dominé par son ombre titanesque, il vous subjuguera. Ses créateurs le désignent comme *«la plus grande sphère géodésique au monde* et ses admirateurs, comme *la grosse balle de golf argentée»*. Le Spaceship Earth est à Epcot ce que le château de Cendrillon est au Magic Kingdom, un symbole imposant reconnu mondialement. Le jour, on y contemple le bleu du ciel et la blancheur des nuages; la nuit, le reflet des planètes qu'elle imite.

En entrant dans le Spaceship Earth, on découvre un autre monde. Un flot continuel de véhicules sur rails appelés «machines à voyager dans le temps» transportent les visiteurs dans des tunnels sombres, puis tour à tour dans le brouillard et la lumière, autour de remarquables projections ainsi que de reproductions audio-animatroniques. Commanditée par Siemens, cette attraction est une véritable odyssée retraçant l'évolution des communications. Vous vous élèverez graduellement en spirale jusqu'au sommet de la sphère, pour ensuite amorcer la descente de retour tandis qu'on bombardera sans relâche vos sens d'images, de sons et d'odeurs.

La présentation du Spaceship Earth a été quelque peu rafraîchie au cours des dernières années. Ainsi, au début de votre périple, vous serez appelé à répondre à quelques questions sur un écran interactif. On vous invitera également à sourire devant la caméra. Le tout a pour but de préparer un petit montage amusant que vous visionnerez à la fin de votre périple.

Grâce à un enregistrement sonore disponible en plusieurs langues dont le français (il suffit de choisir la langue souhaitée en début de parcours au moyen de votre écran tactile), un narrateur vous accompagnera tout au long de ce voyage de 14 min, au cours duquel vous pourrez vous familiariser avec la vie des hommes des cavernes, les hiéroglyphes égyptiens, les marchands phéniciens, le théâtre romain, l'imprimerie de Gutenberg et les moyens de communication modernes. Au fil des scènes, vous percevrez l'odeur de moisi des cavernes antiques et celle de la fumée d'Alexandrie en flammes; vous entendrez même un moine, plume d'oie à la main, ronfler à tout rompre dans son abbaye. Une des scènes les plus impressionnantes est celle où Michel-Ange met la touche finale à une fresque de la chapelle Sixtine. Mais non moins spectaculaire est la vue au sommet, alors que vous plongerez dans un ciel immensément noir et constellé de millions d'étoiles.

> ! Les poutres d'acier qui supportent le Spaceship Earth s'enfoncent à plus de 56 m sous terre. Par temps pluvieux, remarquez qu'aucune eau ne s'écoule le long du Spaceship Earth; elle est en effet recueillie à l'intérieur du dôme et acheminée vers le lagon du World Showcase.

À NOTER: Tout le monde semble adorer le Spaceship Earth! Les parents se réjouissent des effets spéciaux fabuleux, tandis que les enfants succombent d'emblée à la magie du mouvement, des couleurs et de la musique. Malheureusement, cette grande popularité est également synonyme de longues files d'attente; vous pouvez toutefois les éviter en vous y rendant entre 8h30 et 9h ou après 19h.

550 000 photos pour la postérité

Tout juste après l'entrée principale d'Epcot, au pied du Spaceship Earth, vous ne pourrez manquer les grandes stèles sur lesquelles des milliers de photographies de visiteurs ont été placées. Cette «attraction», lancée dans le cadre des célébrations du nouveau millénaire, a pour nom **Leave a Legacy**.

Quelque 550 000 photos de 3 cm^2 de personnes qui ont souhaité ainsi laisser une trace de leur passage sont affichées sur les monolithes. Le programme étant aujourd'hui terminé, on ne peut plus ajouter de nouveaux portraits. Si par contre vous avez déjà participé et que vous souhaitez repérer le vôtre, ou celui de connaissances, vous pouvez vous adresser au comptoir Leave a Legacy, qui se trouve dans le Camera Center, tout juste à l'ouest du Spaceship Earth.

C'est tout à fait cela!

Disney s'est vraiment surpassé en ce qui a trait à l'authenticité des détails qu'on retrouve à l'intérieur du Spaceship Earth. Les paroles dictées par le pharaon proviennent mot pour mot d'une lettre rédigée par un ancien monarque égyptien. Les gribouillis du mur de Pompéi correspondent parfaitement aux graffitis originaux. La presse de Gutenberg fonctionne réellement, et la page qu'elle imprime est identique à l'une de celles qui composèrent sa première Bible.

Universe of Energy

★★★★

Cet édifice à miroirs en forme de triangle désaxé est plaqué de 80 000 minuscules capteurs solaires qui absorbent les rayons du soleil pour les transformer en énergie. À l'intérieur vous attend un antre peuplé de dinosaures presque aussi vrais que nature, de forêts et de plantes géantes conçus de manière à ce que même le plus sceptique des visiteurs ait l'impression d'avoir fait un saut dans la préhistoire.

Il fut une époque où les effets spéciaux de cette attraction en éclipsaient tout le reste, le film éducatif dont elle faisait alors l'objet, sans grand intérêt et beaucoup trop long, suscitant visiblement de l'impatience chez les spectateurs. Aujourd'hui, par contre, le concept initial a été amélioré de manière à intégrer le film et les effets spéciaux en un ensemble aussi distrayant qu'instructif.

La pièce maîtresse d'**Ellen's Energy Adventure** est un film mettant en vedette la comédienne Ellen DeGeneres. À titre de concurrente dans une ronde de *Jeopardy* dont toutes les catégories de questions portent sur l'énergie, la vedette échoue lamentablement jusqu'à ce que Bill Nye, le cerveau scientifique, vienne à sa rescousse, l'entraînant dans un voyage temporel à la découverte des origines de l'énergie.

À ce moment précis, les événements prennent une tournure pour le moins inattendue, puisque des sections de sièges se détachent les unes des autres pour prendre la direction de la sortie. Ces ingénieux «théâtres mobiles», accueillant chacun 97 «passagers», entreprennent alors un voyage dans le temps de 300 millions d'années, à travers de sinistres forêts enveloppées de brume. Des brontosaures incroyablement crédibles respirent lourdement au-dessus des spectateurs (dont certains cherchent instinctivement à se protéger en se recroquevillant), tandis que, non loin de là, un *t-rex* affronte un rival démesuré. Il y a même une version animatronique d'Ellen cherchant à repousser la menace de monstres préhistoriques.

Puis le film ramène progressivement l'héroïne et son compagnon vers le futur, tout en expliquant de façon amusante les dessous de la production énergétique.

Bien qu'il n'entre pas dans la catégorie des comédies à se rouler par terre, le film n'en demeure pas moins vif et ciblé, et résolument plus divertissant que son prédécesseur. Les dinosaures eux-mêmes, qui constituent indubitablement le clou du spectacle et méritent à eux seuls la visite, ont été révisés pour refléter les vues modernes de la science à leur sujet.

À NOTER: Certaines scènes risquent d'effrayer les tout-petits. Et ne vous laissez pas décourager par les longues files d'attente puisque, toutes les 15 min, on fait entrer quelque 600 personnes.

Mission: SPACE

FP ★★★★

Bien longtemps avant l'inauguration de cette attraction, la rumeur a couru que cette reconstitution de l'envol d'une fusée serait d'un réalisme inouï et constituerait l'une des grandes réussites de Disney. Résultat, cette balade en fusée vers la planète Mars est pas mal authentique – et même le plus blasé des astronautes en herbe se retrouvera dans l'espace cosmique tel qu'il se présente, et ce, en deux temps, trois mouvements. Les équipages de quatre personnes de Mission: SPACE prennent place dans des nacelles où chaque membre se voit pourvu d'une fonction: navigateur, pilote, ingénieur et capitaine. Tout cela ressemble à un jeu d'arcade qui se déroule normalement jusqu'à ce que le compte à rebours s'amorce : l'écoutille (un moniteur de télé) «s'ouvre» alors sur un ciel bleu sans bornes, puis la fusée s'élève... Pendant que le vaisseau spatial caracole, les membres d'équipage ressentent d'inexplicables forces G.

Pour vous faire une idée de la vraisemblance de cette attraction, sachez que les astronautes de la NASA ont donné un bon coup de pouce à Mission: SPACE pour la rendre la plus réaliste possible. Vous éprouverez des sensations nouvelles, intenses – qui vous feront suer plus que quelques gouttes –, au moment où la mise à feu de l'engin s'effectuera : vous vous sentirez propulsé dans la stratosphère. Qui plus est, vous serez en compagnie de Gary Sinise (l'acteur se présente sur bande vidéo comme votre guide interplanétaire).

Toutefois, cette attraction virtuelle ne satisfait pas complètement tout un chacun. À la sortie, on voit des adultes extatiques, prêts à s'embarquer pour une seconde balade en fusée, et des jeunes qui le sont un peu moins (seraient-ce les effets secondaires d'une «surexposition» aux trucs *high-tech* depuis leur tendre enfance?). Les quelques personnes n'appréciant les sensations fortes que dans les montagnes russes ne seront probablement pas surprises non plus. Ce qui ne veut pas dire que Mission: SPACE s'avère plutôt stationnaire. Aussi la plupart des gens sont-ils étonnés d'apprendre que ce sont les fuseaux tournoyant à une allure folle durant la majeure partie du «voyage intersidéral» qui créent les forces G.

Après ce turbulent voyage sur Mars, faites une halte au **Mission: SPACE Advanced Training Lab**, rempli de jeux vidéo à découvrir en solo ou en groupe (des compétitions par équipe y sont organisées).

À NOTER : Taille minimale 1,12 m. Le mouvement rotatoire qui permet de reconstituer la pression gravitationnelle essentielle au réalisme de ce manège n'est pas évident à percevoir une fois que vous êtes à bord de la «fusée», mais votre estomac, lui, le détectera... Ceux qui ont l'estomac fragile devraient donc y penser à deux fois avant de monter à bord ou choisir de s'installer dans les places fixes créées il y a relativement peu de temps. En effet, deux options sont maintenant proposées aux participants : l'original (suivez les indications de couleur orange) et une version plus douce pour éviter les malaises (couleur verte). Quant aux claustrophobes, ils doivent savoir qu'ils seront très à l'étroit dans le «vaisseau». Les femmes enceintes devraient pour leur part s'abstenir.

Test Track Presented by Chevrolet FP ★★★★

Voici une attraction qui transforme les visiteurs de Disney World en de véritables pantins, ou plus précisément en mannequins d'essai. Attachez votre ceinture et préparez-vous à subir, de l'intérieur, les tortures auxquelles on soumet les voitures avant de les juger dignes de prendre la route. Dérapages non contrôlés, virages à haute vitesse et freinages brusques sont tous au menu. De plus, une bonne peinture doit pouvoir soutenir des températures extrêmes, de sorte que vous devez être prêt à passer du froid au chaud. L'expérience ultime reste toutefois l'«envolée» sur la piste extérieure à une vitesse maximale d'environ 100 km/h.

En 2012, cette attraction a subi une cure de rajeunissement qui a forcé sa fermeture pendant plusieurs mois. Disney avait préalablement convenu d'un partenariat à long terme avec Chevrolet, et la réouverture de Test Track, en décembre 2012, a coïncidé avec le 30e anniversaire d'Epcot et le centenaire du fabricant d'automobiles américain.

La nouvelle version de Test Track présente un enrobage modernisé assez réussi et très coloré, mais le manège en lui-même demeure le même. Ainsi, l'aire d'attente n'est plus le capharnaüm de jadis, mais une sorte de vitrine qui met en vedette des prototypes développés par Chevrolet, dont certains s'avèrent très futuristes.

Puis, arrive le moment où vous êtes invité à «dessiner» votre propre prototype à l'une des bornes interactives prévues à cette fin, design qui sera sauvegardé sur une carte magnétique. C'est prétendument ce nouveau modèle de voiture qui sera ensuite testé sur la piste d'essai, mais tout cela n'est qu'illusion car, vous vous en doutez bien, le tour est le même pour tout le monde...

Une fois les folles épreuves terminées, et après avoir repris vos esprits, d'autres bornes interactives permettent, à l'aide de votre carte magnétique, de concevoir un message publicitaire télé pour vanter les mérites de votre prototype que vous pourrez transmettre à un ami par courriel, de lui faire prendre part à une course virtuelle avec les bolides d'autres participants et de vous faire photographier à côté de votre merveille.

À NOTER: Taille minimale 1,02 m. Commanditaire de l'attraction, Chevrolet en profite pour montrer ses plus récents modèles dans une salle de montre aménagée à la sortie.

Imagination! ★★★

Une infinité de jeux électroniques plus passionnants les uns que les autres font de cet endroit le plus grand favori de nombre d'enfants à Epcot. Le bâtiment lui-même, composé de deux pyramides de verre légèrement tordues, produit déjà un sentiment d'illusion et, tout au long de la journée, les rayons du soleil s'infiltrent à travers le verre, attirant l'attention des visiteurs sur ces étonnantes structures géométriques. À l'intérieur de ce pavillon, vous retrouverez trois attractions débordantes d'imagination: Journey Into Your Imagination with Figment, Captain EO (ou Honey, I Shrunk the Audience) et ImageWorks.

Journey Into Your Imagination with Figment ★★★

Au fait, jusqu'où va votre imagination? C'est précisément là ce que tentent de déterminer les chercheurs de l'imaginaire Institut de l'imagination (celui-là même qui reconnaît l'œuvre de Wayne Szilinski dans «Honey, I Shrunk the Audience» à la porte voisine). En vous lançant dans cette aventure, adaptée de l'ancien «Journey Into Imagination», vous mesurerez tout d'abord votre QI, à savoir votre Quotient d'Imagination dans le cas qui nous occupe, et il appert, du moins au début, que la plupart d'entre nous sont grandement déficients à cet égard ainsi qu'en témoignent les bouffées de vapeur sans substance qui semblent émaner de nos têtes dans le miroir devant lequel nous prenons place. Après avoir parcouru les salles un tant soit peu bizarres de cette attraction – dans l'une d'elles, tout est à l'envers, alors que, dans une autre, il y a du son mais aucune lumière –, nous en venons toutefois à gagner des points, si bien qu'au terme de la visite notre QI bat tous les records.

Ceux qui ont connu l'ancien manège y verront une énorme amélioration par rapport à son insipide prédécesseur. Certaines des illusions sont vraiment ahurissantes, notamment cet oiseau qui apparaît dans sa cage de façon absolument inconcevable.

À NOTER: Comme c'était le cas pour l'ancien manège, sa nouvelle version est plus ou moins appréciée selon l'âge et l'état d'esprit des participants. Alors que d'aucuns s'en font un régal, d'autres n'y voient qu'une lente et insipide randonnée.

Captain EO ★★★

Le capitaine EO, auquel Michael Jackson prête ses traits, et ses sympathiques mais pas très futés amis, nourrissent l'ambition bien naïve de changer le monde, rien de moins. Il faut dire qu'ils se retrouvent au cœur d'un environnement fait de laideur, dominé par un inquiétant leader interprété par Anjelica Huston. Ils arriveront bien sûr à leurs fins (nous sommes chez Disney, ne l'oublions pas!) grâce à la musique, à la danse et à l'imagination.

Ce film musical de science-fiction en trois dimensions, sorte de croisement entre *Star Wars* et les vidéoclips de Jackson, fut en fait produit par George Lucas et réalisé par Francis Ford Coppola au milieu des années 1980, alors que le chanteur était au sommet de sa popularité. Il fut présenté ici de 1986 à 1994, avant de céder sa place au très réussi *Honey, I Shrunk the Audience* (voir plus loin). À la suite du décès tragique de Jackson, Disney décida de ramener ce film à l'affiche en juillet 2010. Cette production de 17 min met en images deux chansons originales de Jackson, avec effets spéciaux et chorégraphies de groupe typiques à la clé.

Il faut bien l'admettre, tout n'a pas bien vieilli là-dedans. Les cheveux crêpés, les costumes à épaulettes, la musique de synthétiseur… tout ça fait «vraiment années 1980», comme ne manqueront pas de le souligner vos ados. D'ailleurs, les effets 3D sont aussi un peu dépassés, pendant qu'on y est. Mais la nostalgie, ainsi que le plaisir de retrouver le roi de la pop à son meilleur, prennent tout de même le dessus et permettent de passer un bon moment.

À NOTER: La bonne nouvelle: le retour d'un film divertissant qui permet de revoir Michael Jackson à l'œuvre. La mauvaise: pour lui faire de la place, il a fallu mettre au rancart le remarquable (et plus amusant, disons-le) *Honey, I Shrunk the Audience*. On promet toutefois le retour de ce dernier film un jour, sans préciser de date.

Honey, I Shrunk the Audience ★★★★

Il ne fait aucun doute que ce spectacle 3D recèle certains trucages particulièrement brillants. Disney joue ici avec l'auditoire, non seulement en lui présentant des trucages visuels, mais aussi en lui procurant des sensations physiques (autrement dit, lorsqu'on relâche les souris dans le film vous les sentez grimper le long de vos jambes!). Wayne Szalinski, le professeur atermoyant de *Honey, I Shrunk the Kids*, revient à l'écran avec sa machine infernale et, cette fois, c'est vous, l'auditoire, qu'il réduit. Grâce à vos lunettes 3D et à vos perceptions altérées, vous vous sentirez vraiment devenir tout petit... et vulnérable. Chiens et chaussures de tennis vous sembleront aussi grands que des gratte-ciel, et un gigantesque cobra royal vous frappera en pleine figure! Ne soyez donc pas étonné si vous vous mettez à crier, à hurler ou à bondir de votre siège: tous vos semblables en feront autant.

À NOTER: Bien que très divertissant et extrêmement amusant, ce film contient quelques scènes susceptibles d'effrayer les jeunes enfants. À noter que le spectacle 3D Captain EO (voir précédemment) était à l'affiche dans ce théâtre au moment de mettre sous presse, mais qu'il est prévu que Honey, I Shrunk the Audience reprenne éventuellement du service, à une date qui n'a toutefois pas été arrêtée.

ImageWorks ★★★

Au chapitre des créations de génie, peu d'attractions rivalisent avec ImageWorks. L'endroit regorge de gadgets électroniques sans pareil, soit des centaines d'appareils permettant de jouer avec la lumière, le son, la couleur, les images et le temps. Un des ateliers vous permet de métamorphoser votre visage jusqu'à lui donner l'apparence d'un personnage de dessin animé, pour ensuite l'envoyer à vos amis par courrier électronique. Un autre vous permet de créer des sons au gré des mouvements de votre main. Un miroir électronique présente une version à la fine pointe des glaces déformantes normalement trouvées dans les «maisons du rire». Et, aux Stepping Tones, vous pourrez jongler follement avec la lumière, les couleurs et la musique en sautant sur un tapis (vous pourriez y prendre goût au point qu'on doive poliment vous inviter à quitter les lieux à l'heure de la fermeture). Ce pavillon stimule l'esprit de créativité chez les enfants, alors que, chez les adultes, l'expérience qu'il procure leur rappelle qu'il fait bon rêver dans un monde où tout va si vite. Qui plus est, il n'y a pratiquement jamais de file d'attente; les foules du milieu de la journée occasionnent bien quelques délais à certains jeux individuels, mais vous trouverez toujours une activité ne nécessitant aucune attente.

À NOTER: Pour ceux qui désirent seulement visiter ImageWorks, sachez que cette attraction possède sa propre entrée.

The Land ★★★★

Cette énorme construction en forme de serre galactique inondée de soleil regorge de délices de la terre. Des comptoirs d'aliments multicolores remplissent le rez-de-chaussée, offrant pâtisseries maison, pommes de terre au four, grillades, glaces, cafés recherchés, desserts chocolatés et pains si frais qu'ils réchauffent vos mains. Les odeurs capiteuses et les images enivrantes de The Land vous envahissent à tel point qu'il est impossible d'y jeter «un simple coup d'œil rapide». Et c'est très bien ainsi, car le pavillon présente souvent ces «substances vitales» de façon amusante et attachante. Trois attractions très bien conçues et fort différentes les unes des autres y sont présentées: Living with the Land, The Circle of Life et Soarin'.

Où rencontrer les personnages de Disney à Epcot

Le meilleur endroit à Epcot pour rencontrer les mascottes à l'effigie de personnages de Disney se trouve à l'Epcot Character Spot, près du pavillon Innoventions West, où plusieurs d'entre elles font des apparitions tout au long de la journée. On a rénové cet espace intérieur climatisé au début de 2013.

Au restaurant Garden Grill, situé dans le pavillon The Land, les tamias Chip and Dale (Tic et Tac) animent le repas du soir en compagnie de leurs amis, au nombre desquels figure Mickey Mouse lui-même.

Quant aux princesses de l'univers disneyen, elles sont présentes au Norway's Akershus Royal Banquet Hall, le restaurant du pavillon de la Norvège.

Aladin et Jasmine peuvent occasionnellement être aperçus au pavillon du Maroc, tout comme les personnages de *La Belle et la Bête* et de *La Belle au bois dormant* au pavillon de la France et ceux de *Winnie the Pooh*, *Mary Poppins* et *Alice au pays des merveilles* au pavillon du Royaume-Uni.

Mulan est souvent présente au pavillon de la Chine, ainsi que Blanche-Neige près de celui de l'Allemagne.

Living with the Land

FP ★★★★

Comme le nom de cette attraction l'indique, il s'agit d'«écouter la terre», et l'instructive promenade en bateau qu'elle propose vous fera découvrir le passé et le futur de l'agriculture. On commence par traverser une forêt tropicale, puis un désert, une prairie américaine et une ancienne cour de ferme, pour ensuite parcourir des installations modernes en activité. Il y a une mini-ferme tropicale aux papayes si pulpeuses qu'on a envie de les cueillir, un jardin hydroponique pour le moins fascinant et un centre d'aquaculture qui regorge de poissons colorés et de crevettes d'eau douce. À la prolifique **Desert Farm**, un ordinateur pourvoit aux besoins en eau des cotonniers, des tournesols, des gourdes, du sorgho et des concombres. Le doux mouvement du bateau rend cette croisière de 14 min très relaxante et instructive.

À NOTER : La plupart des renseignements fournis ici sont trop poussés pour les enfants d'âge préscolaire, ce qui ne les empêche pas pour autant d'apprécier le paysage et la balade en bateau.

The Circle of Life ★★★

Ce film magnifique, présenté à l'intérieur du grand et confortable Circle of Life Theater, fait vibrer la corde environnementale qui sommeille en chacun de nous. Simba, le Roi Lion, en assure la narration et tente de persuader ses congénères de ne pas ériger de barrage sur la rivière à seule fin d'y construire un complexe touristique. Il les entraîne (et, avec eux, l'auditoire) dans un voyage qui leur fait voir la destruction de la planète : cours d'eau putrides, forêts tropicales humides dévastées, oiseaux marins victimes de fuites de pétrole, circulation urbaine pestilentielle et dépôts d'ordures, autant de maux causés par une population trop nombreuse, un développement trop effréné et trop peu de respect pour la Terre. La morale de l'histoire, c'est que, bien entendu, tout le monde devrait se donner la main pour préserver l'environnement. Et, pendant ce temps, Disney a rasé les forêts du centre de la Floride pour faire de la place, entre autres, à un centre résidentiel et culturel doublé d'un gigantesque centre commercial, un projet du nom de «Celebration» qui a coûté 2,5 milliards de dollars!

À NOTER: Le film s'adresse à tous les publics, même si les bambins profitent en général de l'obscurité tranquille pour faire un somme d'une vingtaine de minutes, tandis que leurs parents ne sont que trop heureux de pouvoir reposer leurs pieds. La file d'attente est rarement longue.

Soarin' FP ★★★★

Cette attraction, développée à l'origine pour le parc Disney's California Adventure d'Anaheim, simule un voyage à la découverte des plus beaux paysages de Californie vus des airs.

Les participants prennent place dans une salle de cinéma dont l'écran, immense, a une forme concave qui lui permet d'encercler les spectateurs sur 180 degrés. Puis, lorsque le film commence, les sièges s'élèvent à une douzaine de mètres au-dessus du sol. Vous aurez alors l'impression de pénétrer dans l'écran pour mieux survoler la Californie. Le vent s'en mêle pour accentuer le réalisme du périple, de même que l'odeur de pins lorsque vous survolez une forêt.

Au cours de ce périple plus vrai que nature, vous apercevrez des surfeurs en pleine action, le Golden Gate Bridge de San Francisco, les porte-avions de la base militaire navale de San Diego, les vignobles de la Napa Valley, des montagnes aux sommets enneigés, la trépidante «Cité des anges» *by night*, et même le Disneyland d'origine à Anaheim.

À NOTER: Taille minimale 1,02 m. Il s'agit d'une «promenade» bien tranquille mais d'un réalisme saisissant. Aussi peut-elle incommoder les gens sujets au vertige.

The Seas with Nemo & Friends ★★★★

De petites vagues éclaboussent des rochers factices à l'extérieur de cette construction ondulante. Sur les rochers en question, on aperçoit de faux oiseaux aquatiques directement sortis du film d'animation *Finding Nemo*. Ainsi le ton est-il donné pour la nouvelle incarnation inaugurée à l'automne 2006 de l'ancien pavillon The Living Seas, entièrement revu avec une mise en scène dans laquelle le poisson-clown Nemo et ses amis tiennent dorénavant les premiers rôles.

On peut subdiviser la découverte de ce pavillon en trois parties distinctes. Au cours de la première, les visiteurs s'installent dans un petit véhicule qui a la forme d'une coquille, la *clamobile*, qui entreprend un circuit permettant d'abord de revoir des extraits du film sur divers écrans, puis qui s'enfonce littéralement dans un aquarium géant de plus de 20 millions de litres d'eau salée, d'une profondeur de 8 m et d'un diamètre de 61 m. Dans ce bassin grouille une vie marine fascinante composée de barracudas, de poissons-perroquets, de requins et de quelque 65 autres espèces. Plus fascinante encore est la manière dont on arrive, grâce à d'habiles projections, à faire évoluer les personnages animés avec les véritables créatures marines, comme si de rien n'était.

Les participants sont ensuite invités à descendre à la base, qui constitue la seconde partie de la visite. Ici se trouvent plusieurs bassins et aquariums, dont un abrite d'impressionnants lamantins. Il faut aussi assister au spectacle des hommes-grenouilles qui vont nager avec les poissons pour les nourrir.

Mais le meilleur reste à venir dans la troisième partie de la visite: le film d'animation interactif Turtle Talk with Crush.

Turtle Talk with Crush ★★★★

Il ne faut pas manquer ce dessin animé qui met en vedette le personnage *cool* par excellence qu'est Crush, la tortue marine de *Finding Nemo*. Pendant une partie de ce film d'une dizaine de minutes, une astucieuse technologie permet à ce personnage animé d'interagir en direct avec les enfants présents dans la salle, de répondre à leurs questions, de leur demander leurs noms et de blaguer avec eux. Irrésistible!

À NOTER: Cette nouvelle mouture, en tablant sur la popularité des personnages de *Finding Nemo*, attire des foules importantes. Ainsi, l'attente pour assister à la présentation de Turle Talk with Crush est souvent longue. Présentez-vous tôt le matin pour limiter ces désagréments.

Innoventions ★★★

Nouveau millénaire oblige, Disney veut vous donner un aperçu de ce que l'avenir vous réserve, d'un point de vue technologique, s'entend. Le plus récent avatar d'Innoventions présente ainsi tout un assortiment de gadgets et d'appareils futuristes pour la maison, l'hôpital et le bureau: téléphones-bracelets à la Dick Tracy, animaux de compagnie robotisés, et une maison «intelligente» renfermant un réfrigérateur qui inventorie automatiquement son contenu tout en tenant votre liste d'épicerie à jour (reste à savoir s'il peut aussi réprimander ceux qui ont la fâcheuse habitude d'y ranger un contenant de lait pratiquement vide).

Au nombre des commanditaires de cette attraction figurent des sociétés de l'envergure d'IBM, des institutions comme l'Université Cornell et des organismes prestigieux comme la National Science Foundation. Les jeux d'ordinateur et l'arcade Sega brillent désormais par leur absence (pour le plus grand bonheur des parents), mais les jeunes n'en trouveront pas moins de quoi s'amuser dans la salle Sum of all Thrills, où ils sont invités à utiliser des principes scientifiques et mathématiques pour concevoir leur propre manège à sensations fortes, avant de l'essayer à l'aide d'un simulateur. Par contraste avec les prévisions futuristes d'autrefois (selon lesquelles nous serions maintenant censés faire la navette entre Mars et la Terre pour nous rendre au travail), tous les produits présentés sont pour ainsi dire fonctionnels et plausibles, si ce n'est qu'ils mettront encore, pour la plupart, de 3 à 15 ans à apparaître sur les rayons des commerces. D'ici là, vous aurez beaucoup de plaisir à contempler ce qui nous attend.

Ceux qui se souviennent du fouillis qui caractérisait la première version d'Innoventions seront soulagés d'apprendre que ses concepteurs ont dorénavant doté le tout d'une certaine organisation. Ainsi, du labyrinthe informe qu'elle présentait jadis, cette attraction vous propose maintenant un tracé clairement défini. Entrez dès lors par l'East Building (Innoventions est encore réparti entre deux ailes, Est et Ouest) et laissez-vous guider vers le futur.

À NOTER: Rarement bondé, et presque accessible à votre convenance. Les innovations présentées changent régulièrement. Aussi, le site Internet *www.innoventions.disney.com* donne un bon aperçu des expositions en cours et peut servir à identifier à l'avance ce que vous souhaiterez expérimenter une fois sur place.

World Showcase

Le pont panoramique reliant le Future World au World Showcase semble également remonter dans le temps, puisque d'un côté se profilent les structures de verre et d'acier du Future World, alors que de l'autre apparaissent la tour Eiffel, des pagodes multicolores et des pyramides antiques. Il y a d'ailleurs quelque chose de réconfortant dans le spectacle de ces anciennes constructions qui tout à la fois émeuvent et fascinent; le temps et l'espace se compriment, si bien que le passé le plus lointain semble ici revivre sous nos yeux.

Des parterres fleuris encadrent les sentiers qui serpentent à travers les 11 pavillons nationaux du World Showcase, dont chacun célèbre, autour de places affairées, l'architecture et les coutumes issues de différentes cultures au fil de l'histoire. Châteaux, temples, tours d'horloge et églises en pierre y reflètent les splendeurs et l'héritage culturel de pays comme l'Italie, le Maroc, la Norvège, l'Allemagne, le Japon et la Chine. Des fontaines jaillissantes, ornées de sculptures, agrémentent les squares; des musiciens et des acteurs se produisent dans les rues, fidèles ambassadeurs de la vie artistique de leur nation; des boutiques aussi pittoresques qu'exclusives proposent les spécialités propres à chaque contrée, et plusieurs restaurants permettent d'apprécier les mets de différentes ethnies.

Ainsi que le fait remarquer un guide d'Epcot, le World Showcase (une vitrine sur le monde) fut conçu dès le départ de manière à ce qu'aucun pays ne supplante les autres. Ainsi, le pavillon des États-Unis, qui devait à l'origine se présenter comme une tour aux lignes épurées, et montée sur pilotis, fut ramené à un bâtiment colonial en brique plus modeste afin de ne pas porter

Les peuples d'Epcot

Si les employés du World Showcase vous semblent être d'authentiques représentants de leur pays, c'est parce qu'ils en sont vraiment. Chaque pavillon embauche en effet des gens natifs du pays qu'ils représentent, produisant ainsi un joyeux mélange d'accents, de costumes et de traditions. Ces employés, pour la plupart dans la vingtaine, travaillent à Epcot pour une période d'un an dans le cadre d'un programme d'échanges international, et vivent tous ensemble dans des dortoirs aménagés à leur intention aux abords immédiats du parc.

Les échanges culturels font partie intégrante de l'expérience de travail offerte par le World Showcase, de sorte qu'on encourage fortement les visiteurs à poser toutes les questions qui leur viennent à l'esprit à l'intérieur de chacun des pavillons. En fait, plusieurs employés sont si enthousiastes qu'ils seront déçus si vous ne les interrogez pas sur leur patrie d'origine.

ombrage aux autres. Cette vaste mosaïque culturelle, créée autour d'un lagon de 16 ha, forme une composition si impressionnante qu'on ne sait trop par quel bout commencer, ni comment s'y prendre pour tout voir. Contrairement aux autres parcs thématiques de Disney, le World Showcase n'est pas un kaléidoscope de manèges, de jeux et de spectacles, mais plutôt un endroit où l'on explore, où l'on écoute et où l'on s'asseoit tranquillement pour mieux s'imprégner des merveilles qui nous entourent. De fait, pour goûter pleinement l'expérience du World Showcase, il suffit de s'y trouver, sans plus.

La meilleure façon de visiter chaque «pays» consiste à marcher et à marcher encore. Commencez par arpenter les rues en prenant le temps d'étudier les moindres détails architecturaux de chaque bâtiment. Puis scrutez les boutiques une par une; plus que de simples magasins, elles témoignent de l'histoire, des styles architecturaux et de l'artisanat de pays tout entiers. Les restaurants vous permettent également de découvrir les traits culturels de chaque nation; même si vous ne projetez pas d'y manger, visitez-les donc tout de même. Plusieurs pavillons possèdent en outre de beaux petits musées, et cinq d'entre eux présentent d'excellents films. Le Mexique et la Norvège offrent même des balades en bateau, peu mouvementées mais non moins plaisantes. Et, dans chaque pavillon, vous trouverez des employés qui s'empresseront de répondre à vos questions concernant leur pays d'origine.

Un des grands atouts du World Showcase tient à ses **amuseurs de rue**. Chaque pays présente en effet un spectacle de son cru, des mariachis coiffés de sombreros du Mexique aux joueurs de cornemuse en kilt du Canada. Les artistes se produisent généralement toutes les 15 à 45 min et vous réservent chansons, danses et même saynètes. À titre d'exemple, les World Showcase Players du Royaume-Uni montent une mini-pièce dans laquelle les spectateurs sont appelés à jouer des rôles farfelus (et parfois embarrassants). Le Maroc organise pour sa part un défilé de personnages vêtus de cafetans et jouant qui du *darbuka* (tambour), qui du *nfir* (trompette) ou du *oud* (luth). Et la Chine propose une version réduite, mais tout de même fort élaborée, des traditionnelles célébrations du Nouvel An. Pour savoir qui se produit où et quand, procurez-vous un horaire des spectacles au comptoir des *Guest Relations*.

IllumiNations: Reflections of Earth ★★★★★

Chaque soir, le grand lagon autour duquel se dressent les pavillons nationaux du World Showcase devient le théâtre d'IllumiNations: Reflections of Earth, un spectacle musical et pyrotechnique tout à fait exceptionnel.

Le thème central de ce spectacle haut en couleur est l'histoire de la planète Terre, depuis sa formation jusqu'à nos jours… et même au-delà. D'une durée de 13 min, cette présentation combine rayons laser,

Des agents secrets dans le World Showcase

Histoire de mettre de l'avant des personnages plus actuels, Epcot a remplacé à l'été 2012 son jeu interactif Kim Possible World Showcase Adventure par le **Phineas & Ferb: Agent P's World Showcase Adventure**. Le principe reste le même: les participants deviennent des agents secrets ayant pour mission de contrecarrer les plans du super-vilain Dr. Doofenshmirtz à travers sept des pavillons nationaux du World Showcase (Mexique, France, Allemagne, Japon, Norvège, Chine et Royaume-Uni).

Pour prendre part à ces «courses aux indices», il faut d'abord s'inscrire non loin du pont qui relie le Future World au World Showcase, à l'International Gateway ou près des pavillons de la Norvège et de l'Italie. Vous êtes ensuite invité à prendre possession de votre F.O.N.E., c'est-à-dire votre Field Operative Notification Equipment, un appareil de la taille d'un téléphone portable qui vous livrera les indices vous permettant de remplir votre mission et même d'actionner divers éléments, comme ces choppes de bière chantantes dans le pavillon de l'Allemagne.

À noter qu'il n'y a aucuns frais associés à cette activité, mais qu'il faut évidemment rendre votre F.O.N.E. une fois votre tâche accomplie. Une bonne connaissance de l'anglais est nécessaire pour apprécier l'exercice à sa juste valeur.

feux d'artifice traditionnels, jeux d'eau, et une sorte de ballet sur l'eau exécuté par un globe terrestre.

À NOTER: Il y a plusieurs bons postes d'observation tout autour du lagon, mais il faut tout de même s'y installer tôt, soit une heure environ avant le début du spectacle, pour s'assurer une vue dégagée.

Le Mexique ★★★★

Une spectaculaire pyramide précolombienne, flanquée de têtes de serpents géantes et de sombres sculptures de guerriers toltèques, confère à ce pavillon une aura plutôt mystique. Ce spectacle ne laisse toutefois nullement présager ce qu'on s'apprête à découvrir à l'intérieur, soit un village à flanc de colline baignant dans une lumière crépusculaire. Aménagée sur le modèle du village mexicain de Taxco, la place est parsemée de petits stands couverts où l'on peut se procurer des sombreros, des fleurs et des sandales. Des boutiques s'entassent également autour de cette place, laissant voir leurs toits de tuiles, leurs balcons en fer forgé et leurs jardinières remplies de fleurs. Des mariachis se promènent en jouant de leurs instruments, invitant la foule à la fête, alors que, plus bas, d'autres visiteurs dînent à la chandelle sur une terrasse riveraine.

Le pavillon du Mexique propose en outre une attraction conventionnelle qui prend la forme d'une amusante balade en bateau: le Gran Fiesta Tour Starring the Three Caballeros.

Gran Fiesta Tour Starring the Three Caballeros ★★★

Les créatifs de Disney ont voulu donner un nouveau souffle à cette attraction autrefois connue sous le nom d'El Río del Tiempo: The River of Time, une gentille balade en bateau à la découverte du Mexique. Pour y arriver, ils ont utilisé un vieux truc infaillible: insérer des personnages de dessins animés dans des séquences filmées. Aussi apercevons-nous maintenant, ici et là tout au long du parcours, Donald le canard et ses deux comparses, José et Panchito, dits les trois *caballeros*, dans de courts films qui présentent différentes scènes de la vie mexicaine (y compris des plongeurs s'élançant du haut des falaises, des danseurs endiablés et des courses de hors-bord).

Ce voyage lent et paisible permet d'admirer d'antiques pyramides, des formations rocheuses percées de grottes ainsi que des sculptures élaborées. Au fil de la croisière, divers objets et décors d'influence maya, toltèque et aztèque, témoignent de milliers d'années d'histoire mexicaine.

Les enfants adorent ce périple coloré et divertissant, avec ses poupées dansantes aux costumes radieux rappelant celles d'**It's a Small World** (voir p. 102) du Magic Kingdom. Le dernier tableau, un éblouissant spectacle de projections lumineuses par fibres optiques qui simule des feux d'artifice, saura également les émerveiller.

À NOTER: Tâchez d'arriver de bonne heure pour éviter les foules. Si vous ne pouvez vous y rendre en matinée, reprenez-vous après 19h.

La Norvège ★★★★

Le pavillon de la Norvège se révèle austère, complexe et fascinant. La beauté singulière de ce «pays du soleil de minuit» émane tout particulièrement de ses rues pavées, de ses cascades rocheuses, de ses chalets coiffés de tuiles rouges et de son château en pierre du XIVe siècle. Mais l'attention est surtout retenue par la reproduction d'une église en pieux de bois datant du milieu du XIIIe siècle, avec ses bardeaux épais et ses sculptures stylisées. Remarquez les dragons qui s'avancent des avant-toits, ajoutés au cas où les villageois décideraient de retourner au paganisme.

Maelstrom FP ★★★

Malgré la crainte qu'inspire le nom de cette attraction et les rencontres de trolls sinistres qu'on y fait, il n'y a pas du tout lieu d'avoir peur. Très appréciée des petits et des grands, cette balade intérieure sur de longs bateaux à têtes de dragons, semblables à celui sur lequel voguait Éric le Rouge il y a de cela 1 000 ans, permet d'explorer des villages vikings, des fjords et des forêts magnifiques, ainsi qu'une mer du Nord légèrement tumultueuse. Il y a bien un plongeon prononcé, mais qui se fait tout en douceur, de même qu'une quasi-bascule arrière en descendant une cascade, mais si faible que les passagers avant n'en ont parfois pas même conscience. Au terme de cette aventure, un film de 5 min révèle des paysages époustouflants de la Norvège.

À NOTER: Fort remarqué, le pavillon de la Norvège est habituellement très bondé après 11h.

La Chine ★★★★★

Le panorama envoûtant de la Chine ancestrale présente un caractère architectural qu'on pourrait presque qualifier de spirituel. Fidèle aux traditions extrême-orientales, le pavillon s'impose comme un festin pour les yeux, gorgé de symboles de vie, de mort, de vertu et d'amour de la nature. Passé le portail du Soleil d'or (**Gate of the Golden Sun**), vous découvrirez une exquise reproduction de l'opulent Temple céleste (**Temple of Heaven**) de Beijing, construit en 1420 sous la dynastie Ming. Dignement revêtu de rouge étincelant (symbole de joie) et d'or (symbole d'impérialisme), ce joyau de trois niveaux arbore des motifs géométriques d'une grande délicatesse. Un jardin où de tendres pelouses dominées par des saules torsadés invitent à la méditation jouxte le temple. Quant à la salle des prières (**Hall of Prayer**), qui forme l'aile principale du temple, les empereurs venaient s'y recueillir dans le but d'obtenir de bonnes récoltes. À l'extérieur, 12 colonnes représentent les 12 mois de l'année, alors qu'à l'intérieur 4 autres colonnes symbolisent les quatre saisons.

Ne manquez pas de visiter l'exposition **Tomb Warriors - Guardian Spirits of Ancient China**, dont l'élément central est une étonnante reproduction à échelle réduite de l'incroyable armée de terre cuite découverte par les archéologues dans le mausolée du premier empereur de Chine, Qin Shi Huangdi, non loin de Xi'an.

Le pavillon de la Chine renferme tant de détails qu'il faudrait plusieurs heures pour tout voir. Si vous désirez approfondir votre visite, revenez plutôt le deuxième ou le troisième jour de votre séjour à Epcot; quoi qu'il en soit, voyez d'abord le film-vedette du pavillon: Reflections of China.

Reflections of China ★★★★

Après avoir vu ce film remarquable sur les merveilles de la Chine, rares sont les visiteurs qui n'éprouvent pas un vif désir d'aller les admirer sur place. Pendant 14 min, vous serez transporté à travers des forêts de pierres, des rizières en terrasses et des montagnes couronnées de nuages, sans oublier la Grande Muraille de Chine, qui sillonne le front de ce vaste pays. De la trépidante Shanghai moderne à la beauté silencieuse du désert de Gobi, les richesses stupéfiantes de cette contrée vous sont dévoilées sur un écran de 360 degrés.

À NOTER: Malgré la matière et la qualité exceptionnelles du film, il est regrettable qu'on ne puisse s'asseoir dans cette salle; les spectateurs doivent se contenter de s'appuyer sur les rampes disposées à cet effet. Pour les parents avec de jeunes enfants, cela peut poser un problème majeur, car les tout-petits ne peuvent voir l'écran que si on les porte, et les nourrissons doivent de toute façon rester dans vos bras puisque les poussettes ne sont pas tolérées à l'intérieur du cinéma. Deux solutions possibles: si votre groupe compte plusieurs adultes, ils peuvent porter les enfants à tour de rôle; sinon, un des parents peut faire la balade en bateau du pavillon de la Norvège (juste à côté) en compagnie des enfants, pendant que l'autre assiste à la projection du film.

Enfin, le pavillon de la Chine est peut-être le plus populaire du World Showcase et, par le fait même, le plus bondé. Essayez donc de le visiter avant 13h30 ou après 19h.

L'Outpost: une autre façon de voyager

Situé entre les pavillons de la Chine et de l'Allemagne, un marché appelé «Outpost» propose divers produits artisanaux d'Afrique, d'Australie et d'Inde, permettant ainsi à plusieurs autres pays une certaine présence dans le World Showcase.

Vous y trouverez entre autres des animaux sculptés en bois réalisés par des artistes kényans, des chapeaux de diverses provenances, des instruments de musique et plus encore.

L'Allemagne ★★★

Cette enceinte joviale renferme un assortiment de maisons tarabiscotées, de tourelles et de balcons en bois, de boutiques de jouets, de «cafés-brasseries» et de joyeux lurons à tête blonde iodlant dans les rues. Le pavillon, qui ne s'inspire d'aucun lieu particulier, réunit des spécimens architecturaux, des œuvres d'art et des costumes provenant de toutes les régions de l'Allemagne, le tout produisant un amalgame féerique. Au milieu de la place centrale, appelée **St. Georgsplatz**, on a érigé une statue représentant saint Georges tuant le dragon; saint patron des soldats, Georges aurait tué ce monstre alors qu'il faisait route vers le Moyen-Orient. Près de là se trouve **Das Kaufhaus**, une boutique construite sur le modèle d'une *kaufhaus* (salle marchande) de Fribourg, en Allemagne. Vous remarquerez en façade les statues des empereurs Ferdinand, Charles et Philippe; la *kaufhaus* de Fribourg s'honore de la présence d'un quatrième empereur, Maximilien, mais la version réduite de Disney World n'offrait pas suffisamment d'espace pour lui, de sorte que le personnel du pavillon se plaît à dire que «*Maximilien a mordu la poussière*».

À NOTER: Le pavillon de l'Allemagne ne possédant aucune attraction conventionnelle, on peut le visiter à toute heure de la journée.

L'Italie ★★★★

Contrairement aux constructions «historiques» de la plupart des autres pays du World Showcase, d'apparence relativement récente, les façades du pavillon de l'Italie sont délicieusement crevassées et érodées, ce qui ne fait qu'ajouter à l'authenticité de ce berceau de la pensée et des arts occidentaux. Un campanile de 32 m projette sa silhouette élancée sur une grande piazza imitant la **place Saint-Marc** de Venise. Tout près, une fidèle reproduction du **palais des Doges** (1309) s'impose comme une étude de plusieurs styles architecturaux, car, au fil des ans, les nombreux doges qui l'ont habité y ont laissé leurs traces: colonnes romanesques, mosaïques byzantines, et même quelques arcs-boutants. Vous noterez par ailleurs que les colonnes n'ont pas de base; la raison en est que le palais de Venise n'en a pas non plus, ayant été victime de l'érosion causée par les incessantes inondations qui ont frappé ces îles à la merci des eaux depuis maintenant plusieurs décennies. L'authenticité italienne se retrouve jusque sur une petite île située de l'autre côté de la promenade, où des gondoles sont amarrées à des poteaux rappelant des enseignes de barbier, tandis que des oliviers et des kumquats ondulent au vent, vous transportant d'emblée dans un paysage méditerranéen.

À NOTER : Comptez au moins une heure pour vous imprégner des détails historiques et architecturaux de ce pavillon. Fort heureusement, vous pouvez le visiter n'importe quand, car il est rarement bondé.

Les États-Unis ★★★★★

Malgré les accents fortement patriotiques de ce pavillon, il est difficile de ne pas se laisser charmer par ses éclats de rouge, de blanc et de bleu. Enrichi par le parfum des magnolias du sud et une myriade d'autres fleurs multicolores, il se veut une réplique du Liberty Hall de Philadelphie. Tout bien considéré, il s'agit d'une pure merveille. L'imposant bâtiment de cinq étages, couronné d'un toit mansardé et d'un clocher abritant la Liberty Bell, est recouvert de briques rouges façonnées à la main avec de la terre argileuse provenant de la Géorgie. Pavillon hôte du World Showcase, il trône au beau milieu des autres «pays» et, de l'autre côté du lagon, il semble si invitant qu'*«il agit comme une "carotte" attirant les gens de tous les coins de la promenade»*, nous dit un guide de Disney. À l'intérieur se trouvent une immense rotonde et une grande salle confortablement climatisée où vous pourrez assister à la projection du film pertinemment intitulé The American Adventure.

Les visiteurs sont invités à patienter dans la rotonde (rarement plus de 20 min) en attendant la prochaine présentation du film-vedette. Le groupe **Voices of Liberty** interprète alors quelques chants *a cappella*. Vous pouvez aussi en profiter pour parcourir l'exposition ***National Treasures***, dans l'**American Heritage Gallery**, qui présente divers objets ayant appartenu à des personnages historiques américains.

The American Adventure

★★★★★

Ce spectacle dont on parle beaucoup, et qui constitue l'une des réalisations majeures de Disney, allie de façon remarquable les arts de la scène et la cinématographie, en utilisant des personnages audio-animatroniques si réels que vous aurez l'impression de les avoir déjà rencontrés quelque part. Les créateurs de Disney ont ici fait appel à la technologie qu'ils avaient déjà déployée au **Hall of Presidents** (voir p. 97) du Magic Kingdom, mais en poussant ses possibilités à l'extrême. Non seulement a-t-on reproduit de façon on ne peut plus réaliste les mouvements, les expressions et les voix des personnages, mais leur personnalité même transpire à travers leur image.

Ainsi, Benjamin Franklin affiche sa perspicacité et son optimisme habituels, tandis que Mark Twain, cigare au bec, nous communique son humour désabusé. Ce sont d'ailleurs ces deux hommes qui, 26 min durant, relatent avec nostalgie les principaux événements qui ponctuèrent la grande aventure de ce pays, tels le déversement des cargaisons de thé dans le port de Boston, la guerre de Sécession, le triste largage de la bombe d'Hiroshima et le premier pas de l'homme sur la Lune. On y découvre en outre l'héritage laissé par des personnes aussi célèbres que cette blonde appelée Marilyn et ce cowboy du nom de John Wayne. Dans une scène d'après la Dépression, on voit quelques hommes flâner sur le pas de la porte d'un magasin général de campagne; il y en a un qui gratte du banjo, l'autre qui porte une bouteille de Coca-Cola à ses lèvres et un dernier qui se plaint du prix de l'essence (0,04$ le litre!).

Plusieurs des décors de cette production sont montés sur un chariot qui se déplace sous la scène. Désigné du nom de *war wagon*, ce chariot pèse 175 t, et ses dimensions sont de 20 m sur 11 m sur 4 m; de plus, il repose sur des piliers qui s'enfoncent à 92 m sous terre.

Le film qui accompagne la présentation, réalisée dans les années 1980, a été techniquement rafraîchi en 2008 afin de lui rendre son éclat d'origine. Son contenu a également été actualisé, des séquences devenues non pertinentes ayant été remplacées, surtout dans la dernière partie. Il y subsistait par exemple une vue de la statue de la Liberté où apparaissaient au loin les tours jumelles du World Trade Center... On a donc corrigé ces problèmes sans toutefois modifier la trame narrative du spectacle.

À NOTER: La mauvaise nouvelle, c'est que ce pavillon est généralement plein à craquer. La bonne, c'est qu'on peut y accueillir tellement de spectateurs que l'attente dépasse rarement 20 min, et ce, dans une belle rotonde climatisée. Les enfants d'âge préscolaire, ennuyés par le spectacle, finissent souvent par s'endormir dans cette salle sombre et fraîche.

Le Japon ★★★★

Tous ceux qui visitent ce pavillon pour la première fois en restent généralement bouche bée. Avec raison d'ailleurs, car il y a effectivement lieu de s'émerveiller devant la richesse des pagodes aux toits ailés d'un bleu si reluisant qu'on dirait du verre. Surplombant l'entrée, le *goju-no-to*, une structure de cinq étages aux allures mystiques, s'inspire de la pagode Horyuji de Nara (VIIIe siècle). Ses étages représentent les cinq éléments que sont la terre, l'eau, le feu, le vent et le ciel; le soir, ils brillent de mille feux telle une somptueuse et gigantesque lanterne japonaise. La pagode est adossée à une colline parcourue de ruisseaux caillouteux, de ponts en arc et d'arbustes denses. Des constructions aux tuiles bleues viennent compléter cette image sereine, tandis que le tintement de carillons éoliens rend la brise mélodieuse.

À NOTER: À l'arrière, une superbe reproduction du château féodal Shirasagi-Jo (XVIIIe siècle) abrite l'excellente **galerie Bijutsu-Kan**, où des expositions temporaires mettent en valeur toute la finesse des arts japonais ainsi que divers objets ayant inspiré le peuple nippon.

Le Maroc ★★★★

Peut-être le plus exotique et le plus romantique des pavillons d'Epcot, le Maroc présente un amalgame de forteresses, de châteaux et de minarets féeriques garnis de stuc et de bois sculpté, et recouverts de mosaïques chatoyantes. Des rues étroites et poussiéreuses se faufilent entre des arches mauresques et de petits passages vers un marché envahi de paniers, d'articles en laiton, de cornes et de tapis tissés. Sur la place, on voit des Marocains portant des fez à pompons. Si le tout vous semble étrangement réel, ce n'est pas pour rien: la presque totalité du pavillon fut léguée par le royaume du Maroc, qui envoya ici 8 t de carreaux taillés à la main et 23 artisans pour les assembler. Toute la construction a ensuite été effectuée suivant les règles de la religion musulmane. Notez que chaque carreau comporte une petite fissure ou une imperfection quelconque, et qu'aucun ne représente une créature vivante; la raison en est que les musulmans croient que seul Allah a le droit de créer la perfection et la vie. Prenez également le temps de vous rendre au restaurant Marrakesh, somptueusement carrelé.

À NOTER: On offre des visites guidées du pavillon sur demande. Renseignez-vous auprès d'un employé une fois sur les lieux.

La France ★★★★★

Qui n'a pas, au moins une fois dans sa vie, rêvé de visiter Paris? Il n'y a donc rien d'étonnant à ce que ce pavillon soit très prisé (et bondé). Le décor en est un du début du XXe siècle, plus précisément de la Belle Époque, caractérisée par une architecture aux accents romantiques et raffinés. Les constructions révèlent des toits mansardés, des lucarnes et des façades enrubannées de fer forgé. Une passerelle, inspirée du pont des Arts, enjambe une anse du lagon du World Showcase censée représenter la Seine. Vers l'arrière du pavillon repose une copie du marché des Halles, avec son toit en berceau, qui fut construit à Paris dans les années 1200 et ensuite déménagé à la campagne. Il y a aussi une merveilleuse pâtisserie et un traditionnel café-terrasse où la nourriture sent si bon qu'on y voit constamment des files d'attente. La tour Eiffel, juchée sur le toit de la salle de projection du pavillon, est une reproduction à l'échelle (1/10e) qu'on peut même apercevoir de l'autre extrémité du World Showcase et, après l'avoir admirée de loin, beaucoup de visiteurs sont déçus de ne pas pouvoir s'en approcher davantage. Néanmoins, tout juste sous ses piliers, le Palais du cinéma, de style Art nouveau, propose un film révélateur intitulé Impressions de France.

Impressions de France ★★★★

Cette projection de 18 min vous entraîne dans un voyage mélodieux et très souvent fantaisiste autour de la France. Présentée sur cinq écrans couvrant un angle de 200 degrés, elle dépeint des collines recouvertes de vignobles, des trottoirs encombrés de chariots de fleurs et des châteaux entourés de domaines si resplendissants que vous voudrez tout de suite vous procurer un billet d'avion. Il y a aussi des douzaines d'autres paysages enchanteurs, parmi lesquels figurent les sereines Alpes françaises, la sensuelle côte méditerranéenne et le somptueux château de Versailles. Tout cela dans une salle fraîche aux sièges confortables où vous pourrez reposer vos jambes.

À NOTER: Réputé pour ses longues files d'attente. En arrivant avant 11h, vous réduirez le temps d'attente à 10 min ou moins.

Le Royaume-Uni ★★★

Un pub au bord de l'eau, des comédiens errants et des bâtiments témoignant de plus de 1 000 ans d'histoire britannique font de ce site une joyeuse expérience culturelle. Une rue pavée de briques est bordée de boutiques aux styles variés (néoclassique, Tudor, georgien et victorien) sur une distance de 90 m. C'est ainsi qu'un cottage au toit de chaume, aux murs plâtrés et au sol de pierres, mène à une maison en bois au sol recouvert de planches et aux fenêtres ponctuées de vitraux, tandis qu'à côté une impeccable chambre Queen Anne arbore un plancher lambrissé à rainures et à languettes. Dehors, on accède à un luxuriant jardin d'herbes aromatiques, à un jardin de roses et à d'éblouissants massifs fleuris encadrés de fer forgé. On a tellement de plaisir à explorer toutes ces structures riches en détails qu'on oublie facilement qu'il n'y a pas d'attraction principale dans ce pavillon.

À NOTER: Assurez-vous de voir l'un des spectacles présentés dans ce pavillon, qu'il s'agisse des World Showcase Players, dans leurs costumes colorés, ou du groupe British Revolution, quatre garçons dans le vent qui interprètent des chansons des Beatles et autres groupes britanniques des années 1960. Les spectacles proposés varient, ainsi que les horaires.

Le Canada ★★★★

Flanqué d'un mât totémique, entouré de jardins exubérants et surmonté de «montagnes Rocheuses», le pavillon du Canada est à la fois romantique et angulaire. De grosses pierres couleur cuivre rappelant les Rocheuses canadiennes servent de toile de fond à des chutes bouillonnantes, à des ruisseaux cristallins et à des canyons escarpés. Sur des pentes plus douces, on reconnaît les Butchart Gardens de Victoria, avec leurs saules, leurs bouleaux et leurs pruniers, offrant un paysage mixte de haies drues, de fleurs tendres et de lierres grimpants. L'étonnant «Hôtel du Canada», de style château, avec ses flèches, ses tourelles et ses toits mansardés, surplombe le tout. En y regardant de plus près, toutefois, on s'aperçoit que cet hôtel n'est pas aussi haut qu'il en a l'air. Ce qui semble être six étages n'occupe en effet l'espace que de deux étages et demi. Cet effet est produit grâce à la technique de la «perspective forcée», qui consiste à réduire la taille des briques et des fenêtres au fur et à mesure qu'on s'élève. Mais ce ne sont pas là les seuls petits tours qu'on y joue. Il y a aussi ces arbres qui semblent jaillir des Rocheuses, alors qu'ils sont en réalité plantés dans de grands pots cachés, nourris et arrosés grâce à des tubes dissimulés. Quant aux Rocheuses elles-mêmes, elles ne sont guère autre chose que du béton peint et du grillage, soutenus par une plateforme semblable à celles qu'on utilise pour les chars allégoriques. L'attraction principale porte ici le nom de O Canada!.

O Canada! ★★★★

Ce film «360 degrés», réalisé avec neuf caméras et projeté sur autant d'écrans panoramiques au moyen d'appareils dissimulés entre chacun d'eux, s'avère à la fois spectaculaire et fort divertissant. En fait, cette attraction existe depuis le début des années 1980. En 2007 toutefois, la Commission canadienne du tourisme a jugé bon d'investir un million de dollars pour revamper le film devenu pour le moins dépassé, une excellente initiative.

La nouvelle version, beaucoup plus drôle et dynamique qu'autrefois, met en vedette le comédien Martin Short, très connu aux États-Unis mais originaire d'Hamilton, au Canada. Tout au long de la présentation, écourtée de 4 min par rapport à la précédente version, il s'emploie à démystifier avec beaucoup d'humour tous les clichés qui circulent sur le Canada, à commencer par la froidure extrême de son climat et ses tempêtes de neige incessantes. Oubliez également l'ouverture kitsch de jadis, au cours de laquelle les policiers à cheval de la Gendarmerie royale encerclaient les spectateurs (qui se plaindra de cette disparition?).

Bien que très agréable pour tous les publics, il est clair que ce film s'adresse d'abord et avant tout aux Américains. D'ailleurs, un passage présente en rafales les portraits de nombreux Canadiens connus dans le monde (lire: aux États-Unis): Jim Carey, Mike Myers, Donald Sutherland, k.d. lang, Avril Lavigne et autres. Quant à Céline Dion, elle a droit à un charmant clin d'œil en début de programme. Le français a par ailleurs droit à une place tout à fait correcte, une portion importante de la chanson thème du film y étant par exemple interprétée dans cette langue.

Sur le plan visuel, le film présente toujours la splendeur des différents paysages du Canada, depuis les chutes du Niagara jusqu'aux Rocheuses, en passant par ses bouillonnantes grandes villes. Une place de choix est comme jadis réservée à la faune et à la grande nature, mais le film s'attarde aussi aux festivals du cinéma de Toronto et de jazz de Montréal, ainsi qu'au Cirque du Soleil, à la beauté romantique de Québec, aux villages des Maritimes et aux métropoles de l'Ouest canadien. La qualité cinématographique de ce film vous donne l'impression d'y être en personne; plusieurs séquences ont d'ailleurs été prises à l'aide de caméras suspendues à des hélicoptères.

À NOTER: Tout comme au pavillon de la Chine, on assiste à cette représentation debout, une nouvelle peu réjouissante pour les parents accompagnés de jeunes enfants, car ils devront les porter pendant les 14 min que dure le film. Il en va de même pour les bébés, car les poussettes ne sont pas admises à l'intérieur de l'enceinte. En guise de compromis, un des parents peut se rendre au Le Cellier Steakhouse pour une collation avec les enfants, pendant que l'autre visionne le film; il s'agit d'un restaurant offrant de nombreux mets à prix raisonnables qui feront le bonheur des enfants, sans compter que l'établissement est rarement bondé.

Disney's Hollywood Studios

Lorsque les Disney's Hollywood Studios (ex-Disney-MGM Studios) ont vu le jour, on considérait, du moins en Floride, qu'il s'agissait d'un événement d'envergure mondiale. Les aménagements prévus sur ce site permettaient en effet pour la première fois de favoriser, et même de garantir, la production de films et d'émissions télévisées tout en donnant la chance au public de se familiariser plus étroitement avec l'industrie du spectacle. Pour un État depuis si longtemps avide des merveilles d'Hollywood, l'avènement de ce projet suscitait une jubilation sans borne.

Disney s'ouvrait aussi, par le fait même, à de nouveaux horizons. Car, bien que la société produisît, et ce, depuis des années déjà, ses propres films, jamais cette activité n'avait encore été intégrée aux parcs thématiques. De plus, en s'associant à l'époque à Metro-Goldwyn-Mayer (une décision pour le moins étonnante de la part d'une société qui n'a pas l'habitude de partager ses projets), Disney s'assurait la collaboration d'une des plus importantes firmes cinématographiques qui soit.

Ce parc de 45 ha, réalisé au coût de 300 millions de dollars, s'inspire des très célèbres studios Universal du sud de la Californie. Malgré son étendue, le parc paraît, à première vue, petit et familier, sans doute parce que près des deux tiers de sa superficie sont occupés par des centres de production de télévision et de cinéma. Le reste des installations regroupe des manèges, des attractions demandant la participation du public et des spectacles de cascadeurs, englobant ainsi à peu près toutes les facettes de l'industrie hollywoodienne.

Tel un film des années 1930 ou 1940, le parc présente un mélange coloré d'architecture Art déco, de panneaux d'affichage kitsch, de pop art, de jardins paysagers, de restaurants dernier cri, de *diners* originaux et de boutiques de bibelots. L'ensemble des lieux peut facilement être parcouru en moins de deux heures.

Les Disney's Hollywood Studios, c'est d'abord et avant tout le **Hollywood Boulevard**, avec ses rangées de palmiers, ses comédiens de rue, ses boutiques loufoques et ses constructions éthérées aux tons pastel. Au premier embranchement sur la droite, vous apercevrez ensuite le **Sunset Boulevard**. Cette autre artère célèbre, également bordée de sympathiques boutiques, mène à l'imposante tour du Hollywood Hotel, qui renferme le manège à sensations The Twilight Zone Tower of Terror.

Vous accéderez plus loin, toujours par le Hollywood Boulevard, à trois autres secteurs qui se succèdent. Complètement à droite, vous trouverez l'**Animation Courtyard**, là où, pour la première fois de l'histoire de l'illustre firme, sont révélés les secrets derrière la création des personnages marquants de ses plus grands films d'animation. Il y a ensuite la **Mickey Avenue**, qui réunit pêle-mêle des entrepôts aux toits de tôle ondulée abritant quelques expositions, puis, tout juste derrière la réplique du Grauman's Chinese Theater, la toute récente **Pixar Place**, qui fait la part belle aux personnages de films comme *Histoire de jouets*.

Sur la gauche du Hollywood Boulevard, on aperçoit l'**Echo Lake** et son dinosaure grandeur nature, *Gertie*, qui crache de la fumée tout en servant de comptoir à glaces. La zone qui entoure le lac attire des milliers de visiteurs d'heure en heure, notamment grâce au spectacle de cascadeurs Indiana Jones Epic Stunt Spectacular! Le long de la face ouest du parc courent finalement les **Streets of America**, composées de décors extérieurs qui évoquent habilement quelques villes des États-Unis et où se trouvent l'incontournable Muppet Vision 3D ainsi que le point de départ du Studio Backlot Tour.

Contrairement au Magic Kingdom ou à Epcot, les Disney's Hollywood Studios ne sont ni imposants ni intimidants. On n'y retrouve qu'une vingtaine d'attractions importantes, comparativement à plus de 40 pour le Magic Kingdom. Cela signifie que vous pouvez voir le parc tout entier (en prenant votre temps) en une seule journée, et ce, même s'il y a foule.

La beauté de ce parc réside en grande partie dans les raffinements de sa conception et dans le soin porté aux plus petits détails de ses attractions, des qualités qui sont devenues la marque même de Disney: des faisceaux de couleurs unifiant les différents secteurs du site, des façades de bâtiments si réelles que les gens cherchent à en ouvrir les portes, des comédiens sans emploi (ou plutôt jouant des comédiens désœuvrés) qui déambulent dans les rues en faisant sautiller des pièces de monnaie du bout de leurs doigts... En fait, chaque recoin fait penser à Hollywood.

À quelques exceptions près, chaque attraction regorge d'action, d'effets spéciaux et de toutes sortes de singularités qui fascinent et réjouissent quiconque s'intéresse un tant soit peu à l'industrie cinématographique. L'environnement bénéficie également d'une complexité accrue. Les responsables de Disney ont en effet compris que les visiteurs ne se contentent guère d'un simple tour de manège, et c'est pour cette raison qu'ils ont créé des attractions réunissant des films, des sketchs, des narrations instructives et des manèges.

On a en outre veillé à ce que les attractions aient quelque chose à offrir aux gens de tout âge. Alors que, dans les autres parcs de Disney World, parents, adolescents et enfants n'arrivent pas toujours à se mettre d'accord sur les attractions à visiter, on s'entend généralement sans problème aux Disney's Hollywood Studios. En fait, la question ne sera pas tant de savoir quelles attractions il faut voir, mais plutôt de déterminer combien on pourra en voir en une journée.

Il va sans dire que toutes les attractions de ce parc incarnent le summum de l'illusion. Car, si Hollywood n'est qu'un grand spectacle, ce parc thématique est un spectacle à l'intérieur d'un spectacle. Ici, tout ce qui s'offre à la vue, à l'ouïe et à l'odorat relève de la plus pure fantaisie hollywoodienne, de sorte que le parc tout entier est comme le reflet d'un miroir dans un autre miroir.

Accès et déplacements

› Orientation

Bien que les Disney's Hollywood Studios couvrent une superficie de 45 ha, près des deux tiers en sont consacrés aux centres de production cinématographique et télévisuelle ainsi qu'aux aires de service. La plupart de ces endroits ne sont accessibles que par le biais de visites commentées en tramway ou de passerelles d'observation spécialement aménagées à cet effet. Le reste du parc peut être parcouru à pied, et les visiteurs sont libres d'explorer les attractions à leur gré.

Ce parc en forme de cercle irrégulier comprend le Hollywood Boulevard, les attractions à proprement parler et les gigantesques installations de production, desservies par le tramway du **Studio Backlot Tour**. Le **Hollywood Boulevard** forme l'artère principale du parc et constitue un excellent point de repère. Il débouche sur une place où s'élève le chapeau de sorcier géant de Mickey, devenu l'emblème du parc. Agrémenté de chênes et de bancs, ce lieu représente un bon point de ralliement si votre groupe décide de se séparer ou si quelqu'un se perd. C'est aussi un endroit de choix pour pique-niquer (hot-dogs, glaces et maïs soufflé sont vendus par les marchands des nombreux stands qui émaillent ce secteur) et pour assister aux défilés et spectacles à l'affiche. Dans le sens contraire des aiguilles d'une montre, à partir du boulevard Hollywood, se succèdent le boulevard Sunset, l'Animation Courtyard, Mickey Avenue, Pixar Place, les Streets of America et le lac Echo.

Les attractions sont réunies par petits groupes dans la moitié antérieure du parc. Quant aux visites en tramway des installations de production, leur point de départ se trouve à l'extrémité nord du parc.

› En voiture

De la **route I-4** (Interstate 4), prenez la sortie donnant accès aux **Disney's Hollywood Studios** et au **Magic Kingdom** (sortie 64). Les studios se trouvent à environ 1 km de la route I-4.

Tous ceux qu'intimide la complexité du réseau d'accès au Magic Kingdom seront enchantés à la vue des Disney's Hollywood Studios. Dans un premier temps, son stationnement de 4 500 places paraît minuscule à côté de celui du Magic Kingdom, sans compter qu'il se trouve juste à l'entrée du parc, ce qui veut dire que vous n'aurez pas à attendre de monorail ou de traversier pour accéder au site même.

Il y a des frais de 14$ pour le stationnement (sauf pour les résidents des hôtels de Disney World), et des tramways vous conduiront jusqu'à l'entrée, quoique plusieurs places de stationnement se trouvent à distance de marche. N'oubliez surtout pas de **prendre note du numéro de la rangée où vous êtes stationné**, sans quoi vous risquez de ne pas retrouver votre véhicule à la fin de la journée!

› En transports en commun

Du Magic Kingdom: prenez le monorail ou le traversier jusqu'au Transportation and Ticket Center, puis un autobus Disney jusqu'aux Disney's Hollywood Studios.

D'Epcot: prenez un bus Disney ou la navette lacustre qui relie les deux parcs.

Du Disney's Animal Kingdom: prenez un autobus Disney directement jusqu'aux Disney's Hollywood Studios.

De Downtown Disney: prenez un bus Disney jusqu'à n'importe quel hôtel du complexe, et terminez le trajet avec un autre bus reliant cet hôtel aux Disney's Hollywood Studios.

De Blizzard Beach, du Typhoon Lagoon ou de Fort Wilderness: prenez un autobus Disney directement jusqu'aux Disney's Hollywood Studios.

Des hôtels Swan, Dolphin, Disney's Yacht Club, Disney's Beach Club et Disney's BoardWalk: prenez une navette lacustre ou rendez-vous à pied aux Disney's Hollywood Studios.

Des autres hôtels du Walt Disney World Resort: prenez un autobus Disney directement jusqu'aux Disney's Hollywood Studios.

Des hôtels de la région ne faisant pas partie de Disney World: la plupart disposent d'un service de navette pour les Disney's Hollywood Studios. Cependant, dans bien des cas, le service ne se fait qu'aux heures, si ce n'est toutes les deux ou trois heures. Il vaut alors mieux s'y rendre en voiture.

À ne pas manquer!

› Les attractions

- **The Great Movie Ride** p. 142
- **The Beauty and the Beast – Live on Stage** p. 144
- **The Twilight Zone Tower of Terror** p. 144
- **Rock 'n' Roller Coaster Starring Aerosmith** p. 145
- **Fantasmic!** p. 146
- **Toy Story Midway Mania!** p. 149
- **Studio Backlot Tour** p. 150
- **Muppet Vision 3D** p. 151

› Les bonnes adresses

Restaurants

- **50's Prime Time Café** (Echo Lake) p. 274
- **Sci-Fi Dine-In Theater Restaurant** (Streets of America) p. 274

Achats

- **Villains in Vogue** (Sunset Boulevard) p. 298
- **Animation Gallery** (The Magic of Disney Animation) p. 298

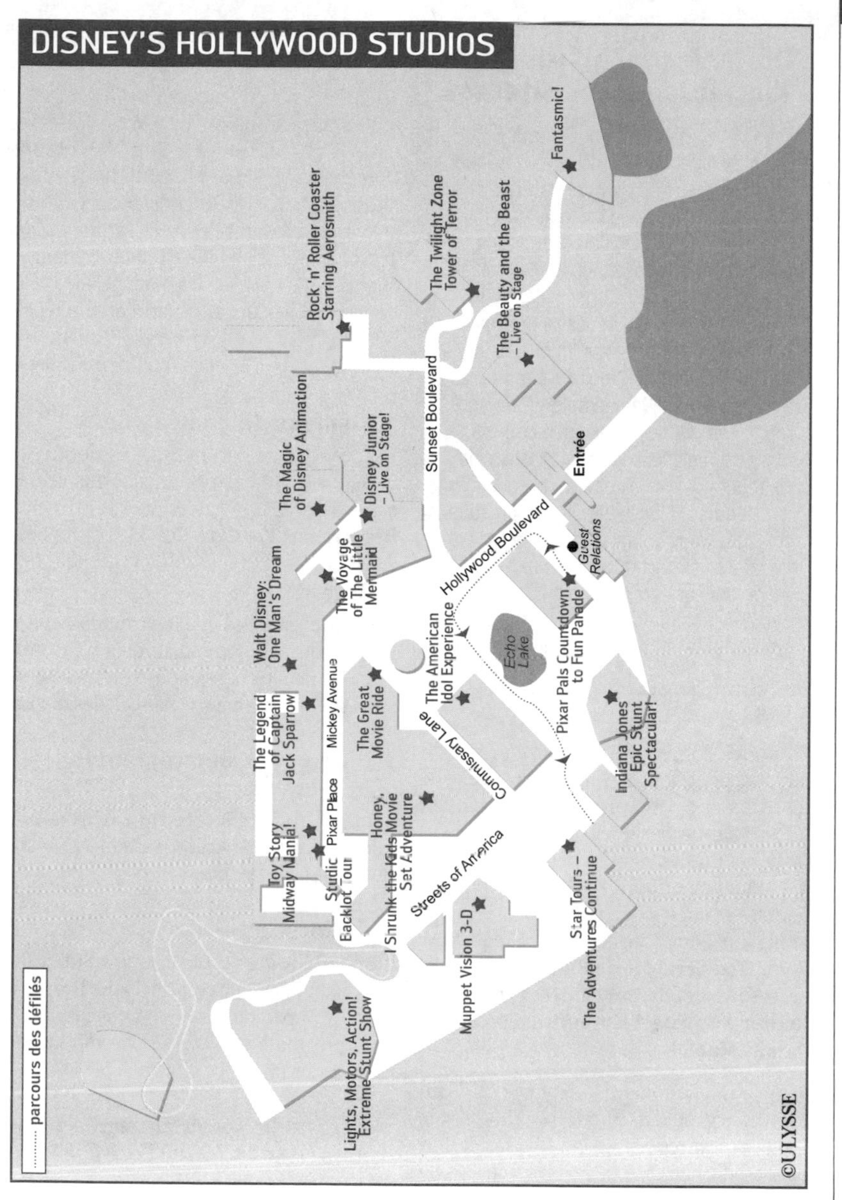

Renseignements utiles

› Quelques précieux conseils

Les Disney's Hollywood Studios sont rarement bondés au point de devoir en restreindre l'accès, ce qui ne veut pas dire que vous n'y trouverez jamais de foules pressantes, surtout en été et à l'occasion des grandes fêtes de l'année. Tout bien considéré, il vaut toujours mieux arriver 30 min avant l'ouverture «officielle» du parc, d'autant plus qu'en haute saison on ouvre parfois les portes plus tôt que prévu.

Il convient aussi de savoir que le **Hollywood Boulevard**, qui fait pendant à la Main Street du Magic Kingdom, ouvre toujours

Un tableau d'affichage à l'intention des visiteurs

Vous venez d'arriver aux Disney's Hollywood Studios et vous ne savez par quel bout commencer? Ne vous en faites pas, car vous trouverez de l'aide dans la cour des studios. Les employés de Disney y tiennent en effet à jour un grand tableau qui vous indiquera les principales attractions, le temps d'attente approximatif pour y accéder, ainsi que quelques suggestions quant aux meilleurs moments pour les visiter. Deux employés révisent régulièrement les renseignements fournis et prodiguent divers conseils aux visiteurs pour les aider à mieux planifier leur journée. L'information est presque toujours exacte, bien qu'on ait déjà constaté une attente de 40 min à une attraction qui en affichait 25, pour la simple et bonne raison qu'on avait inscrit au tableau «À voir tout de suite!».

ses portes 30 min ou 1h avant le reste du parc. On peut (tout en prenant un café avec des pâtisseries) s'y procurer des plans et des brochures, ou louer une poussette, un casier ou un fauteuil roulant avant la ruée générale. Vous pourrez également profiter de cette avance pour vous placer en tête de file aux attractions les plus prisées: **Star Tours**, **The Great Movie Ride**, **The Twilight Zone Tower of Terror**, le **Rock 'n' Roller Coaster Starring Aerosmith** et **Toy Story Midway Mania!**.

Dans la même foulée, le Hollywood Boulevard reste ouvert 30 min ou 1h après la fermeture du reste du parc. L'heure de fermeture officielle est toutefois respectée assez religieusement en ce qui a trait au reste du parc.

Le principal avantage de ce parc est qu'on peut le visiter sans encombre. De fait, contrairement au Magic Kingdom, à Epcot et à la plupart des autres parcs thématiques, on parcourt si facilement les Disney's Hollywood Studios qu'on peut très bien sauter une attraction pour y revenir plus tard. Vous aurez ainsi l'occasion de tout voir sans avoir à tout planifier au préalable.

Toutefois, si vous tenez à visiter les meilleures attractions avant tout, après avoir essayé Star Tours – The Adventures Continue, The Great Movie Ride, Toy Story Midway Mania!, le Rock 'n' Roller Coaster Starring Aerosmith et The Twilight Zone Tower of Terror, feuilletez attentivement ce chapitre et choisissez les manèges de quatre ou cinq étoiles qui vous attirent le plus. Par la suite, vous ne devriez avoir aucun mal à accéder aux manèges moins populaires.

› Animaux de compagnie

Ils ne sont pas admis à l'intérieur des Disney's Hollywood Studios. Vous pouvez cependant les faire garder pour la journée au **Best Friends Pet Care Resort** (voir p. 66).

› Argent

Vous trouverez des guichets automatiques à l'entrée du parc, de même qu'au Toy Story Pizza Planet. Au bureau des *Guest Relations*, vous pourrez en outre changer des devises.

› Bureau des objets perdus et trouvés

Signalez tout objet perdu ou trouvé au bureau des *Guest Relations*, situé à l'entrée du parc sur la gauche.

› Casiers

Disponibles à côté de l'Oscar's Super Service Station, à l'entrée principale. Il vous en coûtera 7$ par jour pour un petit casier et 9$ pour un grand, plus un dépôt remboursable de 5$ pour un accès illimité.

› Centre de services aux nourrissons *(Baby Care Center)*

Dans l'enceinte des *Guest Relations*, à l'entrée principale, sur la gauche, on trouve entre autres des tables à langer et tout le nécessaire pour allaiter.

› Enfants perdus

Signalez les enfants perdus au bureau des *Guest Relations*.

Les attractions des Disney's Hollywood Studios où l'on peut obtenir un *Fastpass* FP

Il est possible de se procurer un *Fastpass*, permettant d'éviter les files d'attente, aux attractions suivantes des Disney's Hollywood Studios:

Rock 'n' Roller Coaster Starring Aerosmith (Sunset Boulevard) p. 145

Star Tours – The Adventures Continue (Echo Lake) p. 152

Toy Story Midway Mania! (Pixar Place) p. 149

The Twilight Zone Tower of Terror (Sunset Boulevard) p. 144

The Voyage of The Little Mermaid (Animation Courtyard; en période de pointe) p. 147

› Poussettes et fauteuils roulants

Vous en trouverez à l'Oscar's Super Service Station, à l'entrée principale sur la droite.

› Renseignements et audioguides

Le bureau des *Guest Relations*, situé immédiatement après l'entrée principale, sur la gauche, est l'endroit où vous arrêter pour obtenir tout renseignement de même que pour trouver des plans du parc en français. Vous pouvez aussi vous y procurer des audioguides qui traduisent en français la narration de plusieurs attractions. Ce service est gratuit, mais on vous demandera un dépôt qui vous sera remboursé lorsque vous rapporterez l'appareil. Les plans et les audioguides sont également disponibles en espagnol, en allemand, en japonais et en portugais.

› Service de collecte de paquets *(Package Pickup)*

Ceux qui magasinent beaucoup devraient songer à profiter de ce service gratuit. Il permet, si vous résidez dans un hôtel Disney, de faire livrer tous vos achats directement à votre lieu d'hébergement (généralement à la boutique de votre hôtel). Si vous logez à l'extérieur du Royaume, il offre aussi la possibilité de faire envoyer vos paquets à un comptoir situé près de l'Oscar's Super Service Station, près de l'entrée principale du parc. Vous pourrez ainsi passer prendre vos emplettes au moment de quitter le parc, sans avoir à les traîner toute la journée. Mais attention: il y a souvent des «embouteillages» entre 17h et 18h, ainsi que durant la demi-heure qui précède la fermeture du parc.

Hollywood Boulevard

Copie ambitieuse de la célèbre grand-rue de la capitale du cinéma américain, le Hollywood Boulevard a du panache à revendre. Son architecture moderne aux lignes pures révèle des rebords en saillie, des courbes légères, des néons clignotants et des chromes étincelants, et ses bâtiments peints de rose, de turquoise, de jaune clair et de vert écume se détachent élégamment sur l'azur du ciel. Des blocs de verre reflètent les rayons du soleil, et les devantures des boutiques renvoient leur image aux passants.

En bordure du boulevard, on retrouve d'anciens lampadaires, des panneaux d'arrêt rayés de noir et de blanc, et des feux de circulation qui font *Ding!* lorsqu'ils passent d'une couleur à l'autre. De magnifiques palmiers émergent du béton, leurs feuilles pointues se balançant au gré du vent, et quelques mesures de la bande sonore de *Doctor Zhivago* sont bercées par les vagues d'air chaud. Des boutiques et des entreprises plus originales les unes que les autres se volent la vedette le long des trottoirs, attirant les visiteurs par des affiches décrivant leur spécialité, et même ceux qui n'aiment pas magasiner ont plaisir à les visiter, car elles leur rappellent le bon vieux temps.

Pour couronner le tout, des acteurs et des actrices en mal de célébrité arpentent le boulevard, affublés de maquillages excessifs et de costumes outranciers. Vous reconnaîtrez sûrement la peau laiteuse de Marylin Monroe, le *trench-coat* de Dick Tracy et certains autres personnages «typiques» d'Hollywood (un chauffeur de taxi mâcheur de gomme, un reporter indiscret et un type louche vendant des plans de résidences de vedettes de la télévision).

Avant de vous promener sur le Hollywood Boulevard, arrêtez-vous au kiosque appelé **Crossroads of the World**; vous le verrez immédiatement après avoir passé l'entrée du parc: il regorge de guides, de plans et d'horaires des représentations et des tournages de la journée. Les employés de Disney peuvent aussi vous conseiller et vous aider à organiser votre visite.

Si vous vous rendez sur les lieux de bon matin, dévalez le boulevard d'un pas rapide et prenez la direction des attractions qui risquent d'être bondées plus tard dans la journée. Il est préférable de commencer par le **Rock 'n' Roller Coaster Starring Aerosmith** pour ensuite essayer **The Twilight Zone Tower of Terror**, **Toy Story Midway Mania!**, **The Great Movie Ride** et **Star Tours – The Adventures Continue**. Cela vous mènera à l'heure du déjeuner, et vous pourrez alors en profiter pour visiter tranquillement le Hollywood Boulevard pendant que le reste du parc s'emplit.

Au pied du Hollywood Boulevard, vous ne manquerez pas l'**Oscar's Classic Car Souvenirs & Super Service Station**. Les passionnés de voitures anciennes adoreront cette station-service doublée d'une boutique garnie de distributeurs de gomme à mâcher en forme de pompe à essence et de photos de superbes voitures anciennes. Papa et maman apprécieront tout particulièrement les «véritables» services offerts ici: location de poussettes et de casiers, ainsi que toutes sortes d'articles pour bébé tels que biberons et couches. On y loue également des fauteuils roulants.

Le Hollywood Boulevard offre deux attractions principales: la Pixar Pals Countdown to Fun Parade et The Great Movie Ride.

Pixar Pals Countdown to Fun Parade ★★★

Ce bref défilé quotidien a remplacé le Block Party Bash en janvier 2011. Tout aussi haute en couleur que son prédécesseur, cette présentation prend la forme d'une joyeuse caravane composée d'une demi-douzaine de chars thématiques évoquant autant de films d'animation coproduits par Disney et Pixar.

Sur fond de musique entraînante, vous y verrez ainsi défiler la famille de super-héros de *The Incredibles*, les insectes d'*Une vie de bestiole*, les compagnons d'infortune de *Up*, les inénarrables créatures de *Monsters, Inc.*, le rat chef cuisinier de *Ratatouille* et, bien entendu, le cowboy Woody, le patrouilleur de l'espace Buzz, et leurs amis d'*Histoire de jouets*.

Ce défilé remonte le Hollywood Boulevard jusqu'au centre du parc, puis bifurque sur la gauche, en direction de l'attraction Star Tours – The Adventures Continue.

À NOTER: Ce spectacle, qui a habituellement lieu à 15h et dure environ 30 min, a pour effet de bloquer une grande partie de la section ouest du parc. La bonne nouvelle: cela contribue à libérer l'entrée des attractions de l'Animation Courtyard et de celles qui se trouvent en retrait du Sunset Boulevard; c'est donc un bon moment pour visiter ces secteurs.

The Great Movie Ride ★★★★★

On peut facilement dire que ce manège se classe parmi les meilleurs, mais, ce qui le distingue vraiment, c'est son bâtiment, une superbe reproduction du somptueux Grauman's Chinese Theater d'Hollywood. Situé au sommet du Hollywood Boulevard, ce théâtre de 8 825 m² arbore de magnifiques toits en pagode et une façade ornée de rutilantes colonnes rouges et de sculptures en pierre. Ici et là sur la place, vous trouverez les empreintes de pieds et de mains de quelques vedettes d'Hollywood: Bob Hope, Jim Henson, Susan Sarandon, Danny DeVito et Rhea Perlman, pour ne nommer que celles-là. Passé le seuil, vous êtes accueilli par de hauts plafonds, des panneaux peints

Chapeau bas, Disney's Hollywood Studios!

Le Magic Kingdom a son château, l'Animal Kingdom a son arbre et l'Epcot a son Spaceship Earth. Il était donc plus que temps que les Disney's Hollywood Studios aient leur propre icône (le château d'eau affublé d'oreilles de souris ne faisant apparemment pas l'affaire), et il est tout à fait approprié que le sort en ait été dévolu à un chapeau de sorcier (*Sorcerer's Hat*). Ce symbole se trouve en face du Chinese Theater et, compte tenu de ses 37 m, il est évident que seule une souris géante pourrait le coiffer. Heureusement que Mickey est à la hauteur de la situation!

À noter que ce chapeau géant sert fréquemment de décor à des manifestations de diverses natures. Ainsi y présente-t-on plusieurs fois par jour ***Disney Channel Rocks!***, un dynamique spectacle musical composé de chansons tirées de plusieurs films et émissions de la chaîne Disney, telles que *Hannah Montana*, *High School Musical*, *Camp Rock* et *StarStruck*.

d'un grand raffinement et d'imposantes lanternes chinoises. Et vous n'avez encore rien vu!

Le hall d'entrée, en fait destiné à recevoir la file d'attente, abrite un mini-musée rempli d'objets fascinants utilisés dans des films devenus des classiques. Bien que l'on change régulièrement les pièces en montre, mentionnons à titre d'exemples la robe de la reine Elizabeth, jouée par Judy Dench, telle que vue dans *Shakespeare in Love*, ou l'un des chevaux de bois montés par les personnages de *Mary Poppins*. Lorsque la file d'attente n'est pas longue (ce qui est rare), les visiteurs sont portés à traverser le hall en toute hâte, manquant du coup tous ses trésors. Suivez plutôt ce conseil: détendez-vous et prenez le temps d'apprécier les pièces exposées, vous ne le regretterez pas.

La queue serpente ensuite dans une seconde salle où sont projetées des séquences de films anciens comme *Casablanca*, *Alien*, *Singin' in the Rain* et même un vieux western avec John Wayne.

Finalement, on vous fera monter à bord de véhicules ouverts pour vous plonger sans tarder dans l'esprit du cinéma. Des murales des années 1930 représentant les collines d'Hollywood dressent une image nostalgique de cette époque, avec ses villas en gradins et les lettres géantes de son «Hollywoodland» original, réverbérant la lumière du soleil couchant. Mais pendant presque tout le reste du périple, qui dure 20 min, on a plutôt recours à des décors fabuleux, dynamiques et incroyablement réalistes pour vous faire revivre les plus grands moments du cinéma. La pluie déferle sur Gene Kelly dans *Singin' in the Rain*, et Mary Poppins s'envole avec son parapluie magique sur l'air de *Chim Chim Cheree*.

Dans certaines scènes, on constate avec étonnement que l'on a du mal à différencier les robots audio-animatroniques des véritables employés de Disney. On y voit aussi l'impassible Clint Eastwood, qui attend au Monarch Saloon, et John Wayne brandissant une carabine à cheval sur sa monture en parcourant une prairie inondée de soleil à la poursuite de voleurs ayant fait sauter le coffre d'une banque, laissant l'édifice en flammes. Les visiteurs peuvent d'ailleurs sentir la chaleur de la déflagration depuis leur véhicule.

Dans une séquence particulièrement sinistre, on voit le monstre d'*Alien* dégoulinant de matière visqueuse au milieu d'un décor de compartiments métalliques d'où s'échappe de la fumée, alors que, dans une autre, Indiana Jones s'efforce d'extirper l'«arche perdue» d'un tombeau infesté de serpents. (Avertissement: ces deux scènes peuvent effrayer les jeunes enfants.) Mais la scène la plus fantastique est sûrement celle du *Magicien d'Oz*, où l'on aperçoit des centaines d'adorables petites bêtes, Dorothée, entourée de ses étranges compagnons, et la vilaine sorcière.

Chaque tableau fascine par la complexité de ses costumes, la richesse de ses détails visuels et ses fameux personnages audio-animatroniques, dont les gestes et les traits paraissent si étrangement réels. De fait, à quelques exceptions près, chacun de ces personnages reproduit en tous points son modèle original, jusque dans les moindres détails de son costume et de ses accessoires, qu'il s'agisse du balai chétif de la sorcière ou du cheval et du fusil de John Wayne.

À NOTER: Un des manèges les plus populaires des Disney's Hollywood Studios, et par le fait même un des plus bondés. Voici un moyen d'évaluer la durée de votre attente: lorsque le hall est plein, comptez au moins 25 min d'attente et, lorsque la file déborde jusqu'au Hollywood Boulevard, sachez que vous devrez patienter plus d'une heure. Retenez toutefois que les temps d'attente affichés **surestiment** généralement la durée réelle de 10 à 15 min; par exemple, si un panneau porte l'inscription «Temps d'attente approximatif à partir de ce point: 40 min», il s'agit en fait plutôt de 30 min. Il existe cependant une exception à cette règle: parfois, surtout en fin de journée, il arrive que les employés de Disney refoulent tous les visiteurs en attente à l'extérieur du bâtiment afin de libérer le hall. Ainsi, avant de vous laisser décourager par les longues files d'attente qui se trouvent à l'extérieur, jetez un coup d'œil à l'intérieur.

Autre considération importante: même si ce manège plaît à tout le monde, il présente plusieurs scènes susceptibles d'effrayer certains jeunes enfants.

Sunset Boulevard

Le boulevard Sunset des Disney's Hollywood Studios respire l'Art déco. Des néons courent le long des bâtiments, les fenêtres sont surmontées de chatières, et des éclairages de théâtre scintillent sous les marquises. Des ouvrages complexes en métal chantourné ornent des façades baignées de rose, de jaune et de vert écume. Et des enseignes, comme celles de la Beverly Sunset Gallery, invitent les passants à franchir le seuil d'élégantes portes.

La plus grande partie de cet étalage demeure irréelle. Il y a bien une ou deux «vraies» boutiques, qui vendent d'ailleurs des souvenirs de Disney, mais tout le reste n'est que décor. Vous pouvez regarder mais pas entrer. Mais la principale qualité du Sunset Boulevard est de donner accès à des attractions et spectacles comptant parmi les plus appréciés de tout le Walt Disney World Resort, rien de moins!

The Beauty and the Beast – Live on Stage ★★★★

Si vous avez aimé le film *La Belle et la Bête*, vous ne voudrez pas manquer ce spectacle présenté au Theater of the Stars. Au rythme des chansons à succès qui ponctuent ce grand classique, le spectacle redit l'histoire éternelle de l'amour unissant la Belle à l'inquiétante mais, somme toute, adorable Bête. Vous y retrouverez tous les numéros de chant et de danse des «habitants» du château, qu'il s'agisse de l'horloge, du candélabre, de la théière ou de la tasse, jusqu'à une grande finale digne des plus beaux contes de fées.

À NOTER: Le spectacle comme tel ne dure que 25 min et se répète cinq fois par jour, mais, en raison de sa popularité, le théâtre est toujours bondé, ce qui fait que vous devriez vous rendre sur les lieux 45 min à l'avance. Même en arrivant 30 min avant le spectacle, vous risquez d'être refusé à l'entrée. Notez par ailleurs que la représentation a lieu à ciel ouvert et qu'elle devient beaucoup plus impressionnante à la tombée du jour, mais la file d'attente se forme alors encore plus tôt!

The Twilight Zone Tower of Terror FP ★★★★★

Tout au bout du Sunset Boulevard se dresse le menaçant Hollywood Tower Hotel. Des fissures tentaculaires escaladent sa façade corail, ses balcons chancellent, des cris humains s'échappent à intervalles réguliers de ses fenêtres angulaires... et les visiteurs se bousculent tout naturellement pour y entrer. Du hall envahi par des toiles d'araignée et ponctué de fleurs fanées à l'«ascenseur de service» et à la chaufferie, on y progresse lentement à travers un dédale de pièces soigneusement truffées de trucages à la Disney. Et la voix de Rod Sterling ne cesse de vous exhorter à pousser plus loin votre aventure «au-delà du réel».

Le clou vous attend dans un ascenseur grillagé. Vous prenez place dans une des rangées de sièges, et une barre de sécurité se rabat sur vos cuisses. L'ascenseur entreprend ensuite son ascension, les portes s'ouvrent, et alors surgissent des personnages fantomatiques et des globes oculaires. Votre cage d'ascenseur parcourt une pièce à faire peur, retourne à son puits et poursuit son ascension. Puis vient la chute... et beaucoup de cris. La plupart des passagers s'en remettent, s'échangent des sourires et attendent qu'on les achemine vers la sortie. C'est alors que l'ascenseur remonte jusqu'au sommet et vous laisse de nouveau choir jusqu'en bas. Vous pensez bien alors que votre supplice est terminé… mais est-ce bien le cas?

À NOTER: Taille minimale 1,02 m. Vous trouverez ici l'une des plus longues files d'attente des Disney's Hollywood Studios. Allez-y donc dès votre arrivée le matin ou à la fin de la journée. Les aires d'attente offrent cependant des vues splendides, ce qui n'est pas plus mal.

Rock 'n' Roller Coaster Starring Aerosmith

FP ★★★★★

Représentez-vous les boucles et les spirales de vos montagnes russes préférées... mais dans l'obscurité! Tel est le Rock 'n' Roller Coaster Starring Aerosmith, peut-être l'un des plus enivrants manèges de Disney. Les passagers prennent place à bord de «limousines» dans une ruelle située derrière le studio d'enregistrement d'Aerosmith. Leur mission: parcourir les rues de Los Angeles à toute allure pour ne pas rater le concert du célèbre groupe rock au Civic Center. Les voitures quittent la ruelle en trombe, passant de zéro à 100 km/h en 2,8 s pour ne plus ralentir de tout le trajet. En cours de route, la musique vous transperce les oreilles, les plaques de rue défilent en un éclair, et vous êtes tantôt ballotté tantôt renversé jusqu'à ce que vous atteigniez enfin l'entrée des hôtes de marque de la salle de concerts (après tout, n'avez-vous pas un laissez-passer vous donnant accès aux coulisses?).

La randonnée en soi est à couper le souffle, mais le thème autour duquel elle gravite en accroît grandement le plaisir. Le Rock 'n' Roller Coaster porte visiblement la marque du groupe Aerosmith (qui a d'ailleurs pris part à sa conception), et vous n'aurez aucun mal à vous imaginer ses membres prenant eux-mêmes d'assaut les rues de la ville. Qui plus est, quiconque a déjà emprunté les artères correspondantes de la Côte Ouest souhaitera sans contredit les parcourir de nouveau... sans bouchon de circulation.

À NOTER: Taille minimale 1,22 m. Le Rock 'n' Roller Coaster Starring Aerosmith est un manège populaire. Un laissez-passer rapide (*Fastpass*) vous permettra d'y accéder sans attendre; sinon tentez votre chance pendant la Pixar Pals Countdown to Fun Parade.

Où rencontrer les personnages de Disney aux Disney's Hollywood Studios

Les personnages des films de la série *Histoire de jouets*, soit le cowboy Woody, le patrouilleur de l'espace Buzz Lightyear et les autres, sont présents dans un local climatisé faisant face à Toy Story Midway Mania!, dans Pixar Place.

Quant aux personnages de *Cars* et de *Monsters, Inc.*, on peut leur serrer la pince au bout de l'artère principale de Streets of America.

Il est aussi possible de rencontrer les personnages-vedettes du moment, ainsi que Mickey lui-même, à l'attraction The Magic of Disney Animation, de même qu'aux abords du chapeau de sorcier géant qui orne la place centrale du parc.

Fantasmic! ★★★★★

Les feux d'artifice font exploser le firmament, les jets d'eau fusent de toutes parts, la musique emplit l'air de mélodies éclatantes, et ce n'est là qu'un début. Disney a voulu ce spectacle nocturne de 25 min si grandiose qu'il a carrément dû créer une île de toutes pièces pour le présenter.

Tout comme le Fantasmic original, qui fait encore la gloire de Disneyland à Anaheim, cette version à la Disney World donne vie et couleur au rêve de Mickey d'un combat entre le Bien et le Mal. Presque tous les personnages classiques et contemporains de Disney y font une apparition, les bons (Blanche-Neige, le Prince Charmant...) comme les méchants (Maléfique, Ursula, Cruella...). On y reproduit des scènes de différents films, et le tout culmine dans une rivière enflammée, un ciel sillonné de pièces pyrotechniques et un tableau de groupe réunissant pour ainsi dire tous les personnages jamais dessinés par Disney.

Disney a voulu améliorer la version californienne de ce spectacle en créant un théâtre spécialement destiné à l'accueillir (ceux qui ont assisté à la présentation de Disneyland se rappelleront d'avoir dû jouer du coude avec des milliers d'autres spectateurs au New Orleans Square). C'est donc dans un amphithéâtre à ciel ouvert de 6 500 places, le Hollywood Hills Amphitheater, que prennent place les spectateurs. Au cours de cette représentation nocturne, Mickey doit combattre à lui seul tous les vilains des films d'animation de Disney. Effets pyrotechniques, flammes et jets d'eau sur lesquels sont projetés des extraits de dessins animés sont mis à contribution afin de créer un spectacle haut en couleur dont vous vous souviendrez longtemps.

Il faut par ailleurs savoir qu'en dépit des dimensions accrues du théâtre vous devez songer à arriver tôt pour obtenir une bonne place; les amuseurs publics et les vendeurs ambulants se feront un plaisir de vous aider à passer le temps en attendant la représentation.

À NOTER : On commence à faire la queue jusqu'à 2h avant le spectacle. Si vous souhaitez faire un usage plus judicieux de votre temps, pourquoi ne pas profiter du forfait dîner-spectacle de Fantasmic? Vous pourrez ainsi prendre votre repas sans vous presser au Hollywood Brown Derby, au Hollywood & Vine ou au Mama Melrose's Ristorante Italiano tout en obtenant un laissez-passer pour le spectacle. Prix variables : comptez entre 30$ et 45$ pour les adultes et autour de 15$ pour les enfants. Une formule avantageuse, s'il en est.

Notez cependant que les portes de l'amphithéâtre ouvrent généralement 90 min avant le spectacle pour permettre aux gens de s'asseoir dans les gradins et de ne pas avoir à attendre debout. Une bonne stratégie peut par ailleurs consister à choisir une place au centre, mais le plus haut possible afin de bien voir tous les effets spéciaux. Cela permet aussi de quitter le site beaucoup plus rapidement une fois la représentation terminée.

À noter également que ce spectacle n'est plus à l'affiche tous les soirs comme c'était le cas auparavant, du moins pendant certaines périodes de l'année. Lors de votre passage, pensez donc à consulter l'horaire hebdomadaire distribué par Disney pour planifier cette activité.

Animation Courtyard

Une petite cour de béton située à l'est du Hollywood Boulevard se présente comme une enclave Art déco entourée de bâtiments turquoise, jaunes et roses. On y trouve normalement une foule de gens attendant de visiter l'une ou l'autre de ses attractions : The Voyage of The Little Mermaid, The Magic of Disney Animation et Disney Junior – Live on Stage!

The Magic of Disney Animation ★★★

Cette visite à facettes multiples, offerte dans un bâtiment en forme de piano, révèle, pour la toute première fois, les techniques d'animation de Disney. Explorant l'histoire de l'animation et les méthodes mises en œuvre pour produire les classiques que nous connaissons, cette visite s'avère à la fois nostalgique et instructive.

En guise de prélude, vous êtes invité à assister à une présentation au cours de laquelle un acteur en chair et en os interagit avec Mushu, le dragon du film d'animation *Mulan*, et dévoile quelques «secrets de fabrication» des dessins animés de Disney.

Malheureusement, Disney ayant il y a quelques années fermé son service d'animation traditionnelle en Floride, la portion de The Magic of Disney Animation qui permettait jadis d'observer les artistes animateurs à l'œuvre n'est plus qu'un souvenir. Quel dommage! C'est l'âme même de cette attraction qui a ainsi disparu, ce qui nous a forcés à lui retirer deux étoiles dans notre palmarès.

En lieu et place, une exposition comprenant plusieurs bornes interactives a été mise sur pied, et une salle où des personnages en vogue signent des autographes et se font photographier avec les enfants a été aménagée. Vous pouvez aussi prendre part à une courte séance de formation à l'**Animation Academy**, au cours de laquelle vous apprendrez à dessiner un personnage animé sous la supervision d'un professionnel en la matière.

Finalement, une galerie présente des photogrammes originaux des films de Disney les plus appréciés, dont *Snow White* (1937) et *Peter Pan* (1953). On y trouve également des modèles en papier mâché, en bois et en plâtre de personnages de *Pinocchio*, de *The Beauty and the Beast* et de *The Little Mermaid*. Mais le centre d'attraction de cette salle demeure la collection de reproductions des nombreux Oscars décrochés par les studios de Disney, soit le plus grand nombre de trophées jamais obtenu par une firme cinématographique.

À NOTER: Malgré que cette attraction ait beaucoup perdu de son lustre avec le départ de ses artistes animateurs, elle demeure passablement fréquentée. À visiter avant 11h ou après 17h.

The Voyage of The Little Mermaid FP ★★★★

The Little Mermaid est un autre film de Disney transposé sur la scène. Pénétrez dans cette salle imitant une grotte sous-marine et laissez-vous charmer par le spectacle des rideaux en cascades, des bulles flottantes et de cette monstrueuse vilaine audio-animatronique de 3 m sur 3,5 m. La méchante en question, pour ceux qui ne connaissent pas l'histoire de *La Petite Sirène*, n'est autre que la terrible Ursula, résolue à dérober sa voix mélodieuse à la frêle Ariel (la Petite Sirène); elle y parvient d'ailleurs pour un certain temps. Mais rassurez-vous, car tout est bien qui finit bien (au cas où vous en auriez douté), et l'ensemble réunit des séquences d'animation, de l'action sur scène, des marionnettes, des effets spéciaux et une grande finale utilisant des rayons laser qui vous laissera pantois.

À NOTER: Les meilleurs moments pour jouir de cette attraction sont tôt le matin et après 18h, car, pendant la journée, les files d'attente ne dégorgent pas. Néanmoins, le spectacle est présenté aux 30 min, de sorte que, si la queue rassemble moins de gens que deux représentations ne peuvent en accueillir, profitez-en pour vous joindre à eux; l'attente en vaut la peine.

Disney Junior – Live on Stage! ★★★

La meilleure partie de ce spectacle – une version en direct des émissions du Disney Channel présentée sous la nouvelle bannière Disney Junior – est le public. Les enfants d'âge préscolaire qui ont passé de nombreuses matinées à regarder leurs personnages préférés à la télévision sont surexcités, avec raison, en voyant leurs héros en chair et en os (ou en fourrure comme ici). Les mots «trop mignon» viennent dès lors à l'esprit. Encore mieux, toutes les réjouissances entraînent un rare mouvement de coopération entre les vedettes et la foule: les tout-petits n'ont même pas besoin de se laisser amadouer pour chanter ou danser...

Ce nouveau spectacle, qui a remplacé au début de 2011 celui intitulé Playhouse Disney – Live on Stage!, met en vedette les personnages associés aux émissions *Mickey Mouse Clubhouse*, *Handy Manny*, *Little Einsteins* et *Jake and the Never Land Pirates*. Puis, à la mi-février 2013, le spectacle a encore une fois été remodelé afin d'accueillir les personnages des nouvelles séries *Doc McStuffins* et *Sofia the First*.

À NOTER: Vous en connaissez, de ces attractions puériles que vous visiteriez sans être accompagné d'un enfant? Eh bien, Disney Junior n'en fait pas partie! Oui c'est mignon, mais seulement si vous avez moins de six ans. Contrairement aux spectacles dont les représentations se succèdent (comme The Voyage of the Little Mermaid), Disney Junior respecte l'horaire, et les files d'attente sont souvent prises d'assaut par les poussettes des familles venues ici dans le but de rendre heureux leurs tout-petits. Si vous souhaitez absolument voir ce spectacle pendant votre séjour, assurez-vous de vous y rendre le matin pour les premières représentations, en arrivant 15 min d'avance; de cette façon, vous n'aurez pas à attendre trop longtemps à l'extérieur et pourrez profiter du reste de votre journée.

Mickey Avenue

Mickey Avenue s'étend immédiatement à l'ouest de l'Animation Courtyard.

L'avenue en question est bordée de bâtiments dont l'allure rappelle celle de studios de cinéma ou de télévision, dans lesquels sont présentées les expositions **Walt Disney: One Man's Dream** et **The Legend of Captain Jack Sparrow**.

Walt Disney: One Man's Dream ★★★

Cette attraction rend un émouvant hommage à Walt Disney, celui par qui tout a commencé. Parmi les éléments les plus intéressants de ce quasi-musée créé en 2001 pour célébrer le 100e anniversaire de la naissance de Disney, mentionnons la reconstitution de son bureau et les maquettes des différents parcs thématiques construits dans le monde par l'empire qu'il a mis sur pied.

À l'automne 2010, Walt Disney: One Man's Dream a fermé ses portes pendant quelques mois afin qu'en soit revue la présentation. En bout de ligne, peu de changements notables sont toutefois à signaler, à part l'ajout de la version audio-animatronique du président Abraham Lincoln conçue par Disney dans les années 1960 pour l'Exposition universelle de New York. Ceux qui s'intéressent à la technologie qui permet de donner vie aux emblématiques personnages audio-animatroniques de Disney seront ainsi ravis de pouvoir contempler de près l'un de ces robots, d'autant plus qu'il est partiellement dévêtu afin d'en montrer les rouages. Malheureusement, il n'est pas possible d'en observer le fonctionnement puisque le robot n'est pas animé.

Une grande maquette du New Fantasyland, cet important agrandissement du Magic Kingdom actuellement en cours de développement (voir p. 99), a également été ajoutée lors de cette révision. Ce modèle réduit permet d'apprécier l'ingéniosité de la conception de ce nouveau secteur grâce à la vue d'ensemble qu'il en permet, incluant les éléments encore en construction.

En fin de parcours, un film raconte l'odyssée de Disney, l'un des grands créateurs américains du XXe siècle.

À NOTER: À n'en point douter, cette attraction s'adresse d'abord et avant tout aux adultes. Les familles avec de jeunes enfants devraient passer leur chemin.

The Legend of Captain Jack Sparrow ★★★

Cette attraction de type *walkthrough* dans le jargon des créatifs de Disney, ce qui signifie que les spectateurs circulent à pied d'une salle à l'autre, a remplacé en décembre 2012 l'insipide Journey Into Narnia: Prince Caspian, ce qui représente dès le départ un appréciable gain net pour les visiteurs. C'est donc à l'univers des pirates des Caraïbes que cette attraction donne désormais accès.

La plus grande partie de la présentation a lieu dans une vaste salle où se trouvent des bateaux de pirates grandeur nature, dont une réplique du fameux vaisseau *La Perle Noire* des films de la série. D'impressionnants effets spéciaux, incluant des projections sur diverses portions du décor, vous en mettent alors plein la vue. Mais le clou du spectacle survient lorsque Johnny Depp apparaît «en personne» (ou plutôt en projection haute définition...) sous les traits du fameux pirate Jack Sparrow. L'illusion est à ce point réaliste qu'on doit se convaincre soi-même qu'il est impossible qu'un acteur de cette trempe prenne part aux innombrables représentations à l'affiche ici chaque jour...

À NOTER: Voilà une expérience immersive un brin verbeuse, si bien que, pour l'apprécier totalement, il convient de bien comprendre l'anglais. Heureusement, il y a suffisamment d'effets spéciaux et d'action pour que l'ensemble demeure amusant aux yeux de ceux qui manient moins bien la langue de Shakespeare.

Pixar Place

La Pixar Place s'inscrit dans le prolongement vers l'ouest de Mickey Avenue. La plupart du temps bondée, mais toujours joyeusement animée, cette place est bordée d'un côté par l'immensément populaire attraction Toy Story Midway Mania! et, de l'autre, par un très fréquenté lieu de rencontre avec des personnages comme Woody et Buzz Lightyear.

Prenez toutefois le temps d'observer les détails de cet aménagement: les petits singes de couleurs diverses sortis de leur baril pour s'accrocher un peu partout, les impayables soldats verts juchés sur les toits, une planche de Scrabble géante et bien plus encore.

Toy Story Midway Mania!

FP▶ ★★★★

Andy, le petit garçon des films de la série *Histoire de jouets*, reçoit en cadeau un jeu d'arcade miniature qu'il laisse dans sa chambre lorsque sa mère décide de l'emmener chez Pizza Planet. Ses jouets, le cowboy Woody en tête, profitent alors comme d'habitude de l'absence des maîtres de la maison pour prendre vie et vous invitent à aller sous le lit avec eux pour vous amuser avec le nouveau jeu.

C'est au printemps 2008 qu'a été inauguré ce manège des plus réussis, ainsi que la Pixar Place sur laquelle il donne. Vous y montez dans un véhicule qui vous conduit à la découverte de plusieurs tableaux en trois dimensions (grâce aux éternelles lunettes 3D...). Ces tableaux ont chacun l'allure d'un jeu de fête foraine animé par un personnage différent (Woody, le pingouin Wheezy, les petits soldats verts, Buzz Lightyear et autres). Vous devez alors amasser le plus de points possible en atteignant des cibles à l'aide d'une sorte de pistolet qui crache des projectiles virtuels de toute nature: balles de baseball, fléchettes, anneaux, œufs, etc.

Cette balade à la fois colorée et animée plaira à tous. Elle reprend la formule gagnante du populaire **Buzz Lightyear's Space Ranger Spin** (voir p. 108) du Magic Kingdom, mais dans un univers entièrement virtuel. La mise en situation élaborée et amusante contribue également à rendre l'ensemble fort attrayant. Ainsi, avant que la visite ne commence réellement, un immense Monsieur Patate audio-animatronique s'adresse aux participants dans une salle attenante pour leur donner quelques conseils et interagit même en temps réel avec eux.

À NOTER: Cette attraction relativement récente fait fureur. Il faut vous y rendre dès votre arrivée au parc ou encore vous munir d'un des laissez-passer rapides (*Fastpass*) le plus tôt possible dans la journée, car ils s'envolent vite. Cela dit, les concepteurs du manège ont créé un environnement superbe afin de rendre l'attente moins pénible. Vous y découvrirez avec joies d'innombrables reproductions géantes de jouets qui ont marqué votre enfance: crayons de cire Crayola, jeux d'échelles et de serpents, *Viewmasters*, jeux de construction divers et quantité d'autres.

Streets of America

Cette section des Disney's Hollywood Studios fascine par la seule présence de ses décors évoquant les grandes villes américaines. Les gratte-ciel de New York reproduits en trompe-l'œil sont ainsi plus vrais que nature, tout comme la vue sur San Francisco et, au loin, sur son Golden Gate Bridge.

Les décors de New York peuvent être visités à pied tant et aussi longtemps qu'on n'y tourne pas de film. Les passionnés de détails devraient y retourner et scruter attentivement les devantures des magasins. Admirez entre autres la vieille Smith-Corona qui se trouve derrière la vitre poussiéreuse de Sal's Pawn, ou encore les filets à cheveux et les bigoudis en mousse des années 1950 du Rexall. Un distributeur de timbres plutôt rouillé au coin d'une rue ne contient plus aucun timbre depuis longtemps, mais il gobera tout de même vos pièces!

Studio Backlot Tour

★★★★

La longue file d'attente pour cette visite motorisée vous semblera sans doute interminable, et pour cause. Lorsqu'il y a affluence (comme c'est généralement le cas), comptez au moins 45 min d'attente. Plusieurs divertissements ont toutefois été prévus pour vous aider à meubler ce temps, y compris des souvenirs des grands classiques de Disney, des séquences des films et un documentaire sur le tournage de *Pearl Harbor*.

Lors d'une première halte, on vous présentera d'ailleurs quelques échantillons des effets spéciaux utilisés dans des films à catastrophe du genre de *Pearl Harbor*. Ainsi, vous entendrez arriver, sans jamais les voir, des avions venus bombarder généreusement les lieux.

Après un passage dans un entrepôt débordant d'accessoires de cinéma, on vous fera monter à bord de tramways qui ressemblent à des chenilles rouges se faufilant à travers les édifices et les plateaux de tournage. Des guides affables, et parfois même drôles, agrémentent la visite d'anecdotes et de détails intéressants. Dès le début de la visite, vous apercevrez le château d'eau affublé des oreilles de Mickey qui devait, à l'origine, constituer le symbole du parc. À un moment donné, vous traverserez l'entrepôt des costumes où sont stockés plus de deux millions de pièces de vêtements. Vous verrez alors, à travers de grandes fenêtres, des couturières œuvrant à la confection de costumes pour des films en cours de préparation.

Vient ensuite l'atelier où l'on fabrique les décors de plateau, suivi des départements responsables de l'éclairage et des caméras. Soit dit en passant, ces dernières sont tellement sophistiquées que des équipes de tournage viennent à l'occasion s'en servir pour filmer les lancements de navettes spatiales, qui ont pourtant lieu à quelque 120 km de Disney World!

La balade se poursuit le long de ce qu'on pourrait appeler le «boulevard des rêves» d'Hollywood, un chemin bordé de maisons fabuleuses aux façades coquettes et aux pelouses bien taillées; mais ne vous y méprenez pas, car l'envers du décor ne révèle que des espaces vides. Plus loin se trouve un «cimetière» d'avions rouillées, de voitures accidentées et d'autres vestiges hollywoodiens.

À partir de ce point, tout devient humide et brumeux, du moins pour les passagers assis du côté gauche... Au moment où, sous d'impressionnants effets sonores, le conducteur s'engage dans une caverne désolée baptisée «Catastrophe Canyon», un pétrolier explose soudain, la route se fissure, et un véritable déluge déferle en direction du véhicule à bord duquel vous vous trouvez. Tout cela cause naturellement beaucoup de remue-ménage, plusieurs personnes se retrouvent bien mouillées (celles assises du côté gauche dans le tram), et l'on en entend s'écrier *«Sauve-qui-peut!»*. Vous aurez compris qu'il s'agit de simuler, tout à la fois, un incendie, un orage, un tremblement de terre et une crue subite. Après cet émoi, les passagers apprennent que le «canyon» est en fait une gigantesque cage d'acier recouverte de béton couleur cuivre. Quant à l'eau (d'un volume total de 265 000 l), elle est recyclée plus de 100 fois par jour, soit toutes les trois minutes et demie, après le passage de chaque groupe de visiteurs.

Les paysages désertiques font bientôt place à l'amphithéâtre où est présenté le spectacle de cascadeurs **Lights, Motors, Action! Extreme Stunt Show** (voir p. 152), dont on entrevoit l'envers du décor, puis à des scènes urbaines, alors que vous parcourez des reconstitutions de certaines rues de New York. Le grès se mêle ici à la brique rouge, au marbre et au verre teinté, pour créer une

Le déluge éclair du Catastrophe Canyon est produit à l'aide de canons pneumatiques qui projettent près de 100 000 l d'eau sur une distance de 30 m.

illusion remarquable de la *Big Apple*. En y regardant de plus près, vous aurez tôt fait de constater qu'il ne s'agit encore une fois que de façades en fibre de verre et en polystyrène savamment peintes. Notez en particulier l'Empire State Building et le Chrysler Building, tout au bout de la rue; ils ne sont eux aussi que des constructions bidimensionnelles! Ils peuvent même être déplacés lorsqu'on désire créer l'illusion d'une autre ville américaine. À l'origine, ces décors de rue ne faisaient pas partie du parc lui-même comme c'est le cas aujourd'hui, mais se trouvaient entièrement dans le Backlot, là où des émissions de télévision étaient vraiment tournées, et n'étaient accessibles aux visiteurs qu'au moyen du Studio Backlot Tour.

Parmi les autres trésors à découvrir tout au long du parcours, mentionnons l'avion personnel de Walt Disney, utilisé en 1964 afin de repérer les terrains à acquérir dans la région d'Orlando en vue de la construction du Walt Disney World Resort.

La visite se termine par une exposition de costumes utilisés dans des films comme *Superman*, *Le Parrain*, *Gladiator* et *Titanic*.

À NOTER : Même si la visite plaît aux gens de tout âge, certains enfants d'âge préscolaire peuvent être apeurés par les effets spéciaux du Catastrophe Canyon.

Honey, I Shrunk the Kids Movie Set Adventure ★★★

Inspiré du populaire film de Touchstone Pictures *Honey, I Shrunk the Kids* (1990), ce plateau se présente comme un terrain de jeu aux proportions démesurées. Dans ce jardin familial, les brins d'herbe font 8 m de haut, et l'arroseur ressemble à un vaisseau spatial menaçant. Les enfants adorent escalader le gros bourdon de 12 m et les autres insectes colossaux qui parsèment les lieux.

À NOTER : Véritable paradis pour les gens de tout âge, cette attraction est perdue au fond d'une cour (près du décor de la rue de New York).

Muppet Vision 3D
★★★★★

Les Muppets se retrouvent ici en compagnie de Disney dans une aventure abracadabrante soulignée par d'incroyables effets spéciaux. Alliant la technologie audio-animatronique de Disney et des techniques de projection tridimensionnelle ultramodernes, ce film mettant en vedette la turbulente troupe des Muppets se révèle dément et fantastique.

Les films 3D que vous avez pu voir à ce jour ont sans doute joué des tours à vos yeux, mais celui-ci peut littéralement vous faire perdre votre chapeau, vous asperger d'eau, projeter des boulets de canon contre les murs de la salle et engendrer le chaos général. Dans une démonstration sans précédent de haute voltige, un des Muppets s'envole même hors de l'écran pour atterrir parmi les spectateurs!

Le regretté Jim Henson, créateur des Muppets, expliquait : *« Nous avons voulu imaginer tous les effets tridimensionnels possibles pour ensuite trouver le moyen de les intégrer à un court métrage. »* Et dès le début du spectacle, Kermit la grenouille déclare avec assurance : *« À aucun moment ne nous abaisserons-nous à de vulgaires illusions tridimensionnelles. »*

Il en résulte un spectacle sans pareil. Miss Piggy fait valoir ses talents musicaux comme jamais auparavant, et Fozzie l'ours reçoit une tarte à la crème en pleine figure. Une incursion dans un laboratoire de recherche ultrasecret confronte l'auditoire à Waldo C. Graphic, un personnage créé par un ordinateur, et qui peut changer de forme à son gré et devenir, par exemple, un taxi ou une fusée. Il peut même s'entretenir seul à seul avec les membres de l'assistance, et s'amuser à bondir sur la tête des spectateurs.

Les coups de théâtre se révèlent plus spectaculaires que jamais, et les joyeux personnages, conscients de leur nature tridimensionnelle, n'hésitent pas un instant à en tirer parti pour fondre sur les spectateurs. Afin de maximiser l'impact de ce spectacle, ses créateurs ont conçu une salle permettant à l'action de se dérouler directement parmi les membres de l'auditoire. En misant sur une authentique atmosphère de théâtre, sur des personnages aussi bien vivants qu'animés, sur des techniques de projection tridimensionnelle très poussées et sur une foule d'effets spéciaux, ils parviennent à intégrer l'auditoire au spectacle et redéfinissent la notion même de «théâtre vivant».

Avant que la salle n'explose dans une finale ahurissante, vous vivrez toute une série d'effets spéciaux, y compris des fleurs de boutonnières qui lancent de l'eau, des pluies de bulles, des vents violents, des coups de mousquets, des tirs de canon et un feu d'artifice patriotique créé au moyen de fibres optiques sur le thème de «Salut à toutes les nations, mais surtout à l'Amérique». Comme le dit si bien Gonzo: *«Ça c'est du spectacle!»*

À NOTER: Soyez prêt à vous faire mouiller un peu, car de fines gouttelettes d'eau ont été ajoutées aux effets spéciaux afin de rendre le spectacle plus réaliste.

Lights, Motors, Action! Extreme Stunt Show ★★★

Courses folles de voitures de sport, sauts spectaculaires de motocyclettes, bateaux filant à toute allure: voilà un spectacle de cascadeurs qui s'adresse à ceux qui vibrent pour tout ce qui fait vroum vroum.

Créée au Disneyland de Paris, cette présentation de 35 min en met plein la vue. Elle rend hommage aux cascadeurs appelés à recréer au cinéma courses endiablées et accidents tragiques.

Ce spectacle, vous vous en doutez bien, passionnera les uns et irritera les autres, bien qu'il soit franchement difficile de demeurer indifférent devant l'habileté incroyable des pilotes, qui exécutent avec leurs bolides des chorégraphies d'une précision inouïe.

On peut par ailleurs déplorer que le rythme de la présentation souffre de pauses prolongées après chaque cascade, le temps de préparer la suivante. On a alors droit à de longues explications un peu ennuyeuses qui, à tout le moins, ont l'avantage de nous apprendre quelques trucs du métier de ces intrépides. Vous saurez ainsi comment ils s'y prennent pour conduire aussi vite à reculons (vous verrez, il fallait y penser!), comment on épargne la suspension d'une voiture malgré un saut de plusieurs mètres et comment un motocycliste peut se transformer en torche humaine après une chute sans y laisser sa peau.

À NOTER: Même si ce spectacle est présenté dans un immense amphithéâtre à ciel ouvert, il faut arriver tôt pour s'assurer une place car sa popularité s'avère tout aussi immense. Très bruyante, cette attraction ne devrait pas se retrouver sur le parcours des familles avec de très jeunes enfants.

Echo Lake

Un peu en retrait, à l'ouest du Hollywood Boulevard, le secteur d'Echo Lake incarne la vision disneyenne du charme décontracté de la Californie: restaurants à la mode éclaboussés de rose et de bleu vert que rehaussent des garnitures chromées, salons et cafés, où l'on trouve plus de téléviseurs que de serveuses, et une boutique où la plupart des souvenirs sont à l'effigie des grandes stars.

D'un côté du lac, vous verrez le **Min and Bill's Dockside Diner**, un cargo-restaurant où l'on sert des repas minute. De l'autre, se dresse ***Gertie***, une structure amusante à l'image d'un dinosaure crachant périodiquement de la fumée, où l'on vend des glaces et des souvenirs de Disney.

À partir de ce point, vous trouverez plusieurs attractions éparpillées à travers le secteur sud-ouest du parc.

Star Tours – The Adventures Continue FP▶ ★★★★★

Il s'agit ici d'une aventure de vitesse et de délire au cours de laquelle vous faites un véritable voyage sans jamais quitter la salle! Techniquement parlant, vous serez à bord d'un simulateur de vol tel qu'on en utilise pour former les pilotes de ligne et de l'armée. Mais dans la pratique, vous n'en croirez pas vos sens: votre cerveau aura beau vous dire que vous ne virevoltez pas dans l'espace; vos yeux, vos oreilles, vos doigts et votre cœur affolé sauront vous convaincre du contraire.

Faisant appel à des thèmes et à des séquences des films de la série *Star Wars*, ce manège regroupe plusieurs petites salles baptisées «StarSpeeders», où vous vous attachez à un siège. Les yeux rivés sur un écran vidéo, vous plongez dans l'espace à la vitesse de la lumière tout en évitant des planètes et des cristaux de glace et en combattant des chasseurs équipés de canons laser. Pendant tout ce temps, votre siège tourne, votre estomac se retourne, et toute la pièce paraît voler.

Fermé pendant plusieurs mois en 2010-2011, ce manège a alors fait l'objet d'une refonte en profondeur. Dans la nouvelle version, le film projeté est en trois dimensions (eh oui, avec les éternelles lunettes...), ce qui rend l'aventure encore plus crédible, et il y en aurait plus de 50 versions différentes (d'où le s à la fin du mot «Adventures» dans le nouveau nom de l'attraction). Aussi, l'action ne se déroule plus que dans les seuls décors du film original *La Guerre des étoiles*, comme c'était le cas auparavant, mais bien dans ceux de tous les épisodes de la série. Vous êtes donc pratiquement assuré de vivre une expérience différente à chaque visite.

À titre d'exemple, une des aventures met en vedette le robot C-3PO, qui devient par erreur le pilote de votre vaisseau, ce qui annonce une suite de catastrophes... et une suite de catastrophes ne manque pas de survenir. Tout au long du périple, vous croiserez des personnages divers comme un Darth Vader plus vrai que nature, et même le mal aimé Jar Jar Binks. Finalement, après 7 min de virevoltes, de boucles et de quasi-collisions, tout le monde rentre sain et sauf, quoiqu'un peu bouleversé.

Star Tours – The Adventures Continue se sert d'images spectaculaires et d'autres artifices *high-tech* pour créer des sensations que la plupart des non-initiés n'ont jamais expérimentées auparavant. Car ce manège ne s'apparente pas vraiment aux montagnes russes, puisque vous restez sur place, et l'on ne peut non plus le réduire à un simple film en trois dimensions puisqu'on s'y fait secouer. Bref, il s'agit d'une expérience unique.

À NOTER: Taille minimale 1,02 m. Les femmes enceintes et les enfants de moins de trois ans ne sont pas admis, et certains

La Jedi Training Academy

Tout juste à l'extérieur de Star Tours – The Adventures Continue, il est possible d'inscrire les enfants de 4 à 12 ans à la Jedi Training Academy ou, si vous préférez, à l'école des Jedis. Ils seront alors entraînés au maniement du sabre laser par un «véritable» maître Jedi... et vous pouvez vous attendre à les voir pratiquer leurs mouvements sans relâche pour le reste de la journée, sinon des vacances entières...

enfants admissibles trouveront ce manège brutal et effrayant. N'est pas recommandé aux gens ayant des problèmes de dos ou l'estomac fragile.

Les files d'attente y sont un véritable fléau (de 30 à 40 min), et ce, toute la journée. Essayez de vous présenter en début de journée ou peu avant la fermeture. Sinon, utilisez un *Fastpass* pour réserver une place à un autre moment. À l'instar du Great Movie Ride, on refoule souvent les visiteurs en attente à l'extérieur pour libérer l'enceinte.

À RETENIR: Règle nº 1: s'il y a une courte file d'attente à Star Tours, **allez-y!** Règle nº 2: si le spectacle de cascadeurs Indiana Jones Stunt Spectacular vient de finir, **oubliez** Star Tours, car la foule qui sort de ce spectacle (jusqu'à 2 000 personnes) se rue invariablement sur ce manège.

Indiana Jones Epic Stunt Spectacular! ★★★★

Cette escapade mouvementée et remplie d'effets spéciaux a lieu dans un amphithéâtre de 2 200 places qui semble perdu en plein cœur de la jungle. Dans la plus pure tradition des *Aventuriers de l'arche perdue*, ce spectacle de 25 min vous fait assister à une série de rencontres quasi fatales à l'intérieur d'un ancien temple maya: Indiana Jones dégringole du plafond, tombe dans une trappe cachée, échappe aux flammes et aux lances, et est presque écrasé par un immense rocher.

Au beau milieu de toutes ces flammes et de tout ce tumulte, l'équipe de tournage met fin à la scène et disparaît avec les décors (montés sur roues). Derrière, on découvre une reconstitution d'une place affairée du Caire autour de laquelle gambadent des acrobates vêtus à l'égyptienne. Un groupe de nazis se pointe bientôt à la recherche d'Indiana Jones, et une émeute s'ensuit. Pendant les premiers échanges de coups, des tout-terrains et des motocyclettes vrombissent en tous sens, et un avion allemand fend l'air. Il y a aussi une scène particulièrement formidable où un camion explose et chavire, la chaleur des flammes atteignant les premières rangées de l'assistance.

Réalisé par Glenn Randall, coordinateur des cascades pour les films d'Indiana Jones, de même que pour *Poltergeist* et *E.T.*, le spectacle révèle en outre quelques trucs de tournage des scènes de cascades. Des professionnels vous font voir comment on se sert de doublures lors de scènes dangereuses, comment on cache des caméras derrière des rochers artificiels et comment on s'y prend pour tourner les séquences mouvementées. Quelques-unes de ces démonstrations font appel à des membres de l'auditoire choisis au hasard une dizaine de minutes avant le spectacle.

À NOTER: Ce spectacle au rythme rapide captive les gens de tout âge. Les diverses représentations quotidiennes affichent souvent complet longtemps avant l'heure indiquée. Il est généralement préférable d'assister à l'un des deux premiers ou des deux derniers spectacles de la journée, qui ne font jamais, pour ainsi dire, salle comble. Autre avis important: le personnel de Disney vous dira qu'il est impératif de faire la queue (en plein soleil) au moins 30 min avant la représentation, mais ce n'est pas le cas; en arrivant une quinzaine de minutes avant le spectacle, vous devriez pouvoir entrer directement dans le théâtre. Et assurez-vous de bien regarder s'il y a des places libres aux bouts des toutes premières rangées, car ce sont souvent les dernières à être occupées.

The American Idol Experience ★★

Les amateurs de l'émission *American Idol*, sorte de concours télévisé de chanteurs amateurs, en retrouveront le décor et la mise en scène dans un grand studio situé au nord du lac Echo.

Tout au long de la journée, il vous est possible de participer à des auditions afin de tenter d'être retenu pour la grande finale du soir. Ce spectacle est alors filmé à la manière du show télévisé, et l'on peut y assister dans la salle ou le visionner sur un écran géant à l'extérieur. Le gagnant se voit alors inviter *de facto* aux prochaines véritables auditions pour l'émission.

À NOTER: Pour les fans de l'émission seulement… ou ceux qui souhaitent tenter leur chance aux auditions. L'âge minimal pour participer à celles-ci est de 14 ans.

Disney's Animal Kingdom

Compte tenu de l'ombre imposante qu'il projette sur l'univers du divertissement, Disney – ou Mickey, à tout le moins – a souvent été associé à la proverbiale «souris qui rugit». Or, avec les 250 espèces sauvages dont s'est doté l'Animal Kingdom, le quatrième parc thématique du vaste et tentaculaire complexe de Walt Disney World, ce rugissement n'est plus seulement métaphorique.

L'Animal Kingdom, membre de l'American Zoo and Aquarium Association, propulse la faune à l'avant-scène. Il est d'ailleurs approprié que les animaux aient été choisis pour devenir les vedettes de ce nouvel ensemble, puisque Walt, après tout, a fait fortune à leurs dépens, fût-ce sous leur forme «animée».

À la différence de leurs prédécesseurs caricaturaux, les résidents de ce parc thématique (du moins la plupart d'entre eux) sont bien en vie: ils respirent, ils grognent, ils couinent, ils renâclent et ils défèquent dans un environnement sauvage créé spécialement à leur intention. Il va sans dire qu'ils n'en sont pas moins «animés», bien au contraire. L'absence de commandes à distance présente d'ailleurs des possibilités inattendues. Là où les créatures de Fantasyland ne bougent qu'au gré des fantaisies d'un grand maître d'œuvre (ou à tout le moins d'un informaticien), les personnages de l'Animal Kingdom ont des caprices qui leur sont propres. Il arrive ainsi que les girafes, par exemple, décident de bloquer la route et de retarder la caravane des camions de safari pendant un certain temps, un inconvénient avec lequel il faut composer, et qui compte d'ailleurs pour une part importante de l'aventure que vous vivrez ici.

Ces imprévus donnent parfois l'impression d'assister à un spectacle d'enfants d'âge préscolaire, dans la mesure où la prestation dépend entièrement de l'humeur d'animaux (on en compte 1 700) aux noms exotiques, qu'il s'agisse du jacana africain, du rollier à queue en éventail ou du tamarin cotonneux. Les attractions s'étendent ici sur plus de 200 ha, réparties en sept zones: The Oasis, Discovery Island, Camp Minnie-Mickey, Africa, Rafiki's Planet Watch, Asia et DinoLand U.S.A., dominées en leur centre par l'*Arbre de la vie* (*Tree of Life*), haut de 45 m. Le paysage – d'inspiration africaine et haut en couleur – campe l'atmosphère parmi la verdure luxuriante, les toits de chaume, les murs effrités et les chaussées soigneusement traitées de manière à ce qu'elles semblent avoir subi les assauts du temps. Il s'en faut de peu que le tout n'évoque des images d'un Adventureland géant.

On dénombre une vingtaine d'attractions et de spectacles sur les lieux, quoique les «manèges» à proprement parler se fassent plutôt rares (il y en a sept en comptant le train qui conduit au Rafiki's Planet Watch et l'hilarant spectacle 3D inspiré de *It's Tough to Be a Bug!*). Ce constat peut en étonner certains, et même en décevoir d'autres. Il est toutefois évident que le point focal de l'Animal Kingdom diffère de celui des autres parcs thématiques. Le plaisir des visiteurs demeure le but visé, si ce n'est que les sensations artificielles ne jouent ici qu'un rôle secondaire. Une grande partie des visites étant autoguidées, il ne fait aucun doute que vous passerez plus de temps debout qu'assis dans une salle ou à vous faire secouer. Mais, comme le précisent certains vétérans de Disney World, les sentiers ombragés et le rythme insouciant de l'Animal Kingdom procurent un soulagement fort apprécié de la frénétique course aux manèges à laquelle vous soumettent les autres parcs.

Toujours est-il que, si divertissant que puisse être ce parc – et personne n'accepterait de donner 89$ (aïe!) pour la journée si tel n'était pas le cas –, il s'agit beaucoup plus d'une expérience interactive que d'une succession de divertissements passifs. Vous devrez même faire votre part (en lisant, par exemple, les panneaux d'information) pour en tirer tout le bénéfice. Et les créateurs de cet espace unique espèrent bien vous voir quitter les lieux plus riche (intellectuellement, s'entend) qu'à votre arrivée.

À cet effet, des gardiens dévoués et bien informés se tiennent partout à votre disposition pour répondre à vos questions et vous fournir des indications variées, voire pour protéger les hôtes du parc contre les humains mal ou trop bien intentionnés (de grâce, ne nourrissez pas les animaux!). Sachez toutefois que l'histoire naturelle – ou plus exactement la conservation des espèces vivantes – revêt ici beaucoup plus d'intérêt qu'il n'y paraît à première vue. L'intervention de Disney vous assure ainsi un safari dans une jungle criante de réalisme, et un habitat réservé aux tigres qui vous permettra de contempler les «ruines» du pavillon de chasse d'un glorieux maharajah.

Et puisque nous parlons d'habitats, il convient de mentionner qu'ils constituent l'âme même de l'Animal Kingdom, et qu'ils révèlent la magie de Disney dans toute sa splendeur. Comme à Epcot, où chaque «pays» du World Showcase est recréé dans ses moindres détails, les lieux de résidence des animaux du présent royaume témoignent d'une précision remarquable qui se reflète jusque dans les arbres émaillant leurs domaines. Des plantes et des arbustes originaires d'Afrique ont ainsi été importés, et les termitières de béton ressemblent à s'y méprendre à leurs modèles vivants. Au cœur de la «jungle», vous vous sentirez à mille lieues du reste du parc. Et, en passant du côté de l'«Afrique», vous jurerez avoir quitté Disney pour vous enfoncer dans le Serengeti.

Il ne fait aucun doute que cette ambitieuse entreprise a causé des maux de tête peu communs à ses concepteurs. Les horticulteurs ont dû maquiller des arbres de la région (dont le chêne méridional) jusqu'à les faire passer pour des végétaux africains (comme l'acacia). Et les paysagistes, habitués aux travaux les plus soignés, ont dû changer de cap pour donner naissance à des jungles sauvages et désordonnées. Les défis à relever ont même engagé la participation d'équipes inusitées. Par exemple, les costumiers ont dû coudre des écussons d'identification brodés sur les chemises des employés (pour éviter que les animaux soient tentés de s'emparer des habituels badges en plastique épinglés), et les comptoirs de rafraîchissements ont dû éliminer les pailles et les couvercles jetables, qui présentaient des risques pour les animaux).

En dépit de tous les ajustements nécessaires, l'Animal Kingdom demeure l'œuvre de Disney, et les pièges inhérents à tous les parcs thématiques y sont partout manifestes. Entre autres, les traces de son richissime géniteur se font on ne peut plus apparentes, sinon dans les attractions elles-mêmes, du moins dans la disponibilité des souvenirs de Disney. C'est le cas, notamment, au Camp Minnie-Mickey – que les jeunes aventuriers ne voudront manquer à aucun prix –, où l'on peut entre autres obtenir l'autographe de Mickey et de ses amis. Sans parler du pur kitsch qu'on retrouve à DinoLand U.S.A., où vous attend un manège à faire dresser les cheveux sur la tête visant à vous faire revivre le Big Bang. Il reste que les spectacles présentés ici comptent parmi les meilleurs que Disney ait à offrir, et tout particulièrement le Festival du Roi Lion, qui est absolument merveilleux.

Tout bien considéré, l'expérience offerte par l'Animal Kingdom tient tout autant de la fantaisie que du réalisme de la nature sauvage. D'ailleurs, peut-être est-ce là la grande bénédiction de cette forme nouvelle que revêt la magie de Disney, de vous renvoyer chez vous un peu plus savant sans jamais vous donner l'impression d'être allé à l'école.

À ne pas manquer!

› Les attractions

It's Tough to be a Bug! p. 163
Festival of the Lion King p. 164
Kilimanjaro Safaris p. 165
Expedition Everest – Legend of the Forbidden Mountain p. 169
DINOSAUR p. 170

› Les bonnes adresses

Restaurants

Rainforest Cafe (entrée du parc) p. 275
Tusker House (Afrique) p. 275
Yak & Yeti (Asie) p. 275

Achats

Mombasa Marketplace and Ziwani Traders (Afrique) p. 299

Accès et déplacements

› Orientation

Une des différences les plus frappantes entre l'Animal Kingdom et les autres parcs de Disney tient à l'organisation des lieux. En effet, on a si bien su recréer la nature sauvage que vous pourriez parfois éprouver le besoin d'utiliser une boussole pour vous y retrouver!

Bien qu'une grande partie des 200 ha soit occupée par les animaux, il n'y en a pas moins un nombre imposant de sentiers réservés aux humains. Pour bien vous orienter, il importe de toujours vous rappeler l'emplacement du *Tree of Life*. Cet arbre symbolique, qu'on désigne volontiers comme le «château» de l'Animal Kingdom, repose sur une île plantée au milieu du parc, et toutes les autres zones y sont reliées par des ponts enjambant la Discovery River. Franchissez le pont de The Oasis, et vous vous retrouverez face à face avec l'arbre. Prenez à gauche la voie principale, et vous en ferez le tour, en croisant tout d'abord le Camp Minnie-Mickey, puis les secteurs Africa, Rafiki's Planet Watch (accessible par train depuis Africa), Asia et DinoLand U.S.A. avant de revenir à The Oasis. Enfin, bien que beaucoup de gens restent aujourd'hui en contact les uns avec les autres au moyen d'émetteurs-récepteurs portatifs et de téléphones cellulaires (ce qui n'est finalement pas une mauvaise idée), les bonnes vieilles techniques de repérage demeurent tout aussi valables, et le bureau des *Guest Relations*, à l'entrée du parc, constitue un bon endroit où se retrouver (ou laisser un message) dans le cas où vous viendriez à être séparé de votre groupe.

› En voiture

Prenez la **route I-4** (Interstate 4) jusqu'à la **sortie 65**; suivez les indications vers **Blizzard Beach/All-Star Resort** jusqu'à l'**Osceola Parkway West**, puis surveillez les panneaux menant à l'Animal Kingdom jusqu'à ce que vous atteigniez l'entrée principale du parc.

Fort heureusement, le terrain de stationnement *(14$)* de l'Animal Kingdom n'est pas aussi vaste que celui du Magic Kingdom. Il arrive même souvent que vous puissiez garer votre voiture à distance de marche de l'entrée du parc, quoiqu'un tramway s'offre toujours à transporter les visiteurs amenés à se garer plus loin. Rappelez-vous cependant que toutes les voitures de location ont tendance à se ressembler. Il est donc essentiel de noter la rangée et le numéro de votre place de stationnement, sans quoi votre dernière aventure de la journée pourrait bien se dérouler à l'intérieur d'un véhicule de sécurité à la recherche de votre voiture.

› En transports en commun

Du Contemporary Resort, du Polynesian Resort ou du Grand Floridian Resort & Spa: prenez un autobus Disney directement jusqu'à l'Animal Kingdom.

Du Magic Kingdom: prenez le monorail ou la navette lacustre menant au Transportation and Ticket Center, puis un bus jusqu'à l'Animal Kingdom.

Les attractions du Disney's Animal Kingdom où l'on peut obtenir un *Fastpass* FP›

Pour éviter les files d'attente, procurez-vous un *Fastpass* aux attractions suivantes:

DINOSAUR (DinoLand U.S.A.) p. 170

Expedition Everest – Legend of the Forbidden Mountain (Asia) p. 169

Kali River Rapids (Asia) p. 169

Kilimanjaro Safaris (Africa) p. 165

Primeval Whirl (DinoLand U.S.A.; en période de pointe) p. 171

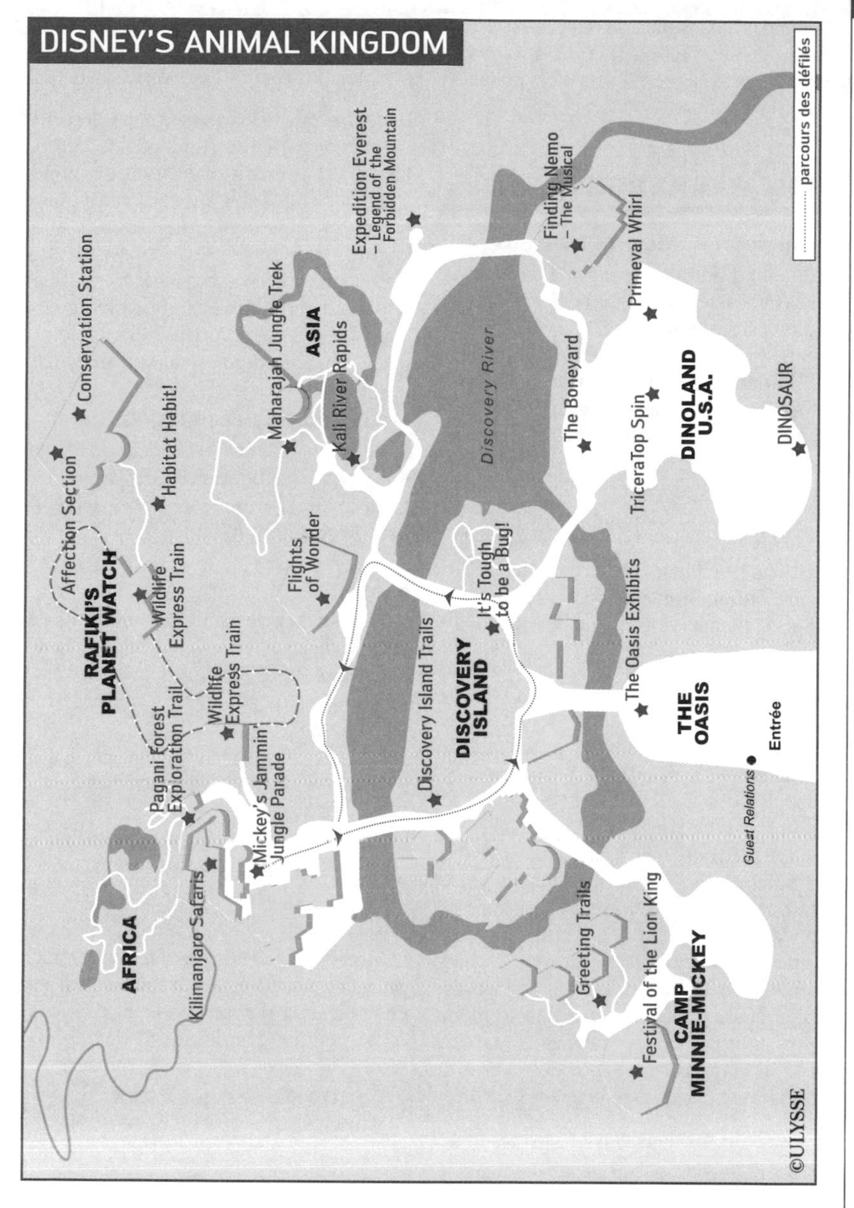

D'Epcot et des Disney's Hollywood Studios : prenez un autobus Disney directement jusqu'à l'Animal Kingdom.

De Downtown Disney : prenez un bus jusqu'à l'un des hôtels Disney, puis un autre menant à l'Animal Kingdom.

Du Typhoon Lagoon, de Blizzard Beach ou de Fort Wilderness : prenez un autobus Disney directement jusqu'à l'Animal Kingdom.

Des différents hôtels du Walt Disney World Resort : prenez un autobus Disney directement jusqu'à l'Animal Kingdom.

Des hôtels de la région ne faisant pas partie de Disney World : la plupart disposent d'un service de navette pour l'Animal Kingdom.

Cependant, dans bien des cas, le service ne se fait qu'aux heures, si ce n'est toutes les deux ou trois heures. Il vaut alors mieux s'y rendre en voiture.

Renseignements utiles

› Quelques précieux conseils

La planification de votre visite de l'Animal Kingdom diffère quelque peu de celle des autres parcs thématiques, pour la simple et bonne raison que vous devez tenir compte de l'horaire des animaux. Les diverses espèces ne sont pas également actives aux différentes heures de la journée et, même les longs jours d'été, les attractions ferment souvent plus tôt que partout ailleurs à Disney World du fait qu'il faut du temps pour préparer les animaux avant la nuit. Cela devient particulièrement évident dans le cas du safari, qui interrompt ses activités avant le reste du parc, parfois même dès 16h30.

L'Animal Kingdom ouvre ses portes avant tous les autres parcs (manifestement dans le but de profiter au maximum des heures de clarté). Néanmoins, en vous présentant sur les lieux au moins 30 min à l'avance, vous aurez la possibilité d'acheter votre billet dès avant l'ouverture (les préposés à la billetterie entrent en fonction 30 min avant l'ouverture du parc) et peut-être même de commencer votre visite plus tôt, dans la mesure où l'on devance l'heure d'ouverture du parc certains jours de la haute saison. De plus, même si les attractions ne sont pas encore accessibles, vous pourrez à tout le moins en profiter pour vous procurer le plan des lieux, prendre connaissance des heures de spectacle et tracer votre itinéraire.

La meilleure stratégie consiste à vous diriger dès la première heure vers les manèges les plus courus, comme Expedition Everest–Legend of the Forbidden Mountain, les safaris du Kilimanjaro, «It's Tough to be a Bug» (Une Vie de bestiole), les rapides de la rivière Kali, les spectacles Festival of the Lion King et Finding Nemo–The Musical, ainsi que DINOSAUR, où les files d'attente se forment rapidement et ne cessent de s'allonger au fil du jour. Cela dit, les foules ne posent pas autant de problèmes dans le cas des visites autoguidées, dont celles du Pangani Forest Exploration Trail (sentier d'exploration) et des Discovery Island Trails.

Le temps que vous passerez ici dépendra en grande partie de l'ampleur de la foule. Lorsqu'il y a relativement peu de monde, il est de fait possible de parcourir l'Animal Kingdom dans son entier en une seule journée, mais en se pressant passablement. Cependant, vous voudrez sans doute ralentir le rythme afin de mieux apprécier toute la complexité de ce parc, sinon pour refaire et refaire le safari, dont on ne se lasse jamais.

› Animaux de compagnie

Ils ne sont pas admis à l'intérieur de l'Animal Kingdom. Vous pourrez cependant les faire garder pour la journée au **Best Friends Pet Care Resort** (voir p. 66).

› Argent

Vous trouverez des guichets automatiques à l'entrée du parc, sur la droite, et dans le secteur DinoLand U.S.A. Au bureau des *Guest Relations*, vous pourrez en outre changer des devises.

› Bureau des objets perdus et trouvés

Signalez tout objet perdu ou trouvé au bureau des *Guest Relations*.

› Casiers

Disponibles à l'entrée du parc, sur la gauche près du bureau des Guest Relations. Il vous en coûtera 7$ par jour pour un petit casier ou 9$ pour un grand (plus 5$ de dépôt).

› Centre de services aux nourrissons *(Baby Care Center)*

Vous trouverez entre autres des tables à langer et tout le nécessaire pour allaiter derrière la boutique Creature Comforts, sur la Discovery Island.

› Enfants perdus

Signalez les enfants perdus au bureau des *Guest Relations*, à l'entrée du parc, ou au *Baby Care Center*, derrière la boutique Creature Comforts.

Des visites guidées pour tous les goûts

Disney a mis sur pied quelques visites guidées à l'intention de ceux qui veulent en apprendre davantage sur les soins apportés aux animaux ou encore sur ce qui a mené à la création de l'Animal Kingdom. Pour vous inscrire, composez le 407-939-8687. Rappelez-vous que les prix, en sus des frais d'entrée au parc, ainsi que les horaires peuvent varier et qu'ils ne sont donnés ici qu'à titre indicatif. À noter qu'il faut avoir une bonne compréhension de l'anglais pour apprécier ces visites à leur juste valeur et que, pour certaines d'entre elles, il faut aimer les détails techniques.

Backstage Safari *(3 heures; 72$; 16 ans et plus; lun et mer-ven à 8h30 et 13h)*: visite des installations dédiées aux animaux, commentée par des vétérinaires et des gardiens.

Wild by Design *(3 heures; 60$; 14 ans et plus; lun et mer-ven à 8h30)*: explication de la création des différentes parties du parc par ses artisans architectes, aménagistes et scénaristes.

Wild Africa Trek *(3 heures; 189$; 8 ans et plus; tlj, plusieurs fois par jour)*: lancée en janvier 2011, cette nouvelle aventure prend la forme d'une excursion au cours de laquelle un guide expert conduit un petit groupe d'au plus 12 personnes dans les coins du Disney's Animal Kingdom inexplorés par les autres attractions du parc. On promet aux participants une aventure des plus réalistes, comme s'ils exploraient les confins du continent africain. Au programme, randonnée dans la jungle à la rencontre d'innombrables animaux, passage au-dessus d'une rivière infestée de crocodiles et d'hippopotames sur un pont de cordage, exploration à bord d'un véhicule tout-terrain à la rencontre d'autres espèces animales et pause dans un camp de safari surélevé permettant d'observer encore plus d'animaux sauvages.

› Poussettes et fauteuils roulants

Vous en trouverez à la boutique Garden Gate Gifts, tout près de l'entrée principale, sur la droite.

› Renseignements et audioguides

Le bureau des *Guest Relations*, situé près de l'entrée du parc, sur la gauche, est l'endroit où vous arrêter pour obtenir tout renseignement de même que pour trouver des plans du parc en français. Vous pouvez aussi vous y procurer des audioguides qui traduisent en français la narration de plusieurs attractions. Ce service est gratuit, mais on vous demandera un dépôt qui vous sera remboursé lorsque vous rapporterez l'appareil. Les plans et les audioguides sont également disponibles en espagnol, en allemand, en japonais et en portugais.

› Service de collecte de paquets *(Package Pickup)*

Ceux qui magasinent beaucoup devraient songer à profiter de ce service gratuit. Il permet, si vous résidez dans un hôtel Disney, de faire livrer tous vos achats directement à votre lieu d'hébergement (généralement à la boutique de votre hôtel). Si vous logez à l'extérieur du Royaume, il offre aussi la possibilité de faire envoyer vos paquets au Garden Gate Gifts, qui se trouve près de l'entrée principale. Vous pourrez ainsi passer prendre vos emplettes au moment de quitter le parc, sans avoir à les traîner toute la journée. Mais attention: il y a souvent des «embouteillages» entre 17h et 18h, ainsi que durant la demi-heure qui précède la fermeture du parc.

The Oasis

Le Magic Kingdom a Main Street, U.S.A., les Disney's Hollywood Studios ont le Hollywood Boulevard, et l'Animal Kingdom a The Oasis.

Histoire de vous plonger dans l'atmosphère de l'aventure que vous vous apprêtez à vivre, cette première zone de l'Animal Kingdom revêt l'aspect d'un havre de verdure luxuriant aux détours duquel vous croiserez des cours d'eau, des cascades et des prés miniatures. Contrairement aux artères principales des autres parcs de Disney, toutefois, The Oasis n'a rien d'une succession de magasins et restaurants (si ce n'est le Rainforest Cafe, qui se trouve près d'une chute déferlante à gauche de l'entrée du parc). Il s'agit plutôt d'un endroit où vous aurez un premier aperçu de la douzaine d'habitats où évoluent de paisibles créatures telles qu'iguanes, aras et paresseux.

Il est intéressant de noter que beaucoup de gens parcourent rapidement cette section sous-appréciée, comme s'ils passaient d'un portail de débarquement à l'aire de livraison des bagages d'un aéroport, ce qui en fait l'une des zones les plus délicieusement tranquilles du parc. Pour tout dire, ce n'est souvent qu'au moment de s'acheminer vers la sortie d'un pas nonchalant, comme pour prolonger le bonheur de la journée (un peu comme dans Main Street, U.S.A. à l'heure de la fermeture), qu'ils prennent conscience du fait que cette section regorge en propre d'espèces poilues et ailées. Parmi les récompenses accordées à ceux qui s'attardent sur ces sentiers tropicaux, qu'il suffise de mentionner le spectacle peu commun des aras colorés (et bruyants!) qui se disputent une place dans les arbres, parfois de façon enjouée et parfois de façon beaucoup plus sérieuse.

Discovery Island

Disney aime voir la Discovery Island comme une colonie d'artistes africains. Cet ensemble coloré est mis en valeur par une œuvre d'art géante, l'*Arbre de la vie*, haut de 14 étages...

Il est approprié que l'immense *Tree of Life*, symbole par excellence du parc, se trouve sur la Discovery Island, le point de mire de l'Animal Kingdom tout entier, le point de rencontre de tous les *lands*.

Discovery Island Trails ★★★

La première chose que vous verrez en approchant de l'Animal Kingdom sera sans doute le très haut *Tree of Life*. Point focal de ce parc de 200 ha, il s'élève à 45 m dans les airs et arbore fièrement des milliers de feuilles bercées par la brise.

Sa taille et sa circonférence mises à part, le plus étonnant tient sans doute au fait que cette merveille naturelle n'en est pas une. À l'instar de nombreux repères du paysage global de Disney World, le *Tree of Life* est en effet une invention de toutes pièces. Son énorme tronc de 15 m de diamètre et ses racines formant un éventail de 50 m à sa base ont dû être fabriqués à l'extérieur du parc pour ensuite y être transportés morceau par morceau puis entièrement assemblés; son envergure est suffisante pour abriter un théâtre de 430 places sous son feuillage. Et si vous croyez que la pose annuelle des lumières de Noël constitue un défi, songez un instant que les architectes de cet arbre monumental ont dû fixer une à une, à la main, chacune de ses 8 000 branches, en les dotant de joints hautement perfectionnés qui leur permettent d'onduler de façon réaliste au gré des brises, rares mais rafraîchissantes, de la Floride centrale; et c'est sans compter les pauvres âmes qui ont dû apposer à la main chacune de ses 103 000 feuilles!

Outre la merveille en soi d'un tel accomplissement, cette attraction vous offre la chance de voir plus d'animaux. Façonné à même le réseau de racines du géant, un dédale de sentiers serpente en effet le long d'habitats abritant une douzaine d'espèces, entre autres des flamants, des lémuriens et des tortues.

Mais la partie la plus fascinante et sans aucun doute la plus amusante de votre aventure ici réside dans le tronc lui-même. Bien qu'il ressemble de prime abord à un simple amas d'«écorce», une inspection plus poussée révèle des centaines de représentations animales gravées, ce qui en fait en quelque sorte un gigantesque livre d'images cachées, si bien qu'au moment où vous croirez les avoir toutes trouvées il en surgira toujours une nouvelle devant vos yeux émerveillés. On dénombre au total 325 gravures, certaines des plus remarquables ayant pour objet un aigle à tête blanche et un énorme serpent.

À NOTER: Les sentiers qui font le tour de l'*Arbre de la vie* sont rarement encombrés, de sorte qu'il vaut mieux les arpenter lorsque vous éprouvez le besoin d'échapper momentanément au brouhaha du reste du parc, sans compter qu'en commençant par ici vous pourriez donner à vos enfants la fausse impression qu'ils devront passer la journée à admirer des œuvres d'art. En outre, en plus d'une ou deux grottes fraîches, les allées sont ici ponctuées de bancs, ce qui n'est pas à négliger lorsque la fatigue commence à se faire sentir.

It's Tough to be a Bug!

★★★★★

Après avoir subi pendant des siècles les assauts répétés de l'homme, et s'être hissés au sommet du palmarès peu flatteur des plus grandes nuisances de la planète, les insectes de toutes sortes s'unissent pour nous sensibiliser à leur condition. Des maîtres de cérémonie animés ressemblant aux personnages de *Une Vie de bestiole* (le film montré ici s'inspire en fait du long métrage présenté sur les grands écrans du monde entier) dépeignent en détail les atrocités dont les insectes font l'objet, et s'affairent à illustrer les périls qu'on doit affronter lorsqu'on a la taille d'une punaise.

S'ensuit une partie de pur plaisir, sans nul doute un des temps forts de la visite de ce parc. Sans trop vendre la mèche (ce qui gâcherait immanquablement votre plaisir), les effets spéciaux, d'une qualité remarquable, parviennent ici à surprendre, à faire sursauter et, grâce à des mécanismes intégrés aux fauteuils, à secouer littéralement 430 spectateurs ahuris qui ne peuvent s'empêcher de rire, gigoter, crier et, plus souvent qu'autrement, bondir de leurs sièges. Bref, on s'amuse follement, à moins bien sûr, d'être un «bibittophobe» invétéré, auquel cas il vaut sans doute mieux s'abstenir. Par contre, vous risquez de ne plus jamais chasser les moustiques sans y penser à deux fois.

Les créateurs de cette attraction ont anticipé les longues files d'attente (elles sont d'ailleurs parfois vraiment longues) et ont eu la brillante idée de les faire serpenter autour des racines du ***Tree of Life***, où vous pourrez tuer le temps en déchiffrant les représentations animales gravées dans le tronc et en observant diverses créatures vivantes dans leurs habitats. Il y a aussi quelques distractions d'avant-spectacle, ponctuées d'une musique de circonstance.

À NOTER: Les bruits forts, les trucages on ne peut plus réalistes et les «bestioles» plus vraies que nature de cette attraction la rendent effrayante pour certains jeunes enfants. Quelques braves petits (le plus souvent âgés d'au moins huit ou neuf ans) l'apprécient réellement quoique, dans la plupart des cas, les pleurnichements commencent à se faire entendre dès l'apparition des premiers insectes.

Notez par ailleurs qu'on peut facilement rater cette attraction «entomologique» du simple fait qu'elle est cachée parmi les racines du *Tree of Life*. Soyez donc vigilant.

Mickey's Jammin' Jungle Parade ★★★

Plusieurs personnages disneyens prennent part à ce défilé d'une quinzaine de minutes qui s'ébranle tous les jours, en après-midi, dans la zone thématique Africa et dont le tracé contourne la Discovery Island.

La joyeuse caravane met en vedette les Mickey, Goofy, Donald et autres Rafiki, le sage du *Roi Lion*, tous fiers d'arborer leur accoutrement de safari, de même que de nombreux personnages d'autres films d'animation comme *Le Livre de la Jungle*, *Tarzan* et *Pocahontas*.

À NOTER: Vérifiez l'horaire qui vous sera remis à votre arrivée au parc pour connaître l'heure exacte de ce défilé. Le secteur Africa, où commence et se termine le défilé, s'avère un bon point d'observation. En vous y rendant quelques minutes après le début du défilé, alors que la foule se sera alors dispersée, vous pourrez y jouir d'une vue dégagée lorsque le cortège sera de retour, en toute fin de parcours.

Camp Minnie-Mickey

La plus disneyenne des zones de l'Animal Kingdom est aussi celle où vous trouverez Mickey lui-même.

Élaboré sur le modèle d'une colonie de vacances des Adirondacks, le Camp Minnie-Mickey est d'abord et avant tout l'endroit tout indiqué pour recueillir des autographes. Mais ne le négligez pas pour autant si vous n'êtes pas accompagné d'inconditionnels de John Hancock, car c'est ici qu'on présente Festival of the Lion King, un des meilleurs (sinon le meilleur) spectacles de Disney.

Festival of the Lion King ★★★★★

Inspiré du méga-succès de Lion King sur Broadway, ce spectacle enlevant de 30 min réunit costumes flamboyants, musique enivrante et interprètes aux voix renversantes. À la différence d'autres spectacles de Disney, il ne se contente pas de reprendre l'histoire du film. Simba, Pumba et Timon sont bien sûr présents (certains d'entre eux apparaissent sur des chars allégoriques qui semblent avoir été empruntés au défilé du Roi Lion), mais ne jouent ici qu'un rôle plus ou moins secondaire. Ce sont en effet les autres interprètes qui volent la vedette, à savoir d'impressionnants jongleurs de feu, des singes faisant du trampoline, des acrobates aériens et des animaux de la jungle pour le moins fantaisistes, qui tous se produisent au son des mélodies du film, sans parler des quatre excellents chanteurs en costume tribal. Les spectateurs eux-mêmes sont de la partie, puisqu'on assigne à chacune des quatre sections du théâtre le rôle d'émettre en temps voulu le cri d'un animal, notamment celui du lion, de la girafe (quelqu'un connaît-il le cri de cet animal?) ou du phacochère (les parents seront heureux d'apprendre que leurs enfants aimeront tellement le grognement du phacochère qu'ils l'imiteront immanquablement tout le reste de la journée). On choisit par ailleurs quelques tout-petits pour danser avec la troupe au cours du dernier numéro. Tout cela sent bien sûr un peu la guimauve, mais il y a fort à parier que vous serez complètement conquis par la finale grandiose, qui reprend de façon magistrale l'indicatif musical de Simba, *Circle of Life*.

À NOTER: Le théâtre pouvant accueillir 1 400 personnes à la fois, les foules ne constituent pas un problème en soi. Néanmoins, comme il s'agit d'un spectacle très couru, et qu'il peut parfois être présenté à guichets fermés, arrivez 30 min à l'avance.

Greeting Trails ★★

Vous avez vu le phacochère et toisé la mangouste au Festival of the Lion King. Le temps est maintenant venu de rencontrer les vrais personnages de Disney. Mickey, Minnie et une brochette changeante de leurs compères circulent ici tout au long de la journée en tenue de safari, toujours prêts à signer des autographes et à se laisser photogra-

Où rencontrer les personnages de Disney à l'Animal Kingdom

Situés dans le secteur Camp Minnie-Mickey, les Greeting Trails permettent de rencontrer plusieurs personnages vêtus de leur costume de safari, dont Mickey et Donald, qui se succèdent dans quatre pavillons différents tout au long de la journée.

D'autres rencontres sont possibles à DinoLand U.S.A., sur la Discovery Island et au Rafiki's Planet Watch.

Quant au restaurant Tusker House, on y organise des petits déjeuners et des déjeuners animés par Donald le canard et ses amis.

phier aux côtés des aventuriers de l'Animal Kingdom. Informez-vous au préalable des sentiers où vous attendent les différents personnages.

À NOTER: Peu de gens associent l'Animal Kingdom aux personnages de Disney (qu'ils comptent plutôt rencontrer au Magic Kingdom). Il en résulte que les files d'attente sont souvent moins longues qu'au royaume habituel de ces êtres animés.

Africa

Il a fallu à Disney plus que de l'imagination pour recréer son village africain. La confection de ses toits de chaume caractéristiques a en effet obligé la firme à faire appel à des experts, soit des artisans zoulous, chargés d'assembler des monceaux de paille importés directement d'Afrique. Le produit fini rend hommage à leur dur labeur dans un décor authentiquement africain qui reproduit le village portuaire d'Harambe avec son marché trépidant, ses murs de corail blanc et son architecture d'inspiration swahilie.

La grande attraction des lieux, les Kilimanjaro Safaris, est une activité tout à fait appropriée à cette mise en scène parfaitement crédible. Mais prenez aussi le temps d'apprécier les moindres détails du paysage qui vous entoure, on ne peut plus fidèle à son modèle. Il serait en effet honteux de négliger les charmes inhérents à cette zone en passant tout votre temps à faire la queue.

Kilimanjaro Safaris

FP ★★★★★

L'authenticité atteint ici de nouveaux sommets, et il s'agit sans contredit de l'attraction-vedette de l'Animal Kingdom, étalée sur 45 ha et d'un réalisme incomparable.

Vous saurez que vous vous apprêtez à vivre une expérience unique dès lors que vous prendrez place à bord du véhicule chargé de vous entraîner dans cette aventure. En effet, les tout-terrains utilisés ici ne circulent pas sur un rail, mais sont plutôt pilotés par des conducteurs en chair et en os qui doivent emprunter des chemins de terre authentiquement cahoteux (assurez-vous de ranger vos effets dans les filets de rétention mis à votre disposition).

Le paysage, d'abord composé d'épaisses broussailles, ne tarde pas à s'ouvrir sur un magnifique panorama de savane, pour lequel Disney mérite d'emblée moult félicitations. Les acacias et les baobabs sont tout simplement renversants, et vous plongent dans un décor qui ne semble pouvoir exister qu'en Afrique, et nulle part ailleurs.

Vous commencerez à voir des animaux presque aussitôt après le départ, entre autres quelque impala qui ne manque jamais de susciter des soupirs d'émerveillement et de se laisser photographier. Ayez la sagesse de ne pas épuiser toute votre carte mémoire au cours des premières minutes, car bien d'autres surprises vous attendent, notamment des lions se faisant paresseusement dorer au soleil sur leurs rochers climatisés, des girafes grignotant la cime des arbres, des éléphants en train de faire trempette, des guépards, des rhinocéros, des phacochères et des hippopotames. Vous aurez d'ailleurs l'impression qu'ils vivent tous en harmonie, si ce n'est que des frontières invisibles les empêchent de se dévorer entre eux et de transformer votre rêve en cauchemar. Les espèces les plus inoffensives peuvent par contre errer à leur guise et s'approcher du véhicule qui vous transporte, ce qui donne lieu à des rencontres mémorables et bloque parfois complètement la circulation.

À la différence de la Jungle Cruise du Magic Kingdom, les guides ne semblent ici suivre aucun script et se livrent plutôt à des narrations apparemment improvisées (quoiqu'on ait du mal à imaginer que Disney ne leur impose pas certaines directives). La seule chose qu'on puisse regretter, c'est que tous les guides n'aient pas la même verve; ils vous indiqueront néanmoins les hauts points à ne pas manquer au passage, et les panneaux explicatifs apposés au dossier des sièges vous aideront, le cas échéant, à identifier ce que vous voyez.

À noter qu'une partie du parcours a été réaménagée au cours de l'année 2012. On a alors fait disparaître le secteur où l'on voyait des éléphants audio-animatroniques et la mise en scène au sujet de braconniers coupables de trafic d'ivoire qui allait de pair.

La bonne nouvelle est que l'élimination de ces éléments artificiels a libéré davantage d'espace consacré à la reconstitution de la savane africaine. Cette reconfiguration réussie rend dorénavant possible l'observation d'encore plus d'animaux, notamment de nombreux zèbres.

À NOTER : Étant donné que les animaux n'obéissent à aucun scénario, le contenu faunique du safari varie à chaque nouveau passage. Rien ne garantit que vous verrez telle ou telle espèce, mais on s'entend généralement pour dire que les animaux sont surtout actifs aux premières heures de la matinée. Retenez par ailleurs que le safari cesse ses activités un peu plus tôt que le reste du parc, parfois même aussi tôt que 16h30.

Pangani Forest Exploration Trail ★★★★

Au terme des Kilimanjaro Safaris, la route vous conduit à l'entrée du sentier d'exploration de la forêt de Pangani.

Même si, d'entrée de jeu, cette attraction peut vous sembler décevante après l'impressionnant safari que vous venez de vivre, vous devez savoir que les choses s'améliorent par la suite. Pour tout dire, une fois au cœur de la «jungle», vous aurez du mal à croire que le Magic Kingdom ne se trouve pas carrément à l'autre bout du monde.

Hormis une promenade dans un cadre luxuriant et verdoyant, l'exploration de cette forêt vous permettra d'admirer de plus près certains spécimens que vous avez sans doute à peine entrevus alors que vous vous trouviez dans la savane, entre autres de petits animaux tels que l'okapi (qui ressemble au zèbre mais qui appartient en fait à la même famille que la girafe) vivant en bordure des sentiers. Parmi les attraits les plus saisissants des lieux, il convient de mentionner l'immense vitrine donnant sur le bassin des hippopotames. Ce spectacle sous-marin, qui relève du plus gracieux des ballets, constitue d'ailleurs probablement votre seule chance de contempler ces mastodontes dans toute leur splendeur, puisque leur tendance à passer la plus grande partie de leur temps sous l'eau fait qu'on n'aperçoit bien souvent que le bout de leurs oreilles au cours du safari.

À mi-chemin du sentier d'exploration, une «station de recherche» permet d'observer des rats-taupes (entièrement glabres) et propose quelques activités interactives, entre autres avec ces casques d'écoute grâce auxquels vous entendrez des cris d'animaux parfaitement convaincants, au point, dans certains cas, de vous donner la chair de poule et de vous faire espérer de tout cœur que vous n'aurez jamais à les entendre d'aussi près dans la nature.

Mais le clou de cette aventure, et peut-être même du parc tout entier, vous attend dans l'enclos des grands singes, soit de majestueux gorilles argentés en compagnie de leurs petits. Ces énormes bêtes velues au regard profondément humain vivent ici dans un coin de jungle d'un réalisme remarquable et se laissent observer du haut d'un pont suspendu. On a poussé l'effet jusqu'à vous faire croire qu'ils peuvent vous atteindre en se balançant d'une branche à l'autre, mais n'ayez crainte car il n'en est rien.

Tout au long de votre périple, des soigneurs d'animaux judicieusement postés se feront un plaisir de répondre à vos questions en y mettant une pointe d'humour, du genre : *«Vous pouvez me demander n'importe quoi; si je ne connais pas la réponse, j'en inventerai une et vous n'y verrez de toute façon que du feu.»*

À NOTER : Les imposants gorilles semblent avoir le don d'éveiller le primate qui sommeille en l'homme, lequel se met alors à sauter et à hurler comme un singe dans le but manifeste de susciter une réaction monstre de la part de ses «semblables». Or, il vaut sans doute mieux prendre garde à vos souhaits, car les bruits excessifs ont tendance à irriter ces géants de la forêt, qui peuvent alors chercher à refroidir vos ardeurs en vous lançant... des excréments!

La planète Pandora chez Disney?

À l'automne 2012, Disney a annoncé la signature d'une entente à long terme avec le réalisateur James Cameron et Fox Filmed Entertainment afin que soit créée une zone thématique inspirée du fameux film 3D *Avatar* dans le parc Animal Kingdom.

Cette reconstitution de la planète Pandora nécessitera des investissements de l'ordre de 400 millions de dollars. On parle donc d'un ajout majeur dont les travaux devraient commencer en 2013 en vue d'une inauguration en 2016 ou 2017. Le maillage entre *Avatar* et le monde animal mis en avant-plan dans ce parc a de quoi surprendre à priori. On peut toutefois penser que c'est le message écologiste du film de Cameron (et du deuxième épisode que l'on prévoit produire au cours des prochaines années) qui servira de lien entre les deux univers.

Bien que rien n'ait officiellement été annoncé en ce qui a trait à la localisation précise d'« Avatar Land », plusieurs n'hésitent pas à pointer du doigt l'actuel site du Rafiki's Planet Watch, sur lequel des rumeurs de réaménagement majeur courent depuis des années. D'autres sources évoquent plutôt la transformation de la zone Camp Minnie-Mickey.

Rafiki's Planet Watch

Lorsque vous en aurez assez de marcher, montez à bord du train pour vous rendre au Rafiki's Planet Watch. Sa locomotive aux airs d'antan entraîne le convoi jusqu'à un centre éducatif interactif où vous en apprendrez un peu plus sur la façon dont les animaux qui vivent ici sont traités. La large baie vitrée donnant sur le centre vétérinaire permet d'observer les animaux en train de se faire soigner, mais, si vous souhaitez vous approcher encore plus de vos amies les bêtes, sachez que l'Affection Section, aménagée à l'extérieur, vous donne la possibilité de flatter et de caresser certaines d'entre elles. La visite terminée, reprenez le train pour retourner à votre point de départ.

À NOTER: D'une manière générale, le Rafiki's Planet Watch n'attire pas les foules. L'absence d'attraction au sens disneyen du terme et l'éloignement relatif du site en découragent plus d'un. Si vous en êtes à votre première visite au Disney's Animal Kingdom, limitez-vous à la balade en train sans en descendre ou oubliez tout simplement ce secteur et utilisez votre temps précieux pour découvrir les autres zones thématiques. On raconte toutefois que les membres de l'équipe de Disney planchent actuellement sur une transformation importante du secteur; voilà qui est à surveiller.

Wildlife Express Train

★★

La seule façon d'accéder au secteur Rafiki's Planet Watch est de monter à bord de ce train à la gare qui se trouve à l'est de la zone Africa. Les départs ont lieu toutes les 5 à 7 min, et le train prend un peu plus de 5 min pour se rendre à destination.

Tout au long du voyage, qui vous permet de découvrir en partie l'envers du décor, un guide vous indiquera l'emplacement des enclos qui hébergent les divers animaux durant la nuit. Vous apercevrez d'ailleurs quelques espèces au passage.

À NOTER: Cette balade à bord d'un train peut s'avérer agréable et permettre quelques moments de répit, mais, si l'attente s'annonce trop longue, vous ne perdrez pas grand-chose à passer outre.

Habitat Habit! ★★

Cette section du Rafiki's Planet Watch, accessible dès votre descente du train, permet de vous offrir une courte randonnée pédestre à la découverte de petits animaux comme les tamarins, une variété de primates menacée d'extinction.

À NOTER: Voilà une attraction somme toute mineure.

Conservation Station ★★★

Les visiteurs prendront ici connaissance des diverses activités liées aux soins apportés aux animaux et aux recherches menées sur la conservation de certaines espèces par les experts du parc zoologique qu'est, au fond, le Disney's Animal Kingdom. Aussi trouve-t-on dans cette portion du parc les services de médecine vétérinaire, de même que ceux de préparation de la nourriture destinée aux animaux. Une exposition composée de divers éléments interactifs est également au programme, avec notamment des vidéos, des bornes éducatives et un spectacle audio reproduisant de manière fort réaliste les sons de la forêt tropicale humide.

À NOTER: Les adultes apprécieront cette visite, surtout si des vétérinaires et autres experts sont présents pour répondre à leurs questions (ce n'est toutefois pas toujours le cas).

Affection Section ★★

Les enfants aiment tout particulièrement cette section du Rafiki's Planet Watch, car ils peuvent s'approcher de certains animaux (chèvres, moutons, lamas, oies et autres) afin de les caresser.

Asia

Un dragon aquatique haut en couleur et un pont en pierre flanqué de colonnes pointues vous accueillent en Asie, cet autre continent auquel l'Animal Kingdom rend hommage.

Cette zone thématique est celle où vous vivrez des aventures telles qu'une expédition «saute-moutons» (descente de rapides) en canot pneumatique et une promenade le long d'un sentier parcourant un palais remarquable. Le village rural de cette zone est par ailleurs gorgé d'authentiques vestiges, et ne manquez pas de jeter un coup d'œil aux débris colorés qui flottent dans l'eau à l'entrée des lieux; la pleine cargaison de fournitures camoufle, pour sa part, une réserve de boissons gazeuses.

Mais c'est la silhouette du mont Everest, rien de moins, qui s'impose dorénavant comme le symbole de cette section du parc.

Flights of Wonder ★★★★

Si quelqu'un crie «*Duck!*» au cours de ce spectacle d'oiseaux, ce n'est pas pour attirer votre attention sur la présence sur scène d'une espèce particulière de canard (*duck* en anglais), mais plutôt pour vous prévenir de l'approche d'un volatile en rase-mottes (autrement dit, baissez-vous!).

Les manœuvres de vol à vous décoiffer ne constituent qu'un aspect de ce spectacle à saveur ornithologique, au cours duquel il arrive néanmoins à plusieurs reprises que d'énormes aigles et faucons vous frôlent de si près, que vous sentirez les déplacements d'air qu'ils provoquent. D'autres espèces ailées exécutent par ailleurs des tours de leur propre cru, et certains membres de l'auditoire ont même la chance de monter sur scène pour lancer en l'air des raisins qu'un oiseau s'empresse d'attraper en plein vol. Vous êtes-vous jamais inquiété des manières de vos enfants à table? Eh bien, observez la façon dont le cariama «attendrit» («terrorise» serait sans doute plus juste!) sa nourriture en la frappant contre un rocher (ne vous en offusquez pas, car il ne s'agit ici que d'un lézard en caoutchouc).

À NOTER: Afin d'éviter les foules, vous voudrez assister à ce spectacle de bon matin, dès votre arrivée, ou encore juste avant la fermeture. Assurez-vous d'arriver bien à l'avance, surtout si vous espérez être choisi comme volontaire pour monter sur scène, car les animateurs prennent souvent des personnes assises dans les premiers rangs (quoique pas toujours).

Maharajah Jungle Trek ★★★★

Au plus profond de l'Asie se trouvent le village mythique d'Anandapur et les ruines de ce qui fut jadis le somptueux palais d'un maharajah.

Tout en ruine qu'il soit, le palais créé par Disney demeure spectaculaire. Sur une vaste propriété – vous jurerez que vous êtes dans un autre pays – se prélassent des tigres donnant l'impression de se prendre pour les rois des lieux (et qui oserait les contredire?); déjà imposants par leur taille, ils déploient une agilité féline qui vous laissera pantois, comme lorsqu'ils plongent dans l'eau depuis le sommet des ruines. Autre vision de rêve que celle des roussettes géantes, ces chauve-souris frugivores dont les ailes peuvent atteindre une envergure de 2,5 m; avec une tête pareille, il ne fait aucun doute qu'elles ne sont aimées que de leur mère, mais ces dormeurs suspendus ne cessent jamais pour autant de nous fasciner (surtout lorsqu'ils ne peuvent s'échapper!). Enfin, vous serez également captivé par le dragon de Komodo et l'étonnante volière.

À NOTER: Si vous vous donnez la peine de suivre scrupuleusement le tracé autoguidé afin d'apprécier pleinement cette attraction, il vous faudra un bon moment pour en faire le tour. De plus, comme vous ne pourrez apporter ici aucune nourriture (pas même un cornet de crème glacée), veillez à ce que personne n'arrive l'estomac dans les talons.

Kali River Rapids

FP ★★★★

Quoi de mieux, pour se rafraîchir après une journée harassante dans l'Animal Kingdom, qu'une randonnée sur la rivière Chakranadi!

D'immenses canots pneumatiques vous entraînent tout droit vers les rapides au beau milieu de la jungle, virevoltes, éclaboussures et quasi chavirements à la clef. Vous vous demandez à quel point vous vous ferez mouiller? Vous aurez votre réponse en voyant les groupes qui vous précèdent tordre leurs vêtements à la sortie des canots.

La camaraderie qui ne manque pas de naître entre des compagnons de fortune vivant une expérience commune des plus intenses ne tarde pas à s'installer entre les 12 parfaits inconnus qui prennent place à l'intérieur d'un même canot. Cela dit, ne soyez pas surpris de voir certains de vos coéquipiers insister pour que vous vous fassiez tremper. Il n'y a, somme toute, aucune règle absolue permettant de déterminer qui devra ou non tordre son pantalon à la sortie (vous pouvez à tout le moins sauver votre appareil photo en l'enfermant dans le casier étanche qui se trouve au centre du canot pneumatique), quoique les passagers faisant face au devant de l'embarcation à tribord (sur la droite) semblent écoper davantage que les autres.

Si vous n'êtes pas trop occupé à vous essuyer les yeux, vous pourrez admirer le paysage entourant les ruines de temples et diverses autres structures. Mais ne vous en faites pas trop si ces détails vous échappent, car vous avez sans doute eu amplement de temps pour contempler l'imposante collection de vestiges présentée dans l'aire d'attente.

À NOTER: Taille minimale 0,97 m. Les longues files d'attente de cette attraction fort prisée ne constituent que la moitié du défi à relever, puisque vous devrez passer la majeure partie de ce temps mort en plein soleil. Pour minimiser ces inconvénients, tentez de profiter de cette excursion de bonne heure; vous pouvez aussi y aller en fin de journée, auquel cas la queue ne sera pas moins longue, mais le soleil aura quelque peu apaisé ses ardeurs.

Expedition Everest – Legend of the Forbidden Mountain FP ★★★★★

C'est la fameuse reproduction du mont Everest, tout de même haute de 61 m, qui abrite cette remarquable attraction. Dorénavant, sa silhouette imposante coiffée de neiges éternelles rivalise avec le *Tree of Life* pour le titre d'icône visuelle d'Animal Kingdom, rôle joué par le château de Cendrillon au Magic Kingdom, la sphère géodésique à Epcot et le chapeau de magicien géant aux Disney's Hollywood Studios.

Il a fallu six ans aux créateurs de Disney pour mettre cette attraction au point. Ils se sont par exemple rendus plusieurs fois au Népal afin de pouvoir réaliser le plus fidèlement possible son décor inspiré de l'Himalaya. Ainsi, la reconstitution du village qui s'étend au pied de la montagne, Serka Zong, est absolument remarquable, et ce, jusque dans les plus infimes détails.

Après une attente qui risque d'être longue, vous monterez à bord d'un train qui escalade la montagne jusqu'à son sommet... puis entreprend, vous vous en doutez bien, une folle descente. Celle-ci est toutefois brusquement interrompue alors que le train réussit à s'immobiliser juste avant le plongeon fatal qui semble inéluctable à la vue, droit devant vous, de la voie brisée qui mène directement dans le vide...

Puis, le train repart à toute vitesse en marche arrière dans l'obscurité la plus complète, avant de reprendre sa descente effrénée jusqu'à la rencontre effrayante avec la version audio-animatronique de l'«abominable homme des neiges». Au total, vous aurez parcouru 1,6 km.

Bien que ces montagnes russes hors du commun ne contiennent aucune boucle ou vrille, elles feront la joie des amateurs de sensations fortes grâce à leurs descentes abruptes, dont une de 24 m, leurs virages serrés et leurs courbes des plus inclinées. Cela rappelle le **Big Thunder Mountain Railroad** (voir p. 95) du Magic Kingdom, mais en plus haut, en plus rapide et avec, en prime, des effets visuels et sonores qui évoquent habilement l'omniprésence du yéti.

À NOTER: Taille minimale 1,12 m. Cette attraction est actuellement la plus prisée du parc. Les foules qu'elle attire contribuent d'ailleurs au réalisme du village bouillonnant d'activités que l'on trouve à la base de la montagne. Procurez-vous un des *Fastpass* dès votre arrivée au parc, car ils s'envolent très vite, et ce, très tôt en début de journée. Sinon, il vous faudra bien souvent prévoir une attente de deux heures en moyenne.

DinoLand U.S.A.

Vous ne pourrez manquer l'entrée de cette merveille paléontologique, marquée par la présence d'un immense squelette de brachiosaure. La réalité et la fiction font plutôt bon ménage dans ce décor préhistorique (contrairement aux espèces carnivores et herbivores qui peuplaient jadis la Terre). Lors de votre séjour ici, vous pourriez tout aussi bien remonter dans le temps jusqu'au Big Bang que faire la connaissance d'authentiques paléontologues affairés à assembler les restes d'un tyrannosaure (*t-rex*). Mais tout ce qui est préhistorique ne revêt pas nécessairement une forme fossile; à preuve, les jardins et les habitats qui bordent le **Cretaceous Trail** (sentier du crétacé) abritent des spécimens bien vivants, soit des plantes et des animaux descendant directement de ceux qui proliféraient sur Terre il y a des millions d'années.

Suivez le sentier!

Tout n'est pas que vestiges du passé à DinoLand U.S.A. Le Cretaceous Trail, un sentier ponctué de panneaux explicatifs aux abords de DINOSAUR, se voit bordé de plantes et d'animaux, y compris de certaines créatures qui descendent directement d'espèces préhistoriques et d'autres qui ont carrément survécu au crétacé. Beaucoup de ces dernières (entre autres les crocodiles et les alligators) ont de fait à peu près la même allure qu'il y a des millions d'années.

DINOSAUR FP ★★★★

Dans les salles auréolées du centre de recherche immaculé de l'Animal Kingdom, les «investigateurs» du Dino Institute vous proposent une aventure irrésistible: un voyage rapide à bord d'une machine à remonter dans le temps de manière à pouvoir observer les dinosaures dans leur environnement naturel. Cependant, un savant sans scrupules a programmé votre Time Rover pour qu'il lui ramène un «iguanodon», une espèce qu'il convoite tout particulièrement. On pourrait à la rigueur lui pardonner cette fantaisie de mauvais goût, si ce n'est que le véhicule qui vous transporte ne parvient à s'acquitter de sa mission que quelques millisecondes à peine avant qu'un redoutable météorite ne s'abatte sur Terre pour y détruire toute manifestation de vie.

Des voitures à commande hydraulique et divers effets spéciaux pour le moins ardents vous frôlent à toute allure alors que vous remontez dans le temps jusqu'aux origines du monde, après quoi vous serez menacé par des dinosaures à longues dents. Il fait sombre, il y a beaucoup de bruit, et les sursauts sont assez violents pour faire voler les chapeaux et les articles plus ou moins lâches que vous portez sur vous (les bacs qui se trouvent en face de vous ne sont pas là pour rien!). Hormis les contorsions et les virages, la vraie peur vient ici de vos propres appréhensions, car vous savez que des monstres hideux et menaçants vont tôt ou tard surgir devant vous; seulement, voilà, vous ne savez jamais quand ni où.

La mauvaise nouvelle, c'est que la file d'attente est presque toujours longue; la bonne, c'est qu'une fois à l'intérieur du centre de recherche, vous attendrez au moins dans le confort d'une salle climatisée.

À NOTER: Taille minimale 1,02 m. Bien qu'il y ait ici passablement d'action, les amateurs de sensations vraiment fortes risquent d'être un tant soit peu déçus dans la mesure où, au dire de certains, il y a davantage de brasse-camarade que de véritables effets créatifs. Mais ne vous en privez à aucun prix. Et si vous désirez rehausser quelque peu l'expérience, songez à prendre place tout à l'arrière.

Primeval Whirl FP ★★★

Sorte de zone thématique dans la zone thématique, le secteur baptisé **Chester & Hester's Dino-Rama!** a toutes les allures d'une fête foraine avec ses jeux d'adresse (**Fossil Fun Games**) et ses manèges traditionnels comme TriceraTop Spin et le surprenant Primeval Whirl.

Ce dernier manège n'est pas aussi rapide que le Space Mountain ou aussi excitant que le Rock 'n' Roller Coaster. Mais ce qui en fait une balade intéressante est son double impact: des montagnes russes qui tournoient comme des Tea Cups (ce qui signifie que, selon votre tempérament, vous en sortirez secoué ou que vous aurez peut-être la nausée). Les véhicules accueillent jusqu'à quatre passagers et entreprennent des descentes abruptes et des virages très serrés, souvent en tournoyant le long du parcours. Innovateur et très amusant! Et, étonnamment, c'est beaucoup plus impressionnant que ça en a l'air vu du sol.

À NOTER: Taille minimale 1,22 m. Primeval Whirl a les honneurs de former l'une des plus longues files d'attente de tout Disney World. Accordez-vous une faveur: munissez-vous d'un laissez-passer rapide (*Fastpass*), s'il est possible de s'en procurer un le jour de votre visite, et faufilez-vous devant la queue.

TriceraTop Spin ★★

Dumbo the Flying Elephant (voir p. 104), mais à dos de dinosaure! Qu'ajouter de plus?

À NOTER: Vu que c'est la seule vraie balade enfantine du parc, les files d'attente tendent à s'allonger. Hélas, il n'y a pas de *Fastpass* pour cette attraction. Donc, mieux vaut y aller très tôt ou très tard.

Finding Nemo – The Musical ★★★

Inaugurée à la fin de 2006, cette comédie musicale met en vedette les personnages du film d'animation Finding Nemo et est composée de chansons originales, absentes du film, écrites par Robert Lopez. C'est dans le Theater in the Wild, l'amphithéâtre qui a abrité le spectacle Tarzan Rocks! au cours des sept années précédentes, qu'a lieu cette présentation. Notez toutefois que la salle en question a depuis subi une rénovation majeure et qu'elle est désormais couverte et climatisée.

Le spectacle reprend l'histoire de Marlin, le «papa poisson-clown surprotecteur», de son espiègle fils Nemo et de leurs amis parmi lesquels figure Doris, l'irrésistible poisson bleu dépourvu de mémoire à court terme. Ces personnages prennent vie sur scène sous la forme de grandes marionnettes manipulées par des comédiens-chanteurs qui ne font aucun effort pour se cacher, ni même pour se faire discrets, ce qui pourra en agacer certains. Des séquences animées sont aussi mises à contribution dans cette production de 40 min conçue pour plaire à toute la famille.

À NOTER: Ce spectacle attire des foules importantes, si bien que le théâtre est souvent rempli à capacité. Il faut arriver au moins 30 min à l'avance. Les jeunes enfants apprécient grandement le spectacle, et ce, malgré le fait que les chansons qu'on y interprète leur soient inconnues puisqu'on ne les entendait pas dans le film. Si toutefois votre groupe n'inclut pas de jeunes bambins, vous pouvez passer outre cette attraction sans trop de remords.

The Boneyard ★★★

Considérez le Boneyard comme le *t-rex* des terrains de jeu. À l'instar du **Honey, I Shrunk the Kids Movie Set Adventure** (voir p. 151) des Disney's Hollywood Studios, le Boneyard est une «jungle-gymnase» à thème, soit, dans le cas qui nous occupe, un site de fouilles paléontologique déserté. Vous y trouverez des véhicules d'excavation, des os de dinosaure et de nombreux rochers propres à l'escalade; vous pourrez même enfoncer votre tête dans la gueule d'un tricératops. Les adultes aventureux peuvent eux-mêmes y prendre du plaisir, en particulier sur les hauteurs de la sculpture à escalader, où une pente raide (suffisamment escarpée pour vous obliger à vous hisser au sommet au moyen d'une corde) défie jeunes et moins jeunes. Et, lorsque vous en aurez assez de grimper, vous pourrez entreprendre de creuser dans le bac à sable géant pour y déterrer un fossile.

À NOTER : Si vous avez des enfants, prévoyez passer un bon moment ici. L'escalade à elle seule a quelque chose d'enivrant, et le thème dinosauresque des lieux en fait une attraction que les bambins ne voudront plus quitter.

Ailleurs à Disney

Certains disent que le reste de Disney World est tout ce qu'il y a de mieux au monde. Et, quand on sait ce qu'est «le reste», on ne peut qu'être d'accord. Il y a d'épaisses pinèdes où camper ainsi que de grands lacs limpides sur lesquels faire des promenades en bateau. Il y a aussi de paisibles rivières, des toboggans aquatiques vertigineux et l'une des plus grandes piscines de la Floride. Et que dire des boutiques originales ou des balades en charrette à foin.

Le reste du Monde se compose notamment de **Fort Wilderness**, un vaste terrain de camping boisé, doublé d'une base de plein air. Ailleurs on trouve une île tropicale artificielle: le **Typhoon Lagoon**, un paradis aquatique entouré de sable et de palmiers. Et, à **Blizzard Beach**, une version «enneigée» du Typhoon Lagoon, vous découvrirez le toboggan aquatique le plus rapide de Disney. Puis, il y a **Downtown Disney**, subdivisé en trois secteurs distincts: **West Side**, **Pleasure Island** et le **Marketplace**, avec leurs boutiques et leurs restaurants.

Puis, il y a l'**ESPN Wide World of Sports Complex**, un important regroupement d'équipements sportifs où sont présentées des compétitions de premier plan, le **BoardWalk**, qui recrée habilement l'ambiance bon enfant des stations balnéaires de la côte est des États-Unis, et les magnifiques **terrains de golf** qui s'étendent ici et là dans le Royaume.

Il y a tellement de choses à faire et à voir qu'on pourrait facilement passer une semaine entière à parcourir ces attractions additionnelles qui représentent vraiment la cerise sur le gâteau de Disney.

Sans aucun doute la société Disney a-t-elle ajouté ces attractions au fil des ans afin de vous garder plus longtemps et de vous faire dépenser plus d'argent. Mais elle vous offre en retour des options particulièrement intéressantes. Ainsi, après une journée épuisante à Epcot ou au Magic Kingdom, vous pourrez vous la couler douce le lendemain dans un des parcs secondaires. Plusieurs endroits se trouvent en effet en pleine nature, loin des attractions informatisées des grands parcs thématiques, et à deux d'entre eux, vous pourrez même vous baigner. Ces parcs secondaires sont aussi moins coûteux que les grands parcs thématiques et, sauf pour le **Typhoon Lagoon** et **Blizzard Beach**, vous n'y trouverez pas de longues files d'attente.

Ces lieux paisibles et économiques sont très prisés des habitants de la région, qui évitent le plus souvent les grands parcs. Et, comme eux, lorsque vous aurez découvert la face visible de Disney World, vous voudrez à tout prix explorer «le reste» de ce monde enchanteur. Pour localiser les différents sites, veuillez vous référer au plan général du Walt Disney World Resort au verso de la page couverture.

Fort Wilderness ★★★

D'une superficie de 300 ha, parcouru de ruisseaux et de canaux, grouillant de petits animaux et d'endroits où se baigner, faire du vélo, courir ou se cacher, ce site boisé est un véritable pays des merveilles. À Fort Wilderness, les clôtures sont fabriquées avec des piquets de pin, les arrêts d'autobus sont couverts de bardeaux de bois, et les poubelles elles-mêmes ressemblent à des souches. Des allées revêtues, surplombées de pitchpins américains, sillonnent des kilomètres d'emplacements de camping, conduisant toutes au lac Bay, dont les eaux enchanteresses sont auréolées de cyprès et de roseaux.

Fort Wilderness est la seule attraction qui a su conserver à peu près intacte son allure sauvage d'il y a une cinquantaine d'années, époque à laquelle Disney en fit l'acquisition. Dommage, toutefois, que seuls les totems dressés devant le poste de traite honorent la mémoire des premiers habitants de cette forêt, les Indiens séminoles. C'est ici que les enfants pourront se procurer des chapeaux à queue de raton laveur et des fusils jouets. Les conducteurs d'autobus de Fort Wilder-

À ne pas manquer!

› Les attractions

Typhoon Lagoon p. 178

Blizzard Beach p. 181

Cirque du Soleil: ***La Nouba*** p. 187

› Les bonnes adresses

Restaurants

Wolfgang Puck Grand Café (Downtown Disney West Side) p. 278

Fulton's Crab House (Downtown Disney Pleasure Island) p. 278

Chef Mickey's (Disney's Contemporary Resort) p. 279

California Grill (Disney's Contemporary Resort) p. 281

Todd English's Bluezoo (Walt Disney World Dolphin) p. 281

Victoria & Albert's (Disney's Grand Floridian Resort & Spa) p. 281

Sorties

Paradiso 37 (Downtown Disney Pleasure Island) p. 290

House of Blues (Downtown Disney West Side) p. 290

Jerryrolls (Disney's BoardWalk) p. 292

ESPN Club (Disney's BoardWalk) p. 292

Splitsville Luxury Lanes (Downtown Disney West Side) p. 291

Achats

The World of Disney (Downtown Disney Marketplace) p. 299

LEGO Imagination Center (Downtown Disney Marketplace) p. 299

The Art of Disney (Downtown Disney Marketplace) p. 299

Arribas Brothers (Downtown Disney Marketplace) p. 299

ness contribuent à leur manière à recréer une ambiance de coin perdu en racontant des blagues de camping d'une voix nasillarde.

Pour les familles au budget limité, ou aimant le grand air, ce terrain de camping constitue un lieu de séjour idéal (voir p. 256). L'endroit regorge d'activités pour les enfants et de lieux de relaxation pour les parents. Qu'il s'agisse d'équitation, de canot ou de simple détente sur la plage, tout est ici axé sur la nature.

› Accès et déplacements

Que vous vous y rendiez en autobus Disney ou à bord de votre propre véhicule, le voyage jusqu'au cœur de Fort Wilderness est assez long. La voiture demeure cependant le moyen le plus rapide et le plus facile pour y accéder. Voici les différentes options qui s'offrent à vous.

En voiture

De la **route I-4** (Interstate 4), empruntez la sortie 64, qui mène au **Magic Kingdom**, et suivez les indications jusqu'au Magic Kingdom. Dès que vous aurez passé la guérite du Magic Kingdom (et que vous aurez payé 14$ pour le stationnement), prenez sur la droite en suivant la signalisation vers Fort Wilderness. Ceux qui résident dans l'un des complexes hôteliers de Disney n'ont pas à payer pour le stationnement.

En transports en commun

Du Magic Kingdom, du Contemporary Resort et du Wilderness Lodge: la façon la plus agréable de se rendre à Fort Wilderness est d'utiliser la navette lacustre qui parcourt les eaux du lac Bay. Un autobus relie également Fort Wilderness au Wilderness Lodge. Autre possibilité: empruntez le monorail jusqu'au Transportation and Ticket Center, pour ensuite monter à bord de l'autobus Disney qui se rend à Fort Wilderness (prévoir alors 40 à 50 min pour le trajet).

D'Epcot, du Disney's Animal Kingdom, des Disney's Hollywood Studios, de Downtown Disney, de Blizzard Beach et de Typhoon Lagoon : prenez un autobus Disney directement jusqu'à Fort Wilderness. Au départ d'Epcot, vous pouvez aussi choisir de prendre le monorail jusqu'au Transportation and Ticket Center, pour ensuite monter à bord d'un autobus Disney (comptez alors de 40 à 50 min pour le parcours).

De tous les autres points de Disney World : prenez un autobus Disney jusqu'au Transportation and Ticket Center, puis celui qui se rend à Fort Wilderness. Le trajet du Transportation and Ticket Center à Fort Wilderness est de 30 à 40 min.

Des hôtels de la région ne faisant pas partie de Disney World : la plupart disposent de navettes qui font l'aller-retour jusqu'au Transportation and Ticket Center. Prenez ensuite l'autobus Disney qui se rend à Fort Wilderness.

› Renseignements utiles

Quelques précieux conseils

Maintenant que vous êtes dans les bois, aussi bien en profiter un certain temps. Arrêtez-vous au centre d'accueil afin de vous procurer plans, horaires et renseignements divers. De là, vous monterez à bord d'un autobus qui vous mènera vers les principaux points d'intérêt. Ce voyage à travers la forêt dure environ 10 min et est entrecoupé d'arrêts aux différentes aires de camping. Fort Wilderness n'est jamais vraiment envahi par les foules, de sorte qu'il n'est pas nécessaire de suivre un itinéraire précis. Les familles doivent néanmoins s'assurer de ne pas manquer la ferme et les écuries, où des promenades à cheval sont offertes. Quelques événements (feux de joie, promenades en charrette à foin, revue musicale, etc.) y sont également organisés chaque jour; renseignez-vous quant aux heures. Retenez toutefois que les feux de joie sont réservés aux seuls résidents des lieux d'hébergement de Disney.

Animaux de compagnie

Ne sont admis qu'à certains emplacements de camping. Vous pouvez toutefois les confier au **Best Friends Pet Care Resort** (voir p. 66).

Centre de services aux nourrissons (Baby Care Center)

Vous trouverez des tables à langer dans les toilettes du Pioneer Hall. Des couches, du lait en poudre et autres articles pour bébé sont offerts aux comptoirs commerciaux de Settlement et de Meadow. On n'y loue cependant pas de poussettes : apportez la vôtre.

À l'assaut des vagues!

On ne devrait pas repartir de la Floride sans être monté dans un bateau. Ce ne sont, en tout cas, pas les occasions qui manquent à Disney World. La plupart arpentent les 81 ha du Seven Seas Lagoon (celui qu'on aperçoit toujours depuis le monorail) et le joli lac Bay, à proximité de Fort Wilderness. Selon votre fantaisie, vous pouvez aussi bien louer une vedette rapide qu'un pédalo, un canot ou un voilier. Le « bateau-ponton » motorisé est idéal pour la famille; il a 6 ou 12 places, est facile à manœuvrer et dispose de bancs ainsi que d'un toit, procurant aux passagers ombre et confort.

Des bateaux sont offerts en location à plusieurs endroits pour des périodes d'une demi-heure ou d'une heure. Vous trouverez vedettes, pontons et pédalos à la **Fort Wilderness Marina** ainsi qu'à la **Downtown Disney Marketplace Marina**. Fort Wilderness loue également des voiliers. De plus, nombre de lieux d'hébergement de Disney offrent les mêmes services. Composez le 407-939-7529 afin de connaître les emplacements des bureaux de location et les prix en vigueur.

Enfants perdus/bureau des objets perdus et trouvés

Signalez tout enfant égaré ou tout article perdu ou trouvé à un employé de Disney.

› Points d'intérêt

Bay Lake Beach

Bien qu'on ne puisse s'y baigner, la plage de Fort Wilderness demeure un des plus beaux endroits de Disney World. Couverte d'un beau sable doré et bordée de chênes et de pins majestueux, elle offre en outre une vue spectaculaire sur le Space Mountain et le Disney's Contemporary Resort, situés sur l'autre rive.

Vous y trouverez un terrain de jeu, une aire de pique-nique et des hamacs, à l'ombre des arbres, pour faire la sieste.

Quant à ceux qui tiennent à faire trempette, ils se tourneront vers les deux piscines situées à l'intérieur des limites de Fort Wilderness.

À noter cependant que l'accès à la plage et aux piscines est réservé aux résidents du Fort Wilderness Campground.

L'arbre et la tondeuse

Sur un pin contorsionné, près de la Fort Wilderness Marina, vous trouverez un poème bizarre:

Billy Bowlegs
a trop longtemps
Oublié sa vieille tondeuse
Un jour de soleil écrasant
Au pied
de cette tige ligneuse

À côté de ce poème, vous apercevrez les lames rouillées d'une ancienne tondeuse à gazon emprisonnées dans le tronc du pin. C'est pour le moins un spectacle étrange, d'autant plus que personne ne sait comment ce tour de force a pu se produire. Certains cyniques avancent l'hypothèse que, lorsque Walt Disney acheta cette forêt, l'arbre, craignant d'être rasé pour faire place à un parc thématique, déploya son arsenal de guerre!

La marina

Immédiatement en retrait de la plage, vous pouvez louer à la marina un bateau ou les services d'un guide pour la pêche au bar.

La ferme (Petting Farm)

Les enfants ne se lassent pas de ses animaux de basse-cour. Toute la journée, vous les verrez courir après les chèvres, les canards et les paons, faisant voler herbe et poussière sur leur passage jusqu'à ce qu'ils s'épuisent. Cette ferme, nichée à l'ombre de grands arbres, propose aussi des balades à dos de poney.

Le ranch Tri-Circle-D

C'est ici que vous retrouverez ces magnifiques chevaux que vous avez déjà vus tirant des tramways dans Main Street, U.S.A., dans une grande écurie entourée de pâturages. Un maréchal-ferrant s'occupe en tout d'une centaine de percherons et de chevaux de trait belges, trop heureux de se laisser photographier par les visiteurs.

Équitation, vélo et canot

Ces trois activités sont l'occasion de belles excursions en famille. Si vos enfants sont âgés d'au moins 9 ans, vous pouvez participer à la **Fort Wilderness Trail Ride**, une promenade équestre guidée de 45 min à travers bois. Pour réserver, composez le 407-939-7529.

Vous trouverez ici des pistes cyclables tout à fait splendides. Des vélos sont offerts en location, à l'heure ou à la journée, à la Bike Barn, située derrière le Meadow Trading Post. Si vous préférez visiter sans vous fatiguer, louez plutôt une voiturette de golf *(il est nécessaire de réserver: 407-934-7639)*. La Bike Barn dispose également de canots qui vous permettront d'explorer le vaste réseau de ruisseaux et de canaux de Fort Wilderness.

Tir à l'arc

Il est possible de s'initier aux rudiments du tir à l'arc en s'inscrivant à la Fort Wilderness

Archery Experience *(comptez environ 25$ par personne)*. Il faut être âgé d'au moins 6 ans pour prendre part à cette activité.

Visites guidées en Segway (gyropode)

Des visites guidées de Fort Wilderness à bord de Segway (gyropodes), ces véhicules électriques à deux roues sur lesquels on se tient debout, sont proposées du mardi au samedi. Il en coûte environ 90$ par personne pour une session de 2h, dont la moitié du temps est réservée à l'apprentissage de la conduite de l'engin. Pour vous inscrire, composez le 407-939-8687.

Promenades en charrette à foin

Une longue charrette remplie de foin, attelée à deux percherons noirs, circule chaque soir à travers la forêt, à deux reprises. Sortie en famille par excellence, cette balade de 45 min donne l'occasion aux parents de discuter des joies et des peines de la journée pendant que les enfants s'amusent dans le foin. Enfin, vous vous serez en outre fait de nouveaux amis.

Animations nocturnes

La **Hoop-Dee-Doo Musical Revue** est présentée chaque soir. À cette populaire présentation s'ajoute en haute saison un second dîner-spectacle, le **Mickey's Backyard Barbecue**. Consultez le chapitre «Sorties» du présent guide pour plus de détails. Pour réserver des places, composez le 407-939-3463.

Un **feu de camp**, gratuit pour les résidents des complexes hôteliers de Disney, est par ailleurs organisé chaque soir près du Meadow Trading Post.

Typhoon Lagoon ★★★★

Voici comment se déroule une journée typique au Typhoon Lagoon: vous descendrez lentement une rivière, après quoi vous serez emporté par les tourbillons d'un toboggan. Vous ferez du surf sans planche et de la plongée-tuba avec les requins, pour ensuite vous faire sécher sur une plage bordée de palmiers. Vous escaladerez un escarpement connu sous le nom de Mayday (SOS) et vous vous abandonnerez au tracé du Humunga Kowabunga, un toboggan infernal qui vous donnera l'une de ces frousses, et vous en redemanderez! Vous gravirez de nombreuses marches, ferez souvent la queue, et vous vous sentirez accablé par la fatigue, une grande fatigue...

Ainsi vont les choses au Typhoon Lagoon, dont le cadre paisible cache une activité frénétique. Ce que Disney a voulu être «l'ultime parc aquatique du monde» l'est vraiment, du moins en ce qui a trait à la rapidité des toboggans, à la variété des installations et aux décors enchanteurs. Cette glorieuse oasis de 23 ha recèle des collines recouvertes de jungles, des étendues de sable immaculé, des huttes en chaume, des ponts de bois, des ruisseaux tortueux et suffisamment de piscines pour couvrir deux terrains de football. Ajoutez à cela une pléiade d'effets spéciaux, dont les moutons fougueux produits par des machines à vagues, et des toboggans en tire-bouchon, en eaux vives, de type «tempête» et de haute vitesse (où vous vous envolerez littéralement à 50 km/h), et vous comprendrez que ce parc est vraiment unique en son genre.

Le Typhoon Lagoon se veut à l'image d'une île après une violente tempête. Des planches de surf pointent à travers les palmiers, les bâtiments sont à moitié déglingués, et un crevettier du nom de *Miss Tilly* repose au sommet d'un volcan. Le bateau déchiqueté et le «volcan» de 26 m, baptisé Mount Mayday, constituent le clou du lagon. Chaque 30 min, ce volcan crache en outre un torrent d'eau comme pour éjecter le bateau.

Une énergie incroyable règne au Typhoon Lagoon. Les rapides moutonneux, les vagues tumultueuses, les rires des enfants, le bruit des tambours d'acier et les cris des adeptes du surf et des toboggans créent un maelström d'activités incessant. Par contre, il n'appartiendra qu'à vous de choisir entre les descentes vertigineuses et le plaisir tranquille de se faire bronzer sur la plage en sirotant une boisson.

La piscine à vagues et à surf du **Typhoon Lagoon** contient près de 9 millions de litres d'eau.

› Accès et déplacements

Si vous en avez la possibilité, allez-y en voiture; c'est beaucoup plus facile et plus rapide que de recourir aux moyens de transport de Disney, et le stationnement est gratuit.

En voiture

De la **route I-4** (Interstate 4), prenez la sortie 67, qui mène à **Epcot** et à **Downtown Disney**, puis suivez les indications vers le Typhoon Lagoon. Le parc se trouve à environ 800 m de la route I-4.

En transports en commun

Du Magic Kingdom, d'Epcot, du Contemporary Resort, du Polynesian Resort ou du Grand Floridian Resort & Spa: prenez le monorail jusqu'au Transportation and Ticket Center, puis montez à bord d'un autobus se rendant directement au Typhoon Lagoon.

De tous les autres hôtels du Walt Disney World Resort: prenez l'autobus qui va directement au Typhoon Lagoon avant 10h (il fait un arrêt au Downtown Disney Marketplace après cette heure).

› Renseignements utiles

Quelques précieux conseils

Avec le plan des lieux en main, il devient très facile de se déplacer à l'intérieur du Typhoon Lagoon. Le seul véritable problème est que le site est généralement beaucoup trop bondé. Les moments les plus propices pour s'y rendre sont le printemps et l'automne, ou encore les lundis d'été. Les dimanches en matinée, le parc est également désert, car les gens des environs sont alors à l'église. Si vous devez absolument y aller une fin de semaine d'été, arrivez 30 min avant l'ouverture; vous aurez ainsi le temps de vous garer, d'acheter vos billets et d'emprunter des chambres à air avant l'arrivée des foules. Durant la première heure, les toboggans et les autres attractions n'ont que de petites files d'attente. Il faut aussi savoir que, durant l'été et lors des longs congés, le Typhoon Lagoon atteint souvent sa pleine capacité (7 200 personnes) et ferme alors ses portes en milieu de matinée. Quand cela se produit, l'attente au point de départ des toboggans et des descentes de rivière est inévitablement de plus d'une heure.

Blizzard Beach et le **Typhoon Lagoon** restent généralement fermés durant les jours de pluie. Pour ne pas vous déplacer inutilement, composez le 407-824-4321.

Arrivé sur place, installez-vous quelque part. Si vous êtes accompagné de tout-petits, la plage située près de la zone de **Ketchakiddee Creek** constitue votre meilleur choix. Si vous recherchez plutôt un endroit à la fois ensoleillé et ombragé, rendez-vous aux aires gazonnées qui entourent **Getaway Glen**, un vallon assez calme qui dispose de tables de pique-nique. Enfin, si vous adorez observer les gens, trouvez-vous un coin en face de la piscine à surf; les adolescents et les grands-parents qui font du surf sans planche vous offriront tout un spectacle.

Votre expérience initiale au Typhoon Lagoon devrait être celle du **Castaway Creek**. Cette balade en chambre à air zigzague à travers le parc et vous aidera à vous orienter. Rendez-vous ensuite aux piscines et aux autres attractions dans l'ordre qui vous plaira.

Animaux de compagnie

Ils ne sont pas admis.

Centre de services aux nourrissons (Baby Care Center)

Vous trouverez des tables à langer dans les toilettes. On ne fournit cependant pas de poussettes; apportez donc la vôtre.

Chambres à air

Les chambres à air sont fournies gratuitement pour toutes les descentes de rivière. Sachez qu'il n'est pas permis d'apporter sa propre chambre à air au Typhoon Lagoon.

Chaussures

Il est préférable de porter des chaussures même si vous n'avez pas les pieds sensibles. Il y a en effet beaucoup de béton dans ce parc, et certains sentiers sont accidentés. De simples sandales peuvent toutefois suffire.

Douches, vestiaires et casiers

Les douches, les vestiaires et les casiers se trouvent tous sous des toits de chaume. Les casiers sont offerts en location (8$ pour un petit casier et 10$ pour un grand, plus un dépôt remboursable de 5$).

Glacières

Apportez une glacière remplie de boissons désaltérantes et de victuailles. Les contenants en verre et les boissons alcoolisées ne sont pas tolérés. On vend néanmoins de la bière et des boissons glacées au rhum à plusieurs endroits.

Serviettes et gilets de sauvetage

Vous pouvez apporter votre propre serviette, mais il est plus commode d'en louer une. Après avoir payé entre 47$ et 56$ pour entrer, les serviettes devraient sans doute être gratuites, mais ce n'est pas le cas. Il faut compter 2$ par serviette. Si vous ne savez pas bien nager, vous pouvez obtenir gratuitement un gilet de sauvetage (moyennant un dépôt remboursable).

› Points d'intérêt

Castaway Creek

Cette balade (longue et lente) en chambre à air est tout spécialement destinée aux parents, qui pourront glisser, au gré des flots, dans une crique pittoresque qui se prête merveilleusement bien à la relaxation. D'une profondeur de 1 m, cette eau cristalline sillonne un paysage original. Entre les grottes et la verdure tropicale, vous croiserez des épaves de bateaux, des tonneaux et des glacières abandonnées (à cause du typhon décrit plus haut), et vous vous baladerez sous les eaux de deux cascades. Le trajet donne une très bonne vue d'ensemble du Typhoon Lagoon. Il y a plein d'endroits où vous pouvez faire escale pour vous reposer, pour ensuite reprendre le fil du courant. Sans escale, la descente dure 30 min.

Typhoon Lagoon Surf Pool

Située en plein cœur du parc, cette vaste piscine à vagues s'avère des plus mouvementées. Ainsi, des vagues de 2 m passent toutes les 90 secondes dans la Typhoon Lagoon Surf Pool. À noter que les planches de surf ne sont pas tolérées: on ne se sert que de son corps.

Ketchakiddee Creek

Cette version aquatique d'un terrain de jeu d'école renferme des douzaines d'endroits où s'ébattre et se mouiller. Les enfants peuvent escalader des barils, explorer des cavernes humides, glisser sur le dos d'une baleine (qui crache même de l'eau) et descendre de petits rapides sur des mini-chambres à air. Les «étangs de sable à bulles», où les enfants peuvent s'asseoir dans des eaux qui glougloutent, sont particulièrement appréciés. Pour ces jeux, les enfants doivent mesurer moins de 1,22 m et être accompagnés d'un adulte.

Humunga Kowabunga

Lorsque les gens parlent du Typhoon Lagoon, le Humunga Kowabunga leur vient aussitôt à l'esprit. Il ne faut pas s'en étonner car ces trois toboggans haute vitesse sont conçus pour vous donner la frousse de votre vie. Situés l'un à côté de l'autre sur le flanc du mont Mayday, ils plongent à la verticale à travers des grottes pour aboutir dans l'eau. La vitesse moyenne est de 50 km/h, et la durée moyenne du voyage, de 3 s. Interdit aux enfants mesurant moins de 1,22 m ainsi qu'aux femmes enceintes.

Storm Slides

Ces trois toboggans de type «tempête» sont conçus pour les trouillards qui n'osent pas essayer le Humunga Kowabunga, et ils suivent un trajet sinueux à travers des cavernes, sous des chutes et autour de rochers. Chacun de ces toboggans de 90 m est tout de même assez rapide (32 km/h) et offre une vue sur un beau paysage.

> Si vous voulez vraiment optimiser votre vitesse sur les toboggans, allongez-vous de tout votre long, croisez les chevilles, croisez les bras sur votre poitrine et arquez légèrement votre dos. Bon vol!

Raft Rides

Ces descentes de rivière sont extrêmement amusantes. Durant la descente des **Gangplank Falls**, des **Mayday Falls** ou des **Keelhaul Falls**, vous serez entraîné dans une spirale autour du mont Mayday et contournerez des cavernes, des arbres et des rochers. Aucune d'elles ne donne de grands frissons, quoique celle des Mayday Falls présente un plus grand nombre de virevoltes et de tourbillons que les autres. Les descentes de Mayday et de Keelhaul se font seul sur une chambre à air, alors que celle de Gangplank regroupe trois ou quatre personnes à la fois à bord d'un canot pneumatique. Le Gangplank est idéal pour les familles, mais, dans le cas où vous ne seriez pas assez nombreux, on vous jumellera à d'autres visiteurs. Les femmes enceintes ne sont admises à aucune de ces descentes.

Shark Reef

On fait trop de cas de ce bassin de plongée-tuba. Tout d'abord, vous devez faire la queue de façon plus ou moins ordonnée, après quoi on vous fera traverser à la sauvette un réservoir bondé de gens (les préposés chronomètrent presque votre temps dans l'eau). En de rares occasions seulement, lorsque le Shark Reef n'est pas trop engorgé, le plongeon en vaut-il la peine. Les coraux sont faux, mais les milliers de poissons multicolores, entre autres les requins nourrices (ou dormeurs) et les requins-tigres, sont bien réels. Lorsqu'il n'y a pas de file d'attente, vous pouvez pourchasser à votre aise les poissons et explorer le pétrolier qui gît au fond du réservoir.

À NOTER: On fournit gratuitement l'équipement de plongée, bien que vous puissiez aussi apporter votre propre masque (s'il est en verre durci) et votre tuba, mais non vos palmes. Les préposés vous donneront un petit cours de plongée au besoin. Si vous désirez rapporter des souvenirs de votre expérience, sachez qu'on vend sur place des appareils photo étanches. Afin d'éviter la formation d'algues à l'intérieur du bassin, on maintient la température du Shark Reef aussi froide que 22°C, soit huit degrés de moins que la température normale de l'eau dans les autres bassins du Typhoon Lagoon. Le Shark Reef est habituellement fermé de novembre à avril.

Crush 'n' Gusher

Cette attraction récente prend la forme de véritables montagnes russes aquatiques. On parle d'ailleurs chez Disney de *water coaster*.

Installé sur une chambre à air pouvant accueillir une ou deux personnes, vous y serez littéralement propulsé dans une suite de montées, de descentes et de virages. Il y a trois parcours différents qui font chacun environ 125 m: le Banana Blaster, le Coconut Crusher et le Pineapple Plunger.

À NOTER: Taille minimale 1,22 m.

Blizzard Beach ★★★★

On souhaiterait croire que le fait que Walt Disney World renferme deux parcs aquatiques fasse en sorte que chacun de ces lieux s'avère relativement peu fréquenté. Eh bien, non! Blizzard Beach et le Typhoon Lagoon sont tous les deux bondés, et ce, pratiquement tous les jours: les files d'attente pour les toboggans les plus rapides frisent les 90 min, et la course aux chaises longues en milieu de matinée demeure plus frénétique que jamais.

Blizzard Beach, qui couvre une superficie de 27 ha, fait beaucoup penser au Typhoon Lagoon, quoiqu'en version «hivernale». L'apparence de la neige (suggérée par le béton peint) s'y fait partout présente, skis et bâtons envahissent le décor, et un mini-télésiège se charge même de vous entraîner au sommet du mont Gushmore. Le concept: une épouvantable tempête de neige a déferlé sur le centre de la Floride et déposé des tonnes de flocons du côté ouest de Disney World, dont les responsables se sont empressés d'ouvrir le premier centre de ski de l'État. Puis, le soleil de la Floride est réapparu, faisant fondre une bonne partie de la neige, si bien que les pentes de ski se sont transformées en toboggans aquatiques; c'est d'ailleurs ici que vous trouverez le toboggan le plus rapide de Disney.

› Accès et déplacements

C'est en voiture qu'on atteint le plus facilement et le plus rapidement Blizzard Beach. Le stationnement est gratuit, et vous n'aurez pas à attendre un autobus de Disney pour en sortir. Si toutefois vous préférez vous y rendre en autocar, sachez que tous les complexes hôteliers de Disney offrent un service direct pour le parc, d'où vous pourrez en outre prendre une correspondance pour tous les autres sites de Disney.

En voiture

De la **route I-4** (Interstate 4), prenez la **route 192** en direction ouest jusqu'à **World Drive**, que vous emprunterez ensuite vers le nord.

› Renseignements utiles

Quelques précieux conseils

Vous n'aurez aucun mal à vous repérer sur les lieux. Orientez-vous tout d'abord en vous procurant un plan à la billetterie ou au bureau des *Guest Relations*. Foncez ensuite tout droit vers la première chaise longue inoccupée que vous verrez, et installez-vous. Si l'occasion se présente, vous apprécierez sans doute les abords sablonneux de la Melt-Away Bay, une immense piscine aux vagues clémentes (mécaniques, bien sûr). Les adultes accompagnés de jeunes enfants apprécient le décor de la pataugeoire du Tike's Peak, tandis que les adolescents préfèrent les installations du Ski Patrol Training Camp. Cela dit, peu importe où vous vous installerez, la foule sera omniprésente, et les chaises seront le plus souvent cordées en rang d'oignons.

Prenez ensuite la direction du Summit Plummet, le toboggan le plus rapide qui soit, et aussi le plus couru, après quoi vous essaierez les Snow Stormers et les Toboggan Racers. Les longues files d'attente de toutes ces attractions vous épuiseront et mobiliseront vraisemblablement une bonne partie de votre matinée; prévoyez donc ensuite un moment de repos. Vous pourrez plus tard profiter des autres toboggans et divertissements aquatiques à votre gré. Apportez un pique-nique (les glacières sont autorisées sur le site) pour ne pas avoir à faire la queue une fois de plus devant un comptoir de restauration. Si toutefois vous désirez profiter des installations prévues à cet effet, mangez plus tôt ou plus tard pour éviter la cohue du midi.

Blizzard Beach s'emplit très vite, de sorte qu'il faut s'y présenter de bon matin, préférablement avant l'ouverture du parc. Si vous prévoyez arriver en milieu de journée, prenez la peine d'appeler avant de vous déplacer, car le parc doit souvent fermer ses portes dès la fin de la matinée alors qu'il affiche complet. Sachez toutefois que les résidents des complexes d'hébergement de Disney sont généralement admis même après la fermeture des portes, à condition de prendre un autocar de Disney.

Animaux de compagnie

L'entrée leur est interdite.

Centre de services aux nourrissons (Baby Care Center)

Toutes les toilettes de Blizzard Beach sont équipées de tables à langer. Il n'y a toutefois pas de poussettes, de sorte que vous devrez apporter la vôtre.

Chambres à air

On met à votre disposition un nombre limité de chambres à air dans certains toboggans. Après la descente, vous remettez simplement la chambre à air à la personne en tête de la queue (quoique certains petits malins tentent de la garder pour eux, ce qui ne manque pas de causer tout un émoi). Vous ne pouvez pas apporter votre propre chambre à air à l'intérieur du parc.

Chaussures

Les trottoirs de béton ont tôt fait de vous échauffer les pieds. Portez donc des chaussures (de solides tongs feront très bien l'affaire).

Douches, vestiaires et casiers

Vous trouverez des casiers en location (8$ par jour pour des petits casiers, 10$ pour des grands, plus un dépôt remboursable de 5$), des douches et des vestiaires près de l'entrée du parc.

Glacières

Garnissez votre glacière d'un bon pique-nique et de vos rafraîchissements préférés (les boissons alcoolisées ne sont toutefois pas permises, les contenants de verre non plus). Les fruits coupés (surtout la pastèque) s'avèrent très savoureux au sortir de l'eau. Bière et panachés sont entre autres vendus dans le parc.

Serviettes et gilets de sécurité

Vous pouvez apporter vos propres serviettes, mais vous devrez les transporter mouillées en fin de journée. Vous trouverez sans doute plus pratique d'en louer sur place, au coût de 2$ pièce (après avoir déboursé entre 47$ et 56$ à l'entrée, ne devraient-elles pas être gratuites?). Si vous ne savez pas très bien nager, vous pouvez obtenir, gratuitement cette fois, un gilet de sécurité (moyennent un dépôt remboursable).

› Points d'intérêt

Cross Country Creek

Ce cours d'eau serpente longuement et lentement autour du périmètre de Blizzard Beach, et le parcourir donne une belle vue d'ensemble du parc. Vous pouvez l'emprunter, confortablement installé sur une chambre à air, et vous laisser glisser dans un décor tropical animé par les cris des enfants s'ébattant non loin de là dans les toboggans. Des fontaines menacent par endroits de vous refroidir les esprits (leur eau est à seulement 3°C!), et les enfants ont grand plaisir à tenter de pousser leurs parents. Vous pouvez accéder au Cross Country Creek en plusieurs points de son tracé, d'une longueur totale de près de 0,9 km.

Melt-Away Bay

Ce vaste bassin d'un bleu cristallin s'étend au pied du mont Gushmore et dispose d'une machine à vagues qui envoie de clémentes ondes à sa surface. Des «rochers» typiques de Disney bordent l'extrémité de la baie, surplombés d'une cascade qui vous assure un bon massage dorsal, à moins que vous ne préfériez vous bercer doucement sur les eaux à bord d'une chambre à air.

Chair Lift

Conçu à la manière des télésièges d'antan, avec des planchettes de bois en guise de sièges, ce «manège» peut facilement vous induire en erreur. Vous aurez en effet, à première vue, l'impression qu'il vous suffit d'attendre en file ici (en général de 20 à 30 min) pour atteindre le sommet du mont Gushmore et ainsi accéder aux toboggans du Summit Plummet, du Slush Gusher et des Teamboat Springs. Mais, en réalité, le télésiège vous conduit simplement aux files d'attente de ces attractions, de sorte qu'il vaut mieux l'oublier et monter à pied.

Summit Plummet

Avez-vous jamais descendu un toboggan en chute libre à près de 100 km/h? L'expérience est quelque peu effrayante, follement amusante, et ne dure que 4 s. Pour reprendre les propos d'un visiteur: *«On arrive en bas avant l'eau.»* La chute s'effectue sur le flanc du mont Gushmore, d'une hauteur de 37 m, et si vous y regardez à deux fois avant de sauter, vous risquez de changer d'avis. Il s'agit du toboggan le plus rapide de Disney World. Les adolescents ne jurent que par lui et n'hésitent pas à subir les interminables files d'attente pour le faire et le refaire. Les tonnes de béton blanc (destiné à imiter la neige) qui réfléchissent ici le soleil peuvent considérablement faire grimper la température ambiante, et vous aurez peut-être, quant à vous, du mal à envisager une attente de 1h30 sous une chaleur écrasante pour une descente de 4 s. Pour amenuiser quelque peu la torture, allez-y dès votre arrivée dans le parc, et retenez que les femmes enceintes et les enfants mesurant moins de 1,22 m ne sont pas admis.

Slush Gusher

Ce toboggan est en quelque sorte une version adoucie du Summit Plummet. La descente s'effectue de la même façon, soit sur le dos, mais elle est «ralentie» par deux bosses qui, en contrepartie, vous donneront l'impression de faire un vol plané (surtout la seconde). Situé tout juste à côté du Summit Plummet: l'attente y est habituellement sensiblement moins longue. Taille minimale 1,22 m.

Toboggan Racers

Vous rappelez-vous les toboggans rectilignes multipistes des foires? Eh bien, vous les retrouverez ici en version aquatique (avec tapis). Vous vous allongez sur le ventre et dévalez le flanc du mont Gushmore le long de l'une ou l'autre des huit pistes. Rien de bien effrayant, mais tout de même beaucoup de plaisir.

Teamboat Springs

La famille s'installe dans un canot pneumatique à six places et s'engouffre dans un tourbillon de 365 m pour une sorte de séance d'autos tamponneuses aquatiques. Ce ne sont pas les rapides du Colorado, mais vous ne trouverez pas de meilleurs «saute-moutons» en Floride. Les files d'attente sont malheureusement longues, si bien qu'il vaut mieux en profiter en début ou en fin de journée.

Runoff Rapids

Vous négocierez en solitaire ou en duo, et sur une chambre à air, ces rapides moins houleux que les Teamboat Springs. Choisissez l'un des trois parcours qui s'offrent à vous, toujours sur les pentes du mont Gushmore, et profitez calmement d'une descente rafraîchissante qui vous plongera dans le noir pendant quelques secondes.

Snow Stormers

Du slalom géant version aquatique? À Blizzard Beach, il s'agit de trois tracés en lacet ponctués de drapeaux et de bornes que vous croisez installé sur un tapis.

Ski Patrol Training Camp

Des toboggans étamés, des téléskis et d'immenses «icebergs» sur lesquels vous pouvez marcher, voilà ce que vous trouverez dans cette colonie estivale follement humide. Conçue pour les préadolescents et les ado-

Toujours plus vite

Le stationnement du Magic Kingdom n'a pas que des airs de piste de course. Vous y trouverez en fait un véritable circuit: le **Walt Disney World Speedway**.

En effet, grâce à la **Richard Petty Driving Experience**, une attraction aménagée en plein centre du stationnement du Magic Kingdom, les amateurs peuvent prendre le volant d'un stock-car biplace et se lancer sur la piste à des vitesses atteignant 235 km/h! Combinaisons et casques protecteurs étant fournis, vous n'avez plus besoin que d'un permis de conduire, d'une expérience pratique de la conduite manuelle et... de nerfs d'acier.

Les maniaques de vitesse ne manquent pas de qualificatifs pour décrire leur expérience. On ne vous demande pas d'être un athlète pour donner libre cours à vos fantasmes, mais sachez néanmoins que ces voitures n'ont pas de portières, si bien que vous devez être suffisamment agile pour vous introduire à l'intérieur par une ouverture d'à peine 40 cm et pour ressortir par le même chemin.

Les conducteurs doivent être âgés de 18 ans et plus (les 16-17 ans peuvent toujours prendre la place du passager à condition d'être accompagnés par un adulte), et les prix varient de 480$ à 1 385$ en fonction du nombre de tours de piste que vous effectuez.

Il est également possible de vivre l'expérience sur le siège du passager. Des pilotes experts (d'autres voitures sont en piste en même temps que la vôtre) vous en font alors voir de toutes les couleurs... Comptez autour de 116$.

Quant à la toute récente **Exotic Driving Experience**, elle permet de faire au moins six tours à bord d'une voiture de rêve comme une Ferrari, une Lamborghini, une Porsche ou une Audi. Comptez entre 170$ et 420$ pour ce type de forfait.

Pour réserver, composez le 800-237-3889.

lescents, elle est constamment envahie par une foule enjouée qui s'amuse à grimper, à glisser et à s'arroser dans des eaux d'un bleu limpide.

Tike's Peak

Une autre colonie, mais cette fois pour les tout-petits, avec des bassins peu profonds, des jouets aquatiques, des toboggans courts et faciles, et de menues chambres à air. Un véritable bonheur pour les parents. Nul n'est admis dans le bassin dès lors qu'il mesure plus de 1,22 m.

Downhill Double Dipper

Les participants s'engagent ici dans une course de 70 m en prenant place dans deux toboggans au tracé parallèle. Au cours de la descente, dont une partie a lieu à l'intérieur, ils atteignent une vitesse de quelque 40 km/h.

À NOTER : Taille minimale 1,22 m.

ESPN Wide World of Sports Complex ★★★

Disney World s'est une fois de plus surpassé en créant un gigantesque complexe sportif multidisciplinaire. Il ne s'agit pas là d'une mince affaire, loin de là, puisque ses installations peuvent accueillir quelque trois douzaines d'événements sportifs amateurs, professionnels et collégiaux, du tir à l'arc au taekwondo.

Aménagé sur un terrain de 80 ha, ce complexe réunit un stade de baseball de 9 500 places, des terrains de balle molle et un stade d'athlétisme, sans parler des courts de basket-ball, de volley-ball de plage et de tennis. Des équipes professionnelles s'y produisent régulièrement, dont les Braves d'Atlanta (baseball), qui se préparent à leur saison régulière au printemps.

D'entre les événements qu'on y a présentés et qui figurent au programme actuel, retenons des parties de basket-ball disputées par les Harlem Globetrotters, des matchs d'exhibition de football professionnel, des compétitions d'athlétisme collégial d'envergure nationale et des tournois de volley-ball de plage professionnel. Mais il s'agit d'abord et avant tout d'un paradis pour sportifs de salon, à même d'accueillir les milliers de supporters en délire des équipes qui s'y produisent.

Au début de 2010 a pris effet un nouveau partenariat entre Disney et la chaîne de télévision américaine ESPN, spécialisée dans la diffusion d'événements sportifs. C'est à ce moment que le Disney's Wide World of Sports Complex est devenu l'ESPN Wide World of Sports Complex.

Au-delà de ce changement de nom, la venue d'ESPN dans le portrait a signifié la mise en place de tout un réseau de caméras et d'écrans, dont certains vraiment immenses, pour diffuser les diverses compétitions se déroulant sur le site. Le réseau ESPN utilise donc désormais les lieux pour tester de nouvelles façons de couvrir les différents sports.

Autre élément visible de ce partenariat, l'ESPN Wide World of Sports Grill a remplacé l'Official All Star Cafe, qui n'avait jamais réussi à vraiment prendre son envol. Attenant à ce restaurant, le PlayStation Pavilion fait quant à lui la joie des amateurs de jeux vidéo. On a par ailleurs annoncé la construction d'un des plus importants salons de quilles des États-Unis, le Bowling Center at ESPN Wide World of Sports Complex, dont l'inauguration était à l'origine prévue pour 2012. Ce centre abriterait une centaine d'allées, et des tournois professionnels majeurs y seraient organisés. Le projet a toutefois été reporté en quelques occasions en raison du ralentissement économique des dernières années.

L'entrée (lorsqu'il n'y a pas d'événements majeurs à l'affiche) coûte 15$ pour les adultes et 10$ pour les enfants. Pour les événements majeurs, vous pouvez vous procurer des billets auprès de Ticketmaster ou directement à l'entrée. Les prix varient selon l'endroit où vous vous assoyez et selon l'événement. Pour connaître le programme des manifestations sportives à venir, appelez le service d'information de l'ESPN Wide World of Sports au 407-939-4263 ou visitez le *www.disneyworldsports.com*.

› Accès et déplacements

En voiture

Empruntez la **route I-4** (Interstate 4) jusqu'à la sortie 65, qui conduit au Disney's Animal

Kingdom et à l'ESPN Wide World of Sports Complex, puis suivez les indications. Le stationnement est gratuit.

En transports en commun

Des bus Disney font la navette directement entre l'ESPN Wide World of Sports Complex et les Disney's All-Star Resorts, le Disney's Pop Century Resort et le Disney's Caribbean Beach Resort.

Downtown Disney ★★★★

Quarante ans après son ouverture, Disney World s'impose non seulement comme une des grandes «mecques» du divertissement, mais aussi, à proprement parler, comme une ville en soi, avec ses propres restaurants et hôtels, et même son propre code postal. Et voilà que Disney World a maintenant son propre centre-ville: Downtown Disney, qui se compose du Marketplace (autrefois connu sous le nom de Disney Village Marketplace), de Pleasure Island et du chic West Side. Cette section occupe une superficie totale de près de 50 ha en bordure d'un lagon et forme un gigantesque complexe regroupant des boutiques, des restaurants, des aires de jeux et divers autres lieux de divertissement.

› Accès et déplacements

Il faut tout d'abord préciser qu'il est très facile de se rendre à Downtown Disney en voiture. Le stationnement est grand et gratuit, mais la distance (à pied) entre votre place de stationnement et l'entrée principale peut toutefois s'avérer assez considérable.

En voiture

De la **route I-4** (Interstate 4), empruntez la sortie 67, qui conduit à **Epcot**, et suivez les indications jusqu'à **Downtown Disney**, qui se trouve à environ 1 km de la route I-4.

En transports en commun

Du Magic Kingdom, d'Epcot, du Contemporary Resort, du Polynesian Resort ou du Grand Floridian Resort & Spa: prenez le monorail jusqu'au Transportation and Ticket Center, montez ensuite à bord de l'autobus qui se rend directement à Pleasure Island, au West Side ou au Marketplace.

De tous les autres complexes hôteliers de Disney: prenez un autobus ou un bateau se rendant directement à Pleasure Island, au West Side ou au Marketplace.

› Renseignements utiles

Quelques précieux conseils

Même s'il est facile de s'orienter sur les lieux de Downtown Disney, vous devriez vous procurer un plan du site dans n'importe quel restaurant ou boutique.

› Points d'intérêt

Pleasure Island ★★

Pendant plusieurs années, Pleasure Island a constitué le secteur de Disney World consacré à la vie nocturne. Discothèques, bars et boîtes de nuit y accueillaient les noctambules jusqu'aux petites heures du matin. Aussi, la surprise fut grande lorsque Disney annonça la fermeture de toutes les boîtes de Pleasure Island à l'automne 2008. À partir de cette date, les penseurs de Disney ont entrepris de réinventer ce secteur afin de lui donner une vocation plus familiale.

Au moment de mettre sous presse, peu de nouveaux établissements ou de nouvelles attractions avaient encore ouvert leurs portes, exception faite d'une poignée de restaurants et boutiques. Disney a même abandonné un projet d'aménagement prometteur baptisé Hyperion Wharf, après l'avoir annoncé en grande pompe. «PI», comme les gens de Disney se plaisent à surnommer le secteur, ne joue pour ainsi dire plus que le rôle de trait d'union entre le West Side et le Marketplace, du moins pour l'instant. Des spectacles de rue et des stands extérieurs où l'on vend bières et cocktails contribuent toutefois à une certaine animation en soirée, sans toutefois masquer complètement les boîtes de nuit de jadis, dont les enseignes n'ont bizarrement pas encore toutes été retirées.

West Side ★★★★

Ce «quartier» constitue sans doute le développement le plus branché de Disney depuis l'avènement du Planet Hollywood et du Cirque du Soleil. Il fait partie du vaste complexe immobilier de Downtown Disney et propose de la musique en direct, des divertissements variés, incluant une salle de quilles qui sort de l'ordinaire (Splitsville Luxury Lanes), des restaurants, des boutiques et l'un des plus importants complexes cinématographiques de la Floride (les AMC Theatres, qui contiennent 5 390 places au total).

Parmi les établissements les plus branchés, il faut retenir le Bongos Cuban Café (qui appartient à la star de la chanson Gloria Estefan), la House of Blues (qui appartient à Dan Aykroyd, Jim Belushi, John Goodman et certains membres du groupe Aerosmith) et le Wolfgang Puck Cafe, les deux premiers présentant des spectacles sur scène.

Il faut aussi signaler la présence sur place du **Cirque du Soleil**. Avec l'installation à demeure de la célèbre troupe québécoise dans le secteur West Side, où un magnifique chapiteau a été spécifiquement érigé pour elle, Disney a frappé un grand coup. Le Cirque du Soleil y présente son extraordinaire spectacle ***La Nouba*** ★★★★★ *(adultes 73$ à 128$, enfants 72$ à 102$; mar-sam à 18h et 21h; 407-939-1298 ou 407-939-7600)*, dans lequel les prestations d'acrobates, de clowns et autres contorsionnistes prennent une dimension théâtrale comme nulle part ailleurs.

L'attraction **Characters in Flight** *(adultes 18$, enfants 12$)* a été inaugurée au printemps 2009. Il s'agit d'une sorte de montgolfière installée à demeure dans le West Side, tout près de Pleasure Island. Trente passagers peuvent prendre place dans une grande nacelle ayant la forme d'un beignet où il est possible de déambuler, afin d'entreprendre une ascension qui les mènera à quelque 100 m du sol. Tout là-haut, une splendide vue les attend. On remarque sur l'immense ballon les reproductions de plusieurs personnages volants de Disney, tels Peter Pan, Mary Poppins, la fée Clochette et Dumbo.

Finalement, les amateurs de jeux vidéo et d'attractions interactives se tourneront quant à eux vers **DisneyQuest** ★★★ *(adultes 46$, enfants 39,50$; 407-828-4600)*, qui renferme une myriade de manèges virtuels, incluant le CyberSpace Mountain, des montagnes russes plus vraies que nature dont vous pouvez dessiner le parcours vous-même. Parmi les autres attractions-vedettes des lieux, mentionnons le Buzz Lightyear's AstroBlaster, version futuriste d'un manège d'autos tamponneuses; Ride the Comix, une aventure virtuelle dans le monde des super-héros; Mighty Ducks Pinball Slam, une

Une grande transformation en vue pour Downtown Disney

En mars 2013, Disney a annoncé la transformation complète du secteur aujourd'hui connu sous le nom de Downtown Disney, dorénavant appelé à devenir Disney Springs.

De «centre-ville», le secteur se transformera donc en une «petite ville» subdivisée en quatre «quartiers» reliés les uns aux autres par des cours d'eau: The Landing, où s'aligneront restos et boutiques au bord de l'eau; The Town Center, constitué d'une grande promenade bordée de restaurants et boutiques chics; le Marketplace, qui gardera sa vocation familiale avec notamment un World of Disney Store encore plus grand qu'aujourd'hui et une passerelle piétonne surplombant le lagon qui permettra de circuler plus facilement d'une extrémité à l'autre de cette zone; et un West Side agrandi grâce à des espaces récupérés dans l'actuel stationnement.

D'ailleurs, une bonne partie de l'agrandissement se fera dans les actuels terrains de stationnement de Downtown Disney, qui seront remplacés par des garages comptant plusieurs niveaux. Une autre portion de l'expansion sera réalisée grâce à du terrain gagné sur le lagon.

Ce projet d'envergure, qui se traduira par l'ajout de nouvelles boutiques aux bannières réputées et de nombreux nouveaux restaurants, permettra de doubler le nombre de commerces du secteur, qui atteindra à terme 250. L'ouverture des nouvelles sections se fera par étapes d'ici 2016.

machine à boules géantes; Aladdin's Magic Carpet Ride, un voyage sur un tapis volant; Virtual Jungle Cruise, une croisière mouvementée dans la jungle à bord d'un faux canot pneumatique; et Pirates of the Caribbean: Battle for Buccaneer Gold, où vous formez l'équipage de votre propre bateau de pirates avant de vous lancer à l'attaque.

Marketplace ★★★

Nous présumons que vous n'allez pas à Disney World dans le seul but de magasiner. Mais pour ceux qui ne peuvent résister à une brève escapade dans les magasins, il y a toujours le Marketplace (autrefois connu sous le nom de Disney Village Marketplace). Aménagé tout à côté de Pleasure Island, cet endroit fantaisiste renferme des bâtiments bardés de bois disposés autour d'un lac. De petits bateaux à moteur sillonnent le plan d'eau, tandis qu'une musique lyrique se fait entendre dans les moindres recoins.

Les boutiques du Marketplace proposent une incroyable variété d'articles, des jouets coûteux aux décorations de Noël, en passant par les vêtements de surf. Entre autres, The World of Disney Store renferme une incroyable collection d'objets liés à Disney.

Et même si vous n'êtes pas un coureur de magasins, le Marketplace demeure un bon endroit pour vous détendre. Au milieu de la journée, lorsque les parcs thématiques sont à leur comble, vous y trouverez en effet la tranquillité (à l'exception, peut-être, du Rainforest Cafe, qui semble toujours affairé). Faites un peu de lèche-vitrine, prenez un cocktail au bord du lac ou détendez-vous simplement sur un banc face à l'eau. Les enfants s'amuseront aussi beaucoup à la vue, un peu partout sur le site, des extraordinaires «sculptures» grandeur nature réalisées à l'aide des fameuses briques Lego.

Disney's BoardWalk ★★★

Ce secteur du Walt Disney World Resort situé tout juste entre Epcot et les Disney's Hollywood Studios faisait simplement partie, à l'origine, du complexe hôtelier Disney's BoardWalk Inn. Mais la prolifération des restaurants, boutiques et boîtes de nuit en a pratiquement fait aujourd'hui une zone thématique à part entière.

Aménagée en bordure d'un joli lagon, le lac Crescent, cette promenade en planches rappelle celles des stations balnéaires du nord-est des États-Unis du début du XXe siècle. On y trouve quelques restaurants et boîtes, dont l'ESPN Club, une petite plage, des jeux de fête foraine et même un authentique *dance club* de bord de mer.

Les terrains de golf

Les golfeurs sont choyés à Disney World puisque pas moins de cinq parcours se trouvent dans les limites du Royaume. Quatre d'entre eux sont des 18 trous remarquables (**Magnolia Course**, **Palm Course**, **Lake Buena Vista Course**, **Osprey Ridge Course**), alors que le cinquième est un 9 trous à normale 36 (**Oak Trail**). Pour réserver votre heure de départ, composez le 407-939-4653 ou visitez le site *www.disneyworldgolf.com*. Plusieurs formules de forfaits incluant hébergement et golf sont également proposées.

En 2011, Disney a signé une entente de 20 ans avec Arnold Palmer Golf Management. L'entreprise créée par le légendaire golfeur se charge depuis lors de l'entretien, de la gestion et de la promotion des cinq terrains de golf de Disney World.

Les amateurs de golf miniature trouveront pour leur part deux sites où s'adonner à leur loisir préféré. Adjacent au parc aquatique Blizzard Beach, le **Disney's Winter Summerland Miniature Golf** propose deux parcours de 18 trous, l'un sur le thème du pôle Nord et l'autre inspiré de la Floride. Notez qu'il faut débourser un prix d'entrée supplémentaire, en plus de l'entrée pour Blizzard Beach, pour accéder à cet attrait *(adultes 13$, enfants 11$)*, à moins d'avoir opté dès le départ pour un forfait incluant les deux.

L'autre minigolf est le **Fantasia Gardens Miniature Golf** *(adultes 13$, enfants 11$)*, situé à proximité des hôtels Swan, Dolphin et Boardwalk Inn. On y trouve deux parcours de 18 trous aménagés dans un décor inspiré du film *Fantasia*.

Universal Studios

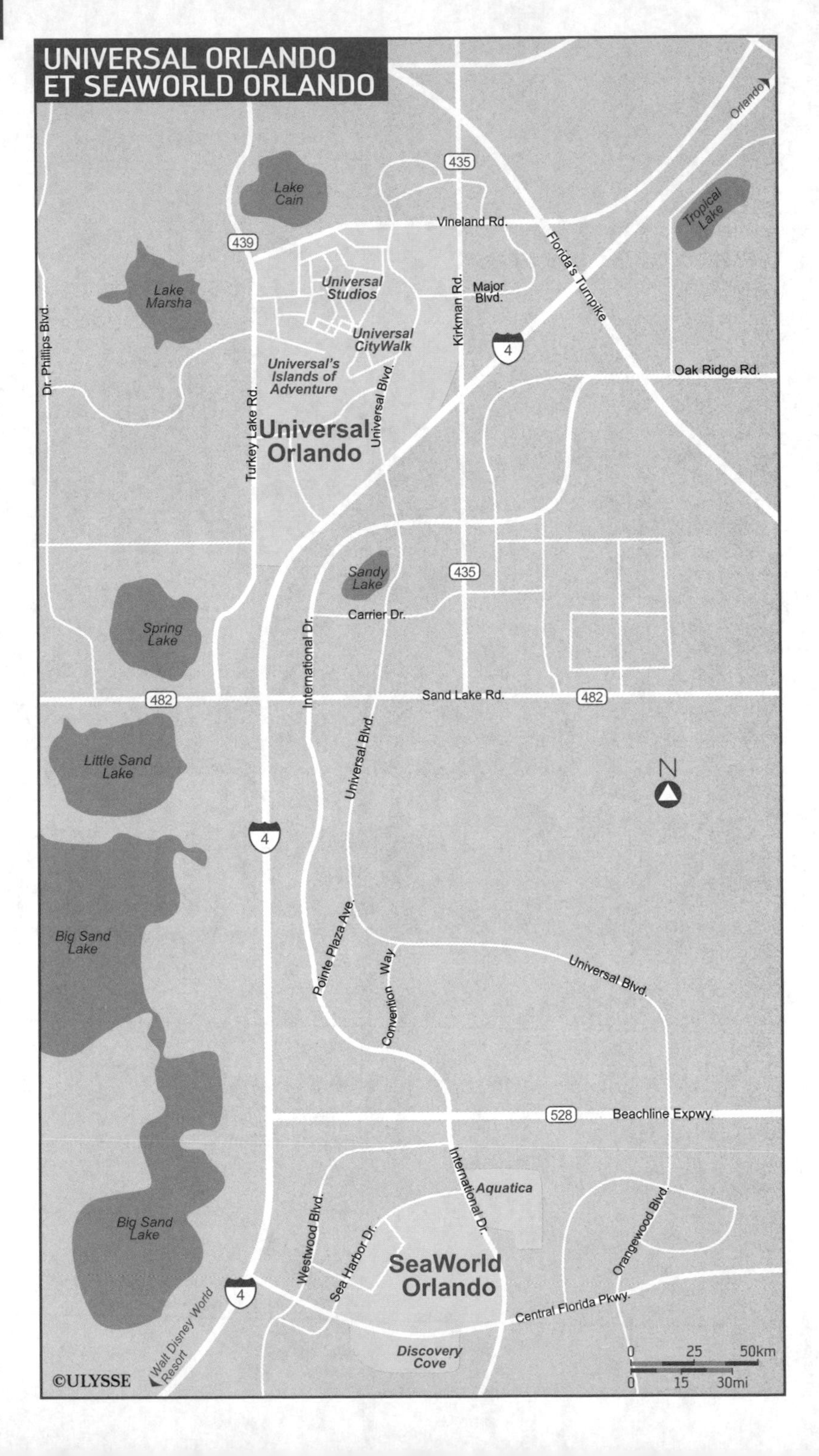

UNIVERSAL ORLANDO
ET SEAWORLD ORLANDO
Orlando
435
Lake Cain
Vineland Rd.
Tropical Lake
439
Florida's Turnpike
Lake Marsha
Universal Studios
Major Blvd.
Kirkman Rd.
Dr. Phillips Blvd.
Universal CityWalk
4
Universal's Islands of Adventure
Oak Ridge Rd.
Universal Blvd.
Turkey Lake Rd.
Universal Orlando
Sandy Lake
435
Carrier Dr.
Spring Lake
International Dr.
482
Sand Lake Rd.
482
Little Sand Lake
Universal Blvd.
N
4
Pointe Plaza Ave.
Big Sand Lake
Convention Way
Universal Blvd.
528
Beachline Expwy.
International Dr.
Aquatica
Westwood Blvd.
Orangewood Blvd.
Big Sand Lake
Sea Harbor Dr.
SeaWorld Orlando
4
Central Florida Pkwy.
Walt Disney World Resort
Discovery Cove
0
25
50km
0
15
30mi
©ULYSSE

Avec Mickey, Cendrillon et Shamu l'épaulard comme têtes d'affiche, il était tout à fait prévisible qu'Orlando prenne tôt ou tard des airs d'Hollywood. Les Disney-MGM Studios, aujourd'hui les Disney's Hollywood Studios, furent les premiers à faire du cinéma dans la région lors de leur ouverture en 1989, mais les Universal Studios leur volèrent la vedette un an plus tard en devenant la scène cinématographique la plus sophistiquée qui soit à l'extérieur d'Hollywood.

Suivant le style hollywoodien, ce géant du cinéma sut tirer profit des pâturages et des espaces sablonneux d'Orlando en les animant de personnages mythiques, de décors à faire rêver et de scènes électrisantes des grandes productions américaines. D'une superficie totale de 45 ha, cette «mecque» du cinéma, érigée au coût de 650 millions de dollars, nous fait vivre des tremblements de terre, des fantaisies dignes des dessins animés les plus farfelus et même des voyages dans le temps, le tout dans une mer d'effets spéciaux.

Si Hollywood est une grande foire d'illusions, alors les studios Universal en sont une des grandes scènes. Car ici tout se passe sur le plateau. Vous y retrouverez l'Amérique profonde balayée par les tornades de Twister et les forêts humides parcourues par E.T., mais aussi la chic Rodeo Drive de Los Angeles et les rues de San Francisco et de New York.

Plus étendus que ceux des Disney's Hollywood Studios, les studios Universal constituent le plus important centre de production en dehors d'Hollywood, aussi bien pour la télévision que pour le cinéma. Ils s'enorgueillissent de 38 décors de rues hautement élaborés, de neuf studios d'enregistrement, d'une vingtaine de manèges, spectacles et attractions, et d'une quarantaine de restaurants et boutiques.

Techniquement parlant, le parc se divise en six zones thématiques distinctes, même si, dans les faits, il semble former un tout homogène, telle une toile irisée par la main experte d'un artiste. L'entrée du parc, appelée **The Front Lot**, ne constitue pas une zone thématique comme telle, mais elle donne déjà le ton avec ses façades pastel délavées, ses arches et ses courbes Art déco. La transition se fait alors sans peine vers le secteur **Hollywood**, sur la droite. Plus loin, la **Woody Woodpecker's KidZone** vous fait pénétrer dans un monde fantaisiste où les plus jeunes se sentiront tout à leur aise.

Après le secteur **World Expo**, dont les bâtiments modernes abritent deux des attractions les plus appréciées du parc, vous atteindrez les quais et les rues de San Francisco.

À ne pas manquer!

› Les attractions

Terminator 2-3D p. 196
E.T. Adventure p. 198
The Simpsons Ride p. 200
Revenge of the Mummy p. 203
Shrek 4-D p. 204
Despicable Me Minion Mayhem p. 205
Hollywood Rip Ride Rockit p. 206

› Les bonnes adresses

Restaurants

Mel's Drive-In (Hollywood) p. 282
Lombard's Seafood Grille (San Francisco) p. 282

Sorties

Blue Man Group (Universal CityWalk) p. 292
Hard Rock Live (Universal CityWalk) p. 292

Achats

Universal Studios Store (Production Central) p. 300

Le paysage vallonné de San Francisco cède bientôt le pas aux immeubles de grès brun, aux panneaux-réclames et aux boutiques exclusives de **New York**. Non loin de là, la zone des studios et entrepôts de **Production Central** présente un décor minimaliste de rues dépouillées, d'édifices gris ardoise et de grandes affiches de cinéma.

Plus élégants et un peu plus spacieux que leurs homologues hollywoodiens, les studios Universal doivent, du moins en partie, leur éclat au cinéaste de génie Steven Spielberg. En sa qualité de conseiller créatif des studios Universal, Spielberg a ici contribué à la conception de manèges bourrés d'action, de spectacles révélant les ficelles de l'art cinématographique et de paysages teintés de surréalisme.

Depuis le premier jour de leur mise en service, les manèges des studios Universal sont notoires pour leurs longues files d'attente. Mais quiconque a goûté l'envoûtement d'E.T. Adventure, la folie de Despicable Me Minion Mayhem ou les frissons de The Simpsons Ride sait que l'attente en vaut la peine. Par ailleurs, même si les manèges et les spectacles sont les grandes vedettes du parc, les décors de rue n'en constituent pas moins de véritables envolées imaginatives, vous entraînant d'un film à l'autre dans un voyage empreint de nostalgie, et on ne peut plus fidèle aux traditions d'Hollywood.

Ces décors magiques placent le spectateur aussi bien devant que derrière la caméra, et l'on peut presque chaque jour y assister à un tournage quelconque, qu'il s'agisse d'un film ou d'une émission télévisée. Il est même possible (bien que moins probable) d'y décrocher un rôle de figurant. Pour connaître l'horaire des tournages prévus lors de votre visite, présentez-vous au Studio Audience Center, situé sur la droite peu après l'entrée du parc.

Pour la plupart des gens toutefois, le simple fait de découvrir cet univers hollywoodien est déjà bien assez enivrant. On y éprouve en effet une sorte d'exaltation presque puérile en découvrant que le rêve et la réalité peuvent se côtoyer d'aussi près.

Accès et déplacements

› Orientation

De loin le plus grand parc thématique à vocation exclusive de la Floride, les studios Universal sont très étendus. Même durant la saison morte, alors que les files d'attente sont réduites au minimum, il faut compter au moins deux jours afin de voir tout ce que leurs 45 ha ont à offrir. Contrairement aux Disney's Hollywood Studios, dont les deux tiers du parc ne sont accessibles aux visiteurs que par le biais de visites guidées, vous pouvez parcourir à votre aise la presque totalité des studios Universal.

Sur plan, les studios Universal ressemblent à un grand *C* trapu s'apprêtant à avaler une gorgée d'eau; ce plan d'eau, c'est **The Lagoon**, alors que le *C* lui-même se compose du Front Lot et de six zones thématiques distinctes. À la base de ce *C* se trouve **The Front Lot**, avec son entrée principale bordée de palmiers et marquée par l'arche grandiose des studios Universal. **Hollywood** forme la courbe inférieure du *C*, dont la pointe se termine avec la **Woody Woodpecker's KidZone** et le secteur **World Expo**. Quant au dos de ce *C*, il suit le tracé de **Production Central**, où d'énormes bâtiments abritent des studios de production pour la télévision et le cinéma ainsi que des manèges. Enfin, **New York** et **San Francisco** complètent la partie supérieure du *C*.

Il importe de vous fixer un point de ralliement au cas où vous vous sépareriez de ceux qui vous accompagnent. Le meilleur endroit pour cela se trouve en face du Mel's Drive-In, un restaurant Art déco tape-à-l'œil situé sur le Hollywood Boulevard (à Hollywood naturellement).

› En voiture

Les studios Universal s'étendent immédiatement à l'ouest de l'intersection de la route I-4 et du Florida's Turnpike. De la **route I-4** (Interstate 4), empruntez la **sortie 74B** ou **75A**. L'entrée principale des studios est située en retrait de la **Kirkman Road**.

Après avoir acquitté votre accès au stationnement *(15$)*, on vous assignera une place de stationnement dans le garage des studios.

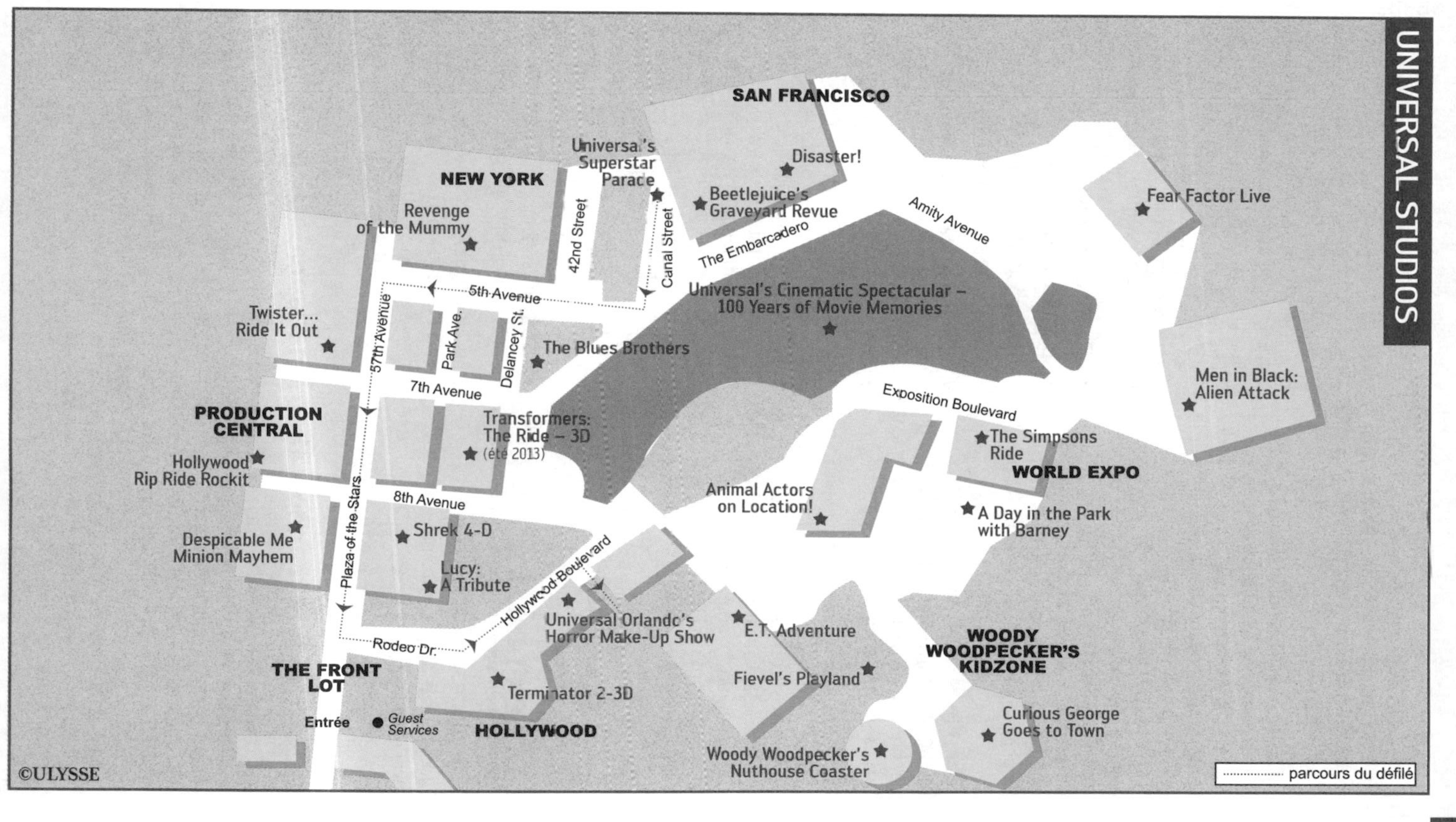
UNIVERSAL STUDIOS
SAN FRANCISCO
NEW YORK
Universal's Superstar Parade
Disaster!
Beetlejuice's Graveyard Revue
Amity Avenue
The Embarcadero
Fear Factor Live
Revenge of the Mummy
42nd Street
Canal Street
5th Avenue
Universal's Cinematic Spectacular – 100 Years of Movie Memories
Twister... Ride It Out
57th Avenue
Park Ave.
Delancey St.
The Blues Brothers
Men in Black: Alien Attack
7th Avenue
Exposition Boulevard
PRODUCTION CENTRAL
Transformers: The Ride – 3D (été 2013)
The Simpsons Ride
WORLD EXPO
Hollywood Rip Ride Rockit
Animal Actors on Location!
8th Avenue
A Day in the Park with Barney
Despicable Me Minion Mayhem
Shrek 4-D
Plaza of the Stars
Lucy: A Tribute
Hollywood Boulevard
Universal Orlando's Horror Make-Up Show
E.T. Adventure
WOODY WOODPECKER'S KIDZONE
Rodeo Dr.
THE FRONT LOT
Fievel's Playland
Terminator 2-3D
Entrée
Guest Services
HOLLYWOOD
Curious George Goes to Town
Woody Woodpecker's Nuthouse Coaster
parcours du défilé
©ULYSSE

Un trottoir roulant vous transportera ensuite jusqu'à CityWalk. Gardez la droite jusqu'à l'impressionnante entrée principale du parc, reconnaissable à son arche et au globe géant des studios Universal.

Du fait de leur taille monstrueuse, les studios sont rarement bondés au point de fermer leurs portes. Malgré tout, vous vous épargnerez des heures d'attente dans les files en arrivant le plus tôt possible, idéalement 30 min avant l'ouverture officielle du parc. Vous aurez alors tout le temps de garer votre voiture, d'acheter vos billets (si ce n'est déjà fait) et de vous procurer plans et brochures. Cela vous mettra en excellente position pour visiter les attractions les plus populaires dès l'ouverture du parc.

› En navette ou en autocar

Des hôtels d'Universal Orlando : prenez un autobus ou une navette lacustre directement jusqu'aux parcs thématiques.

Des hôtels de la région : la plupart disposent d'un service de navette pour les studios Universal, parfois toutes les heures, parfois toutes les deux ou trois heures. Cette règle ne s'applique évidemment pas aux lieux d'hébergement de Disney World, quoique **Mears Transportation** *(407-423-5566)* comble avantageusement cette lacune. Les studios Universal se trouvent à 16 km au nord-est de Disney World.

Renseignements utiles

› Quelques précieux conseils

L'idéal serait de pouvoir entrer tranquillement dans les studios Universal, pour ensuite arpenter à votre aise le pittoresque Front Lot et le Hollywood Boulevard. Mais l'impitoyable réalité de la ruée vers les manèges, inhérente à tout parc thématique, vous impose une tout autre conduite. Car si vous voulez éviter les files d'attente à n'en plus finir, vous devez arriver tôt et filer en vitesse à travers les décors pour monter à bord de quelques manèges avant que les choses ne se gâtent. Compte tenu de la popularité et de l'emplacement des différentes attractions, il vous est conseillé d'accorder la priorité aux manèges suivants :

- **The Simpsons Ride**
- **E.T. Adventure**
- **Hollywood Rip Ride Rockit**
- **Revenge of the Mummy**
- **Despicable Me Minion Mayhem**
- **Shrek 4-D**

Si vous voyez ces six attractions en avant-midi, vous pouvez vous féliciter, car vous venez de sauver deux ou trois heures d'attente. Il ne vous reste plus qu'à vous détendre en visitant le reste des studios Universal, y compris Terminator 2-3D, dont la file d'attente est plus courte en fin d'après-midi.

Notez également qu'il est préférable de visiter chaque zone thématique au complet (Hollywood, New York, etc.) avant de passer à une autre. Le parc est si grand que vous n'aurez aucunement l'envie de revenir sur vos pas, surtout si vous avez de jeunes enfants et une poussette.

Afin d'épargner un temps précieux, choisissez l'endroit où vous comptez déjeuner et soyez-y pour 11h30. De même, prévoyez dîner autour de 16h30 pour éviter les

À quel manège allons-nous maintenant?

La matinée tire à sa fin : vous avez vu The Simpsons Ride, Hollywood Rip Ride Rockit, Shrek 4-D, E.T. Adventure et Despicable Me Minion Mayhem, et vous vous demandez maintenant quelle direction prendre. Pour connaître l'état des files d'attente (les plus courtes comme les plus longues), rendez-vous aux postes d'information disséminés à travers le parc. Les tableaux d'affichage qu'on y trouve indiquent la durée approximative de l'attente pour chacune des attractions, et vous conseillent sur le meilleur moment pour les visiter. Sachez toutefois que le temps d'attente affiché est souvent sous-estimé de 5 ou 10 min, ce qui est tout à fait compréhensible compte tenu du fait que les files peuvent fluctuer considérablement d'un instant à l'autre.

embouteillages de 17h30. Si vous projetez de dîner au Lombard's Seafood Grille, le restaurant le plus apprécié du parc, prenez soin de réserver tôt dans la journée ou, mieux encore, appelez plusieurs jours à l'avance au 407-224-4233. Notez par ailleurs que le Monsters Cafe ne prend aucune réservation.

› Animaux de compagnie

Ils ne sont pas admis aux studios Universal. Vous pouvez toutefois les confier pour la journée au chenil situé non loin de la guérite du stationnement.

› Argent

Il est possible de changer des devises au bureau des *Guest Services*, situé tout juste à l'entrée du parc, sur la droite (une fenêtre donne également sur l'extérieur du parc). Un guichet automatique se trouve tout près. D'autres guichets automatiques sont répartis en plusieurs points du parc: dans la Woody Woodpecker's KidZone, dans le secteur World Expo et à l'entrée de Revenge of the Mummy, dans la zone New York.

› Bureau des objets perdus et trouvés

Situé au Studio Audience Center, peu après l'entrée, sur la droite.

› Casiers

Il y a deux séries de casiers, sur la gauche et sur la droite, après l'entrée du parc. Il en coûte 8$ (petit casier) ou 10$ (grand format) par jour pour utiliser un casier accessible n'importe quand.

› Centre de services aux nourrissons *(Baby Services)*

Situé au First Aid, derrière le Louie's Italian Restaurant, entre New York et San Francisco. On trouve aussi des tables à langer dans toutes les toilettes.

› Enfants perdus

Signalez tout enfant égaré aux *Guest Services*, à l'entrée principale du parc.

› Liste et horaire des spectacles

Consultez la brochure distribuée à l'entrée du parc.

› Poussettes et fauteuils roulants

Offerts en location à l'entrée principale du parc, du côté gauche.

› Renseignements

Le bureau des *Guest Services*, situé immédiatement après l'entrée principale, sur la droite (une fenêtre donne aussi sur l'extérieur), est l'endroit où vous arrêter pour obtenir tout renseignement de même que pour trouver des plans du parc en français, ainsi qu'en espagnol, en allemand, en japonais et en portugais.

› Service de collecte de paquets *(Package Service)*

Ce service permet de faire envoyer tous vos achats au comptoir It's A Wrap, situé près de l'entrée principale. Vous pourrez ainsi récupérer vos emplettes au moment de quitter le parc, sans avoir eu à les traîner toute la journée. Mais attention: il y a souvent des «embouteillages» entre 17h et 18h, ainsi que durant la demi-heure qui précède la fermeture du parc.

The Front Lot

Quelle meilleure entrée dans l'univers onirique du cinéma qu'un décor couleur de rose? Cette zone restreinte, quoique expressive, révèle une abondance de verre et de chrome, ponctués d'auvents cramoisis, d'édifices gris clair et de saillies donnant du relief aux façades. Au coin d'une rue, le café à ciel ouvert **The Beverly Hills Boulangerie** tente les passants avec ses odeurs d'express et de croissants frais. Au **Studio Sweets** voisin, des femmes en tablier s'affairent au-dessus de grandes cuves remplies de chocolat onctueux et offrent à grands cris des plateaux assortis de cette friandise qu'est le fudge.

Néanmoins, ces douceurs mises à part, The Front Lot demeure essentiellement une zone d'affaires. On n'y trouve pas d'attraction comme telle, mais plutôt une foule de services aux visiteurs: location de poussettes, de fauteuils roulants et de casiers, bureau d'objets perdus et trouvés, services bancaires et services d'interprète pour non-anglophones.

Échange d'enfants

Lorsque vous verrez un panneau portant l'inscription *Child Swap*, ne paniquez pas! Il ne s'agit nullement d'échanger vos enfants à proprement parler (même si vous en avez peut-être parfois envie), mais plutôt d'un ingénieux système qui permet aux parents accompagnés d'enfants trop petits (ou trop peureux) de monter dans un manège à tour de rôle (pendant que l'autre surveille les enfants), et sans avoir à faire la queue deux fois. Des aires d'attente confortables ont été prévues à cette fin près des points d'embarquement, et le tout fonctionne très bien.

Hollywood

Du Front Lot, le Hollywood Boulevard s'ouvre sur un pays de rêve. C'est ici, dans cette usine de l'imaginaire dénommée Hollywood, qu'on retrouve les trottoirs incrustés d'étoiles, les boutiques en forme de chapeaux, les affiches de vedettes de cinéma et les façades recherchées qui semblent avoir été conçues par un magicien. Des palmiers élancés projettent leur ombre sur le revêtement rosé des rues, et les poussettes suivent la cadence des musiciens de rue.

Nombre de symboles du sud de la Californie ont ici été merveilleusement reproduits. Ainsi, vous reconnaîtrez les accents Beaux-Arts du Beverly Wilshire Hotel et le vieux pèse-personne à sous de la buvette de Schwab. De la légendaire Sunset Strip, vous verrez le Ciro (boîte de nuit) et le Garden of Allah, un groupe d'édifices en stuc ornés de tuiles rouges et entourés d'herbes soyeuses et de fleurs plantées dans des pots d'argile. De chics boutiques arborent des noms tels que Studio Styles, alors que le Mel's Drive-In fait étalage d'un grand nombre de voitures de promenade des années 1950 dans un décor de vaisseau spatial (architecture Googie). À toute heure du jour, les familles ne cessent de se faire photographier devant ces lieux drôlement chouettes.

Parmi tous les décors de rue qu'on retrouve aux studios Universal, c'est Hollywood qui semble susciter le plus de passion et de curiosité. Il n'est d'ailleurs pas inhabituel d'entendre des commentaires du genre: *«Est-ce vraiment comme cela?»* ou *«Ouvrez grand les yeux, car vous ne reverrez jamais Hollywood d'aussi près!»* Peut-être cet engouement s'explique-t-il par le fait que l'esprit humain prend un malin plaisir à se délecter dans le monde de l'imaginaire. Ou peut-être chacun de nous désire-t-il, fût-ce secrètement, et quel que soit son âge ou son vécu, jouer un peu les vedettes.

Terminator 2-3D ★★★★

Vous avez sans doute du mal à imaginer un Terminator plus convaincant que celui des films originaux (les deux premiers, réalisés par James Cameron). Eh bien, voilà l'expérience ultime à ce chapitre! Si les films ont fait battre votre cœur à tout rompre, cette attraction on ne peut plus élaborée, qui fait appel à un environnement virtuel plus vrai que nature, vous fera exploser.

Une grande partie de l'action provient d'un film projeté sur trois écrans convergents de 7 m sur 15 m placés à l'avant de la salle. Ce film de 12 min met en vedette Arnold Schwarzenegger et d'autres comédiens de la distribution originale. Grâce à des effets spéciaux qui semblent projeter l'image hors de l'écran, il vous fera bel et bien vibrer sur votre siège tout en vous faisant passer de l'actuelle Orlando à celle de l'an 2029, où Arnold et compagnie livrent bataille au sinistre système de défense de Cyberdyne.

L'aspect le plus renversant de la présentation tient au fait que les acteurs semblent se matérialiser tantôt sur l'écran, tantôt dans la salle. À un moment particulièrement intense, un comédien en chair et en os traverse la scène sur une motocyclette et se fond dans l'écran où sa course se poursuit sans coupure apparente dans l'action.

Comme d'autres attractions des studios Universal, Terminator 2-3D préserve son réalisme du début à la fin. L'entrée en matière (vous arrivez au siège social de Cyberdyne pour assister à une présentation secrète de son système de défense qui finit par mal tourner) fait déjà en elle-même l'objet d'une réalisation haute en panache, selon l'habitude des studios. Vous savez qu'il ne s'agit que d'un spectacle, mais avez pourtant du mal à retenir votre émoi au fur et à mesure que se déroule la scène.

Bien que tout ne soit pas absolument parfait du commencement à la fin, vous vous devez de voir Terminator 2-3D, la finale à elle seule valant le déplacement. Mais ce spectacle ne s'adresse nullement aux jeunes enfants.

À NOTER: Cette attraction est techniquement renversante. Seul le fait que des scènes particulièrement violentes y soient présentes nous empêche de lui octroyer cinq étoiles. Terminator 2-3D compte parmi les premières attractions que vous croiserez en entrant dans le parc, et les files y sont particulièrement longues en début de journée, alors qu'on attend souvent une heure ou plus avant d'entrer. Tentez plutôt votre chance après 15h.

Lucy: A Tribute ★★

Il ne s'agit pas de la huitième merveille du monde, mais, si votre cœur bat pour l'héroïne de *I Love Lucy*, vous apprécierez sans doute l'hommage qu'on lui rend ici. Étant aux comédies télévisées ce qu'Elvis est au rock, Lucille Ball a mérité l'honneur d'être représentée aux studios Universal, qui ont créé une sorte de musée rempli d'une foule de costumes, d'accessoires et de souvenirs de la série américaine, y compris des lettres de fans aussi célèbres que les ex-présidents Hoover, Eisenhower et Nixon. On y voit en outre des séquences filmées et des photographies de la famille Arnaz, une reproduction à l'échelle du plateau de tournage utilisé pour la série et un quiz interactif pour les connaisseurs.

À NOTER: Si vous n'êtes pas un fervent admirateur de Lucy, vous serez probablement aussi fasciné par cette attraction que par les objets oubliés qui encombrent le fond de vos placards.

Universal Orlando's Horror Make-Up Show ★★★

Présenté dans une salle confortable dirigée par un employé zélé d'Universal, ce spectacle a pour but de dévoiler de façon originale les effets spéciaux utilisés dans certaines des séquences de films les plus macabres d'Hollywood.

Dans les faits cependant, on n'y apprend que bien peu de trucs cinématographiques, sinon comment on tranche un bras à l'aide d'un faux couteau ou quelles sont les ficelles technologiques qui permettent la transformation d'un humain en loup-garou.

La présentation est plutôt prétexte à de nombreux gags réussis, livrés par des comédiens très efficaces. Ceux-ci s'amusent aussi à faire participer certains spectateurs, ce qui n'est pas une très bonne nouvelle pour eux... D'ailleurs, l'un des personnages ne se gène pas à un moment donné pour dire: *«Nous ne sommes pas à Disney ici, nous n'avons donc pas à être gentils avec vous.»*

À NOTER: Une bonne connaissance de l'anglais est requise pour bien apprécier les réparties des irrésistibles comédiens.

Le prix à payer pour se retrouver en tête de file

Nous nous devons d'octroyer une mauvaise note à Universal Orlando pour l'abandon il y a quelques années, dans ses deux parcs thématiques (Universal Studios et Universal's Islands of Adventure), de son service gratuit *Universal Express* qui, comme les *Fastpass* chez Disney, permettait jadis de «prendre rendez-vous» avec les attractions les plus prisées, afin d'éviter de faire la queue à l'heure dite.

Désormais, il faut plutôt s'en remettre au programme *Universal Express Plus*, qui, en échange d'un supplément substantiel au prix du billet d'entrée, permet en tout temps de passer devant la file d'attente dans presque tous les manèges. À noter toutefois que, théoriquement, une seule visite «express» n'est permise par attraction (voir les tarifs p. 68).

À noter que les visiteurs qui logent dans les hôtels d'Universal Orlando bénéficient automatiquement de ce privilège. Il leur suffit de présenter la clé de leur chambre à l'entrée de chaque attraction.

Quelques passages ayant pour but de faire sursauter l'auditoire peuvent par ailleurs effrayer les plus jeunes enfants.

Woody Woodpecker's KidZone

Les enfants en visite aux studios Universal n'avaient jadis qu'une aire de jeux où s'ébattre, alors qu'on leur consacre désormais une zone entière, sans doute pour souligner le fait qu'ils sont, eux aussi, de grands fervents des parcs thématiques.

Une grande partie de ce qui se trouve dans la Woody Woodpecker's KidZone appartient aux anciennes installations: le dinosaure pourpre chante toujours son amour pour les tout-petits (A Day in the Park with Barney), E.T. tente encore de téléphoner à la maison (E.T. Adventure) et Fievel parcourt sans relâche les égouts de New York à la recherche de sa famille (Fievel's Playland).

Mais il n'y a pas que du vieux et, parmi les additions les plus intéressantes, il convient de retenir de petites montagnes russes à la Woody Woodpecker (Woody Woodpecker's Nuthouse Coaster) et une aire de jeux interactive (Curious George Goes to Town) agrémentée d'accessoires de toutes sortes dans un cadre aquatique; il y a d'ailleurs fort à parier que, si vous en faites votre premier arrêt avec de jeunes enfants, vous risquez de ne jamais en ressortir.

E.T. Adventure ★★★★

Le film à grand succès de Steven Spielberg a inspiré cette balade aérienne en bicyclette dans de brumeuses forêts de séquoias et vers de lointaines planètes. Le scénario est le même que dans le film: E.T. se trouve coincé sur Terre à trois millions d'années-lumière de sa bien-aimée Planète Verte. Le héros (ou plutôt son image numérisée) monte sur votre bicyclette afin de rentrer à la maison, car il doit sauver sa planète d'une catastrophe certaine. Les lumières des villes scintillent tout en bas, alors que vous vous éloignez de la Terre en pédalant sous une pluie d'étoiles. Arrivé sur la Planète Verte, vous vous émerveillerez devant des eaux enchantées, des décors aux couleurs de l'arc-en-ciel, de petits E.T. dansants et des plantes qui semblent tout droit sorties d'un livre de contes. Le moment le plus touchant survient incontestablement à la fin de votre périple, lorsque E.T. vous fait ses adieux en vous appelant par votre prénom!

À NOTER: Taille minimale 0,86 m. Ce manège dispose sans contredit de la plus attrayante salle d'attente qui soit: une forêt fraîche et ombragée où les troncs d'arbres sont plus gros que des voitures et où l'air a une odeur de nature vivante. Alors que vous vous approchez de votre objectif, un E.T., qui semble vivant, brille du haut d'un monticule et vous adresse la parole. Dans un tel cadre, l'attente habituelle de 45 min n'est, somme toute, pas si pénible.

Animal Actors On Location! ★★★

Les animaux de toute taille et de toute espèce qu'on vous présente ici, tantôt adorables, tantôt talentueux et tantôt même maladroits à en faire rougir leurs entraîneurs, raviront les enfants à coup sûr. S'il est vrai que ce spectacle de 20 min comporte certaines longueurs et que son humour n'est pas du plus haut niveau, il reste que beaucoup d'enfants rient à gorge déployée d'un bout à l'autre du spectacle. Que demander de plus?

À NOTER: Comme ce spectacle se déroule dans une grande salle, les files d'attente sont rarement longues, et vous ne devriez avoir aucun mal à entrer si vous vous présentez une quinzaine de minutes à l'avance. En y allant entre 10h et 16h, non seulement oublierez-vous temporairement les longues queues des autres attractions, mais vous bénéficierez d'un moment de répit appréciable.

La distribution spéciale d'E.T. Adventure

Véritable foire d'effets spéciaux sans pareils, E.T. Adventure met en scène 80 personnages animés, 558 arbres et buissons artificiels et 306 plantes dansantes. L'immense ville d'Earth arbore 3 340 édifices miniatures, 1 000 lampadaires et 250 voitures, tandis que son ciel brille des feux de 4 400 étoiles.

Fievel's Playland ★★★

Vous vous direz sans doute que c'est trop beau pour être vrai, mais ce terrain de jeu constitue l'un de ces rares endroits où vous pouvez laisser aller vos enfants en toute tranquillité et les oublier pendant quelque temps. C'est qu'à l'intérieur de cet univers miniaturisé ils ont la possibilité de s'amuser à leur gré avec des accessoires géants inspirés des deux parties du film *American Tail*. Votre seul problème, si vous venez ici dans l'intention de vous reposer, tient au fait que vous ne pourrez résister à Tiger, un chat robotisé, ennemi juré de Fievel (la petite souris), qui adresse la parole à tous les passants en empruntant la voix de Dom DeLuise. Vous vous laisserez en outre tenter par la «balade en boîte de sardines au milieu des égouts», qui vous entraîne aux confins de l'univers de Fievel. Pour la relaxation, il faudra donc repasser, mais qu'à cela ne tienne, car vous saviez déjà qu'on trouve difficilement le temps de se reposer vraiment en ces lieux.

À NOTER: Cette attraction ne bénéficie pas de la faveur des enfants de plus de 10 ans.

A Day in the Park with Barney ★★★

En 1995, les studios Universal dévoilaient leur attraction familiale en l'honneur de Barney, le célèbre dinosaure pourpre favori de tous les enfants d'âge préscolaire. Il s'agit d'une visite ludoéducative en compagnie du reptile chantant dans un environnement spécialement conçu à l'intention des enfants et de leurs parents.

À l'intérieur du Barney Theater, une salle circulaire n'accueillant que 350 personnes à la fois, des trucages donnent l'impression à l'auditoire d'assister à un changement climatique comme par enchantement tandis que le jour cède rapidement le pas à la nuit. Entouré de sa meilleure amie, Baby Bop, et de son grand frère BJ, Barney entraîne la foule dans d'adorables chansons telles que *If You're Happy and You Know It* et *I Love You*.

Après le spectacle, tout le monde se presse vers le jardin de Barney, rempli de merveilles comme ce mur de velcro que les enfants peuvent modifier à leur gré, ou ces pierres qui émettent des sons musicaux et de ridicules bruits d'animaux lorsqu'on les piétine.

Les enfants adorent aussi explorer la maison dans l'arbre de Barney, agrémenté de tunnels et de toboggans.

À NOTER: Si vous avez de jeunes enfants seulement.

Curious George Goes to Town ★★★

À en juger par son nom, on s'attend à ce qu'il s'agisse là d'une attraction réservée aux enfants – aux jeunes enfants –, et tel est bien le cas, si ce n'est que les très grands n'hésitent pas une seconde à en profiter avec leurs bambins.

La ville miniature aux couleurs vives représentée ici semble sortie tout droit des pages d'un livre de H.A. Rey. Vous pouvez en faire l'ascension de part et d'autre sous l'œil espiègle de George lui-même, perché au sommet d'une fontaine, l'eau étant d'ailleurs le thème récurrent des lieux, puisque tout, ou presque, est ici conçu pour vous... détremper. Il y a des pièges partout (entre autres ce téléphone à l'ancienne, d'apparence on ne peut plus «inoffensive»!) et, lorsque retentit la cloche d'incendie, prenez garde à la «chute» qui promet de s'abattre sur vous. Enfin, complètement à l'arrière, vous attend la version maison de la «piscine à balles», soit une pièce remplie de quelque 13 000 balles en mousse qui fusent de toutes parts, propulsées par des canons mis à votre entière disposition.

À NOTER: Nous n'avons ici que deux conseils à vous donner: visitez cette tumultueuse attraction par une journée chaude et portez un maillot de bain.

Woody Woodpecker's Nuthouse Coaster ★★★

Après avoir vu les grands affronter certains des manèges les plus audacieux du parc, les tout-petits peuvent maintenant se targuer d'avoir leurs propres montagnes russes. Prenez place à bord de ce mini-monstre et parcourez l'usine de trucs et gadgets de Woody. Le court tracé sur rails, d'à peine 244 m à une vitesse maximale de 22 km/h, vous réserve toutefois quelques virages assez raides, sans doute incomparables à ceux des grands manèges mais tout de même surprenants; néanmoins, comme la randonnée ne dure en tout qu'une minute et demie, la plupart des enfants n'auront même pas le temps d'avoir peur.

À NOTER: Taille minimale 0,91 m. Bien qu'il s'agisse résolument de montagnes russes pour jeunes enfants, elles sont plus rapides qu'on pourrait le croire. Cela ne veut nullement dire que vos tout-petits devraient s'abstenir pour peu qu'ils se montrent enthousiastes, mais ne leur faites surtout pas croire qu'il s'agit d'un petit manège tranquille pour les convaincre d'y aller, sous peine de les ramasser en larmes.

World Expo

Cet endroit vibrant et bourdonnant d'activité offre une vision de vastes bâtiments métalliques striés de bandes colorées, de grands chapiteaux, de denses massifs de palmiers et de grosses colonnes peintes de rayures rappelant les enseignes de barbier. En dépit de son nom, cet espace n'a en fait rien d'une exposition universelle, sinon une rangée de drapeaux de différents pays.

The Simpsons Ride
★★★★★

Inaugurée au printemps 2008, cette désopilante attraction propulse les visiteurs à travers la ville de Springfield, dans l'univers particulier de la famille la plus déjantée de la télévision américaine. Voilà une occasion unique de «rencontrer» Homer, Marge, Bart, Lisa, Maggie, le clown Krusty et bien d'autres personnages de la série *Les Simpson*.

L'irascible clown Krusty préside à l'inauguration de son parc thématique baptisé Krustyland. Il dévoile alors le nom des gagnants d'un concours visant à déterminer qui essaiera en premier les montagnes russes du parc: les Simpson, bien entendu. Invités à choisir un autre groupe pour les accompagner, ils se tournent alors vers vous, choix accepté non sans hésitation par Krusty puisque, après tout, vous avez l'air «propre». Le problème, c'est qu'un dangereux tueur, nul autre que Sideshow Bob, rôde dans le parc, bien décidé à exercer une vengeance terrible à l'endroit de Krusty et des Simpson. On peut donc compter sur lui pour faire dérailler toute l'opération.

Ce manège, comme le faisait son prédécesseur Back to the Future, combine la technologie utilisée dans la conception d'un simulateur de vol et un film projeté sur écran géant. Vous y suivez donc le parcours chaotique des montagnes russes de Krustyland «comme si vous y étiez». Tout au long de ce film des plus amusants sont évoquées avec force clins d'œil les plus célèbres attractions des parcs thématiques voisins, depuis It's A Small World jusqu'aux Pirates of the Caribbean, en passant même par le bassin de l'épaulard Shamu.

Devant l'entrée de ce manège, on a aménagé tout récemment une aire qui rappelle les parcs d'amusement à l'ancienne, avec jeux d'adresse et kiosques colorés, une entrée en matière réussie qui vous introduit habilement dans l'ambiance complètement folle qui vous attend à l'intérieur.

À NOTER: Taille minimale 1,01 m. Ce manège attire des foules importantes, si bien qu'il convient de s'y rendre le plus tôt possible à votre arrivée au parc. Cela dit, on a mis beau-

Où rencontrer vos personnages favoris

Un peu comme à Disney World, il est possible de se faire photographier avec plusieurs «célébrités» aux studios Universal. Ainsi, un des amusants Minions vient danser avec les visiteurs à leur sortie de l'attraction Despicable Me Minion Mayhem.

Quant à Shrek et à son envahissant ami l'âne, on peut les rencontrer aux abords de l'Universal Studios Store, non loin de l'entrée du parc.

Les tout-petits pourront aussi serrer la pince de leurs personnages de dessins animés préférés, dont Bob l'éponge, dans la Woody Woodpecker's KidZone. Finalement, d'autres personnages peuvent habituellement être vus sur le Hollywood Boulevard.

coup de soin à la conception de la mise en situation (décor de fête foraine version dessins animés, nombreux écrans où apparaissent les divers personnages), ce qui contribue à rendre l'attente tolérable, voire divertissante.

Men in Black: Alien Attack ★★★

De méchantes et mystérieuses créatures cherchent à envahir le monde, et vous avez pour mission de les en empêcher. Inspiré du film du même nom, ce manège façon jeu électronique grandeur nature dépêche les «expéditionnaires malgré eux» par groupes de six pour exterminer les extraterrestres. Installés dans leur véhicule, ils parcourront les «rues» truffées de monstres à plusieurs bras, jambes et têtes, prêts à fondre sur eux dans les moindres recoins, et devront, arme au poing, les viser, tirer et... marquer des points pour chaque ennemi abattu.

Mais cette aventure n'est pas aussi effrayante qu'il n'y paraît à première vue; quelque peu risible, quoique amusante, elle vous procurera à peine plus de frissons que le manège de Buzz Lightyear du Magic Kingdom. Sachez toutefois que ça tourne à fond là-dedans, et qu'il vaut mieux ne pas passer à l'attaque aussitôt après avoir mangé, mais cette caractéristique du jeu plaira sans nul doute aux enfants. Par ailleurs, il convient de savoir que la fin vous réserve un passage dans le noir des plus bruyants qui risque de faire frémir les plus braves de vos jeunes soldats.

À NOTER: Taille minimale 1,06 m. Ce manège se trouve commodément juste à côté de The Simpsons Ride, de sorte que vous pourrez faire d'une pierre deux coups en vous y rendant de bon matin, car les files s'allongent rapidement par la suite. Avant de vous mettre en ligne, prenez soin de laisser vos effets personnels dans l'un des casiers mis à votre disposition non loin de l'entrée.

San Francisco

Jusqu'à la fermeture du manège mettant en vedette l'inquiétant mais plus très crédible requin du film *Les dents de la mer* au tout début de 2012, la station balnéaire d'Amity, sur la côte est des États-Unis, et la ville de San Francisco, sur la côte ouest, cohabitaient étrangement dans cette zone thématique. Aujourd'hui, un secteur entier est toujours consacré à la ville californienne, mais l'espace jadis occupé par Jaws a fait place à un vaste chantier de construction (voir l'encadré «Harry Potter aux Universal Studios?», p. 202).

San Francisco se distingue par ses rues pavées, ses constructions en planches, ses vieilles pompes à essence et la D. Ghirardelli Co., une manufacture de chocolat située près du Fisherman's Wharf. Les docks sont encombrés de casiers à homards et de filets de pêche, tandis que les rails du *cable car* coupent la rue en deux (le *cable car* lui-même n'est cependant pas en vue).

Fear Factor Live ★★★

Ce spectacle, présenté dans un vaste amphithéâtre de 2 000 places, s'inspire de l'ancienne émission de téléréalité *Fear Factor*, au cours de laquelle les participants devaient confronter leurs peurs en relevant divers défis. Des épreuves de toutes sortes, incluant des cascades plus audacieuses les unes que les autres, émaillent ainsi cette version *live*. Les spectateurs peuvent s'inscrire comme concurrents en se présentant au kiosque réservé à cette fin devant le théâtre, quelque 75 min avant chaque représentation.

À NOTER: Seules les personnes de 18 ans et plus peuvent participer aux différentes épreuves. Elles doivent en outre mesurer entre 1,50 m et 1,85 m, et peser de 50 kg à 100 kg. Sachez de plus que ce spectacle n'est présenté que sur une base saisonnière et qu'il se peut par conséquent qu'il ne soit pas à l'affiche lors de votre passage.

Disaster! ★★★★

Inaugurée à la fin de 2007, cette attraction reprend les éléments les plus spectaculaires du manège Earthquake – The Big One qui occupait auparavant les lieux, soit la reconstitution à couper le souffle d'un tremblement de terre vécu de l'intérieur d'une rame du métro de San Francisco. Un nouvel enrobage rend toutefois maintenant l'expérience plus amusante que terrifiante.

Ainsi, vous comptez parmi les visiteurs des Disaster Studios, propriétés d'un magnat interprété par Christopher Walken, ou enfin

Harry Potter aux Universal Studios?

Depuis la fermeture de l'attraction Jaws et du secteur Amity au tout début de 2012, les spéculations vont bon train quant à ce qui succédera au redoutable requin dans cette portion du parc. Un immense chantier de construction a bien été érigé, mais Universal n'a encore rien annoncé officiellement.

La rumeur la plus persistante veut toutefois que le monde du sorcier Harry Potter soit à nouveau l'objet d'un développement majeur chez Universal. La zone thématique **The Wizarding World of Harry Potter** (voir p. 216), qui connaît un succès sans précédent depuis son inauguration en 2010 aux Universal's Islands of Adventure, se verrait ainsi ajouter un second volet.

Toujours selon des rumeurs non confirmées, ce serait Diagon Alley (Le Chemin de Traverse, pour les lecteurs francophones), la rue commerçante pour sorciers de Londres, qui servirait de toile de fond à ce nouveau secteur. Il y aurait aussi le train magique Hogwart Express (le Poudlard Express) qui relierait Londres, dans le parc Universal Studios, directement au village de Hogsmeade (Pré-au-lard) dans le parc Islands of Adventure. Cela constituerait une grande première en termes d'interconnexions directes entre deux parcs thématiques, qui ont habituellement des univers qui leur sont propres, sans lien possible les uns avec les autres.

Mais rappelez-vous que tout cela n'est que pure spéculation pour l'instant, qu'aucun projet n'a officiellement été annoncé, et encore moins de date d'ouverture avancée.

par une version holographique du célèbre acteur. Des participants sont choisis dans l'assistance pour jouer de petits rôles dans sa nouvelle mégaproduction. Au cours des différentes étapes de la présentation, on filmera les scènes mettant en vedette ces recrues. Celles-ci seront mises bout à bout puis intégrées dans un amusant montage diffusé en fin de programme.

Le clou de l'attraction, malgré tous les artifices qu'on a pu lui ajouter dans sa nouvelle incarnation, demeure la simulation d'un tremblement de terre de force 8,3 sur l'échelle de Richter. En plus d'utiliser des effets spéciaux fort convaincants, les concepteurs de Disaster! y ont inclus des accessoires tout ce qu'il y a de plus vrai, y compris une rame de métro de 18 t (achetée à la Ville de San Francisco), qui peut transporter jusqu'à 200 passagers, et un tronçon de route pesant plus de 20 000 kg.

À NOTER: Le découpage en plusieurs étapes du scénario de cette présentation la rend quelque peu longuette. D'autre part, les effets spéciaux réalistes qui y sont déployés peuvent effrayer les très jeunes enfants.

Beetlejuice's Graveyard Revue ★★★

Cette revue musicale animée par Bételgeuse en personne, héros du film et des dessins animés du même nom, met en vedette diverses célébrités parmi les morts vivants, dont Dracula, l'homme-loup, Frankenstein et son adorable fiancée. Tous ces sinistres personnages dansent, chantent et jouent la comédie sur des airs de reggae, de rock, de soul et de rhythm-and-blues, tandis que des effets d'éclairage illuminent la scène.

À NOTER: Ce spectacle n'a rien pour effrayer les plus jeunes, à moins qu'ils se mettent à trembler aussitôt qu'ils aperçoivent un comédien déguisé en monstre. La salle est couverte (mais non intérieure) et, pour plus d'atmosphère, vous devriez y aller le soir.

New York

Aux studios Universal, 15 m à peine séparent San Francisco de New York. Sur cette courte distance, les paysages marins cèdent bientôt le pas aux murs de grès bruns, aux rues de briques argentées, aux théâtres sophistiqués et aux étalages débordant d'oranges et de pommes alléchantes de la grande métropole. Une enseigne de barbier rouillée se dresse sur une étroite ruelle bordée de panneaux métalliques froissés et de devantures embuées et remplies d'articles bon marché.

Il émane de cet endroit un certain charisme, une apparence coquine qui tente de refléter avec autant d'exactitude que possible la culture de la Côte Est américaine. Les panneaux-réclame annoncent les grandes productions de Broadway, et les façades ornementées dressent un portrait éblouissant de l'Upper East Side (quartier riche de New York). En face du Macy's, un sosie de Marilyn Monroe est penché sur un taxi, son image se reflétant sur le brillant capot jaune de la voiture. Vêtue d'une robe dorée très serrée, un boa de plumes saphir autour du cou, Marilyn fait mine d'embrasser les passants à distance et roucoule avec une modestie affectée; un homme portant un costume zazou et des demi-guêtres fait une pause devant elle, regarde sa montre de poche en or et poursuit son chemin.

Quelques sites connus de la *Big Apple* ont été reproduits avec nostalgie, comme Greenwich Village, le Grammercy Park et le pont de Queensboro. Il y a aussi une galerie marchande de Coney Island, ainsi qu'un vrai restaurant italien (Louie's).

The Blues Brothers ★★★

Préparez-vous à danser dans les rues sur la musique endiablée d'Elwood et de Jake, les célèbres mauvais garçons du blues. Ce spectacle est présenté plusieurs fois par jour dans la rue Delancey, sur une petite scène aménagée devant l'un de ses immeubles.

À NOTER: Cette présentation enlevante s'adresse à tous, même à ceux de qui ces deux hurluberlus sont inconnus. Un conseil: présentez-vous quelques minutes avant le début pour ne pas manquer l'entrée en scène fracassante des deux compères.

Revenge of the Mummy ★★★★

Cocktail explosif à base de pyrotechnie, de robotique de pointe et de montagnes russes, Revenge of the Mummy (la revanche de la momie) entraîne les amateurs de sensations fortes dans une folle balade à travers les passages secrets de la tombe d'un pharaon égyptien.

Après un départ canon, votre véhicule s'arrêtera soudainement pour mieux repartir en marche arrière. Puis, après avoir retrouvé le droit chemin, il reprendra sa course endiablée jusqu'à un irrésistible clin d'œil final.

Cette attraction techniquement irréprochable vous réserve un moment aussi intense que bref. En effet, le voyage en lui-même, bien

Universal's Cinematic Spectacular

Un nouveau spectacle nocturne a pris l'affiche en 2012 en remplacement d'Universal 360 – A Cinesphere Spectacular. Comme son prédécesseur, **Universal's Cinematic Spectacular – 100 Years of Movie Memories** est présenté sur le lagon central et inclut toujours des projections de séquences extraites de films qui ont marqué l'histoire du cinéma américain, mais ces projections se font dorénavant sur des écrans créés à l'aide de chutes d'eau. Le tout est enrobé dans une grandiose mise en scène constituée d'effets pyrotechniques, de rayons laser et de fontaines illuminées, accompagnée d'une trame musicale originale diffusée par quelque 300 haut-parleurs répartis sur le site.

À noter que cette célébration n'est pas programmée tous les soirs et que les heures des représentations varient. Consultez l'horaire inscrit sur les plans du parc distribués à l'entrée.

Il est par ailleurs possible de prendre part à un dîner-spectacle au **Lombard's Seafood Grille** (voir p. 282), qui permet d'assister à cette présentation depuis un poste d'observation privilégié. Comptez 45$ pour les adultes et 13$ pour les enfants. Réservations requises au 407-224-7554.

que fort mouvementé, en décevra certains par sa courte durée.

À NOTER : Taille minimale 1,21 m. Inaugurée il y a relativement peu de temps, cette attraction attire les foules; allez-y donc en début de journée pour tenter de limiter votre temps d'attente. Afin d'éviter les mauvaises surprises, laissez vos objets personnels dans l'un des casiers mis à votre disposition près de l'entrée.

Twister... Ride It Out ★★★

Bien que son nom laisse imaginer des montagnes russes nouveau genre, il s'agit en réalité d'un spectacle de trucages, quoiqu'on puisse aussi parler de «manège».

Après un court métrage sur les tornades (mettant en vedette les étoiles de la superproduction *Twister*, Helen Hunt et Bill Paxton), on vous conduira aux ruines de la maison de «Tante Meg», puis au fameux ciné-parc qui se voit complètement ravagé dans le film. Mais ce n'est pas tout, car alors commence vraiment la ronde des effets spéciaux : vents insoutenables, jets d'eau, incendies spontanés et, au moment où vous êtes persuadé qu'il est impossible d'en faire davantage... une vache volante.

À NOTER : Twister est à tout le moins bruyant et intense. Nombre d'adultes vont même jusqu'à se recroqueviller au plus fort de la «tempête». En aucun cas un endroit pour les petites natures, enfants ou adultes.

Production Central

Tel un quartier d'entrepôts et de studios qu'on aurait soigneusement astiqués, Production Central est un labyrinthe de gigantesques édifices sans ornement, tous alignés en rangées bien droites. Ce sont là les «muscles» des studios Universal, l'arrière-boutique des salles de tournage, des équipements techniques, des costumes et des accessoires.

Contrairement à San Francisco, à New York et aux autres zones thématiques, Production Central n'a pas de décors de rue. L'action se passe ici à l'intérieur, là où sont tournés des films et des émissions de télévision, mais aussi dans deux salles de cinéma hors de l'ordinaire.

Universal's Superstar Parade ★★★

Ce défilé coloré met en scène les personnages-vedettes du réseau de télévision américain pour enfants Nickelodeon. Ainsi, les Bob l'éponge, Dora, Diego et autres Minions (petits bonshommes jaunes du film d'animation *Despicable Me*) sillonnent le parc sur des chars allégoriques très élaborés, accompagnés d'une musique entraînante.

La parade s'ébranle depuis la «frontière» entre les secteurs San Francisco et New York, descend la longue allée de Production Central, puis bifurque dans la zone Hollywood, où elle prend fin en face du restaurant Mel's Drive-In.

Jusqu'à la première de cette présentation, en mai 2012, Universal n'avait pas de défilé du genre, si l'on exclut la Macy's Holiday Parade, programmée au cours de la période des fêtes de fin d'année. La popularité extrême de ce type d'attraction chez le concurrent Disney a sans doute contribué à convaincre les bonzes d'Universal de produire leur propre défilé.

À NOTER : Le défilé a lieu quotidiennement en fin d'après-midi, mais l'horaire peut varier en fonction des saisons. Le parcours s'étendant sur une longue distance, il est facile de dénicher un bon poste d'observation, et ce, même lors des jours de grande affluence.

Shrek 4-D ★★★★★

À première vue, on se demande quels nouveaux trucs a bien pu ajouter Universal à la salle de cinéma de Shrek : les énormes sièges, qui semblent être branchés sur quelque chose de diabolique... Et l'auditorium s'appelle la Lord Farquaad's Torture Chamber (la chambre de torture de Lord Farquaad) – c'est tout dire! Suivant la tradition du 4D, chaque spectateur a droit, dans le feu de l'action, à son lot de secousses et de «vols» : quelques-uns des effets spéciaux, surprenants, vous soulèveront littéralement de votre siège. Le gros ogre vert et son copain l'âne sont de retour dans ce film – une suite au premier film de la série réalisée expressément pour le parc thématique – où le méchant Lord Farquaad revient de l'au-delà pour menacer le monde fantastique de la féerie.

Bien que le film soit l'attraction vedette (avec Mike Myers, Eddie Murphy et le reste de la distribution originale, ou à tout le moins leurs voix), vous serez sûrement heureux de vous retrouver, avant la représentation proprement dite, dans le hall du cinéma où votre hôte affiche l'humour irrévérencieux d'Universal, décochant quelques pointes criantes (et délirantes) à l'autre parc thématique de la ville. Le film qui suit donne beaucoup de plaisir, même si, contre toute attente, ce n'est pas un festival du fou rire... En fait, l'histoire de Shrek est difficile à suivre dans ce film. Néanmoins, si vous êtes vraiment un admirateur de l'ogre, vous ne devez absolument pas manquer Shrek 4-D.

À NOTER : Shrek 4-D compte parmi les attractions les plus courues du parc. Si vous n'avez pas ajouté l'option *Universal Express Plus* à votre billet d'entrée, il est recommandé de vous y rendre dès le début de la journée pour éviter de trop longues files d'attente. Par ailleurs, même si elle se base sur un dessin animé, l'attraction offre un environnement sombre et turbulent : les parents de tout-petits devraient y penser à deux fois avant de venir s'asseoir ici.

Despicable Me Minion Mayhem ★★★★★

Un très bon dessin animé avec Jimmy Neutron et sa bande était auparavant projeté dans cette salle de cinéma qui sort de l'ordinaire. Universal a toutefois décidé de mettre cette attraction au goût du jour et y présente dorénavant un film d'animation mettant en vedette les personnages du long métrage *Despicable Me*, dont une suite, comme par hasard, prend l'affiche en 2013.

Vous n'avez pas vu *Despicable Me*? Qu'à cela ne tienne... Des écrans disséminés le long du parcours de la file d'attente se chargeront de vous mettre à jour. Ils vous raconteront l'histoire du super-vilain Dru, de son armée composée de milliers de Minions (d'hilarants et travailleurs petits bonshommes jaunes), de son acolyte savant fou le Dr. Nefario, qui a inventé une machine permettant de transformer les gens en Minions, et des trois gentilles orphelines adoptées par Dru (Margo, Edith et Agnes), qui, contre toute attente, en ont fait le gagnant du titre de papa de l'année.

Dans ce nouveau spectacle, Dru, toujours à la recherche de main-d'œuvre pour l'aider à concrétiser ses plans diaboliques, transforme tous les membres de l'auditoire en Minions et les inscrit à une journée de formation dans son immense laboratoire dont ils ne se remettront pas de sitôt. Mais tout cela concorde avec le jour anniversaire de l'adoption de ses filles par le méga-méchant au cœur tendre, anniversaire dont seule la douce Agnes semble se souvenir. S'en suivra une indescriptible pagaille (*mayhem* en anglais), pour le moins mouvementée, mais vraiment drôle.

Comme dans l'incarnation précédente de cette attraction, ce scénario n'a qu'un seul objectif : ligoter les spectateurs dans les sièges mobiles du cinéma, pour ensuite leur faire effectuer vols planés et acrobaties diverses dans un univers déjanté, ici le laboratoire géant de Dru, où œuvrent les Minions. Les effets spéciaux se révèlent des plus convaincants, et c'est très agréable, peut-être même davantage qu'à l'époque de Jimmy Neutron.

Cette extraordinaire présentation amusera petits et grands grâce à son rythme trépidant et à ses personnages colorés. Aux effets visuels très réussis s'ajoutent des mouvements effectués indépendamment par chaque petit groupe de fauteuils au gré de l'action qui se déroule sur l'écran. Le tout donne vraiment l'impression de se retrouver au cœur d'un dessin animé.

À NOTER : Taille minimale 1,01 m. Le thème on ne peut plus attrayant pour les enfants et la salle de cinéma à grande échelle (ce n'est pas une petite nacelle, comme à l'attraction The Simpsons Ride) font de cette attraction une excellente initiation au simulateur de vol pour les enfants.

Notez par ailleurs que la première rangée de la salle offre des sièges immobiles, ce qui veut dire que les spectateurs qui ne souhaitent pas être secoués peuvent quand même expérimenter Despicable Me Minion Mayhem. Donc, tous ceux qui ne veulent pas participer «activement» à l'histoire de ce dessin animé devraient réserver un de ces sièges auprès de l'hôte de l'attraction.

Hollywood Rip Ride Rockit

★★★★

À part le parcours intérieur de Revenge of the Mummy, les Universal Studios étaient jusqu'à tout récemment dépourvus de montagnes russes, une situation pour le moins singulière dans un parc thématique. Les choses ont enfin changé à l'été 2009, après l'inauguration du spectaculaire Hollywood Rip Ride Rockit. On ne peut d'ailleurs manquer l'impressionnante silhouette que dessinent les voies de ce manège au-dessus et même à travers des décors de rues de la zone New York voisine. On en parle même comme faisant partie d'une nouvelle génération de montagnes russes, que l'on pourrait qualifier de multisensorielles.

Au départ, votre convoi grimpe une pente de 90 degrés (vous avez bien lu: à la verticale!) jusqu'à une hauteur équivalente à celle d'un immeuble de 17 étages, ce qui fait de ce manège les plus hautes montagnes russes d'Orlando. Puis, il entreprend sa descente infernale, au cours de laquelle il atteindra des pointes de plus de 110 km/h.

Au-delà des boucles et autres contorsions propres à ce type d'attraction, la grosse affaire ici est la possibilité offerte aux participants de personnaliser leur expérience, en choisissant eux-mêmes la trame musicale qui accompagnera leur folle course et qui agrémentera la vidéo-souvenir dont ils pourront se porter acquéreurs à leur descente du manège.

La portion initiale du parcours, composée de la montée à la verticale, de la première descente et de quelques boucles, est à couper le souffle! Puis, le convoi exécute en quelques occasions des quasi-arrêts avant de reprendre sa folle course. Convenons que ce genre de pause peut donner un effet intéressant, mais que, si l'on remet ça à répétition, le rythme de l'attraction vient à en souffrir terriblement, au point même d'en décevoir plus d'un. C'est d'ailleurs pour cette raison que nous n'avons pas octroyé la note maximale à ce manège dans notre palmarès, et ce, malgré une conception d'ensemble fort impressionnante.

À NOTER: Taille minimale 1,29 m. Ces montagnes russes étant encore toutes récentes, elles attirent des foules importantes. Qui plus est, l'option *Universal Express Plus* n'est pas en vigueur ici, Universal souhaitant ne favoriser personne dans le cas de nouvelles attractions. Voilà qui se défend comme politique, quoique, le coût de cette option s'ajoutant au prix d'entrée régulier, ce soit plutôt frustrant pour les détenteurs du fameux laissez-passer. Présentez-vous donc dès votre arrivée au parc pour limiter votre temps d'attente.

Des casiers sont mis à la disposition des visiteurs non loin de l'entrée de ces montagnes russes.

Les Transformers aux Universal Studios

Pendant plusieurs mois à compter de juin 2012, un chantier de construction (un autre!) a occupé un vaste espace entre le secteur Production Central et le lagon du parc, sur l'emplacement du Soundstage 44, qui n'était plus ouvert au public depuis longtemps. A émergé de ce chantier, vers la fin de cette même année, un immense bâtiment destiné à abriter une nouvelle attraction à grand déploiement baptisée **Transformers: The Ride – 3D**.

Ce nouveau manège, déjà en place dans les parcs d'Universal à Hollywood et à Singapour, promet de faire vivre des moments de frayeurs aux participants en les plongeant dans une mission aux côtés des Autobots afin de livrer bataille contre les Decepticons. Il s'agira d'un simulateur combiné à des séquences filmées en trois dimensions, un peu à la manière de l'extraordinaire **The Amazing Adventures of Spider-Man** (voir p. 223) des Universal's Islands of Adventure.

Cette incursion dans l'univers des robots géants doit voir le jour au cours de l'été 2013. Son inauguration précédera ainsi d'environ un an le lancement du quatrième opus de la populaire série de films de science-fiction.

Universal's Islands of Adventure

Avant qu'Universal Orlando n'inaugure son deuxième parc thématique, il ne représentait qu'une excursion d'une journée lors d'un séjour moyen d'une semaine dans la région. Avec l'ouverture d'Islands of Adventure en 1999, Universal est devenu un lieu de vacances à part entière. L'avènement de ce parc thématique à tout casser a de fait transformé cette «mecque» floridienne du septième art, auparavant une simple halte touristique, en une destination autonome.

L'ensemble des installations porte désormais le nom générique d'Universal Orlando et offre, à l'intérieur d'un même complexe, des parcs thématiques (deux), des lieux d'hébergement (trois hôtels de grand luxe) et une kyrielle de restaurants à thème (entre autres NBA City et Jimmy Buffett's Margaritaville, pour ne nommer que ceux-là), sans parler d'une concurrence accrue pour vous savez qui.

Le fait que ce deuxième parc des studios Universal se propose de vous offrir des sensations tout ce qu'il y a de plus tangibles (par opposition aux émois illusoires que suscite le grand écran) devient évident dès l'entrée sur le site. Des masses d'acier aux couleurs vives épousent des courbes étudiées à même de réjouir le cœur de tous les amateurs de montagnes russes, qui décrivent ici des boucles se jouant de la pesanteur, des spirales en tire-bouchon et des plongeons quasi verticaux. Quant à la bande sonore du parc, elle peut être décrite comme un duo de musique préenregistrée et de cris perçants dénotant aussi bien l'effroi que le plus pur bonheur. Si la devise originale des studios Universal était *Ride the movies* (par allusion aux manèges et aux attractions inspirés de différents films), le credo de ce parc semble se résumer à «Ride», en ce que les manèges n'y existent que pour eux-mêmes, sans autre prétexte.

L'élaboration du paysage a requis tout le savoir-faire de quelques super-génies (Steven Spielberg a participé aux travaux à titre de consultant), qui ont dû, à proprement parler, concevoir la technologie nécessaire au bon fonctionnement de ses diverses composantes. Pour tout dire, il a sûrement fallu beaucoup d'imagination et de longues nuits de remue-méninges pour donner le jour à toutes les grandes premières de ce parc, y compris des montagnes russes qui vous catapultent littéralement vers le firmament, une glissoire qui vous fait plonger sous l'eau et un manège à voie double parcourue par des convois évoquant deux dragons.

Bien que, dans cet âge où toute technologie devient rapidement obsolescente, la notion descriptive de «fine pointe» ne s'applique que de façon momentanée (et appartient sans doute déjà au passé au moment où vous lisez ces lignes), toutes les innovations d'Islands of Adventure en font un véritable «canon», d'autant plus que vous y passerez le plus clair de votre temps à vous envoler comme une fusée ou à dévaler quelque impossible tour ou falaise de la mort. Bref, nul besoin d'être une vedette du grand écran pour vous faire des admirateurs dans ce décor flamboyant où figures mythologiques, héros de bandes dessinées et personnages de dessins animés se chargent d'amuser les simples spectateurs, tandis que les cœurs fragiles peuvent au moins faire un tour de carrousel ou assister à un spectacle de cascadeurs. Quant aux rires, ils sont aussi de la partie, ne serait-ce qu'à la vue de vos compagnons à la sortie d'un manège haut en émotion, leur visage figé dans le vague sourire grimaçant de ceux qui viennent de survivre à l'absence de gravité.

Demeuré inchangé depuis son ouverture, le parc a connu un bouleversement majeur à l'été 2010, lors de l'inauguration d'une nouvelle section consacrée à l'univers du personnage culte Harry Potter. Cet ajout, ou plutôt cette transformation d'une portion existante du parc, sème depuis son ouverture un tel émoi et attire des foules à ce point nombreuses et enthousiastes qu'il faut par moments en restreindre l'accès. Dans les périodes de pointe, ne vous surprenez donc pas de devoir faire la file pour entrer dans le Wizarding World of Harry Potter, puis de devoir faire la file pour accéder à ses manèges, puis de devoir faire la file pour entrer dans ses boutiques… Ainsi dénombre-t-on maintenant ici six îles (sept en comptant le Port of Entry): Seuss Landing, The Lost Continent, The Wizarding World of Harry Potter, Toon Lagoon, Jurassic Park et Marvel Super Hero Island, pour un total de 24 spectacles et manèges. À la différence du décor des studios Universal, qui affiche une continuité sentie, chacune des sections du parc présente un caractère suffisamment distinct pour constituer une «île» en soi. Les concepteurs se sont néanmoins inspirés de la contrepartie animée ou cinématographique de chaque zone, pour la doter d'une toile de fond à saveur narrative qui mobilise la participation des visiteurs par sa seule présence. Ainsi, parmi les ruines du «Continent perdu», vous aurez vraiment l'impression de vous trouver dans une ville oubliée. Et la musique elle-même a fait l'objet d'un savant assemblage, puisque des pièces originales (dont les compositions de John Williams pour les films de la trilogie *Jurassic Park*) ont été créées autour de chacun des thèmes. En plus de camper l'atmosphère, ces décors et ces trames sonores distinctifs permettent de mieux s'orienter, dans la mesure où l'on ne saurait douter un instant que l'on vient de passer, par exemple, de l'hilarant Toon Lagoon à l'inquiétant Jurassic Park.

Le fait que les plus jeunes membres de la famille puissent ici prendre part à l'action constitue un atout indéniable. Universal a pris conscience de ce que, de nos jours, les familles envahissent en bloc les parcs thématiques, et elle a eu la sagesse de concevoir Islands of Adventure en conséquence. Il en résulte que presque toutes les îles ont quelque chose à offrir aux tout-petits. Mieux encore, la plupart des attractions créées à leur intention sont de celles que papa et maman peuvent réellement apprécier, plutôt que d'avoir à les «tolérer»; adieu les petits trains pépères et sans intérêt, ici remplacés, notamment, par un laboratoire de recherche sur les dinosaures, où vous pourrez assister à l'éclosion d'un bébé *raptor*, et par une sculpture à escalader à nulle autre comparable. La nostalgie qui émane de Seuss Landing aura aussi le don de divertir longuement les adultes de votre groupe, et même ceux qui n'enfourcheraient normalement un cheval de manège forain pour rien au monde ne pourront résister au charme des créatures du Caro-Seuss-el.

Quoi qu'il en soit, les sensations extrêmes restent la marque des lieux, un domaine où Universal déploie tout son savoir faire, et la plupart des manèges sauront vous faire découvrir vos limites. Cela est d'autant plus vrai dans le cas des manèges aquatiques, qui vont jusqu'à vous submerger (ou presque); il vaut d'ailleurs sans doute mieux les approcher dans des vêtements que vous ne craignez pas de détremper ou, mieux encore, carrément en maillot de bain (du moins en été), pour ne pas avoir à vous soucier de l'inévitable. Amusez-vous bien!

À ne pas manquer!

› Les attractions

Dragon Challenge p. 217

Harry Potter and the Forbidden Journey p. 218

Jurassic Park River Adventure p. 219

Popeye & Bluto's Bilge-Rat Barges p. 221

Dudley Do-Right's Ripsaw Falls p. 222

The Amazing Adventures of Spider-Man p. 223

The Incredible Hulk Coaster p. 224

› Les bonnes adresses

Restaurants

Confisco Grille (Port of Entry) p. 283

Mythos Restaurant (The Lost Continent) p. 283

Achats

Ollivander (The Wizarding World of Harry Potter) p. 300

Accès et déplacements

› Orientation

Outre son avance technologique, Islands of Adventure s'impose comme un des parcs thématiques les plus faciles à parcourir. Le site lacustre du Port of Entry vous donne d'ailleurs une vue claire de l'ensemble des lieux, ce qui vous facilitera grandement la tâche, non seulement pour vous y retrouver, mais aussi pour dresser votre plan de visite.

Les différentes îles décrivent un cercle autour du lac: depuis le Port of Entry, prenez à droite pour atteindre Seuss Landing, puis The Lost Continent et enfin The Wizarding World of Harry Potter; en prenant plutôt à gauche, vous verrez successivement la Marvel Super Hero Island et le Toon Lagoon. Quant au Jurassic Park, il s'agit de la zone la plus éloignée de l'entrée (à l'opposé du Port of Entry, de l'autre côté du lac), ce qui signifie que vous couvrirez la même distance de part et d'autre du lac pour l'atteindre.

L'aménagement labyrinthique de chaque île présente par contre un certain défi. Retenez toutefois que, si vous vous perdez, vous devriez toujours pouvoir retrouver l'artère principale en vous éloignant du lac. Cela dit, en un lieu aussi vaste, il n'est pas rare que les membres d'un même groupe soient séparés les uns des autres; prenez donc la peine de vous fixer au préalable un point de rendez-vous pour le cas où vous viendriez à vous perdre de vue (la devanture des *Guest Services*, à l'intérieur de l'entrée principale, constitue généralement un lieu de rassemblement fiable).

› En voiture

Islands of Adventure s'étend immédiatement à l'ouest de l'intersection de la route I-4 et du Florida Turnpike. De la **route I-4** (Interstate 4), empruntez la **sortie 74B** ou **75A**. L'entrée principale du parc se trouve en bordure de la **Kirkman Road**.

Après avoir acquitté les frais de stationnement (15$), on vous orientera vers un des emplacements de l'immense terrain de stationnement des studios. De là, un trottoir roulant vous fera faire un bout de chemin en direction de l'entrée principale, mais vous ne serez pas encore au bout de vos peines puisque, avant de l'atteindre, vous devrez encore franchir le CityWalk.

› En navette ou en autocar

Des hôtels d'Universal Orlando: prenez un autobus ou une navette lacustre directement jusqu'aux parcs thématiques.

Des hôtels de la région: la plupart des hôtels (sauf, il va sans dire, ceux de Disney World) disposent d'un service de navette pour Universal Orlando, tantôt aux heures, tantôt aux deux ou trois heures. Ceux qui logent dans les hôtels de Disney doivent néanmoins savoir que **Mears Transportation** *(407-423-5566)* se propose de les cueillir pour les emmener à Universal Orlando, qui se trouve à 16 km au nord-est de Disney World.

Renseignements utiles

› Quelques précieux conseils

Bien qu'à peu près de la même taille que les studios Universal en tant que tels, Islands of Adventure n'est pas tout à fait aussi intimidant. Les «îles» forment d'ailleurs un anneau symétrique, d'où émane un certain sens de l'ordre et de l'organisation. Quoi qu'il en soit, il y a beaucoup de terrain à couvrir et de nombreuses (et longues) files d'attente.

Rêver de faire le tour des lieux en une journée, fût-ce en l'absence inconcevable de toute file d'attente, relève de la plus pure fantaisie, une fantaisie d'ailleurs trop éreintante pour en profiter pleinement. Il vous faudra donc compter au moins deux jours, sans quoi vous devrez vous résoudre à reporter certaines attractions à une visite ultérieure.

Les lève-tôt voudront tout naturellement s'attaquer dès le départ à la section vedette du parc, The Wizarding World of Harry Potter, et à ses manèges Harry Potter and the Forbidden Journey et Dragon Challenge. Ensuite, The Amazing Adventures of Spider-Man, où se forme l'une des plus longues files d'attente, se doit de figurer en tête de votre liste, de même que The Incredible Hulk Coaster. Outre les attractions que nous venons de mentionner, les autres manèges-vedettes comprennent Dudley Do-Right Ripsaw Falls, Popeye & Bluto Bilge-Rat Barges et Jurassic Park River Adventure.

Il est certes possible de courir les grands manèges en sautant d'une île à l'autre, mais vous risquez ainsi de manquer beaucoup de choses et d'user vos semelles de chaussure. Par ailleurs, réfléchissez bien avant d'inscrire les manèges aquatiques au sommet de votre liste; il ne fait aucun doute que vous réduirez ainsi votre temps d'attente, mais vous pouvez alors être à peu près certain de passer le reste de la journée à patauger dans des vêtements complètement détrempés (et il n'y a là aucune figure de style!).

Quelque approche que vous reteniez, accordez-vous suffisamment de temps pour prendre un repas plus consistant qu'un simple hamburger sur le pouce. Islands of Adventure a en effet la particularité d'être un des rares parcs thématiques dont les restaurants sont de ceux où vous voudrez vraiment prendre la peine de vous asseoir pour manger.

› Animaux de compagnie

Ils ne sont pas admis sur le site d'Islands of Adventure. Vous pouvez cependant les faire garder pour la journée au chenil situé tout près du péage du stationnement.

› Argent

Il est possible de changer des devises au bureau des *Guest Services*, situé tout juste à l'entrée du parc, sur la droite (une fenêtre donne également sur l'extérieur du parc). Vous trouverez en outre un guichet automatique à l'extérieur de l'entrée d'Islands of Adventure. D'autres guichets sont également répartis à travers le parc: dans The Lost Continent, près du théâtre où est présenté The Eighth Voyage of Sindbad Stunt Show, dans The Wizarding World of Harry Potter, dans le secteur Jurassic Park et dans la Marvel Super Hero Island, tout près de The Amazing Adventures of Spider-Man.

› Bureau des objets perdus et trouvés

Informez-vous auprès des *Guest Services*.

› Casiers

Des casiers utilisables à la journée (10$) se trouvent près de l'entrée du parc. Pour un usage de plus courte durée (le temps d'un manège, par exemple), rendez-vous au pied des montagnes russes de Hulk et de Dragon Challenge, ainsi qu'au manège Harry Potter and the Forbidden Journey; les 90 premières minutes sont gratuites, après quoi il vous en coûtera 2$ l'heure.

› Centre de services aux nourrissons *(Baby Services)*

Il se trouve à l'intérieur du bureau des *Guest Services*, passé l'entrée principale, sur la droite.

› Enfants perdus

Signalez les enfants perdus aux *Guest Services*, tout juste passé l'entrée principale.

Verrouillage et entreposage

Le bureau des objets perdus de presque tous les parcs thématiques renferme tous les objets possibles et imaginables «subtilisés» à d'infortunés amateurs de manèges à sensations fortes – chapeaux et casquettes, clefs et briquets, voire des caméscopes! S'il est vrai que les casiers de certains parcs sont trop loin de tout pour être vraiment utiles, il n'en va pas de même ici, puisque Universal a eu la brillante idée de placer des casiers «courte durée» à l'entrée de certains manèges particulièrement mouvementés, comme The Incredible Hulk Coaster, Dragon Challenge et Harry Potter and the Forbidden Journey, sans compter qu'ils sont gratuits pour les premières 90 min (vous n'êtes censé les utiliser que pendant votre tour de manège). Rangez-y donc vos biens (chapeaux, lunettes de soleil et autres objets précieux susceptibles de s'envoler ou de quitter vos poches comme par magie) et amusez-vous ferme, rassuré par le fait que vous aurez toujours vos clefs de voiture à la fin de la journée.

› Liste et horaire des spectacles

Consultez le plan-brochure qu'on vous remettra à l'entrée du parc pour connaître le programme exact des événements présentés.

› Poussettes et fauteuils roulants

Vous en trouverez à louer tout juste passé l'entrée principale, sur la gauche.

› Renseignements

Le bureau des *Guest Services*, situé immédiatement après l'entrée principale, sur la droite, est l'endroit où vous arrêter pour obtenir tout renseignement de même que pour trouver des plans du parc en français, ainsi qu'en espagnol, en allemand, en japonais et en portugais.

› Service de collecte des paquets *(Package Service)*

Pour ne pas avoir à traîner vos achats toute la journée, faites-les envoyer à la boutique The Trading Company, près de la sortie, où vous pourrez les récupérer avant de quitter le parc.

Port of Entry

Toute aventure digne de ce nom doit avoir un point de départ. À Islands of Adventure, il s'agit du Port of Entry, où vous pouvez vous procurer de ce dont vous pourriez avoir besoin dès votre entrée dans le parc (cartes mémoire photo, crème solaire, eau en bouteille...), mais aussi faire provision de souvenirs de dernière minute à la sortie.

Les concepteurs du parc ont envoyé un acheteur aventureux aux quatre coins du monde pour qu'il en rapporte toutes sortes d'objets plus exotiques les uns que les autres. Hormis ces souvenirs de voyage, les lieux revêtent l'allure d'un marché des antipodes aux murs de simili-adobe et aux étals coiffés de baldaquins. L'apparence internationale de l'endroit est même accentuée par les poubelles, qui prennent ici la forme de malles de voyage aussi cabossées que si elles avaient été trimballées dans tous les ports de la planète. Les commerces eux-mêmes supplantent ceux qu'on trouve normalement dans les parcs thématiques, puisqu'on y vend notamment du café en grains, des condiments de divers pays et des épices exotiques. Laissez tout ce dont vous n'aurez pas besoin au cours de la journée dans les casiers marqués *Storage*, et prévalez-vous des différents moyens de transport mis à votre disposition; en effet, outre les fauteuils roulants et les poussettes, Reliable Rentals vous propose (pour rire) traîneaux à chiens, submersibles et vélocipèdes!

Seuss Landing

Certains pourraient sûrement passer leur journée entière dans les manèges à couper le souffle d'Islands of Adventure. Mais, pour ceux qui en sont incapables, ou qui ne désirent tout simplement pas se limiter de la sorte, il y a Seuss Landing.

Cette reconstitution inventive de l'héritage de Seuss, rendue possible grâce à la bénédiction de la veuve de Theodor Geisel, rappelle en tous points les pages des livres du fameux docteur. L'horizon est ici découpé de constructions sinueuses en équilibre apparemment précaire (il ne semble pas y avoir un seul angle droit en vue!), des lampadaires tordus éclairent les rues, et des étoiles vertes parsèment les trottoirs colorés, le tout couronné d'un énorme chapeau à la *Cat in The Hat* (le chat dans le chapeau). Beau temps, mauvais temps, vous pouvez d'ailleurs être assuré que le félin malfaisant du célèbre conte fera quelques apparitions par ici, tout comme le Grinch, Horton, Sam I Am, ainsi que divers autres personnages. Vous pourrez même goûter au plat favori de Sam au Green Eggs and Ham Cafe.

The Cat in The Hat ★★

Si vous avez de jeunes enfants, vous vous mettrez probablement à ânonner le texte du conte *The Cat in The Hat* en parcourant la version mise en scène de ce classique. Sous un grand chapiteau en forme de chapeau affaissé rouge et blanc, vous vous retrouverez à six sur un canapé roulant défilant à travers les pages de ce classique du Dr. Seuss, tandis que le chat facétieux et ses amis sèment la pagaille tout autour. Les personnages du livre prennent littéralement vie, et une centaine d'effets spéciaux couronnent le tout.

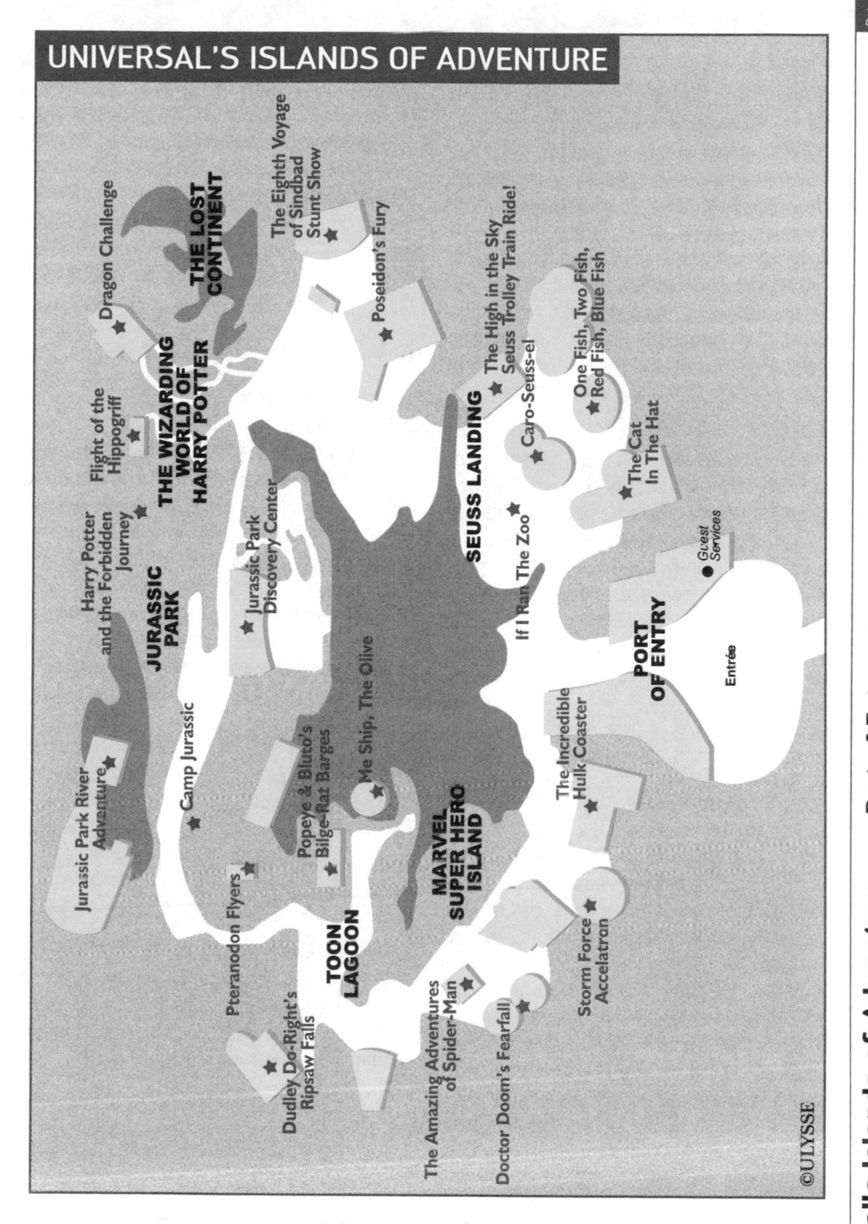

À NOTER : Il ne s'agit vraiment pas d'un mauvais manège, mais force est de reconnaître qu'il s'adresse d'abord et avant tout aux chérubins. Conclusion : les enfants adorent et les adultes se morfondent, ou presque. Notez par ailleurs que les personnes allergiques au tournis feraient mieux de s'abstenir.

One Fish, Two Fish, Red Fish, Blue Fish ★★★

Faites confiance aux créateurs d'Universal pour instiller un tant soit peu de diabolisme dans un manège qui risquerait sinon de s'avérer passablement ordinaire. Les passagers prennent place à bord d'avions en forme de poissons volants rouges, jaunes ou bleus qui ressemblent à s'y méprendre à ceux des livres du Dr. Seuss. Ces curieux véhicules se mettent ensuite à tourner dans les airs, chacun d'eux étant équipé de leviers permettant de les faire monter ou descendre. Il y a toutefois un piège: si vous ne manœuvrez pas votre poisson au rythme de la comptine diffusée pendant le tour, vous risquez de vous faire arroser par les poires en caoutchouc montées sur les poteaux de 5 m disposés autour du manège. Pour reprendre les mots du panneau qui vous prévient du danger, *«certains sont rouges, certains sont bleus, d'autres mouillés et vous aussi!»*.

À NOTER: Même si ce manège semble réservé aux tout-petits, vous verrez beaucoup de grands enfants (et leurs propres enfants) en profiter on ne peut plus allègrement. Les poires en caoutchouc font ici toute la différence entre un manège passable et une pure partie de plaisir. Prenez d'ailleurs la peine de prévenir les plus jeunes de la forte possibilité d'être arrosé, surtout si la coordination œil-main n'est pas votre fort.

Caro-Seuss-el ★★★

Vous ne vous attendez sûrement pas à trouver ici un carrousel ordinaire, et vous avez parfaitement raison. La présente adaptation de cet incontournable des parcs thématiques est d'ailleurs tout à fait adorable, puisque sept personnages de Seuss en quête de chevaux de carrousel y tournent en rond sous un dais rose incliné. Les montures les plus facilement reconnaissables comprennent les oiseaux-éléphants de *Horton Hatches the Egg* et les chameaux jumeaux de *One Fish, Two Fish, Red Fish, Blue Fish*, et s'en ajoutent plusieurs autres, toutes plus mignonnes les unes que les autres. Outre le plaisir de la randonnée elle-même, vous pourrez manipuler toutes sortes de manettes et boutons contrôlant les mouvements des yeux, de la tête et d'autres parties de votre monture.

À NOTER: Tous les personnages disposent d'attributs différents, de sorte que vous pouvez toujours observer les montures au préalable pour voir si elles clignent des yeux, bougent la tête, etc.

If I Ran the Zoo ★★★

Tiré des pages du livre du même nom, If I Ran the Zoo (Si j'étais maître du zoo) raconte l'histoire de la ferme d'animaux idéale dont rêve Gerald McGrew. Ce terrain de jeu interactif met à votre disposition un assortiment de trucs et de machins que vous pouvez tirer, pousser et piétiner, ce qui a toujours pour effet de faire ricaner les plus petits. Le simulateur d'escalier émet un son tout à fait rigolo et, pour peu que vous le sollicitiez avec assez d'ardeur, il vous réserve une surprise. Il y a aussi des grottes à travers lesquelles ramper, une sonnette farfelue et une chenille à escalader. Mais n'oubliez pas que vous êtes à Islands of Adventure, et que vous pouvez vous faire arroser à tout moment, entre autres par deux ou trois fontaines ainsi que par un Scraggle Foot Mulligatawny frappé d'un rhume et susceptible d'éternuer sans prévenir.

À NOTER: Cette attraction libre est rarement bondée, mais vous feriez sans doute mieux de la garder pour la fin de la journée, car les enfants qui passent un certain temps ici ont tendance à en ressortir très mouillés.

Où rencontrer vos personnages favoris

Spider-Man, le Capitaine America et les X-Men comptent parmi les super-héros qui font leur apparition à heure fixe dans la Marvel Super Hero Island.

Divers personnages de dessins animés font des apparitions régulières dans le secteur Toon Lagoon.

Pour les plus jeunes, les personnages du Dr. Seuss, comme le Cat in the Hat ou le Grinch par exemple, sont présents dans la zone thématique baptisée Seuss Landing.

Passez en tête de file

Les deux parcs principaux d'Universal Orlando permettent à certains visiteurs de se retrouver devant les longues files d'attente qui ne manquent pas de se former aux portes de leurs attractions-vedettes. Le système ici mis en place, baptisé *Universal Express Plus*, est toutefois bien différent de celui des *Fastpass* de Disney. Il faut en fait ajouter cette option au prix de votre billet d'entrée, et ce, à un coût qui varie considérablement en fonction des taux d'affluence prévus (voir p. 68). Il est possible d'acquérir ce privilège au moment d'acheter vos billets, ou plus tard dans la journée dans certaines boutiques situées à l'intérieur des parcs. À noter que les visiteurs qui logent dans les hôtels d'Universal Orlando bénéficient automatiquement de ce privilège.

The High in the Sky Seuss Trolley Train Ride! ★★★

Ce manège prend la forme d'un petit train sur voie surélevée, soit une sorte de monorail qui suit un parcours surplombant le secteur coloré de Seuss Landing. La balade réserve de jolies vues sur les manèges de cette zone. Qui plus est, le train pénètre en quelques occasions dans des bâtiments farfelus qui abritent les désopilants personnages du Dr. Seuss.

À NOTER: Taille minimale 0,86 m.

The Lost Continent

Toits de chaume et lanternes flamboyantes signalent votre entrée dans une autre époque. Sur les terres du «Continent perdu», les bâtiments semblent appartenir à quelque légende arthurienne; le pavage accuse les assauts du temps, des bannières royales flottent sur des hampes d'or, et la musique celtique ondule au fil des volutes d'encens parfumé.

Universal s'est donné beaucoup de mal pour auréoler cette île de mythologie ancienne. Le marché d'une autre époque arbore des tentes avec auvent sous lesquelles vous attendent des chiromanciennes et des mages. Des statues en morceaux gisent éparses par-ci par-là (l'énorme bras de Poséidon vous rappellera sans doute celui de la statue de la Liberté dans la dernière scène de *La Planète des singes*), et les structures soigneusement maquillées donnent l'impression qu'elles s'effritent et se rembrunissent depuis au moins quelques millénaires. Vous pourrez par ailleurs vous amuser à découvrir l'image de Merlin savamment camouflée dans le majestueux «chêne enchanté» et tout particulièrement impressionnante le soir.

Poseidon's Fury ★★

Des fouilles archéologiques ont lamentablement échoué. Grâce à un guide rabâcheur, le méchant «Dark One» s'est réveillé de nouveau, prenant au piège votre groupe de touristes involontaires dans une caverne souterraine qui est sur le point d'être inondée.

La bataille de titans qui s'ensuit donne lieu à un spectacle où se mêlent séquences filmées, flammes et effets spéciaux. Vient un moment où les aventuriers doivent franchir un tunnel de 13 m entouré d'une masse d'eau bouillonnante de quelque 65 000 litres qui menace dangereusement de les engloutir. Le tout culmine dans un ballet de boules de feu, d'explosions aquatiques et de nappes d'obscurité. Enfin, lorsque revient la lumière, attendez-vous à être stupéfait, sinon complètement abasourdi par la grande finale.

La participation à cette présentation débute dès que vous commencez à faire la queue. La longue file d'attente serpente à l'intérieur d'un palais bien conçu aux murs de pierres humides à souhait dont les faibles bougeoirs simulent fort bien de petites flammes vacillantes. Au bout du compte, votre degré d'implication dépendra sans doute de la place que vous occuperez pendant le spectacle même, ceux qui se trouvent dans les premières rangées (c'est-à-dire plus près de l'eau!) étant vraisemblablement appelés à vivre l'expérience de façon beaucoup plus engageante.

À NOTER: Les concepteurs de ce spectacle tapageur se sont donné beaucoup de mal pour élaborer un scénario long et compliqué. Du début de la file d'attente à la fin de la présentation, vous passerez au moins 30 min debout. Aussi, plusieurs seront déçus de constater qu'en bout de ligne, il y a beaucoup plus de bruit que de réels effets spéciaux.

Notez par ailleurs que la fureur de Poséidon s'avère passablement bouleversante, et que le bruit et l'obscurité risquent d'effrayer certains jeunes enfants.

The Eighth Voyage of Sindbad Stunt Show ★★★

Après avoir sillonné les sept mers, Sindbad nous revient pour une huitième aventure, cette fois pour arracher son amie de cœur, Amoura, des griffes de la méchante reine Miseria. Au cours de ce spectacle de 17 min riche en cascades, le légendaire voyageur tente de sauver sa mie en se jouant du feu et des forces de la nature, sans parler d'une multitude d'adversaires redoutables.

Avant de pénétrer dans le théâtre où est présenté ce spectacle, ou à sa sortie, faites un vœu à **The Mystic Fountain**. En général, les fontaines ne fournissent que de l'eau, mais celle-ci prodigue également des conseils. Vous pouvez ainsi poser n'importe quelle question au sage qui habite cette fontaine magique et il vous répondra... quoique pas toujours de façon très polie, d'autant qu'il n'y a pas toujours que des paroles qui sortent de sa bouche (il s'agit, après tout, d'une fontaine!).

À NOTER: Comme tous les spectacles du genre, celui-ci est fort bruyant. Quelle que soit la place que vous occuperez dans cette immense enceinte de 1 700 sièges, vous verrez tout ce qui se passe sans obstruction aucune, si ce n'est que les jeunes plus impressionnables apprécieront sans doute davantage un poste d'observation plus reculé, aussi loin que possible des flammes et des effets tonitruants.

The Wizarding World of Harry Potter

C'est à l'été 2010 qu'Universal a terminé les travaux qui ont mené aux premières modifications significatives apportées au parc Islands of Adventure depuis son ouverture en 1999. Et, pour cette première, on a fait les choses en grand en misant sur l'un des personnages les plus célèbres de l'histoire de la littérature et du cinéma pour la jeunesse: Harry Potter lui-même!

On a donc créé une sixième «île» baptisée The Wizarding World of Harry Potter (le monde magique d'Harry Potter). Cette nouvelle zone thématique, fruit d'un partenariat entre Warner Brothers et Universal Orlando, aura nécessité un investissement de 200 millions de dollars et propose une impressionnante reconstitution du monde imaginé par la romancière J.K. Rowling.

La conception de cet espace de 8 ha a été supervisée par le directeur artistique Alan Gilmore et le concepteur visuel Stuart Craig, auxquels on doit la transposition au cinéma de l'univers créé dans les célèbres romans.

Pour les habitués des Islands of Adventure, mentionnons que ce nouveau secteur du parc empiète sur ce qui était auparavant une portion de la section The Lost Continent. On est même allé jusqu'à remaquiller deux des attractions qui en faisaient jadis partie, soit les montagnes russes The Dueling Dragons, devenues Dragon Challenge, et Flying Unicorn, transformées en Flight of the Hippogriff.

Ce qui est vraiment nouveau toutefois s'avère rien de moins que spectaculaire. Il y a tout d'abord la minutieuse reconstitution du village de Hogsmeade (Pré-au-lard pour les lecteurs francophones), remarquable jusque dans ses moindres détails. Il faut prendre le temps de s'y balader afin de s'imprégner de son ambiance unique et d'apprécier ses rues pavées bordées de maisons aux toits pointues couverts de neige, ses commerces surchargées et sa gare bien particulière qui accueille l'arrivée du train magique Hogwart Express (Poudlard Express).

Puis, il y a l'imposant Hogwarts Castle (l'école de Poudlard), qui domine le paysage au sommet de son rocher, au pied duquel s'étend la Forbidden Forest (la forêt interdite). Encore ici, la reconstitution est criante de «vérité». C'est là, à l'intérieur des murs du château, que l'on a dissimulé le seul manège qui soit réellement nouveau: Harry Potter and the Forbidden Journey.

Depuis son ouverture, The Wizarding World of Harry Potter attire des foules immenses, au point que l'on doive par moments en restreindre l'accès. Ainsi, il n'est pas rare qu'en période de pointe (en début de journée surtout) il faille faire la queue avant même d'accéder à la zone thématique. Lors de ces jours fous, il vous faudra vous armer de patience, car ce n'est là qu'une première étape. Il vous faudra ensuite attendre d'interminables minutes à chacune des attractions, et même faire la file pour entrer dans les boutiques, notamment chez le marchand de baguettes magiques Ollivanders. Et préparez-vous à attendre encore pour acheter une «bièraubeurre», que ce soit au Hog's Head Pub, au restaurant Three Broomsticks, ou même à un simple comptoir de rue...

Dragon Challenge ★★★★★

Un sentiment des plus sinistres s'empare de vous dès lors que vous vous approchez de ce manège. En apercevant les contorsions décrites par le métal entrelacé de ces montagnes russes, vous aurez tôt fait de comprendre qu'elles n'ont rien d'ordinaire, et elles sont de fait terrifiantes, quoique aussi fort amusantes.

Vous vous retrouvez bientôt solidement retenu en place, du moins la partie supérieure de votre corps, car vos pieds privés d'appui pendent lamentablement dans le vide, puis le tout se met en branle... La fastidieuse ascension de 40 m qui s'ensuit devient de plus en plus intolérable, car vous n'avez plus qu'une pensée en tête, celle du plongeon qui vous attend à quelque 100 km/h!

La moitié du plaisir que procure ce manège provient de la désorientation que provoquent ses boucles et ses virages sans fin, si bien que vous ne savez plus vraiment si vous avez la tête en haut ou en bas. Jusqu'à tout récemment, la course d'un second convoi de «victimes» était synchronisée de manière à ce que ce dernier fonce droit sur vous, annonçant une inévitable collision frontale qui n'était esquivée qu'au tout dernier instant. Mais à la suite de certains incidents provoqués par des objets ayant volé d'un convoi à l'autre et blessé certains passagers, cette mise en scène a été modifiée afin que n'ait plus lieu ce fatidique croisement.

Les habitués du parc Islands of Adventure auront reconnu dans les paragraphes précédents la description du manège auparavant connu sous le nom de The Dueling Dragons, dont la thématique reposait sur un impitoyable duel entre un dragon qui crachait du feu et un autre de la glace. Dorénavant intégré au Wizarding World of Harry Potter, Dragon Challenge a comme trame narrative votre participation à la première tâche à accomplir dans le Tournoi des Trois Sorciers, comme dans l'épisode *Harry Potter et la Coupe de Feu*. Ainsi la file d'attente s'allonge-t-elle sous les gradins du stade où aura lieu la confrontation avec l'un des deux dragons. Vous entendrez d'ailleurs la rumeur lointaine de la foule entassée dans les tribunes en quelques occasions, et apercevrez au passage la Coupe de Feu, de laquelle sortaient les noms des participants au tournoi dans le roman. À un point donné, vous devrez choisir l'un des dragons auquel vous vous mesurerez, en vous engageant dans l'un ou l'autre des deux sentiers possibles: Chinese Fireball (le Boutefeu chinois, dans la version française du roman) ou Hungarian Horntail (le Magyar à pointes, pour les lecteurs francophones), chacun représenté par l'un des deux convois.

À NOTER: Taille minimale 1,37 m. Malgré la nature tourbillonnante, pour ne pas dire «renversante», de ce manège, vous serez sans doute trop enivré par l'expérience pour éprouver quelque nausée que ce soit. Cela dit, il est nettement préférable de s'y attaquer «avant» de manger. Toutefois, les amateurs de sensations fortes noteront que c'est en soirée que le sentiment de désorientation est le plus accentué et que, conséquemment, ce manège devient le plus excitant.

Afin d'éviter de perdre casquettes, lunettes de soleil et appareils photo dans le feu de l'action, déposez-les dans l'un des casiers situés près de l'entrée.

Aux premières loges

Universal a eu la grande sagesse de retirer des mains du hasard l'attribution des places avant à bord des montagnes russes, en créant des files d'attente distinctes pour ceux qui les convoitent. Sans doute devrez-vous attendre un peu plus longtemps, mais pour peu que vous soyez un véritable amateur de manèges à sensations fortes, le jeu en vaut largement la chandelle.

Flight of the Hippogriff ★★

Un peu à la manière de Dragon Challenge, situé tout près, Flight of the Hippogriff n'est rien d'autre qu'un ancien manège (Flying Unicorn) dont on a changé l'habillage pour qu'il s'intègre à l'univers d'Harry Potter. Il s'agit dans ce cas-ci de montagnes russes miniatures qui s'adressent aux plus jeunes. Installés sur un hippogriffe, cette créature géante, mi-aigle, mi-cheval, bien connue des amateurs de l'œuvre de J.K. Rowling, les passagers goûtent ici des sensations bien modérées à comparer à celles que réserve l'attraction voisine. Mais qu'à cela ne tienne, voilà une bonne introduction au merveilleux monde des montagnes russes.

À NOTER: Taille minimale 0,91 m. Ça ne dure vraiment pas longtemps, une minute tout au plus, ce qui veut aussi dire que la file avance très rapidement. Ne vous laissez donc pas intimider par une longue queue. Qui plus est, pendant que vous patienterez, vous aurez tout le loisir d'examiner la maison d'Hagrid, qui surplombe l'aire d'attente.

Harry Potter and the Forbidden Journey ★★★★

Voici l'attraction phare du Wizarding World of Harry Potter, la seule qui soit véritablement nouvelle, celle que l'on a aménagée à coups de millions de dollars dans l'antre même du Hogwarts Castle (Poudlard). Vous apercevrez d'ailleurs de loin, au sommet d'un haut rocher, ce château que l'on souhaite secrètement chez Universal voir devenir un icône aussi puissant que ne l'est celui de Cendrillon au Magic Kingdom. Mais bien qu'il vous semble alors être tout près du but, ne vous réjouissez pas trop vite, car il vous reste encore bien des étapes à franchir avant d'accéder au manège à proprement parler…

Préparez-vous psychologiquement: la file d'attente sera interminable, et ce n'est pas votre laissez-passer *Universal Express Plus* qui vous sauvera puisqu'il n'est pas en vigueur ici. Par-dessus le marché, nous nous devons de déplorer de nombreuses lacunes logistiques, comme si les concepteurs du manège n'avaient pas prévu qu'il attirerait des foules importantes (?!?). De toute évidence, Universal a encore des choses à apprendre de Disney à cet égard. Notons ainsi l'affichage déficient au point de semer par moments la confusion la plus complète (dans quelle direction se trouve l'entrée? où est l'accès pour les *single riders*?), l'exiguïté extrême de la salle des casiers, les pannes encore fréquentes et l'aire d'attente sans imagination dans sa portion extérieure qui s'étire jusqu'en arrière-scène (adieu la magie…). Depuis l'inauguration de ce manège, on serait en droit de croire que les correctifs nécessaires auraient été apportés par l'administration du parc, car ces à-côtés malheureux, bien que secondaires, peuvent réellement gâcher le plaisir les jours de grande affluence. Près de trois ans plus tard, ce n'est toutefois toujours pas le cas.

Heureusement, une fois à l'intérieur du château, l'enrobage contextuel est exceptionnel. La queue serpente alors dans les couloirs de Poudlard, qui vous réservent toutes sortes de surprises. Les portraits accrochés aux murs s'animent, se répondent les uns aux autres et s'interrogent sur ce qui peut bien expliquer la présence de tous ces Moldus (vous!) dans l'enceinte de l'école. Vous aurez également droit à un mot de bienvenue de Dumbledore, dans la bibliothèque qui déborde de bouquins. Puis Harry Potter lui-même, en compagnie de ses amis Hermione et Ron, vous fera l'honneur d'un petit tour de magie de son cru. Ces «présences» des personnages, rendues plus vraies que nature grâce à l'habile utilisation de séquences holographiques d'une renversante précision, constituent l'une des réussites les plus éclatantes de l'attraction.

Puis, vous accéderez enfin au manège lui-même, fusion impressionnante du cinéma sur écrans hémisphériques, de bras robotiques au bout desquels sont fixés les sièges et d'effets spéciaux en décors réels. Installé sur un banc d'école magique, vous vous envolerez alors au-dessus de Poudlard en compagnie d'Harry Potter et de ses amis, et vous vous retrouverez à un moment donné au cœur de l'action d'un match de Quidditch. Cette partie, réalisée grâce à des séquences filmées dans lesquelles vous aurez l'impression de plonger, s'avère très réussie, l'impression de voler étant fort bien rendue. Par contre, les éléments d'effets spéciaux en décors réels (par opposition aux projections cinématographiques) ne sont pas aussi bien intégrés à l'action et au récit que dans le manège **The Amazing Adventures of Spider-Man** (voir p. 223). En fait, ils en brisent même quelque peu le rythme. Ces effets censés nous surprendre voire nous effrayer, qu'il s'agisse de l'apparition d'un dragon, d'araignées géantes ou de «Détraqueurs», ratent souvent la cible et rappellent même par moments les maisons hantées d'antan malgré leurs dimensions imposantes.

À n'en point douter, Harry Potter and the Forbidden Journey est une attraction de haut niveau, à la fine pointe de la technologie. Malheureusement, ses concepteurs ont peut-être voulu en mettre un peu trop, négligeant le côté simplement ludique au profit d'effets inutilement compliqués qui n'ajoutent pas grand-chose à l'ensemble. Reste qu'il ne faut pas manquer ce manège, et ce, malgré toutes les réserves que nous évoquons dans ces lignes.

À NOTER: Taille minimale 1,21 m. Il y a beaucoup de mouvement dans ce manège, même que ça brasse pas mal lors de certains passages. Prenez note que le laissez-passer *Universal Express Plus*, pourtant vendu à grands frais, n'est pas utilisable ici.

Il faut déposer vos effets personnels dans l'un des casiers qui se trouvent à l'entrée. Préparez-vous à jouer du coude ici, car, étrangement, la pièce où ont été placés les casiers s'avère particulièrement exiguë considérant les foules qui se pressent à cette attraction, une erreur de conception pour le moins étonnante.

Jurassic Park

La remarquable trame sonore créée par John Williams pour le film *Parc jurassique* vous accueille au moment de franchir l'immense portail de cette île préhistorique. S'il est un univers de rêve peuplé de princesses et de fées, il en est un autre de cauchemar, fondé sur le mégasuccès du grand écran, où la place d'honneur revient aux dinosaures.

Ceux qui ont déjà visité le parc thématique d'Universal en Californie – où «Jurassic Park River Adventure» a d'abord vu le jour – pourraient être tentés de passer outre en se disant qu'ils ont déjà vu ce qu'il y avait à voir. Or, le Jurassic Park de Californie n'est qu'un manège parmi d'autres, tandis qu'on lui consacre ici une île entière. Les sentiers de pierres «primitifs» portent la trace d'innombrables siècles, des ptéranodons fendent l'air, et la verdure envahissante vous réduit à une taille lilliputienne en ce monde préhistorique où vous entendrez partout les cris de dinosaures menaçants (grâce à une bande sonore très efficace). Mais n'ayez crainte car des clôtures «électrifiées» vous protègent des monstres carnivores et assurent votre entière sécurité.

Jurassic Park River Adventure ★★★★

C'est une journée comme les autres dans une réserve de dinosaures, et l'on vous invite à y faire un tour. Votre embarcation glisse doucement au fil de l'eau, tandis que vous repérez quelques espèces végétariennes parmi vos favorites. Mais un incident inattendu vous entraîne soudain à la dérive au royaume des redoutables carnivores.

Cette impressionnante mise en scène n'est en fait qu'un prétexte pour vous faire dévaler une chute de 25 m (pour ceux que la chose intéresse, c'est quelque 10 m de plus que le Splash Mountain de Disney!). Les dinosaures n'ont de cesse de baver et de chercher à vous agripper, et une bête féroce aux dents plus que menaçantes bondit sur vous juste avant que vous ne piquiez du nez, vous projetant ainsi de Charybde en Scylla, d'autant plus que vous savez ce qui vous attend et que votre cœur bat de plus en plus vite.

À NOTER : Taille minimale 1,06 m. La rumeur veut qu'Universal ait réduit le facteur «trempette» après que des passagers du manège californien en furent ressortis complètement trempés. Quoi qu'il en soit, vous allez bel et bien vous faire mouiller. Si vous tenez à minimiser les dommages, essayez d'obtenir un siège à l'arrière, du côté droit. Vous pouvez aussi laisser vos effets personnels dans des casiers payants situés à l'entrée.

Pteranodon Flyers ★

Pourvus d'ailes et d'une tête de dinosaure, ces reptiles volants attirent immanquablement l'attention des jeunes enfants. Les passagers (deux par «oiseau») de ce manège survolent lentement, et de haut, le périmètre du Camp Jurassic.

Les ptéranodons créent un effet intéressant en cette île préhistorique, dans la mesure où vous aurez l'impression que de véritables oiseaux d'une taille démesurée volent en rond au-dessus de vous. Cela dit, les spectateurs sont ici plus impressionnés que les passagers. Non pas qu'il s'agisse d'un mauvais manège – son intérêt est indéniable –, mais il ne dure en tout et pour tout que 80 s, décollage et atterrissage compris!

À NOTER : Taille minimale 0,91 m. Les vétérans de Disney World y verront la version locale de «Dumbo». Cette très courte balade dans les airs attire certaines des plus longues files d'attente du parc, si bien que, même lorsqu'il n'y a presque personne ailleurs, vous pourriez très bien vous retrouver à faire la queue ici pendant quelque 45 min. Comme il s'agit toutefois d'un incontournable aux yeux de tous les jeunes enfants, nous ne pouvons que vous recommander d'y accourir le plus tôt possible.

Camp Jurassic ★★★

Ce «camp de recherche» doublé d'un labyrinthe à escalader est sans contredit la meilleure «sculpture-jouet» jamais réalisée. S'il vous faut des preuves, sachez que de nombreux parents y prennent tout autant de plaisir que leurs enfants.

Des structures rustiques en bois et en corde émaillent ce camp ponctué de ponts, de filets, de maisons dans les arbres et de cavernes. Il n'y a pas d'aire délimitée à proprement parler, et les lieux à explorer semblent se succéder sans fin. Au moment même où vous croyez avoir tout vu et tout fait, s'ouvre à vous une toute nouvelle gamme de possibilités. Les gamins aventureux qui atteignent le sommet du labyrinthe auront le plaisir de découvrir une cachette qu'ils ne seraient que trop heureux d'avoir à la maison. Parmi les accessoires dignes de mention, qu'il suffise de retenir ces empreintes de dinosaures qui émettent le cri de la bête lorsque vous y posez le pied, ou encore ces télescopes qui permettent d'observer l'activité qui se déroule plus bas. Les cavernes à donner la chair de poule recèlent de l'«ambre», et que serait une attraction d'Islands of Adventure sans deux ou trois canons à eau pour asperger vos semblables? Prenez seulement garde aux clôtures «électrifiées»!

À NOTER : La bonne nouvelle, c'est que vos enfants vont follement s'amuser ici; la mauvaise (ou est-ce vraiment le cas?), c'est que vous devrez les suivre. Si vous êtes accompagné d'enfants plus âgés, il s'agit assurément d'un bon endroit où faire usage de walkies-talkies. Le site est vaste, et l'on peut y entrer ou en ressortir de plus d'une façon. Ainsi, afin de ne pas perdre de vue vos protégés, vous n'aurez d'autre choix que de les accompagner dans le labyrinthe ou de poster un adulte à chaque entrée ou sortie.

Jurassic Park Discovery Center ★★★★

La dernière fois que nous avons visité cette attraction vraiment inspirée, nous avons vu un parent agripper le bras d'un enfant complètement sous le charme en lui disant d'un ton suppliant : *«Est-ce qu'on peut y aller, maintenant?»*

Si vous décidez de plonger vos enfants dans ce fantastique univers «éducatif», attendez-vous à y passer un bon moment. En effet, où d'autre peut-on voir une nurserie de rapaces préhistoriques? Les incubateurs de ce laboratoire sont remplis de futurs dinosaures prêts à sortir de leur coquille, et l'on y assiste d'ailleurs régulièrement à des éclosions. Les naissances sont de plus tout à fait réalistes, et vous jurerez que vous avez bel et bien devant vous un bébé *raptor* susceptible de vous cracher de l'acide à la figure à tout moment (charmantes créatures, n'est-ce pas?).

Les mordus de l'épopée originale de Steven Spielberg reconnaîtront ici une réplique exacte du poste d'accueil représenté dans le film. Il n'y a toutefois aucun péril en la demeure, que des activités géniales à profusion, comme ces binoculaires spéciaux qui permettent de faire l'expérience de la vision infrarouge des dinosaures. Si vous tenez vraiment à vous aventurer en terrain inconnu, vous pouvez même croiser votre ADN avec celui d'un dinosaure (pas vraiment, il va sans dire, mais l'illusion est tout de même remarquable), pour voir quel genre de créature préhistorique il en résulterait.

À NOTER: Les éclosions d'œufs de dinosaures ne répondent pas à un horaire précis, mais elles méritent d'être vues si vous en avez l'occasion. Afin d'optimiser vos chances de vivre cette expérience, vous pouvez toujours profiter de votre séjour au Parc jurassique pour vous informer de temps à autre si le précieux événement est sur le point de se produire ou non.

Toon Lagoon

Comment ne pas adorer un endroit qui s'offre à vous nourrir de Wimpy Burgers et de sandwichs à la Dagwood?

Tous les éléments de cette île proviennent d'une bande dessinée ou d'un dessin animé, depuis les couleurs propres jusqu'aux «petits bonhommes» du samedi matin, en passant par les bâtiments délabrés et brinquebalants qui semblent spécialement conçus pour s'écrouler. Des panneaux rédigés en grosses lettres pointent vers les «cachettes» des méchants, les marquises des restaurants arborent des mises en garde du genre *Pas de #*@#!,* et les «montagnes enneigées» ressemblent à ces monceaux de guimauve qu'on voit sur les coupes glacées.

Il n'y a donc rien d'étonnant à ce que les visiteurs doivent ici faire les frais des plus folles facéties, qu'il s'agisse d'éclaboussures, de jets d'eau ou de quelque «explosion» (fort heureusement, on a renoncé à l'idée des tartes à la figure!). Les héros de bandes dessinées comiques tels que Blondie, Beetle Bailey, Betty Boop et une foule d'autres font ici des apparitions tout au long de la journée et, toutes les deux heures environ, un tramway fait irruption, transportant à son bord tantôt Popeye et Olive Oyl, tantôt quelque autre célèbre personnage disposé à vous servir quelques pas de danse et une chanson. Cela dit, personnages animés mis à part, ce sont les manèges aquatiques dont vous vous souviendrez le plus, surtout si vous passez la journée à tordre vos vêtements comme cela risque fort de se produire!

Popeye & Bluto's Bilge-Rat Barges ★★★★★

Vous ne voudrez absolument pas manquer ce manège drôle et extravagant à souhait en compagnie du marin mangeur d'épinards, à moins, bien sûr, que l'étiquette d'entretien de vos vêtements ne stipule clairement «nettoyage à sec seulement».

Les radeaux aux nombreux membres d'équipage de ce manège virevoltant filent sur la rivière en sautant des obstacles tout en arrosant leurs occupants. Et, si vous croyez pouvoir échapper à la douche (certains vont même jusqu'à effectuer des sondages à la sortie pour connaître les places présentant le moins de risques), sachez que les concepteurs diaboliques de ces radeaux pneumatiques sont allés jusqu'à prévoir des ouvertures dans les sièges de manière à ce que vous vous fassiez arroser par-dessous!

Inutile de dire que ce manège ne laisse aucune chemise intacte. Le sort en est vraiment jeté, puisque même si, d'aventure, vous parvenez à éviter les éclaboussures, vous ne pourrez en aucun cas échapper au portique de lavage des bateaux. Vous croiserez par ailleurs une pieuvre gonflée à bloc (d'eau, il va sans dire), et l'on prend même le soin d'armer les observateurs postés aux abords du parcours (le plus souvent des enfants) de canons à eau haute puissance; et n'allez surtout pas croire qu'ils vont vous épargner du simple fait qu'ils ne vous connaissent pas. Il ne vous reste plus qu'à mémoriser les visages de vos assaillants (à condition d'y voir encore quelque chose) pour vous venger plus tard.

Souriez!

Une image vaut mille mots – sinon au moins deux ou trois. Un emplacement judicieusement conçu du Toon Lagoon vous permet de vous faire photographier sous une bulle exprimant votre pensée (il y en a plusieurs). Un autre endroit fort apprécié lorsqu'il s'agit de s'immortaliser sur photo est celui où se tient une énorme représentation du chien Marmaduke; accrochez-vous à sa queue et, en regardant ensuite la photo de côté, on aura l'impression que vous flottez dans les airs, comme s'il vous emportait dans sa course (pour un effet optimal, veillez à adopter une posture appropriée et à afficher une expression faciale de circonstance).

À NOTER: Taille minimale 1,06 m. Au cas où vous ne l'auriez pas encore compris, ce manège vous mouillera de la tête aux pieds. Si l'idée de barboter toute la journée dans des chaussures inondées ne vous enchante pas particulièrement, prenez le soin, avant le départ, de les ranger dans les compartiments étanches qui se trouvent au centre de chaque radeau.

Me Ship, The Olive ★★★

Si vous êtes accompagné de jeunes enfants, gardez ce mignon tour de remorqueur pour la fin de la journée, sans quoi vous risquez de passer le plus clair de votre après-midi ici même. Baptisée du nom de la petite amie de Popeye (Olive), cette attraction regorge de bidules à pousser, à tirer ou à manipuler qui tous produisent des effets différents. Les clochettes tintent, les sifflets sifflent, et l'eau gicle – il y a même un piano produisant des notes. Et les plus diaboliques adorent les canons à eau de la Cargo Crane; ces canons haute puissance sont conçus pour être précis, ce qui permet aux francs-tireurs de cibler les malheureux passagers des Popeye & Bluto Bilge-Rat Barges (faites-vous une raison, vous n'y échapperez pas).

À NOTER: Les enfants n'en ont que pour cette attraction, quoique certains parents risquent d'avoir beaucoup de mal à suivre le rythme de leurs tout-petits. Si vous pouvez vous offrir le luxe d'un coéquipier, le fait de vous partager la tâche vous sera sans doute salutaire: l'un de vous tentera de suivre le bambin, tandis que l'autre montera la garde entre les portes.

Dudley Do-Right's Ripsaw Falls ★★★★★

Après avoir conçu les attractions du Jurassic Park et les Popeye & Bluto Bilge-Rat Barges, les créateurs d'Universal n'étaient apparemment pas satisfaits de n'être parvenus à détremper que les passagers des différents manèges; ils devaient aussi s'en prendre aux inoffensifs spectateurs.

Si les passants ont toujours la possibilité de faire un pas à droite ou à gauche pour échapper à la noyade, il n'en va pas de même de ceux qui prennent place à bord des rondins à quatre places de ce manège. Qu'à cela ne tienne, vous aurez beaucoup trop de plaisir pour vous en soucier.

Le parcours menant au grand plongeon final vous entraîne à travers la ville fictive de Ripsaw Falls, où Nell (la petite amie de Dudley, lequel fait partie de la Gendarmerie royale du Canada) est tombée aux mains du sinistre Snidely Whiplash. Les décors se révèlent fort divertissants, sans parler des nombreux ratés soigneusement calculés qui vous donnent, à coups répétés, l'impression (naturellement fausse) d'être enfin au bout de vos peines. Et lorsque finalement vous serez vraiment emporté par la chute, ce sera avec la certitude que vous allez vous écraser tout droit sur la cabane remplie de dynamite de Snidely.

Les ingénieux concepteurs de ce manège sont parvenus à aménager un tunnel sous le réservoir d'eau d'un million et demi de litres, si bien qu'au moment même où vous pensez avoir touché le fond, vous vous voyez plonger encore 5 m plus bas. La brume chargée d'eau qui enveloppe alors votre embarcation fait en sorte que personne n'en sort indemne.

À NOTER: Taille minimale 1,11 m. Une décision difficile s'impose ici à vous: ou alors vous y allez tôt et risquez d'être trempé toute la journée, ou alors vous y allez plus tard et risquez de faire la queue très, très longtemps. Tout dépendra probablement de la chaleur qu'il fait et de votre capacité à attendre.

Marvel Super Hero Island

Cette ville futuriste est tout ce que vous attendez d'une cité de bande dessinée. Même si vous n'apercevez pas immédiatement l'immense représentation de Spider-Man sur les parois de l'édifice du *Daily Bugle* (le siège du grand quotidien où travaille Peter Parker, alias Spider-Man), son empreinte sur le paysage urbain ne laisse aucun doute à la vue des étranges constructions pointues, peintes de pourpre, d'argent, de rouge et de vert.

Les moindres éléments de cet environnement stimulant sont conçus pour garder les sens en éveil, depuis les images de super-héros plus grands que nature jusqu'aux puissants airs de guitare électrique qui vous accompagnent tout au long de votre périple. Vous vous attendez presque à voir surgir des bulles descriptives du genre *Crrrack!* et *Booom!* Il n'y a dès lors rien d'étonnant à ce qu'on ne trouve pas une seule aventure insipide dans cette île.

The Amazing Adventures of Spider-Man ★★★★★

Quoi que vous pensiez de l'«homme-araignée», sachez que cette attraction est vraiment époustouflante. La fusion de la cinématographie haute résolution, du 3D, des simulateurs de vol et des effets spéciaux y est à ce point réussie que la distinction entre la réalité, la fiction et la pure fantaisie devient presque impossible.

Le scénario: la statue de la Liberté a été volée par les ennemis jurés de Spider-Man, et vous devez aider le super-héros à la récupérer. Pour ce faire, vous prenez place à bord de véhicules qui vous propulsent dans l'aventure. Les animations et les trucages se conjuguent de façon ahurissante, si bien que, lorsque Spider-Man atterrit sur votre voiture, vous pourriez jurer qu'il est en chair et en os. Les véhicules donnent par ailleurs l'impression de déraper comme s'ils étaient complètement hors de contrôle, et le sentiment de perdition devient d'autant plus palpable que vous vous voyez soudain projeté au sommet d'un gratte-ciel. Vient enfin le docteur Octopus (Doc Ock pour les intimes) avec son fusil à rayon anti-g, dont vous tentez d'esquiver le tir en effectuant un plongeon spectaculaire de plus de 120 m dont vous vous souviendrez longtemps.

Dire que ce manège est techniquement à la fine pointe constitue un euphémisme. Les technologies du simulateur de vol, du cinéma sur écran géant, de projection tridimensionnelle et d'effets spéciaux sensoriels furent toutes mises à contribution dans la conception de ce bijou, probablement le manège le plus achevé de tous les temps.

Ce manège, qui était déjà fascinant, a fait l'objet d'une mise à niveau exceptionnelle récemment. Les séquences d'animation filmée, maintenant en haute résolution, s'avèrent beaucoup plus claires et précises. La trame narrative, demeurée la même dans ses grandes lignes, inclut dorénavant davantage d'interactions avec les personnages, qu'il s'agisse des différents méchants qui viennent tout à tour vous menacer ou du héros Spider-Man lui-même. Plus que jamais, on peut dire que ce manège est un *must* absolu!

À NOTER: Taille minimale 1,01 m. Sans conteste l'un des grands favoris du parc. La sensation de chute libre est on ne peut plus réelle, un facteur que vous devrez sans doute considérer si vous êtes sujet au vertige, quoique vous puissiez toujours fermer les yeux en vous disant qu'il ne s'agit, après tout, que d'une expérience virtuelle.

Storm Force Accelatron ★★

Fan des X-Men, voici votre chance de voler au secours de vos super-héros. L'archivilain Magneto a encore quelque plan diabolique en tête, et vous pouvez prendre place à bord de l'Accelatron pour faire échouer ses projets. Tout cela n'est en fait qu'une excuse pour monter dans une espèce de soucoupe volante et tourner jusqu'à ce que vos tripes en soient complètement retournées. Mais ne vous y trompez pas: les super-héros en herbe en raffolent, d'autant plus que ce manège s'avère un tant soit peu plus rapide que ses homologues du type «tasses de thé tournantes».

À NOTER: Caché dans un recoin de la Marvel Super Hero Island, ce manège risque fort de vous échapper si vous n'êtes pas à sa recherche. Mais ce n'est peut-être pas plus mal si aucun enfant ne vous accompagne, car c'est bel et bien pour eux qu'il a été créé.

Doctor Doom's Fearfall ★★

Le méchant docteur Doom, impitoyable adversaire des Fantastic Four, a élaboré un plan diabolique visant à extraire les plus redoutables craintes de l'esprit de ses victimes (en l'occurrence, vous), et il entend y parvenir à l'aide d'une horrible machine conçue pour sucer la substance même de toutes les peurs qui sommeillent en vous (nous vous laissons le soin de deviner à quelles fins il compte l'utiliser!).

Tout cela n'est en fait qu'un formidable prétexte pour vous attacher à un siège éjectable et vous propulser au sommet de l'une ou l'autre des deux tours de 60 m de l'infâme docteur. Le déclenchement du mécanisme vous soumet à une poussée d'adrénaline sans pareille, mais tout de même négligeable à côté de celle qui vous attend au moment de redescendre... en chute libre. Le tout produit naturellement un effet plutôt comique dans le paysage surréaliste de cette île, et les spectateurs, les yeux tournés vers le ciel, ne peuvent généralement s'empêcher de penser: *«Un autre malheureux envolé en fumée!»*

Nombreux sont ceux que la seule pensée d'une telle chute aux enfers terrifie au plus haut point. Néanmoins, aussi étrange que cela puisse paraître, l'anticipation de la pire des calamités s'avère ici plus effrayante que le manège en lui-même. Peut-être est-ce lié au fait que tout se déroule beaucoup trop rapidement, ou que la chute tant redoutée a apparemment été écourtée et amortie depuis la création du manège (allez savoir pourquoi!). Il en résulte que les mordus de ce genre d'attraction risquent d'être déçus.

À NOTER: Taille minimale 1,32 m. Comme on ne «lance» que quelques passagers à la fois, la file d'attente peut devenir très longue. En vous y rendant de bonne heure, non seulement réduirez-vous le facteur d'attente, mais vous bénéficierez d'un magnifique panorama des îles à la lumière du jour au moment d'atteindre le sommet de la tour (à condition, toutefois, de garder les yeux ouverts!).

The Incredible Hulk Coaster ★★★★★

Ces montagnes russes aussi vertes et monstrueuses que l'incroyable Hulk lui-même vous laisseront pantois, surtout si vous vous êtes déjà demandé ce que l'on peut bien ressentir dans la peau d'un boulet de canon.

Les «missiles» en devenir parcourent d'abord le laboratoire de Bruce Banner (le nom civil de votre hôte), où ils prennent connaissance des essais qu'il effectue sur un accélérateur à rayons gamma. Le manège démarre plutôt normalement, au son des interminables «clic-clac» de la première pente; mais, au moment précis où vous anticipez l'inévitable descente qui doit s'ensuivre, vous vous voyez catapulté encore plus haut dans un tube de 45 m et passez de zéro à 65 km/h en deux secondes – à l'envers –, avec la même force que si vous étiez à bord d'un chasseur F-16! La suite n'est qu'une succession ininterrompue de boucles, de sauts et de virages plus insensés les uns que les autres, à des vitesses atteignant les 100 km/h! Il y a fort à parier qu'il vous faudra un moment pour reprendre votre souffle, et vous devrez immanquablement prendre rendez-vous chez le coiffeur, surtout si vous avez opté pour la file spéciale donnant accès aux places avant.

À NOTER: Taille minimale 1,37 m. Il n'y a absolument aucun endroit où cacher vos effets personnels une fois à bord du manège. Épargnez-vous donc des désagréments en utilisant les casiers temporaires mis à votre disposition à l'entrée.

SeaWorld Orlando

Rien de plus naturel pour un État presque entièrement entouré d'eau que d'accueillir un paradis aquatique artificiel. D'une superficie de plus de 80 ha, SeaWorld Orlando n'est évidemment qu'une goutte d'eau dans l'océan, mais on y retrouve néanmoins une quantité impressionnante de spectacles, d'attractions et d'expositions révélant les mystères de la planète bleue.

Les quelque 20 000 créatures qui y ont élu domicile viennent d'aussi près que la baie de Tampa et d'aussi loin que l'Antarctique. Vous découvrirez dans ce parc marin, le plus connu du monde, des baleines de la taille d'une maison, des poissons clowns de la taille d'un orteil, des phoques de jais luisants et des invertébrés auréolés de rose. Il y a également des dauphins enjoués, des manchots attachants, des otaries moustachues et des loutres espiègles, mais aussi des espèces moins connues, tels les macareux, les petits garrots, les poissons licornes et les anguilles furtives.

Plusieurs de ces animaux évoluent dans les grandes piscines bleues qui parsèment le paysage luxuriant de SeaWorld. Chaque jour, des milliers de personnes s'entassent dans des gradins autour de ces réservoirs pour voir ces fascinantes bêtes à l'œuvre, que ce soit au jeu ou au travail: des baleines qui sifflent et font des sauts, des phoques qui se tapotent mutuellement le dos, et des dauphins qui nagent sur le dos.

Les hôtes de la mer (auxquels s'ajoutent quelques humains) volent décidément la vedette des spectacles qui ont contribué à la renommée mondiale de SeaWorld. Mais l'endroit offre beaucoup plus que des spectacles. Ce parc thématique doublé d'un centre de recherche, réalisé au coût de plusieurs dizaines de millions de dollars, scrute ainsi les mystères du monde du silence avec quelque 25 spectacles et attractions de premier plan. Et il brosse un tableau réellement saisissant de l'océan, que ce soit par son gigantesque aquarium de coraux, sa banquise intérieure, naturellement occupée par les manchots, ou son antre de requins redoutables.

En dehors de ces expositions, le parc a l'air d'une toile marine en mouvement. Les goélands percent l'azur de leurs cris, et une brise saline balaie de tendres pelouses. Des étangs rocailleux épousent les contours de jardins surplombés de palmiers, et des flamants rose bonbon laissent leurs empreintes un peu partout sur le sable. Enfin, des vedettes rapides traversent en vrombissant un lagon dominé par la Sky Tower, haute de 122 m; point de repère de SeaWorld, cette tour ressemble à une aiguille bleue plantée sur le rivage.

Dans ce décor océanique, vous verrez évoluer d'habiles danseurs polynésiens de même qu'un sculpteur de châteaux de sable. Vous pouvez aussi vous prélasser au soleil sur la plage du lagon, une boisson glacée au rhum dans la main.

Si cela vous semble correspondre à l'image qu'on se fait de la Floride dans ce qu'elle a de plus touristique, c'est que tel est bien le cas. Depuis son ouverture en 1973, SeaWorld Orlando constitue en effet un attrait éducatif sur la vie marine tout en vous donnant la possibilité de vous détendre à souhait.

Mais tout n'a pas toujours été rose pour SeaWorld. La concurrence que se livrent dans la région Disney et Universal lui a pendant longtemps porté ombrage. Moins orienté vers la technologie de pointe, SeaWorld, malgré son charme certain, perdit peu à peu de son lustre, au point de connaître de sérieuses difficultés financières au cours des années 1990. La brasserie Anheuser-Busch, également propriétaire des parcs d'attractions Busch Gardens dont l'un se trouve à Tampa, sur la côte ouest de la Floride, se porta alors acquéreur de SeaWorld. Une importante rénovation suivit, incluant l'ajout de nombreux attraits modernes, d'un deuxième parc du nom de **Discovery Cove**, puis d'un troisième inauguré au printemps 2008: **Aquatica**. Le nom «SeaWorld Orlando» désigne maintenant l'ensemble, redevenu un complexe de divertissement de premier plan qui peut à nouveau rivaliser avec ses deux populaires voisins.

À ne pas manquer!

› Les attractions

Whale and Dolphin Theater: Blue Horizons p. 231
Journey To Atlantis p. 233
Kraken p. 233
Sea Lion and Otter Stadium: Clyde & Seamore p. 234
Shark Encounter p. 235
Manta p. 236
Shamu Stadium: One Ocean p. 238
TurtleTrek p. 232

› Les bonnes adresses

Restaurants

Sharks Underwater Grill (Shark Encounter) p. 285

Achats

Shamu Emporium (entrée du parc) p. 301

Accès et déplacements

› Orientation

Rien de plus facile: imaginez un beignet quelque peu allongé et percé d'un trou en son centre. Le trou en question est un vaste lagon traversé par une passerelle. Autour de ce dernier se trouvent des boutiques, des restaurants, de petits bassins grouillants de vie marine et l'**Atlantis Bayside Stadium**. Et, à la périphérie de notre beignet, sont présentés les spectacles et les attractions principales; il s'agit, en procédant dans le sens des aiguilles d'une montre, de **Key West at SeaWorld**, du **Whale and Dolphin Theater**, de **TurtleTrek**, de **Journey To Atlantis**, de **Kraken**, d'**Antarctica: Empire of the Penguin**, de la **Pacific Point Preserve**, du **Sea Lion and Otter Stadium**, de **Shark Encounter**, du **Nautilus Theater**, du **Shamu's Happy Harbor**, du **Shamu Stadium**, du **Shamu Underwater Viewing** et de **Wild Arctic**.

Quant au manège vedette récent **Manta**, il est bien visible dès l'entrée. Vous ne pourrez en effet manquer les audacieuses contorsions que dessine au-dessus des passants la voie de ces intimidantes montagnes russes.

Si vous devez vous déplacer en fauteuil roulant, vous n'aurez aucun problème à SeaWorld. Les promenades sont larges, et les rampes sont nombreuses (toujours en pente douce). Les amphithéâtres et les salles de spectacle offrent amplement d'espace pour les fauteuils roulants (souvent en première rangée) et sont facilement accessibles.

› En voiture

SeaWorld est facile à trouver, et le coût du stationnement est correct (15$). Il se trouve près du croisement de la route I-4 et de la Beachline Expressway (route 528), à 16 km au sud du centre-ville d'Orlando (voir la carte «Universal Orlando et SeaWorld Orlando», p. 190). De la **route I-4** (Interstate 4), empruntez la sortie de SeaWorld et suivez la signalisation jusqu'à l'entrée principale. Après vous être garé, prenez le tramway qui vous conduira à la porte principale. Souvenez-vous de **noter l'emplacement de votre place de stationnement** afin de retrouver votre voiture à la fin de la journée.

Renseignements utiles

› Quelques précieux conseils

S'il s'agit de votre première visite, vous vous attendez sûrement à affronter une foule aussi nombreuse qu'à Universal Orlando ou à Disney World. Mais n'ayez crainte, car SeaWorld est rarement engorgé, et tout y est si relaxant et si bien organisé que les files d'attente sont presque inexistantes. Il est toutefois très important de se rappeler que les principales attractions de SeaWorld prennent la forme de spectacles, de sorte que vous avez tout avantage à planifier votre journée en fonction de ceux-ci. Il est impossible de les voir tous, mais vous pouvez tout de même en voir la plus grande partie.

SeaWorld vous aide d'ailleurs à faire les meilleurs choix en fonction de vos besoins grâce à son ***Map and Show Schedule***, qui change tous les jours. Peu importe ce que dit l'horaire, ne manquez pas les spectacles au **Sea Lion and Otter Stadium**, au **Whale & Dolphin Theater** et au **Shamu Stadium**.

Donnez-vous au moins 45 min de jeu entre les spectacles; vous aurez ainsi le temps d'aller aux toilettes et d'apprécier les expositions secondaires telles que **Dolphin Cove**, **Shark Encounter**, **Wild Arctic** et **Antarctica: Empire of the Penguin**. De cette façon, vous pourrez également arriver 15 min avant le prochain spectacle et vous assurer un siège. Certains spectacles affichent complet assez vite, surtout au milieu de la journée. Si vous avez de jeunes enfants, assoyez-vous près d'une allée afin d'avoir facilement accès aux toilettes durant le spectacle.

Les parents voudront aussi prévoir une halte au terrain de jeu du **Shamu's Happy Harbor** vers le milieu de la journée. Les enfants adorent en effet toutes les activités formidables auxquelles ils peuvent s'y livrer, tandis que les parents se délectent de ses coins ombragés. Surtout, pas de précipitation; une grande partie du charme de SeaWorld, c'est que vous pouvez en faire le tour à votre rythme et sans être bousculé.

Quant à ceux qui recherchent les sensations fortes, ou qui sont accompagnés d'ados qui n'en ont que pour elles, il faut placer en tête de liste les nouvelles montagnes russes **Manta**, où la seule file d'attente vraiment longue du parc se forme très tôt dans la journée. La bonne nouvelle, c'est que la popularité de Manta semble avoir fait diminuer le temps d'attente pour les autres manèges à sensations de SeaWorld, comme **Journey to Atlantis** et les montagnes russes **Kraken**, voisins l'un de l'autre.

› Animaux de compagnie

Ils ne sont pas admis. Vous pouvez cependant utiliser les chenils climatisés aménagés à droite de l'entrée principale.

Petit lexique anglais-français

Puisque toutes les affiches de SeaWorld sont en anglais, voici un petit lexique qui vous permettra de faire le lien entre les noms d'espèces utilisés dans ce guide et ceux que vous lirez une fois sur place:

Bass	bar
Beluga Whale	béluga
Butterflyfish	poisson-papillon
Clownfish	clown orangé/ poisson-clown
Conch	conque
Crappie	marigane blanche
Dolphin	dauphin
Grouper	mérou
Killer Whale	épaulard
Lionfish	rascasse volante
Manatee	lamantin
Murre	marmette de Brünnich
Otter	loutre
Penguin	manchot
Puffin	macareux
Scorpionfish	rascasse, scorpène
Sea Lion	otarie
Seal	phoque
Shark	requin
Smew	harle-piette
Snapper	vivaneau
Stingray	raie
Surgeonfishes	chirurgiens
Unicorn fish	poisson-licorne
Walrus	morse
Whale	baleine

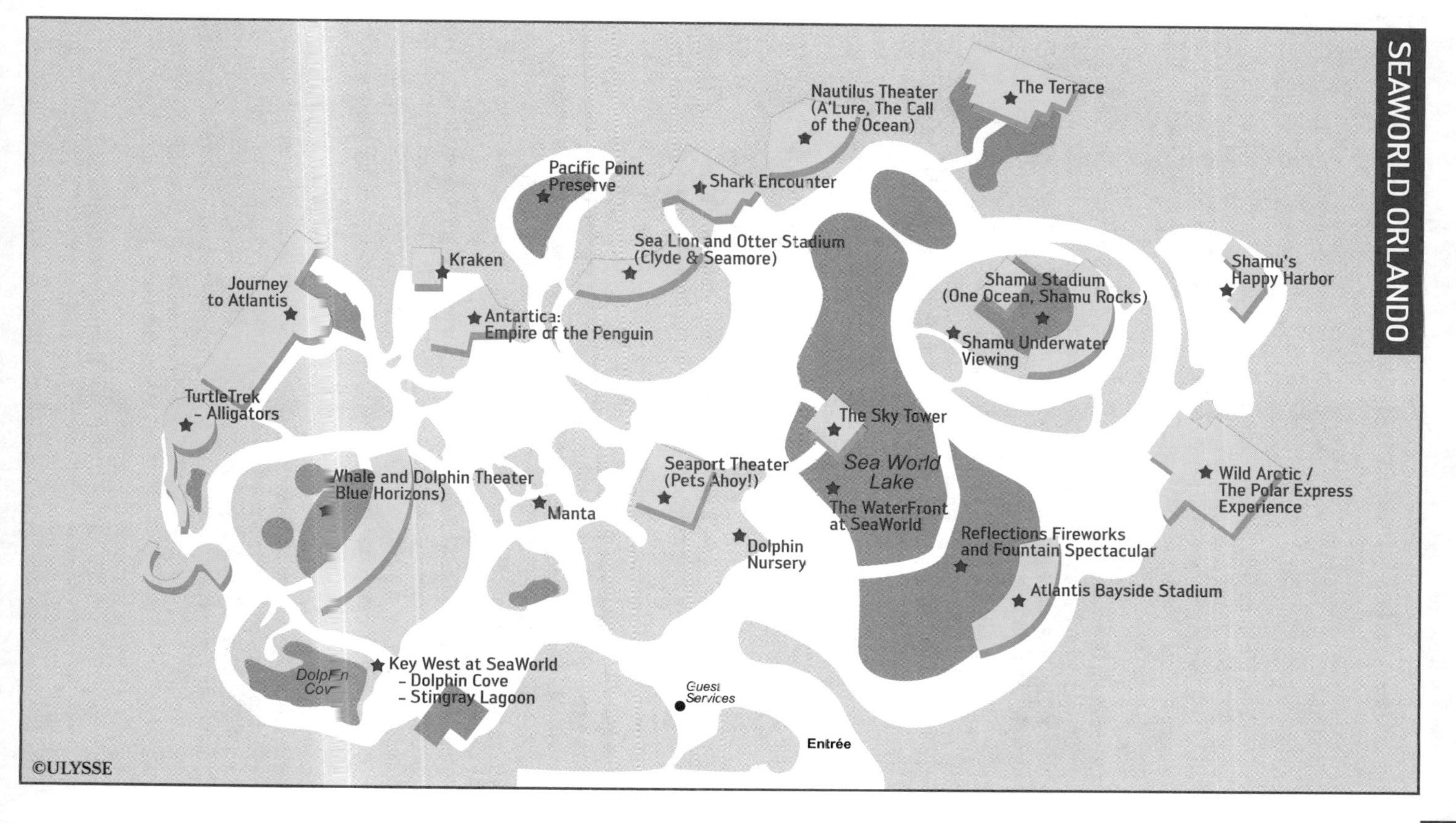
SEAWORLD ORLANDO
The Terrace
Nautilus Theater
(A'Lure, The Call
of the Ocean)
Pacific Point
Preserve
Shark Encounter
Sea Lion and Otter Stadium
(Clyde & Seamore)
Kraken
Journey
to Atlantis
Antartica:
Empire of the Penguin
Shamu's
Happy Harbor
Shamu Stadium
(One Ocean, Shamu Rocks)
Shamu Underwater
Viewing
TurtleTrek
– Alligators
The Sky Tower
Sea World
Lake
Seaport Theater
(Pets Ahoy!)
Whale and Dolphin Theater
Blue Horizons)
Manta
The WaterFront
at SeaWorld
Wild Arctic /
The Polar Express
Experience
Dolphin
Nursery
Reflections Fireworks
and Fountain Spectacular
Atlantis Bayside Stadium
Key West at SeaWorld
– Dolphin Cove
– Stingray Lagoon
Guest
Services
Entrée
©ULYSSE

Des visites guidées qui sortent de l'ordinaire

Plusieurs formules de visites guidées sont proposées à SeaWorld. Ainsi, le **Dolphin Up-Close Tour** permet d'aller à la rencontre des dauphins du Whale and Dolphin Theater. La durée de ces visites est d'une heure. Comptez 59$ pour les adultes et 39$ pour les enfants.

Le **SeaWorld Orlando's Behind-the-Scenes Tour** est quant à lui une visite guidée plus traditionnelle de 90 min, au cours de laquelle vous vous déplacerez en autobus d'un point à l'autre. Il permet notamment de rencontrer les soigneurs qui s'occupent des animaux blessés qui sont hébergés par SeaWorld. Comptez environ 30$ pour les adultes et 10$ pour les enfants.

Le **SeaWorld Orlando's VIP Tour** est pour sa part une visite plus exhaustive d'une durée de 7h. Vous y ferez le tour de toutes les installations, incluant un accès privilégié aux manèges les plus populaires (dont Manta, Kraken et Journey to Atlantis) et des places réservées pour trois spectacles de votre choix. Adultes 99$, enfants 79$.

La **Marine Mammal Keeper Experience** s'étend sur 8h au cours desquelles vous assistez un gardien d'animaux marins dans son travail auprès des lamantins, des dauphins, des phoques, des otaries... Départ à 6h30. Coût: 399$, incluant une passe de sept jours pour le parc. Âge minimal: 13 ans.

Finalement, le **Beluga Interaction Program** permet de passer 90 min en compagnie des entraîneurs de baleines. Il en coûte 119$. Âge minimal: 10 ans.

Pour vous inscrire à l'une de ces visites, communiquez avec le **Guided Tour Center** *(888-800-5447)*, visitez le site de SeaWorld *(www.seaworld.com)* ou arrêtez-vous au bureau des *Guest Services*, à l'intérieur du parc non loin de l'entrée. Tous les prix indiqués, à l'exception de la Marine Mammal Keeper Experience, s'ajoutent au prix du billet d'entrée au parc. Rappelez-vous que ces prix peuvent varier et qu'ils ne sont mentionnés ici qu'à titre indicatif.

› Argent

Vous trouverez des distributeurs automatiques de billets à l'entrée principale et un peu partout dans le parc. Pour changer des devises étrangères, rendez-vous au guichet des *Guest Relations*, tout juste avant l'entrée principale, entre 9h et 15h.

› Bureau des objets perdus et trouvés

Il se trouve à l'intérieur du bureau des *Guest Services*, situé dans le parc, non loin de l'entrée (à ne pas confondre avec le guichet des *Guest Relations* cité plus haut qui, quant à lui, donne sur l'extérieur du parc).

› Casiers

Vous en trouverez non loin de l'entrée, sur la droite près des toilettes. Il vous en coûtera 7$ par jour pour un petit casier et 10$ pour un grand.

› Centres de services aux nourrissons *(Baby Services)*

Situés dans le Guest Assistance Center, près d'Antarctica: Empire of the Penguin, et au Shamu's Happy Harbor Baby Care Center. Des tables à langer sont également disponibles dans la plupart des toilettes ou à proximité.

› Enfants perdus

Signalez tout enfant égaré au bureau des *Guest Services*, situé sur la gauche à l'entrée du parc.

› Poussettes et fauteuils roulants

Offerts en location au Stroller Gift Shop, à l'entrée principale.

› Renseignements

Le bureau des *Guest Services*, situé immédiatement après l'entrée principale, sur la gauche, est l'endroit où vous arrêter pour obtenir tout renseignement de même que pour trouver des plans du parc en français.

› Service de collecte des paquets *(Package Pickup)*

Ce service gratuit vous évite d'avoir à traîner vos achats toute la journée. Demandez simplement aux commis des boutiques de SeaWorld d'envoyer vos sacs au Shamu's Emporium, où vous pourrez les réclamer au moment de quitter le parc.

Whale and Dolphin Theater ★★★★★

Si vous avez déjà vu une publicité de SeaWorld à la télévision où un dauphin fait une triple pirouette dans les airs, dites-vous bien que ce n'était là qu'un avant-goût de ce qui vous attend au spectacle de dauphins et de baleines intitulé **Blue Horizons**.

Présenté dans un vaste amphithéâtre à ciel ouvert, ce spectacle d'une durée de 25 min permet de constater les incroyables prédispositions des dauphins et des baleines pour les sauts périlleux et la comédie.

Mais il y a plus! Aux prestations des dauphins, ces acrobates et danseurs de grand talent, et des baleines, ces cabotins qui prennent un malin plaisir à arroser les spectateurs des premières rangées, on a ajouté celles d'oiseaux exotiques qui voltigent au-dessus de la foule, de trapézistes vêtus de costumes colorés et de plongeurs qui effectuent des sauts vertigineux. L'ensemble, haut en couleur, s'avère des plus divertissants et culmine avec une chorégraphie enlevante à laquelle participent tous les acteurs de la représentation.

À NOTER: Si vous ne voulez pas vous faire tremper, évitez les premières rangées. Souvenez-vous aussi qu'il arrive que les oiseaux, tout aussi exotiques soient-ils, laissent tomber quelques «cadeaux» lors de leurs vols planés au-dessus des spectateurs... Pour obtenir une bonne place, prévoyez arriver environ 30 min avant le début du spectacle.

Key West at SeaWorld ★★★

Architecture colorée, boutiques pittoresques, spectacles de rue divertissants et musique calypso donnent le ton à l'atmosphère de Key West at SeaWorld. Vous y trouverez d'exceptionnelles occasions de côtoyer certaines des créatures les plus fascinantes de SeaWorld, à savoir les dauphins et les raies (**Stingray Lagoon**).

Le point le plus populaire en est le bassin des dauphins (**Dolphin Cove**), qui couvre 0,8 ha, et à la surface duquel vous pourrez nourrir les mammifères enjoués tout en interagissant avec eux. En descendant sous la surface, autour du bassin, vous décou-

L'option *Quick Queue*, pour passer en avant

À l'instar des autres grands parcs thématiques de la région d'Orlando, SeaWorld propose un service permettant de passer devant les files d'attente. Baptisée *Quick Queue*, cette option, disponible à partir de 14,99$ pour un accès unique aux attractions les plus populaires, ou de 19,99$ pour un accès prioritaire illimité, peut être ajoutée au prix de votre billet d'entrée.

Considérant que l'attente n'est en général pas si longue aux attractions de SeaWorld, exception faite des montagnes russes Manta, ce déboursé additionnel ne nous semble pas indispensable. Évitez de succomber à la tentation, à moins que vous ne visitiez le parc lors d'une journée de très grande affluence.

À noter toutefois que, si vous logez au Renaissance Orlando Resort at SeaWorld, le prix de votre chambre inclut ce privilège.

À la rescousse

Petits lamantins orphelins... Tortues de mer blessées... Otaries échouées sur le rivage... Ce ne sont là que quelques-uns des animaux marins que SeaWorld a pris sous son aile pour leur offrir un refuge à l'abri d'un environnement hostile et contribuer à leur rétablissement avant de les relâcher dans la nature. Et l'entreprise est de taille, puisque des dizaines de milliers de bêtes ont ainsi été accueillies depuis l'ouverture du parc.

vrirez une immense fenêtre panoramique donnant sur leur habitat. Les entraîneurs des dauphins se tiennent régulièrement à votre disposition pour répondre à vos questions, et des spectacles sont quotidiennement organisés au Whale & Dolphin Stadium voisin.

Outre l'intérêt suscité par les animaux marins qui y vivent, Key West offre un répit prisé hors de la frénésie caractéristique des parcs thématiques. Plutôt que de vous hâter d'un point à un autre, profitez en toute quiétude des spectacles de rue (jongleurs, mimes et faux guides touristiques) ou d'un concert de jazz.

À NOTER: Les dauphins se montrent plus réceptifs aux humains en début de journée. Pour mieux les apprécier, projetez donc d'arriver au parc le plus tôt possible, alors qu'ils sont avides de vous rencontrer et de vous accueillir.

TurtleTrek ★★★★★

Cette nouvelle attraction lancée au printemps 2011 a investi le bâtiment qui abritait auparavant Manatee Rescue. D'ailleurs, les lamantins (*manatees* en anglais) sont toujours présents, et prennent même la vedette dans la première salle où l'on vous invite à pénétrer. De grandes baies vitrées permettent alors de les observer dans une reconstitution de leur habitat naturel.

Dans la salle suivante, l'élément central est un bassin dans lequel de nombreux poissons et tortues marines nagent aux alentours de coraux colorés. Vous sentez alors qu'il s'agit de la véritable entrée en matière de l'attraction.

En effet, on vous conduit ensuite dans une troisième salle, qui prend la forme d'un dôme, où est projeté un extraordinaire film 3D, non seulement tout autour de vous sur 360°, mais aussi au-dessus de votre tête jusqu'au sommet du dôme. Ce film vous fait alors découvrir l'environnement des tortues de mer de leur point de vue (littéralement!), depuis leur naissance, sur la plage, jusque sous l'eau. Au passage, vous survivrez tant bien que mal aux attaques d'un crabe, d'oiseaux et de requins. Vous traverserez une portion d'océan remplie de méduses, visiterez une épave de navire et vous enfuirez *in extremis* du filet d'un pêcheur par l'ouverture prévue à cette fin grâce aux règlementations pour la préservation des tortues marines.

À NOTER: Ce spectacle est extrêmement réussi et convaincant grâce à des effets 3D fort bien rendus (oui, il faut porter les éternelles lunettes…). Il faut toutefois demeurer

Nourrir les animaux pour mieux les connaître

Vous voulez vraiment voir les animaux de SeaWorld de plus près? Qu'à cela ne tienne, vous n'avez qu'à les nourrir. Achetez une boîte de harengs ou d'éperlans, et foncez tout droit vers le **Stingray Lagoon**, la **Dolphin Cove** ou la **Pacific Point Preserve**. Les pastenagues et les dauphins viendront manger directement dans votre main, et vous pourrez même les caresser. Quant aux phoques et aux otaries, ils vous réservent tout un spectacle, jappant à qui mieux mieux et roulant sur le dos pour obtenir leur pitance; il suffit d'ailleurs d'y aller en fin de journée pour les voir repus, contents et empilés les uns sur les autres en train de digérer tout leur soûl.

debout tout au long de la projection. Prenez par ailleurs quelques minutes pour aller jeter un coup d'œil à l'enclos des inquiétants alligators, situé tout près.

Journey To Atlantis ★★★★★

SeaWorld est peut être reconnu comme un lieu de divertissement facile, mais ces électrisantes montagnes russes à saveur aquatique (de la variété des glissoires) ne manquent pas d'y mettre du piquant. Une musique lyrique vous accompagne dans votre périple intérieur, dans un décor de palais somptueux sous une voûte étoilée, et ce, jusqu'à l'inévitable descente finale.

Vous vous embarquez ici pour un voyage au fond des mers, à la recherche de l'Atlantide, le continent submergé que, bien sûr, vous retrouverez. Vous serez alors accueilli par de fort jolies sirènes... qui se feront toutefois de plus en plus menaçantes.

Une des portions les plus effrayantes de ce manège tient à son ascension. Tandis que d'autres glissoires vous font grimper de façon à peine perceptible, il vous entraîne sur une pente redoutable, interminable, quasi impensable... et encore un peu plus haut. Une fois parvenu au sommet, la seule pensée de la descente qui doit immanquablement s'ensuivre aura sans doute pour effet de vous paralyser. Et c'est sans compter la surprise finale qui vous attend, rendant ce manège tout à fait unique.

Une fois votre tour de manège terminé, ne manquez pas de vous arrêter au **Jewel of the Sea Aquarium**, attenant à la boutique de souvenirs. On peut y observer de nombreuses espèces dans des aquariums répartis tout autour de la pièce, mais aussi sous le plancher de verre et même au-dessus du plafond, là où nagent les requins.

À NOTER : Taille minimale 1,07 m. Le panneau affiché à l'entrée dit clairement *«Attendez-vous à vous faire mouiller»*, et ce n'est pas une blague! Mieux vaut laisser tout article périssable dans les casiers voisins (0,50$ pour un petit ou 1$ pour un grand). À noter que ces casiers se trouvent aussi assez près de Kraken, l'attraction voisine; plutôt que de payer deux fois, laissez donc vos objets ici pendant que vous vous offrez les deux manèges.

Kraken ★★★★★

Shamu n'est pas le seul à faire un tabac à SeaWorld. Le parc thématique, réputé pour ses douces attractions axées sur la nature, possède en effet des manèges vraiment excitants. Le second en liste (le premier étant Manta) entraîne les amateurs de sensations fortes dans un périple ponctué de virages, de contorsions et de virevoltes sur le dos d'une créature mythique du nom de Kraken. Vous y grimperez jusqu'à une hauteur de 15 étages, solidement attaché dans une nacelle sans fond qui se déplace à quelque 100 km/h!

À première vue, ces montagnes russes ne semblent ni si hautes ni si terribles. Mais ne vous y fiez pas, c'est un leurre! Le nombre de vrilles et de boucles effectuées par les convois filant à grande vitesse est vraiment surprenant; c'est là ce qui fait la réussite de ce manège.

À NOTER : Taille minimale 1,38 m. Vous vous retrouverez ici la tête en bas (et les pieds dans le vide), et même les plus fervents amateurs de sensations fortes y voient une expérience à vous faire lever le cœur. Ce n'est pas la fin du monde, mais vous êtes prévenu. Si vous êtes le moindrement préoccupé par la question, gardez ce manège pour la fin de la journée de manière à ne pas ruiner votre séjour... et à profiter des files d'attente moins importantes avant la fermeture du parc.

Antarctica: Empire of the Penguin

Penguin Encounter, où l'on pouvait observer une bande de manchots se dandiner sur une banquise reconstituée, comptait parmi les attractions les plus appréciées du parc. Mais les concepteurs de SeaWorld ont voulu aller encore plus loin dans la mise en valeur de ces créatures polaires, en développant une attraction encore plus élaborée. Penguin Encounter a donc fermé ses portes en janvier 2012, afin que puissent être réalisés les travaux devant conduire à l'ouverture d'Antarctica: Empire of the Penguin en mai 2013.

Au moment de mettre sur presse, cette nouvelle mouture n'était pas encore accessible au public. On promettait toutefois un manège interactif d'envergure où les visiteurs prendraient place dans des véhicules nouveau genre circulant dans des paysages typiques de l'Antarctique, à la découverte du monde des manchots. L'observation d'une colonie de manchots dans un habitat reconstitué serait toujours à l'ordre du jour, et un restaurant se grefferait également au concept.

À NOTER: Cette attraction étant en cours de construction lors de notre passage, nous n'avons pu lui octroyer une cote. On peut toutefois prévoir qu'elle deviendra à coup sûr la coqueluche du parc, du moins dans les mois qui suivront son inauguration. Prévoyez donc vous y rendre dès votre arrivée afin de limiter votre temps d'attente.

Pacific Point Preserve ★★★★

Cet habitat consacré aux pinnipèdes, d'une superficie de 1 ha et renfermant un bassin de 1,7 million de litres, recrée de façon impressionnante la côte du Nord californien. Les otaries et les phoques s'y ébattent dans un environnement d'eau salée plutôt froide, agitée par une machine à vagues. Doté de postes d'observation sous-marins et aériens, ce site permet d'admirer à loisir les gracieuses prouesses de ces mammifères marins.

À NOTER: Évitez cet endroit après un spectacle de loutres et d'otaries du Sea Lion and Otter Stadium voisin, alors qu'il est envahi par les foules.

Sea Lion and Otter Stadium ★★★★

Un bateau de corsaire, une île de pirates et un trésor... que demander de plus? Eh bien, il y a plus, puisque le spectacle présenté au Sea Lion and Otter Stadium met en vedette les otaries **Clyde & Seamore**. Leur performance un peu bébête, mais tout de même adorable, retrace les aventures en haute mer d'un navire bondé de «compagnons de fortune». Les talentueux mammifères marins marchent sur les «mains», glissent sur le pont et se livrent à une foule de cascades rocambolesques qui ne manqueront pas de transporter les enfants au septième ciel, et les adultes eux-mêmes auront beaucoup de mal à résister au charme de ces acteurs attachants.

Cette présentation amusante et bon enfant ne saurait être complète sans l'hilarante pres-

Mimes espiègles

Le pauvre monsieur bedonnant de Boise, en Idaho, n'a jamais eu la moindre chance. Il n'était pas aussitôt arrivé dans l'amphithéâtre que déjà un mime le talonnait, s'improvisant à son tour un gros ventre. Chaque pas que faisait l'homme était suivi d'un mouvement de ventre identique du mime. La foule éclatait de rire, et l'homme jetait autour de lui des regards furtifs, confus par la situation.

Les mimes de SeaWorld se moquent des visiteurs qui, ne se doutant de rien, viennent assister au spectacle du Sea Lion and Otter Stadium. Ils sont si drôles qu'ils sont devenus l'un des clous du parc thématique tout entier. La force des mimes est de mettre en évidence ce qu'il y a de plus ringard chez les touristes: jambes brûlées par le soleil et courtement vêtues de chaussettes roses, casquettes de Goofy aux longues oreilles, talons hauts et shorts très osés. Vous avez tout compris!

Afin de voir les mimes, soyez dans les gradins 15 min avant le spectacle. Et surtout, surveillez vos arrières!

tation du mime qui anime l'avant-spectacle (voir l'encadré «Mimes espiègles»). Arrivez une trentaine de minutes à l'avance afin de ne rien manquer de ses irrésistibles pitreries.

À NOTER : Arrivez tôt pour obtenir les meilleures places, un conseil d'autant plus précieux que vous voudrez sans doute éviter la zone d'éclaboussement total (les quelques premières rangées). Car, si les enfants adorent généralement se faire arroser, il n'en va pas toujours de même des adultes armés de caméscopes.

Shark Encounter ★★★★

Il n'y a rien de bien terrifiant dans cette exposition, si ce ne sont les dents pointues des barracudas, les poissons globes armés de piquants et les requins de 2 m qui vous regardent sournoisement. Et n'oublions surtout pas les chirurgiens, dont les barbillons aussi tranchants que des rasoirs peuvent transpercer sans mal un vêtement isothermique!

Ces phénomènes de la nature et bien d'autres peuplent les aquariums de cette grande exposition, d'autant plus exaltante que vous la voyez à travers un tunnel, ce qui veut dire que les monstres évoluent au-dessus de vous dans quelque 450 t d'eau salée. Alors que vous vous déplacez sur un tapis roulant, vous vous sentez vraiment comme un intrus dans cet «Oz» des profondeurs, peuplé de créatures meurtrières. Certaines vous intimideront sur-le-champ, alors que d'autres sont plus sournoises. Ainsi, la splendide rascasse volante injecte à ses victimes un venin assez puissant pour tuer un homme en six heures. Et la scorpène, experte en camouflage, est surnommée «trois pas», car, après avoir posé le pied dessus qu'on n'a pas aussitôt fait trois pas qu'on s'effondre en proie à une effroyable douleur. Prêt pour une trempette?

À NOTER : Les enfants de tout âge apprécient cette attraction au plus haut point, car selon les paroles d'un enfant de huit ans : *«C'est comme si on se trouvait à l'intérieur d'un immense aquarium.»* Ils aiment aussi le fait qu'ils peuvent facilement y retourner encore, encore et encore...

Nautilus Theater ★★★

Un pêcheur quelque peu maladroit se voit entraîné au fond des mers par des créatures mystérieuses. Voilà la trame du spectacle présenté au Nautilus Theater, intitulé **A'Lure, The Call of the Ocean**. À la manière d'Odyssea, précédemment à l'affiche ici, ce spectacle récent met en vedette personnages féeriques, acrobates aériens, contorsionnistes et autres artistes de cirque.

À NOTER : Bien que non dépourvu d'intérêt, ce spectacle ne devrait pas faire partie de vos priorités de la journée.

The Sky Tower ★★★

Souvent appelée «l'aiguille céleste», cette tour d'un bleu d'encre s'élève à 122 m au-dessus du lagon de SeaWorld, et un ascenseur vitré de forme arrondie transporte les gens jusqu'à son sommet en décrivant une douce spirale. L'ascension de 15 min est calme, détendue et panoramique, et la vue qu'on y a depuis le sommet est à couper le souffle.

À NOTER : La bonne nouvelle est qu'il ne faut plus débourser une somme additionnelle pour cette attraction comme c'était le cas jusqu'à tout récemment. Certains enfants d'âge préscolaire sont effrayés lorsqu'ils voient le sol s'éloigner sous leurs pieds. Les plus vieux, cependant, trouvent que c'est ce qu'il y a de plus génial après Shamu.

Seaport Theater ★★★

Vous ne pourrez pas vous empêcher d'esquisser un sourire à la vue de ce spectacle d'une époque révolue intitulé **Pets Ahoy!**, qui met en vedette certains des hôtes non aquatiques de SeaWorld. Les chats se roulent par terre, les chiens jouent les grands malades, un âne montre gentiment ses dents au dentiste, et un cochon brandit des placards proclamant les injustices faites à son espèce (du genre «À bas le bacon!»). Pas de grandes surprises ici, mais les enfants ne pourront tout simplement pas résister au charme de ces douces créatures, et les parents ne voudront sans doute pas manquer leurs réactions, sans compter que le tout se déroule à l'intérieur, dans une salle climatisée. Le fait que ces talentueux chatons et chiots aient tous été adoptés auprès de refuges d'animaux de la région lance par ailleurs un sympathique message. Bref, le vaudeville n'a jamais eu plus mignonne allure.

À NOTER: On cherche le lien avec le thème marin du parc, mais il faut bien admettre que ce spectacle est irrésistible. Assurez-vous de rester un moment après le spectacle, puisque les enfants peuvent alors voir de plus près et même caresser certains des interprètes étoiles du spectacle.

The Waterfront at SeaWorld ★★★

Grâce à son thème marin élargi, SeaWorld a su créer une bien plaisante attraction avec son Waterfront, qui permet aux gens de profiter encore plus de leur visite au parc.

Ce secteur très animé s'étend sur 2 ha au pied de la Sky Tower. Il se présente comme un port de pêche en bordure de mer. On y trouve des personnages colorés qui racontent des histoires, des marchands «locaux», des spectacles de rue, des restaurants et un bar (The Sandbar).

À NOTER: Le Waterfront constitue un point d'observation de premier ordre pour assister aux spectacles pyrotechniques présentés en soirée.

Reflections Fireworks and Fountain Spectacular ★★★★

Chaque soir durant la haute saison, des feux d'artifice illuminent le ciel de SeaWorld tout juste au-dessus du lagon central, à la surface duquel des fontaines dansantes viennent ajouter une touche additionnelle de magie à un spectacle pourtant déjà féerique. Les pièces musicales utilisées dans les différents spectacles présentés dans le parc ponctuent également l'événement.

À NOTER: Le Bayside Stadium est le meilleur endroit où s'installer pour observer ce spectacle. Parmi les autres points d'observation à considérer, mentionnons le Waterfront et, en vous y prenant tôt, la terrasse du Spice Mill Cafe.

Manta ★★★★★

Ces montagnes russes à couper le souffle ont été inaugurées au printemps 2009 et sont rapidement devenues la coqueluche de SeaWorld, reléguant même dans l'ombre Kraken, l'autre manège du genre du parc pourtant pas piqué des vers lui-même.

L'originalité de ce nouveau manège tient d'abord à la forme de ses véhicules, qui reproduit la silhouette de raies géantes. Mais il y a plus: en dessous de ces extravagantes formes, vous êtes invité à prendre place dans des nacelles que l'on fait pivoter vers l'avant au moment du départ, si bien que vous vous retrouvez en position quasi horizontale, face au sol! Vous aurez l'impression de voler... ou d'avoir été transformé en raie.

Comme il se doit, votre «convoi de raies», une fois lancé sur les rails, se livre à toute sorte d'exubérantes contorsions et atteint des pointes de 100 km/h. À un certain moment, il passe si près d'un bassin que les ailes de ces raies factices touchent l'eau. Frissons garantis.

Avant d'accéder au manège lui-même, vous pourrez observer des centaines de poissons clowns, des pieuvres et quelque 300 raies, entre autres créatures, qui vivent dans une dizaine d'immenses aquariums avec de grandes baies vitrées couvrant les murs et le plafond. Au total, c'est plus de 3 000 animaux marins qui vivent ici.

À NOTER: Taille minimale 1,38 m. Vous apercevrez l'imposante silhouette de Manta dès votre arrivée à SeaWorld; arrivez tôt et courez-y! Si vous attendez, vous devrez vous taper au moins 90 min d'attente.

Dolphin Nursery ★★★

Cette attraction toute simple plaît particulièrement aux enfants. Dans un grand bassin batifolent de jeunes dauphins qu'il est possible d'observer à loisir. Certains sont encore des bébés accompagnés de leurs mamans, ce qui ne manque pas d'émouvoir l'assistance. Des soigneurs sont parfois présents et peuvent répondre à vos questions.

À NOTER : Contrairement à **Dolphin Cove** (voir p. 231), il n'est pas possible ici de nourrir les dauphins, ni de les toucher.

The Terrace ★★

Le grand bâtiment de The Terrace n'abrite plus aujourd'hui qu'un restaurant. Par contre, le jardin qui s'étend à ses pieds, baptisé **Sea Garden**, s'avère un lieu de détente apprécié. Outre le jardin en lui-même, dans lequel on aperçoit des perroquets colorés ainsi que la reproduction d'une barrière de corail, on trouve ici quelques stations où des animateurs présentent, selon un horaire affiché, de petits animaux peu ou mal connus des visiteurs.

À NOTER : Cet endroit, qui n'est visiblement pas une attraction de premier plan, constitue toutefois une découverte sans pareille à l'heure du déjeuner.

Shamu's Happy Harbor ★★★★

«Tu n'aurais pas dû les emmener ici, je ne réussirai jamais à les faire ressortir», se plaignait une mère à son mari en parlant de leurs enfants. Il est en effet fréquent que les parents aient du mal à convaincre leur progéniture de quitter les lieux pour poursuivre la visite du parc, et pour cause: l'endroit regorge littéralement de tout ce que les enfants adorent. Les jeunes peuvent ainsi explorer des tunnels, tirer avec des mousquets à eau, faire sonner des cloches et tourner des roues. Il y a des piscines peu profondes, des gréements où grimper et des salles remplies de gros ballons en plastique entre lesquels ils doivent se frayer un chemin. Toute la journée, des enfants exubérants parcourent en tous sens ce terrain de jeu de 1,2 ha, essayant tout sur leur passage. Le grand favori de cette foule joyeuse est une goélette de 17 m offrant des milliers de recoins où courir, grimper et se cacher. Pour les parents, il y a un espace couvert et muni de nombreux sièges d'où ils peuvent facilement surveiller leur progéniture.

On trouve aussi dans ce secteur quelques manèges réservés aux tout-petits, comme **Swishy Fishies**, **Jazzy Jellies** et **Shamu Express** (taille minimale: 0,97 m), des montagnes russes miniatures.

Discovery Cove

Discovery Cove propose à ses visiteurs une journée entière d'activités dans un décor tropical. Le clou de la journée est sans contredit la possibilité qui vous sera offerte de nager et de jouer pendant quelques minutes avec des dauphins. D'autres animaux marins et oiseaux exotiques peuvent être ici observés. De plus, vous pourrez prendre part à une excursion de plongée-tuba qui vous permettra de découvrir la reproduction d'une barrière de corail et d'explorer grottes et épaves.

À l'été 2012, on a inauguré le Freshwater Oasis, un sentier à parcourir les pieds dans l'eau, dans la reconstitution d'une rivière d'un mètre de profondeur qui sillonne une forêt tropicale humide où évoluent des ouistitis et des loutres cendrées.

Comptez entre 259$ et 399$ par personne (219$ sans la baignade avec les dauphins), incluant le petit déjeuner, le déjeuner, les boissons non alcoolisées et l'accès à SeaWorld et à Aquatica pendant 14 jours. Accès limité à 1 000 visiteurs par jour. Il faut être âgé de 6 ans ou plus pour pouvoir nager avec les dauphins. Réservations requises *(www.discoverycove.com)*.

À NOTER: Il y a tellement de choses à voir et à essayer ici que les bambins deviennent fous fous fous… au point d'en oublier l'existence de leurs parents. Une surveillance discrète mais constante est donc de mise.

Shamu Stadium ★★★★★

Dans la région d'Orlando, Shamu l'épaulard est presque aussi connu que Mickey lui-même. Ce mammifère de 5 000 kg habillé de blanc et de noir fait d'ailleurs pleinement honneur à sa réputation dans ce spectacle inauguré en 2011 et intitulé **One Ocean**.

Ainsi, Shamu et ses amis épaulards vous en mettront plein la vue dans cette présentation d'une vingtaine de minutes. Il y en a un qui exécute un saut qui atteint une hauteur rien de moins qu'incroyable, et un autre qui vient saluer la foule en glissant sur une sorte de rampe qui s'avance jusqu'aux spectateurs. Une partie du spectacle se déroule également sur un grand écran qui se subdivise en quatre parties pouvant se positionner de différentes façons pour créer toutes sortes d'effets.

À noter que, contrairement au spectacle précédent Believe, les dresseurs ne plongent plus dans l'eau avec les épaulards et ne montent plus sur leur dos pour des raisons de sécurité. Compte tenu de l'accident tragique qui a coûté la vie à l'une des dresseuses ici même en février 2010, on ne tiendra évidemment pas rigueur à SeaWorld d'avoir depuis lors supprimé ces passages hautement spectaculaires de la présentation.

Mais il ne faut surtout pas oublier les facéties dont sont capables les mastodontes qui demeurent les vedettes incontestées du spectacle. Avis à ceux qui oseront s'installer dans les premières rangées: vous ne sortirez pas indemnes du raz-de-marée que les épaulards peuvent provoquer d'un simple coup de queue…

À NOTER: Cette attraction est la seule à se remplir bien avant l'heure du spectacle. Il convient donc de vous présenter au stade de 45 min à 1h à l'avance, surtout les jours de grande affluence.

En haute saison, un spectacle différent est ajouté en soirée: **Shamu Rocks**. Les épaulards y exécutent alors leurs prouesses sur des airs rock joués par des musiciens présents sur scène.

Shamu Underwater Viewing ★★★

Le Shamu Underwater Viewing, un univers sous-marin réalisé au coût de 1,7 million de dollars tout à côté du Shamu Stadium, donne aux visiteurs la chance d'admirer les épaulards entre les spectacles. Derrière trois fenêtres sûres de 2,5 m chacune, vous pourrez ainsi observer de près ces majestueuses créatures sans risquer de vous faire éclabousser. Les enfants aiment particulièrement regarder les bébés s'ébattre dans leur nouvel habitat.

À NOTER: Pour éviter la foule, voyez cette attraction au moins une heure avant ou après le spectacle du Shamu Stadium.

Wild Arctic ★★★

Le simulateur de vol en hélicoptère de SeaWorld vous transporte aux antipodes de glace de la planète, vers ces contrées ténébreuses aux jours blafards peuplées d'ours polaires et de bélugas, découpées de glaciers en dents de scie et ponctuées d'avalanches retentissantes. Vous prendrez place à bord d'un simulateur de vol tumultueux (rappelez-vous Star Tours aux Disney's Hollywood Studios) censé ressembler à un hélicoptère en route vers le centre de recherche de Base Station Wild Arctic, et vous devrez entre autres éviter des montagnes enneigées, filer entre les parois de canyons de glace et survoler des vallées en rase-mottes. Les paysages seraient toutefois plus spectaculaires si l'écran du simulateur était moins brouillé. Ceux qui choisissent de ne pas prendre place à bord du simulateur peuvent tout de même visiter à pied l'exposition arctique.

Lorsque vous atterrissez enfin à la base, vous quittez le simulateur pour faire une promenade dans de fraîches cavernes. Derrière de grands murs de verre, vous pourrez alors observer des ours polaires évoluant dans un environnement rappelant l'Arctique, ainsi que des bélugas et des morses nageant dans d'énormes réservoirs dont l'eau est maintenue à 10°C.

À NOTER: Taille minimale 1,07 m. Vous verrez ici des files d'attente comptant parmi les plus longues de SeaWorld, quoiqu'elles dépassent rarement 30 min.

The Polar Express Experience ★★★

Au cours de la période des fêtes de fin d'année, Wild Arctic se transforme et devient The Polar Express Experience, inspirée du film d'animation où l'un des personnages emprunte la physionomie et la voix de Tom Hanks. Le véhicule dans lequel vous prenez place devient alors un train magique qui vous conduit quelque part au pôle Nord, au royaume du père Noël.

Aquatica

Inauguré au printemps 2008, **Aquatica** ★★★ *(www.aquaticabyseaworld.com)* est un parc aquatique réinventé par l'équipe de SeaWorld Orlando. On y trouve bien sûr les toboggans habituels et un aménagement coloré composé de rivières, de lagons artificiels et d'une plage de sable fin. Là où le parc innove toutefois, c'est dans la présence de toboggans qui se transforment en tubes translucides sous la surface de l'eau. Ceux-ci pénètrent littéralement dans un bassin peuplé de magnifiques dauphins de Commerson, caractérisés par leur peau noire et blanche et leur petite taille.

Le billet d'une journée pour le parc Aquatica coûte 55$ pour les adultes et 50$ pour les enfants. À noter que des billets de deux jours donnant accès à SeaWorld et à Aquatica sont également proposés au prix de 119$ pour les adultes et de 111$ pour les enfants.

Voici quelques-unes des attractions les plus appréciées d'Aquatica.

Dolphin Plunge: situé près de l'entrée, c'est le toboggan le plus populaire du parc puisque c'est celui qui permet, en théorie, d'apercevoir les dauphins de Commerson au travers des tubes translucides qui traversent leur bassin. Prévoyez une longue attente et ne soyez pas surpris, au bout du compte, de ne pas avoir vu grand-chose (ça descend vite!). Un poste d'observation, le Dolphin Lookout, permet toutefois de vous reprendre.

Tassie's Twister: descente en chambre à air qui se termine dans **Loggerhead Lane**, une sorte de rivière tranquille qui traverse entre autres une grotte dans laquelle est niché un bassin rempli de poissons colorés et d'où l'on peut aussi apercevoir les dauphins de Commerson.

Taumata Racer: huit pistes parallèles, pour une course de 100 m tête première.

Roa's Rapids: descente de rapides.

Walhalla Wave: descente dans un canot pneumatique pouvant accueillir quatre passagers.

Big Surf Shores et **Cutback Cove:** deux piscines à vagues situées côte à côte. La seconde produit des vagues plus douces et s'avère ainsi davantage appropriée pour les plus jeunes. Une jolie plage de sable doux borde les deux lagons.

Walkabout Waters: terrain de jeux aquatiques pour les plus jeunes.

Omaka Rocka: une descente individuelle endiablée sur chambre à air.

Malheureusement, cette version saisonnière du simulateur de vol de SeaWorld n'est vraiment pas à la hauteur de ses concurrents (Star Tours chez Disney ou The Simpsons Ride d'Universal). Cela fonctionne quand le participant se retrouve dans la position de celui qui vit le voyage, ce qui est le propre de ce type d'attraction, mais, trop souvent, le point de vue illustré à l'écran devient celui d'une caméra extérieure qui suit les échanges entre les personnages. Ces décrochages font complètement disparaître l'illusion, les simulations de mouvement ne correspondant plus à rien de ce que l'on voit. Il faut toutefois reconnaître que le dessin animé en lui-même est très beau et féerique, ce qui aide un peu mais ne rachète pas l'ensemble.

Finalement, les habitats reconstitués des bélugas, des ours polaires et des morses, accessibles en fin de périple comme c'est le cas dans Wild Arctic le reste de l'année, constituent la meilleure partie du spectacle.

À NOTER : S'il y a beaucoup de monde, ne perdez pas votre temps à attendre ici ou prenez la file «à pied» plutôt que «en train». Elle vous conduira directement aux lieux d'observation des animaux.

Atlantis Bayside Stadium ★★★

L'Atlantis Bayside Stadium prend la forme de grandes estrades couvertes faisant face au lagon central du parc. Sur sa vaste scène sont présentés des concerts classiques, parfois accompagnés de feux d'artifice, ainsi que des spectacles de jazz, de musique populaire et autres.

Cet amphithéâtre accueille de plus le public désireux de s'y installer confortablement afin d'assister au spectacle pyrotechnique **Reflections Fireworks and Fountain Spectacular** (voir p. 236).

À NOTER : Consultez l'horaire que l'on vous remettra à votre arrivée à SeaWorld pour connaître la teneur et l'heure des spectacles présentés.

Au-delà des grands parcs: Orlando et sa région

Au-delà des parcs d'attractions de Walt Disney World, d'Universal Orlando ou de SeaWorld Orlando, d'autres attraits sont dignes de mention dans les environs. Les pages qui suivent vous invitent à y découvrir les plus intéressants.

Orlando ★★★★

Autrefois une petite ville endormie au charme certain, Orlando s'est mutée en une destination touristique d'envergure internationale lorsque l'ami Mickey est venu établir son royaume dans les environs au début des années 1970. Restaurants, hôtels, musées et attraits en tous genres y ont tour à tour vu le jour afin de répondre aux attentes d'une nuée chaque année plus dense de visiteurs (quelque 50 millions par an, dit-on) venant de partout, au point de faire du centre-ville d'Orlando un secteur à découvrir.

Downtown Orlando ★★★★

Le centre-ville d'Orlando, ou Downtown Orlando, présente une intéressante combinaison de bâtiments victoriens du XIXe siècle, de gratte-ciel modernes et d'espaces verts entourant de nombreux plans d'eau, comme le **Lake Eola Park** ★★★, un beau parc situé en plein cœur du centre-ville. Deux pôles d'attraction sont particulièrement à signaler au centre-ville, soit le Downtown Arts District et le Loch Haven Park.

Située au cœur du **Downtown Arts District**, l'**Orlando City Hall Terrace Gallery** *(entrée libre; lun-ven 8h à 21h, sam-dim 12h à 17h; 400 S. Orange Ave., 407-246-4279)* présente les œuvres d'artistes de la région à l'intérieur même de la mairie de la ville. En remontant ensuite Magnolia Avenue vers le nord, vous découvrirez au passage galeries d'art, boutiques, restaurants et bars-terrasses, ainsi que l'**Orange County Regional History Center** *(adultes 9$, enfants 6$; lun-sam 10h à 17h, dim 12h à 17h; 65 E. Central Blvd., 407-836-8500, www.thehistorycenter.org)*, installé dans un ancien palais de justice datant de 1920.

En suivant Orange Avenue vers le nord puis en tournant à droite dans Princeton Street, vous vous rendrez au **Loch Haven Park** ★★★, où sont concentrées plusieurs institutions culturelles.

La plus importante du groupe est l'**Orlando Museum of Art** ★★★ *(adultes 8$, enfants 5$; mar-ven 10h à 16h, sam-dim 12h à 16h, lun fermé; 2416 N. Mills Ave., 407-896-4231, www.omart.org)*, qui s'intéresse à l'art américain du XVIIIe siècle à aujourd'hui (peintures, dessins, photographies, sculptures) en plus de posséder une collection d'objets amérindiens dont certains datent de 4 000 ans. Une collection d'art africain est aussi à signaler dans ce musée fondé en 1924.

À ne pas manquer!

› Les attractions

Charles Hosmer Morse Museum of American Art p. 245

Bok Tower Gardens p. 246

› Les bonnes adresses

Restaurants

Café Tu Tu Tango (Orlando) p. 285

Le Coq au Vin (Orlando) p. 285

Christini's (Orlando) p. 286

Sorties

B.B. King's Blues Club (Orlando) p. 293

Medieval Times (Kissimmee) p. 294

Achats

Orlando Premium Outlets – International Drive (Orlando) p. 301

Old Town (Kissimmee) p. 302

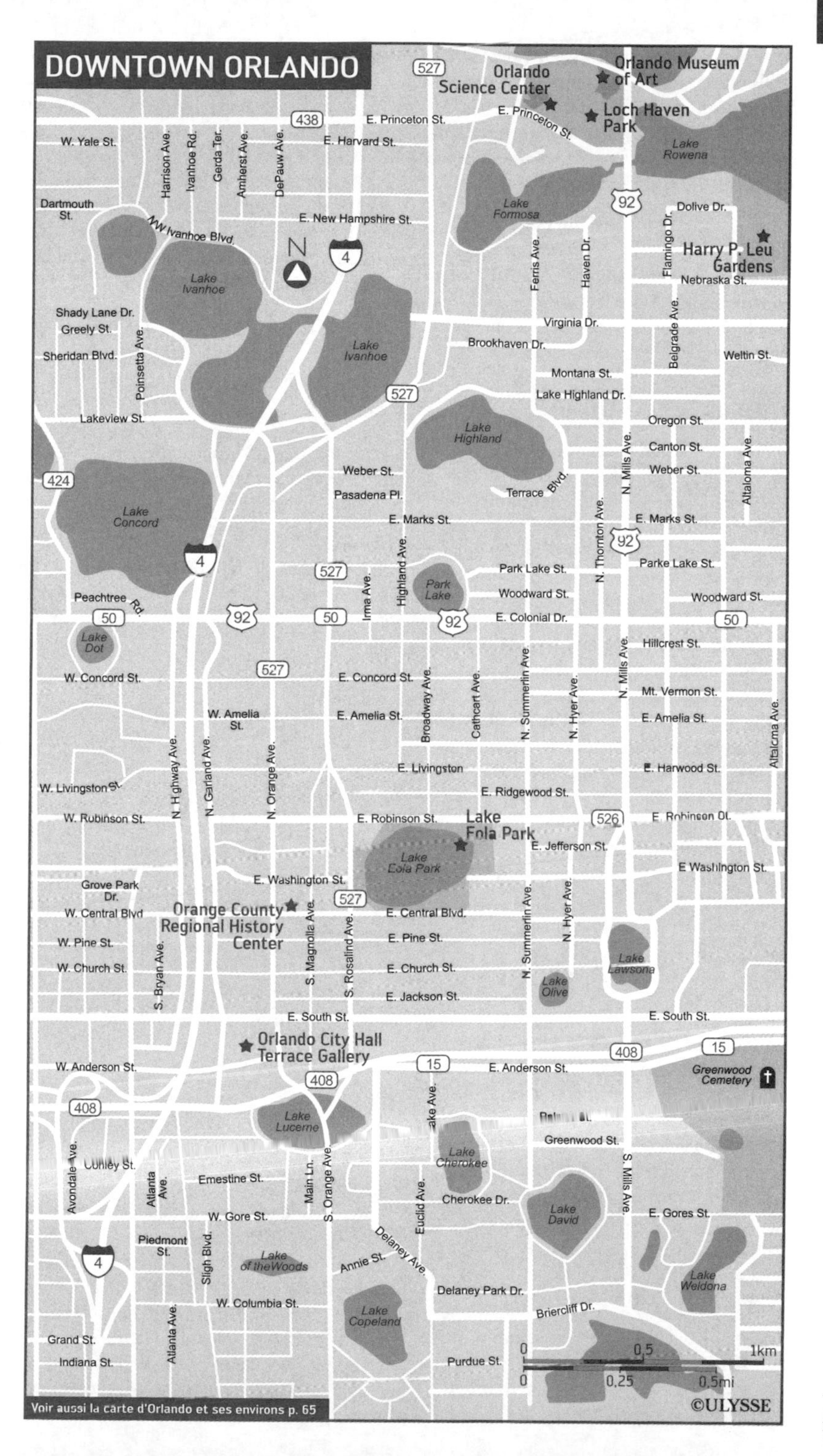

Voir aussi la carte d'Orlando et ses environs p. 65

Également situé dans le Loch Haven Park, l'**Orlando Science Center** ★★★ *(adultes 27$, enfants 20$; tlj 10h à 17h; 777 E. Princeton St., 407-514-2000, www.osc.org)* couvre les différentes sphères scientifiques au moyen d'expositions interactives.

Un peu en retrait, les **Harry P. Leu Gardens** ★★★ *(adultes 7$, enfants 2$; tlj 9h à 17h; 1920 N. Forest Ave., 407-246-2620, www.leugardens.org)* possèdent quelque 2 000 spécimens de camélias, une collection qui a fait la renommée de ce joli jardin botanique.

International Drive

L'International Drive constitue un long corridor reliant les grands parcs d'attractions de la région d'Orlando, bordé d'innombrables hôtels, restaurants, centres commerciaux et attractions de tout acabit. Voici d'ailleurs quelques-unes de ces attractions que nous considérons comme les plus intéressantes.

Il y a plusieurs parcs aquatiques dans les environs (dont ceux de Disney World et de SeaWorld Orlando), mais l'un des plus appréciés demeure **Wet'n Wild** ★★★ *(adultes 50$, enfants 45$, moitié prix pour une entrée en après-midi; tlj dès 10h; 6200 International Dr., 407-351-1800 ou 800-992-9453, www.wetnwildorlando.com)*, un classique du genre créé en 1977. Comme il se doit, le parc compte de nombreux toboggans dont un de 118 m de haut dénommé «Der Stuka», une descente en chambre à air, une piscine à vagues, des aires de pique-nique, sans oublier la plage artificielle où se faire bronzer.

WonderWorks ★★ *(adultes 25$, enfants 20$; tlj 9h à 24h; 9067 International Dr., 407-351-8800, www.wonderworksonline.com)* renferme de nombreuses expositions ludiques à caractère scientifique et plusieurs attractions virtuelles telles ces montagnes russes dont on peut tracer le parcours soi-même. Son amusant bâtiment, une construction néoclassique qui semble avoir volé dans les airs avant de se poser à l'envers à Orlando (!), mérite le coup d'œil.

Hommage à la ville de Jérusalem antique, **The Holy Land Experience** ★★ *(adultes 40$, enfants 25$; mar-sam 10h à 18h, dim-lun fermé; 4655 Vineland Rd., 407-872-2272 ou 800-447-7235, www.holylandexperience.com)* propose une série de reconstitutions des divers épisodes de l'Ancien et du Nouveau Testament. On y trouve entre autres une magnifique maquette de Jérusalem, ainsi qu'une impressionnante collection de bibles anciennes. Depuis son ouverture en 2001, The Holy Land Experience s'est étendue dans plusieurs bâtiments, qui forment aujourd'hui un véritable parc thématique.

L'**Orlando/Orange County Convention Center** *(9800 International Dr., 407-685-9800, www.occc.net)* est également à signaler dans le secteur d'International Drive. Avec ses 195 000 m² d'exposition, ce centre de congrès aux lignes modernes et élégantes compte maintenant parmi les plus importants aux États-Unis.

Titanic – The Experience ★★ *(adultes 22$, enfants 13$; tlj 10h à 20h; 7325 International Dr., 407-248-1166, www.titanistheexperience.com)* présente dans 17 salles une collection assez impressionnante d'objets récupérés de l'épave du tristement célèbre navire. On y retrouve notamment une portion de la coque de 3 t, qui serait la deuxième plus importante pièce repêchée du *Titanic*, ainsi que des reproductions grandeur nature de son escalier monumental et d'une de ses cabines de première classe. Pour les maniaques seulement.

Kissimmee

Située au sud d'Orlando, Kissimmee est accessible par la route 192, aussi dénommée «Irlo Bronson Memorial Highway» et «Vine Street», qui croise la route I-4 tout juste au sud-est de Walt Disney World. Cette proximité du royaume de Disney rend ce secteur attrayant quant à l'hébergement, moins cher que dans les limites du parc tout en en étant peu éloigné.

Autrefois une petite communauté agricole paisible vouée à l'élevage du bœuf, Kissimmee s'est transformée de façon draconienne dans la foulée de l'implantation de Walt Disney World dans les années 1970. Aujourd'hui, restaurants, hôtels, minigolfs et autres attractions, des meilleures jusqu'aux pires (le plus souvent), s'alignent le long de la route 192 et débordent même plus loin à l'est jusqu'à St. Cloud.

Des milliers d'alligators, crocodiles et autres reptiles peuplent **Gatorland** ★★★ *(adultes 25$, enfants 17$; tlj 10h à 17h; 14501 S. Orange Blossom Trail, 407-855-5496 ou 800-393-5297, www.gatorland.com)*, qui est en fait une ferme d'élevage fondée en 1949. Le volet touristique prend la forme d'un parc animalier que vous découvrirez au moyen de passerelles surplombant les bassins, ou d'une visite commentée à bord d'un petit train. Des spectacles au cours desquels ces énormes animaux exécutent des sauts surprenants sont également présentés. À la suite d'une importante rénovation terminée en 2008, un terrain de jeux aquatiques dénommé **Gator Gully Splash Park** a été ajouté à l'ensemble.

Le **Museum of Military History** ★★ *(adultes 7$, enfants 5$; mar-dim 10h à 20h, lun fermé; 52 W. Irlo Bronson Memorial Hwy., 407-507-3894, www.museumofmilitaryhistory.com)* a ouvert ses portes au cours de l'été 2012. À l'aide de nombreux objets (uniformes, canons, véhicules, modèles réduits, photographies), ce centre d'interprétation raconte les différents conflits auxquels ont pris part les États-Unis, depuis la guerre de Sécession jusqu'à aujourd'hui.

Winter Park ★★★

Située dans la partie nord-est de la région urbaine d'Orlando, Winter Park est en fait une ville indépendante de 23 000 habitants qui s'est joliment établie aux abords du **lac Osceola** ★★★. Il est d'ailleurs possible de faire une agréable balade en bateau sur ce beau plan d'eau, en se rendant tout au bout de Morse Boulevard: **Scenic Boat Tours** *(adultes 12$, enfants 6$; tlj dès 10h, départs aux heures; 312 E. Morse Blvd., 407-644-4056, www.scenicboattours.com)*.

Le **Charles Hosmer Morse Museum of American Art** ★★★★ *(adultes 5$, enfants 1$; mar-sam 9h30 à 16h, dim 13h à 16h, lun fermé; 445 N. Park Ave., 407-645-5311, www.morsemuseum.org)* abrite de nombreuses œuvres d'artistes américains des XIXe et XXe siècles, incluant une impressionnante collection de poteries, peintures, bijoux et vitraux réalisés par Louis Comfort Tiffany. On y retrouve même le magnifique **intérieur de chapelle** ★★★★★ conçu par Tiffany en 1893 pour la World's Columbian Exposition de Chicago, une réalisation exceptionnelle que les fondateurs du musée, Jeannette Genius McKean et son mari, Hugh F. McKean, ont récupéré *in extremis* en 1959 des ruines de l'ancien manoir incendié de l'artiste, mort plus de 25 ans auparavant. La chapelle n'a finalement été restaurée et superbement reconstituée qu'en 1999, dans une nouvelle aile du musée construite grâce à la fortune léguée par les McKean à leurs décès, survenus respectivement en 1989 et 1995.

Excursions dans les environs

Polk City

À moins d'une trentaine de kilomètres au sud-ouest de Walt Disney World par la route I-4 (Interstate 4), vous trouverez près de Polk City le parc-musée **Fantasy of Flight** *(adultes 29$, enfants 15$; tlj 10h à 17h; 1400 Broadway Blvd. SE, 863-984-3500, www.fantasyofflight.com)*, où l'on met en valeur la collection personnelle du pilote Kermit Weeks, qui compte une quarantaine d'avions anciens. Il est aussi possible de faire sur place un tour à bord d'une montgolfière *(supplément)*.

Lakeland

Une curiosité à signaler se trouve à Lakeland, à une cinquantaine de kilomètres au sud-ouest de Kissimmee par la route I-4. Il s'agit du **Florida Southern College** ★★★ *(111 Lake Hollingsworth Dr., 863-680-4597, www.flsouthern.edu)*, une université dont le campus compte 12 immeubles dessinés par le maître de l'architecture américaine moderne, Frank Lloyd Wright.

Joliment aménagé aux abords du lac Hollingsworth, le campus du Florida Southern College s'avère agréable à parcourir à pied dans son ensemble. Toutefois, le West Campus, soit la portion dessinée par Wright dont les bâtiments ont été érigés entre 1939 et 1958, mérite qu'on s'y attarde davantage.

La visite débute au Thad Buckner Building, une bibliothèque à l'origine (1945) qui fait aujourd'hui office de centre d'accueil des visiteurs et de salle de réunion. Prenez le temps de visiter le splendide intérieur de ce premier bâtiment avant de vous lancer à la découverte du campus.

À l'extérieur, des trottoirs couverts devenus iconiques, eux aussi imaginés par Wright, relient les différentes structures les unes aux autres. Parmi celles-ci, ne manquez pas la superbe **Annie Pfeiffer Chapel**, en quelque sorte l'emblème de l'université, dont il faut également voir l'intérieur.

Le **Water Dome**, une grande fontaine circulaire, vaut aussi le coup d'œil. À heure fixe *(tlj à 10h15, 13h, 14h30, 16h30)*, de puissants jets d'eau sont activés et forment littéralement un dôme au-dessus de la fontaine.

Lake Wales

Une visite de Lake Wales, cette toute petite communauté située à une soixantaine de kilomètres au sud de Kissimmee, s'impose pour les amateurs de botanique. C'est là qu'en 1929 l'éditeur d'origine hollandaise Edward William Bok, directeur notamment du célèbre magazine féminin *Ladies' Home Journal*, fait aménager les 63 ha du terrain qu'il possède par Frederick Law Olmsted Jr., fils de l'architecte paysagiste à qui l'on doit le Central Park de New York et le parc du Mont-Royal à Montréal. Les magnifiques **Bok Tower Gardens** ★★★★ *(adultes 12$, enfants 3$; tlj 8h à 18h; 1151 Tower Blvd., 863-676-1408, www.boktowergardens.org)*, que vous pouvez aujourd'hui explorer à votre guise, sont dominés par la **Bok Tower** ★★★★ (Milton B. Medary, architecte; Lee Lawrie, sculpteur), une remarquable tour néogothique haute de 62 m qui comprend un carillon de quelque 60 cloches servant à la présentation de récitals *(tlj à 13h et 15h)*.

Winter Haven

En 2011, les vénérables Cypress Gardens, plus ancien parc thématique de la Floride (1936) situé à environ 45 km au sud de Walt Disney World à Winter Haven, ont fait place à **LEGOLAND Florida** ★★★ *(adultes 79$, enfants 69$; billet incluant le LEGOLAND Water Park adultes 91$, enfants 81$; tlj dès 10h avec fermeture possible mar-mer en certaines périodes de l'année; 1 Legoland Way, www.legoland.com)* après plusieurs années de difficultés financières. Aménagé au coût de 100 millions de dollars, ce parc est ainsi devenu le plus important LEGOLAND construit à ce jour par le fabricant des fameuses petites briques de plastique colorées. Il renferme une cinquantaine de manèges, attractions et spectacles qui, pour la grande majorité, s'adressent aux plus jeunes. Conséquemment, ce parc plaira principalement aux familles avec des enfants de 12 ans et moins.

Les attractions sont réparties en plusieurs secteurs arborant chacun un décor très réussi où manèges et bâtiments ont des formes et des couleurs qui évoquent les jeux de construction Lego et où personnages, animaux et autres icônes réalisés à l'aide des briques Lego apparaissent ici et là.

Des anciens Cypress Gardens, on a gardé les splendides **jardins tropicaux** ★★★, qui valent le coup d'œil. Quelques «Belles du Sud» en Lego constituent autant de clins d'œil à l'ancien parc où ces dames vêtues de robes classiques déambulaient dans les jardins. On a également conservé les spectacles de ski nautique, en les adaptant au public plus jeune d'aujourd'hui.

Le secteur **Miniland** ★★★★ est celui qui plaira le plus aux adultes. On y expose une impressionnante collection de modèles réduits en Lego qui permettent une sorte de voyage aux quatre coins des États-Unis: les gratte-ciel de New York, les bâtiments institutionnels de Washington, D.C., les casinos de Las Vegas, les sites emblématiques de San Francisco et d'Hollywood, le Kennedy Space Center, les édifices Art déco de Miami et autre sites floridiens (St. Augustine, Key West, Everglades, Tampa, Tallahassee).

Attenant au parc principal, le **LEGOLAND Water Park** ★★ propose les traditionnels toboggans, descentes sur pneumatique et piscines à vagues des parcs aquatiques, toujours dans une esthétique typiquement Lego.

Hébergement

Depuis que Mickey Mouse est arrivé en ville, les hôtels ont poussé plus vite que les fleurs d'oranger. Disney World à lui seul possède plus d'une vingtaine d'hôtels, ainsi qu'un terrain de camping.

À la porte de Walt Disney World se trouvent certains des lieux d'hébergement les plus luxueux de la Floride, flanqués de rangées de motels qui s'étendent jusque dans les lointains pâturages. Ce boom hôtelier s'est produit si rapidement qu'il a fallu quelque temps avant que la demande ne s'ajuste à l'offre. Vous pouvez, par conséquent, trouver de bons prix, surtout pendant la basse saison (en dehors des périodes de congés scolaires).

La question la plus souvent posée concernant l'hébergement est aussi celle à laquelle il est le plus difficile de répondre: *«Doit-on se loger à Disney World même?»* Les établissements hôteliers de Disney World sont certes parmi les plus onéreux, mais ils sont également, et de loin, les plus commodes; or, quand on parle de vacances à Disney World, la commodité vient facilement au premier plan des considérations des visiteurs, surtout dans le cas des familles avec de jeunes enfants, qui peuvent véritablement gagner chaque jour des heures de déplacements (et d'embêtements) en logeant à proximité des parcs thématiques et des moyens de transport offerts par Disney.

Si votre budget ne vous permet pas de séjourner dans les complexes hôteliers de Disney (ou s'ils sont complets), le terrain de camping de Fort Wilderness ou l'un des nombreux autres terrains de camping avoisinants peuvent constituer une option intéressante. Si vous préférez un motel ou un appartement de type familial, tenez-vous-en à ceux qui se trouvent à quelques kilomètres à peine de Disney. Vous économiseriez sans doute de l'argent en prenant un motel plus éloigné, mais vous passeriez alors des heures à faire la navette entre votre chambre et Disney World dans une circulation souvent dense. Retenez enfin que, quel que soit le lieu d'hébergement que vous choisirez, les enfants seront presque toujours logés gratuitement.

La location d'un appartement ou d'une maison dans les environs est aussi à considérer. Quelques agences en font d'ailleurs leur spécialité. Ce type d'hébergement conviendra aux familles et aux groupes qui souhaitent économiser sur les repas en les préparant eux-mêmes plutôt que de toujours s'en remettre aux restaurants. Le confort accru par rapport à une chambre d'hôtel classique en séduira aussi plusieurs. Il faut cependant se rappeler que la location d'une voiture devient pratiquement indispensable si l'on choisit cette formule.

Sauf avis contraire, les catégories de prix suivantes s'appliquent à deux adultes et deux enfants de moins de 18 ans occupant une seule et même chambre. Les hôtels **petit budget** *($)* coûtent habituellement moins de 80$ par nuitée. Les hôtels de catégorie **moyenne** *($$)* coûtent de 80$ à 125$; ceux de catégorie **moyenne-élevée** *($$$)*, de 126$ à 200$; ceux de catégorie **supérieure** *($$$$)*, de 201$ à 300$; et les établissements de **grand luxe** *($$$$$)*, plus de 300$ par nuitée.

À noter que tous les hôtels mentionnés dans le présent chapitre proposent des chambres climatisées.

Walt Disney World

Un des plus grands avantages de résider à Walt Disney World même est que vous pouvez ranger les clés de votre voiture pendant toute la durée de votre séjour. En effet, les monorails, les traversiers et les autobus vous transportent gratuitement vers tous les restaurants, attractions, boutiques et boîtes de nuit. Cela vous permettra en outre de vous reposer des parcs thématiques en milieu de journée en retournant à votre hôtel pour y faire trempette, ou simplement une sieste, ce qui n'est pas à négliger si vous voyagez avec des enfants. Cela dit, si vous choisissez tout de même d'utiliser une voiture pour vous déplacer sur le site de Disney World, vous ne serez pas en reste, car vous n'aurez à acquitter aucuns frais pour la garer, y compris dans les terrains de stationnement des grands parcs thématiques.

Mais il y a plus encore, surtout si vous avez des enfants. Ici, la plupart des complexes hôteliers ont effectivement été conçus en fonction des familles. Habiter le monde de Disney, c'est aussi profiter des «Mouseketeer Clubs», d'activités pour adolescents, de papiers peints à l'effigie des personnages de dessins animés et de la présence de Mickey dans le hall d'hôtel. Par ailleurs, puisque l'imagination est au cœur même de Disney World, quoi de plus naturel que de la voir se manifester jusque dans l'hébergement (camping compris!); élégant ou dingue, de Polynésie ou de Nouvelle-Angleterre, le décor de chaque complexe hôtelier de Disney a un cachet tout à fait particulier et, peu importe lequel vous choisirez, vous savez d'avance que vous serez comblé.

À noter également que si vous résidez dans un des hôtels de Disney, vous aurez occasionnellement droit à des périodes exclusives dans les parcs thématiques, les ***Extra Magic Hours*** (voir p. 74), en début de journée ou en soirée. Vous pourrez également profiter d'un service de navette gratuit entre l'aéroport international d'Orlando et votre hôtel, le **Disney's Magical Express Service** (voir p. 60), avec possibilité de faire livrer vos bagages directement à votre chambre. Finalement, si vous réservez un forfait qui inclut des billets pour les parcs thématiques et l'hébergement dans un hôtel Disney, vous pouvez y ajouter un plan-repas (**Disney Dining Plan**, voir p. 267) économiquement très avantageux.

Les hôtels Disney ont tous au moins une piscine, disposent d'au moins un restaurant et sont accessibles aux personnes à mobilité réduite. Les chambres sont équipées d'un coffret de sûreté, d'un téléphone avec boîte vocale, d'un séchoir à cheveux et d'un fer à repasser. On peut y faire ajouter un petit réfrigérateur moyennant un léger supplément chaque jour (compris dans les établissements haut de gamme). Quant au petit déjeuner, il n'est jamais inclus dans le coût de la location.

Après avoir longtemps résisté, Disney a enfin mis en place un accès gratuit à Internet sans fil dans ses lieux d'hébergement en 2012. Ce service est dorénavant accessible dans les chambres, mais aussi dans de nombreuses aires publiques (restaurants d'hôtel, abords des piscines et autres).

Expédions les formalités, voulez-vous?

Grâce au **Online Check-in Service** de Disney World, il vous est maintenant possible de finaliser en ligne toutes les formalités d'usage, et ce, jusqu'à 10 jours avant le début de votre séjour (voir le *www.disneyworld.com* pour les détails). Tout ce qu'il vous restera alors à faire à votre arrivée sera de passer prendre la clé de votre chambre à l'un des comptoirs réservés à cette fin.

Notez finalement que Disney pratique des tarifs extrêmement élevés, pour ne pas dire prohibitifs, pour les appels téléphoniques interurbains.

Pour réserver votre chambre d'hôtel dans l'un ou l'autre des établissements situés sur le site de Walt Disney World, communiquez avec la centrale de réservations:

Walt Disney World Central Reservations Office: 407-934-7639, www.disneyworld.com

ULYSSE

Disney's All-Star Resorts ***$$-$$$***
Cette série de trois établissements à prix abordables connaît un tel succès qu'il faut réserver le plus longtemps possible à l'avance, et ce, même si l'on y compte près de 6 000 chambres. Le motel traditionnel est ici littéralement redéfini... à la sauce Disney. Ainsi, un thème est retenu pour chacun: la musique au **All-Star Music Resort** *(1801 W. Buena Vista Dr., 407-939-6000)*, le sport au **All-Star Sports Resort** *(1701 W. Buena Vista Dr., 407-939-5000)* et le cinéma au **All-Star Movies Resort** *(1991 W. Buena Vista Dr., 407-939-7000)*. L'aménagement intérieur et extérieur des complexes est ponctué d'innombrables et spectaculaires rappels de ces thèmes: immenses personnages de Disney, cages d'escalier aux formes extravagantes, piscines dessinées en fonction de la thématique, etc. Les chambres, réparties sur trois étages, sont simples mais confortables et décorées de façon amusante. Toutes renferment deux lits doubles. Il est à noter qu'à l'automne 2006, quelque 400 chambres du All-Star Music Resort ont été transformées

en 215 suites familiales pouvant accueillir jusqu'à six personnes. Ces hôtels sont situés à mi-chemin entre l'Animal Kingdom et Blizzard Beach.

Disney's Pop Century Resort ***$$-$$$***
1050 Century Dr., 407-938-4000
Devant le succès phénoménal remporté par ses établissements de la série des All-Star Resorts, Disney World récidive en lançant son Pop Century Resort à la fin de 2003. La même formule y est retenue, sur le thème cette fois de la culture populaire de la seconde moitié du XXe siècle. Situé dans les environs de l'ESPN Wide World of Sports Complex, cet hôtel compte pas moins de 2 880 chambres réparties dans des bâtiments de quatre étages. Ici, ce sont des représentations géantes de téléphones Mickey, de cubes Rubik, de quilles, de baby-foots et autres icônes pop qui rendent le site irrésistible. Les enfants adorent d'ailleurs faire le tour de cet immense complexe, à la recherche des «statues géantes» à l'effigie de nombreux personnages qu'on y a installées ici et là: Roger Rabbit, la Belle et le Clochard, Mowgli et Baloo du *Livre de la Jungle*, et autres.

Wyndham Lake Buena Vista Resort ***$$-$$$***
1850 Hotel Plaza Blvd., 407-828-4444 ou 800-624-4109, www.wyndhamlakebuenavista.com
Situé dans le secteur Hotel Plaza, tout près de Downtown Disney, le Wyndham a remplacé à l'automne 2010 le Regal Sun Resort, qui lui-même avait succédé au Grosvenor Hotel. L'établissement propose un excellent rapport qualité/prix grâce à sa localisation avantageuse, ses chambres et espaces communs récemment rénovés, et son Lakeview Restaurant où des personnages de Disney animent le petit déjeuner les mardi, jeudi et samedi matins.

Disney's Art of Animation Resort ***$$-$$$$$***
1850 Animation Way, 407-938-7000
Ce nouveau venu inauguré en 2012, le premier hôtel construit par Disney depuis 2003, abrite pas moins de 1 120 suites inspirées des films d'animation Le Roi Lion, Finding Nemo et Cars, comprenant chacune une chambre fermée, ainsi qu'un séjour et un coin bureau pouvant tous deux se transformer en chambres à coucher, et 864 chambres standards sur le thème de La Petite Sirène. Bien que l'esprit soit le même que dans les Disney's All-Star Resorts et le Disney's Pop Century, duquel il est d'ailleurs voisin, cet établissement s'avère un peu plus sage dans sa décoration extérieure. À titre d'exemple, les bâtiments qui abritent les suites donnent accès à celles-ci par des couloirs intérieurs plutôt que par des promenades extérieures, ce qui semble avoir un peu limité les extravagances auxquelles les complexes cités précédemment nous ont habitués. L'ensemble demeure toutefois fort amusant et coloré, surtout dans la section de La Petite Sirène. Dans la section du Roi Lion, une attention particulière a été apportée à l'aménagement extérieur, qui rappelle de manière très réussie la savane africaine. C'est un peu la même chose du côté de Cars, où le paysage évoque celui de la légendaire Route 66. Quant au sec-

Une lune de miel au pays de Mickey? Pourquoi pas!

Walt Disney World constitue l'une des plus importantes destinations nord-américaines pour les voyages de noces. Eh oui! Mieux encore, c'est aussi l'un des lieux les plus appréciés pour la célébration de mariages aux États-Unis!

Disney propose d'ailleurs toute une gamme de forfaits aux nouveaux mariés, qui peuvent aller jusqu'à inclure la cérémonie elle-même dans divers pavillons réservés à cette fin (au Grand Floridian Resort & Spa, au Disney's BoardWalk Inn, au Yacht Club Resort, au Polynesian Resort, au Wilderness Lodge et aux abords du pavillon du Canada à Epcot), ou même dans les parcs thématiques en dehors des heures d'ouverture (avis à ceux qui veulent que le château de Cendrillon figure en arrière-plan sur leurs photos de mariage...). Et tant qu'à y être, des personnages de Disney peuvent également assister à la cérémonie!

Pour en savoir davantage sur les différentes possibilités, visitez le site *www.disneyweddings.com*.

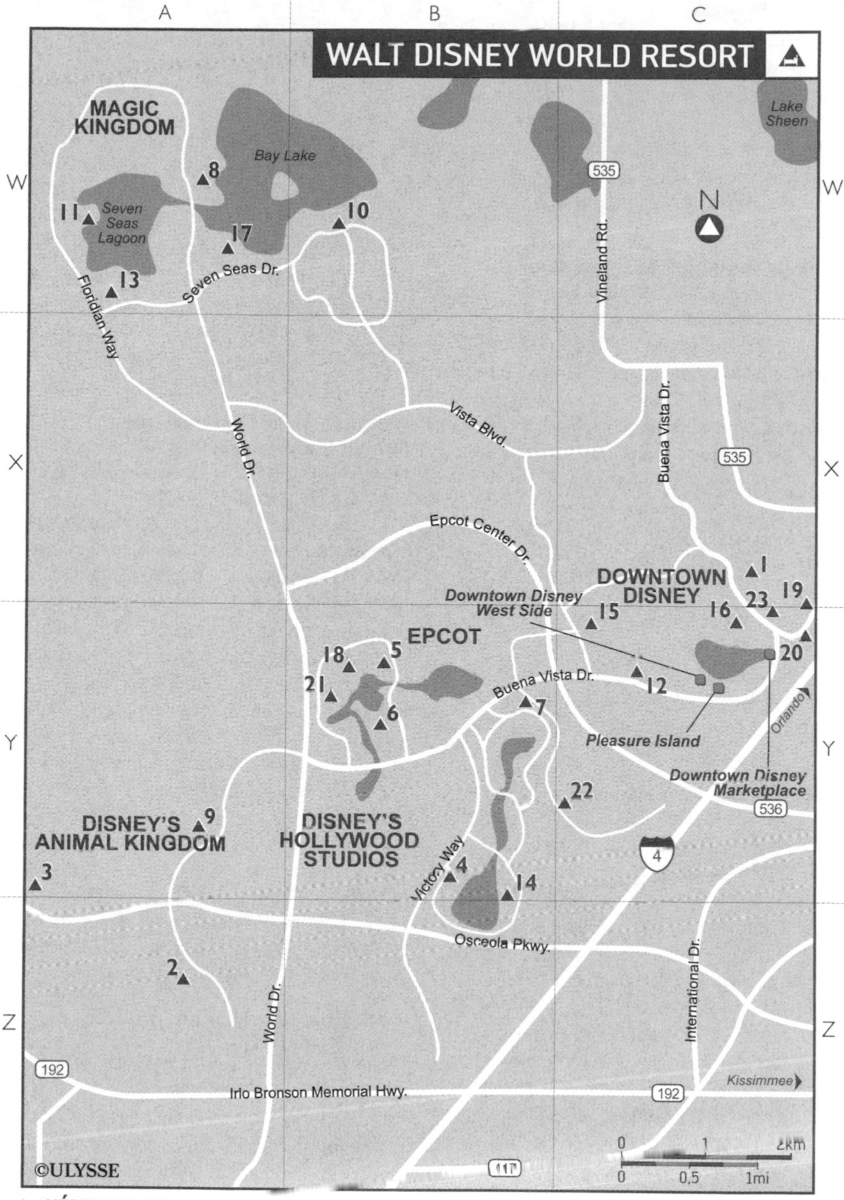

Hébergement

1. CX Buena Vista Palace Hotel & Spa
2. AZ Disney's All-Star Resorts (All-Star Music Resort All-Star Sports Re-sort All-Star Movies Resort)
3. AY Disney's Animal Kingdom Lodge / Disney's Animal Kingdom Villas
4. BY Disney's Art of Animation Resort
5. BY Disney's Beach Club Villas
6. BY Disney's BoardWalk Inn / Disney's BoardWalk Villas
7. BY Disney's Caribbean Beach Resort
8. AW Disney's Contemporary Resort / Bay Lake Tower at Disney's Contemporary Resort
9. AY Disney's Coronado Springs Resort
10. BW Disney's Fort Wilderness Resort & Campground
11. AW Disney's Grand Floridian Resort & Spa
12. CY Disney's Old Key West Resort
13. AW Disney's Polynesian Resort
14. BY Disney's Pop Century Resort
15. CY Disney's Port Orleans Resort
16. CY Disney's Saratoga Springs Resort & Spa
17. AW Disney's Wilderness Lodge/ Wilderness Lodge Villas
18. BY Disney's Yacht and Beach Club Resorts
19. CX Doubletree Suites by Hilton Hotel
20. CY Hotel Royal Plaza
21. BY Walt Disney World Swan / Walt Disney World Dolphin
22. CY Wyndham Grand Orlando Resort, Bonnet Creek
23. CY Wyndham Lake Buena Vista Resort

teur inspiré de Finding Nemo, les piscines et autres jeux d'eau y retiennent l'attention. Le *food court* Landscapes of Flavors réserve par ailleurs de belles surprises en dehors des éternels hamburgers, telles ces crevettes servies avec riz, épinards et pita, ce qui ne constitue pas la norme dans cette catégorie d'hébergement.

Doubletree Suites by Hilton Hotel ***$$$***
2305 Hotel Plaza Blvd., 407-934-1000, www.doubletreeguestsuites.com
Le Doubletree renferme 230 suites comprenant chacune une chambre fermée, un salon avec canapé-lit et un coin repas avec réfrigérateur et four à micro-ondes. Situé à deux pas de Downtown Disney.

Hotel Royal Plaza ***$$$***
1905 Hotel Plaza Blvd., 407-828-2828, www.royalplaza.com
L'Hotel Royal Plaza, moderne et rehaussé d'un cachet méditerranéen, comprend, en plus de 394 chambres, des courts de tennis, un *lounge* et un sauna. L'un des avantages de loger ici est que vous vous retrouverez en plein Downtown Disney; de plus, on vous y offrira gratuitement le transport vers toutes les attractions de Disney.

Disney's Caribbean Beach Resort ***$$$-$$$$***
900 Cayman Way, 407-934-3400
Ce centre de villégiature familial de plus de 2 100 chambres vous plonge dans une atmosphère proche de celle des Caraïbes : reconstitution de petits villages, plages de sable blanc, piscines, chambres aménagées dans des villas respectivement baptisées du nom d'une île des Antilles. À noter qu'au début de 2009, environ 400 chambres de cet établissement ont été réaménagées sur le thème des pirates, avec entre autres lits en forme de bateau de pirates et plancher de bois rappelant le pont d'un navire. Situé non loin des Disney's Hollywood Studios.

Disney's Coronado Springs Resort ***$$$-$$$$***
1000 W. Buena Vista Dr., 407-939-1000
Avec sa reproduction d'une pyramide maya haute de 15 m et ses bâtiments de stuc, c'est clairement au Mexique et au Sud-Ouest américain que le Coronado Springs rend hommage. Les quelque 1 900 chambres de l'établissement sont réparties en trois secteurs distincts qui s'étendent tout autour d'un petit lac, le Lago Dorado.

Disney's Port Orleans Resort ***$$$-$$$$***
2201 Orleans Dr. (French Quarter), 407-934-5000; 1251 Riverside Dr. (Riverside Rooms), 407-934-6000
Des décors de la vallée du Mississippi vous attendent au Port Orleans Resort. Ainsi, les 2 000 chambres de cet établissement sont réparties dans des résidences aux balcons en fer forgé qui rappellent La Nouvelle-Orléans (secteur «French Quarter»), ainsi que dans des bâtiments qui rappellent des maisons de plantation ou les habitations qu'on retrouve dans les bayous (secteur «Riverside Rooms»). De petits bateaux font la navette entre l'hôtel et Downtown Disney.

Wyndham Grand Orlando Resort, Bonnet Creek ***$$$-$$$$***
14651 Chelonia Pkwy, 407-390-2300, www.wyndhamgrandorlando.com
Inauguré à l'automne 2012, cet hôtel semble faire partie du territoire de Disney World, mais il n'en est rien. Il s'élève en fait sur une parcelle de terrain que son ancien propriétaire refusa de vendre à Walt Disney dans les années 1960. Résultat, ce secteur est aujourd'hui littéralement enclavé dans le royaume de Disney, sans en faire officiellement partie. Il faut d'ailleurs passer par les routes de Disney World pour avoir accès à cet hôtel. Son grand bâtiment aux couleurs pastel se trouve en bordure d'un lac et abrite 400 chambres, dont certaines permettent de voir les feux d'artifice d'Epcot en soirée. Le Wyndham Bonnet Creek Resort, un complexe hôtelier ne louant que des suites, et le Waldorf Astoria Golf Club, sont voisins de l'hôtel.

Walt Disney World Swan / Walt Disney World Dolphin ***$$$-$$$$$***
1500 Epcot Resorts Blvd., 407-934-4000 ou 888-828-8850, www.swandolphin.com
On ne peut manquer ces deux grands hôtels qui se font face non loin du Disney's Boardwalk Inn, avec les cygnes et les dauphins géants qui trônent sur leur toit. Ces deux établissements, gérés par Westin (Swan) er Sheraton (Dolphin), proposent de grandes chambres luxueuses. Des deux hôtels, le Dolphin est celui qui présente l'aménagement extérieur le plus intéressant. En plus d'une piscine standard, que l'on retrouve aussi au Swan, on y remarque une seconde piscine qui ressemble à une rivière tant elle est longue, une barboteuse pour les jeunes enfants, une fausse plage de sable avec

filets de volley-ball et, un peu plus loin, des courts de tennis. De nombreux restaurants et bars, dans les deux hôtels et à proximité (au BoardWalk), sont mis à votre disposition. De petites navettes lacustres peuvent de plus vous conduire à Epcot et aux Disney's Hollywood Studios en quelques minutes seulement.

Buena Vista Palace Hotel & Spa $$$$-$$$$$
1900 Buena Vista Dr., 407-827-2727 ou 866-397-6516, www.buenavistapalace.com
Situé sur un terrain de 11 ha à un jet de pierre de Downtown Disney, ce mégacomplexe hôtelier ressemble à une tour élancée et montée sur un énorme piédestal. Le hall, d'une hauteur vertigineuse, est couronné de vitraux et de jeux d'eau. Les chambres sont modernes: moquettes moelleuses, meubles de bois foncé et balcons privés. Pour les familles, l'édifice adjacent, qui abrite les **Island Suites**, dispose de grands appartements de une ou deux chambres avec cuisinette, séjour et salle à manger. Entre les deux édifices se trouvent trois piscines chauffées, de petits bassins pour enfants et des courts de tennis. Petit déjeuner animé par des personnages de Disney le dimanche matin.

ULYSSE

Disney's Animal Kingdom Lodge $$$$-$$$$$
2901 Osceola Pkwy., 407-938-3000
La décoration des chambres de l'Animal Kingdom Lodge évoque habilement l'Afrique à l'aide de ventilateurs de plafond et d'éléments d'artisanat. Mais plus spectaculaire encore, le balcon de la majorité des chambres donne sur une «réserve faunique africaine» où il est possible d'apercevoir des girafes, des zèbres et autres animaux de la savane. Les **Disney's Animal Kingdom Villas**, subdivisées en deux groupes (Kidani Village et Jambo House), font quant à elles partie du programme **Disney Vacation Club** (voir l'encadré p. 255).

Disney's Wilderness Lodge $$$$-$$$$$
901 Timberline Dr., 407-824-3200
Situé dans le secteur du Magic Kingdom, le Wilderness Lodge vous transporte dans l'atmosphère d'un parc national du nord-ouest des États-Unis. Sculptures amérindiennes, grand foyer dans le hall et décoration rustique sont ici à l'honneur. Le complexe comprend en outre, dans un bâtiment attenant de cinq étages, les quelque 180 **Wilderness Lodge Villas**. Occupées en priorité par les membres du **Disney Vacation Club** (voir l'encadré p. 255), elles prennent la forme

Les spas de Disney World

Vous souhaitez vous faire masser et dorloter pendant vos vacances chez Mickey et ses amis? Il s'agit pour vous d'une obligation si vous voulez survivre à vos dures journées dans les parcs thématiques? Disney, bien sûr, y a pensé...

Quatre principaux spas, logés dans des hôtels de Disney World, proposent leurs soins bienveillants au public. Mentionnons tout d'abord le **Mandara Spa at the Dolphin** *(407-934-4772)* et **The Spa at Buena Vista Palace** *(407-827-3200)*. Mais il y a maintenant le récemment remodelé **Senses – A Disney Spa at Disney's Grand Floridian Resort**, qui se veut le modèle que Disney entend désormais suivre. Ainsi, au moment de mettre sous presse, le centre de l'hôtel Saratoga Springs était en cours de transformation afin de devenir, à l'été 2013, le **Senses – A Disney Spa at Disney's Saratoga Springs Resort**.

À ces établissements principaux s'ajoutent plusieurs autres de moindre envergure, notamment au Disney's Animal Kingdom Lodge, au Disney's Boardwalk Inn, au Disney's Contemporary Resort, au Disney's Coronado Springs Resort, au Disney's Wilderness Lodge Resort et au Disney's Yacht Club Resort.

Prenez note que la demande est forte pour les traitements proposés par ces centres. Il convient donc de réserver le plus tôt possible. On peut d'ailleurs le faire jusqu'à un an à l'avance en composant le 407-939-7727.

de luxueux studios ou appartements de une ou deux chambres à coucher.

Disney's Beach Club Villas *$$$$$*
1800 Epcot Resorts Blvd., 407-934-2175
Ceux qui apprécient le charme de la Nouvelle-Angleterre et le confort d'une villa peuvent essayer les Beach Club Villas. Cet établissement membre du **Disney Vacation Club** (voir l'encadré p. 255) propose des habitations aux dimensions d'un appartement, avec pas moins de trois chambres à coucher. Les plus grandes résidences renferment également une buanderie et une cuisine tout équipée.

ULYSSE

Disney's BoardWalk Inn *$$$$$*
2101 Epcot Resorts Blvd., 407-939-5100
Ce splendide hôtel, dont l'architecture rappelle les grandes demeures côtières de la Nouvelle-Angleterre, donne sur une promenade en planches aménagée au bord d'un lagon. Fait à signaler, de nombreux restaurants, boîtes de nuit et boutiques s'alignent le long du BoardWalk, si bien qu'on ne risque pas de s'ennuyer dans le secteur. De plus, il est facile de se rendre à pied jusqu'à l'une des entrées d'Epcot (l'International Gateway du World Showcase). Il y a aussi les **Disney's BoardWalk Villas**, au nombre de 520, qui s'adressent en priorité aux membres du **Disney Vacation Club** (voir l'encadré p. 255). Il s'agit là aussi bien de studios avec cuisinette que de villas conventionnelles de une, deux ou trois chambres avec salle de séjour, cuisine complète et coin salle à manger.

Disney's Contemporary Resort *$$$$$*
4600 N. World Dr., 407-824-1000
Le Contemporary Resort, qui a ouvert ses portes en 1971 en même temps que Walt Disney World, est cet hôtel futuriste que traverse le monorail. Plutôt anonyme si on le compare aux établissements à thème développés par Disney au cours des dernières années, il a au moins l'avantage de proposer des chambres vastes et confortables, et de se trouver tout près du Magic Kingdom. À noter que la **Bay Lake Tower at Disney's Contemporary Resort**, inaugurée en 2009, est une nouvelle composante de ce complexe, qui s'inscrit dans le programme **Disney Vacation Club** (voir l'encadré p. 255). La tour abrite 295 appartements de deux chambres avec cuisine complète et constitue l'établissement du genre situé le plus près du Magic Kingdom.

ULYSSE

Disney's Grand Floridian Resort & Spa *$$$$$*
4401 Floridian Way, 407-824-3000
La spectaculaire élégance du Grand Floridian n'échappe à personne. La grandiose silhouette blanche de ce magnifique hôtel victorien au toit rouge se laisse en effet admirer de loin, aux abords du Seven Seas Lagoon, qui s'étend devant l'entrée du Magic Kingdom. Un spa et un centre de conditionnement physique très bien équipés sont accessibles sur place. La grande dame des hôtels disneyens.

Disney's Old Key West Resort *$$$$$*
1510 N. Cove Rd., Lake Buena Vista, 407-827-7700
Les sons feutrés de la musique de Jimmy Buffet et des airs de calypso vous introduisent au confort de l'Old Key West Resort, installé en bordure du Lake Buena Vista Golf. Vous avez le choix entre les studios grand luxe, les appartements à une, deux ou trois chambres à coucher et la Grand Villa, qui peut accueillir jusqu'à 12 personnes. Cet établissement s'inscrit dans le programme **Disney Vacation Club** (voir l'encadré p. 255).

Disney's Polynesian Resort *$$$$$*
1600 Seas Dr., 407-824-2000
Plage de sable, bâtiments de bois et de bambou, palmiers, cascades, jardins touffus: vous voici au cœur d'une île du Pacifique Sud? Non, simplement au Polynesian Resort, non loin du Magic Kingdom. Cet hôtel, l'un des premiers à avoir été construits à Disney World, propose 850 chambres de très grand luxe.

Disney's Saratoga Springs Resort & Spa *$$$$$*
1960 Broadway, 407-827-1100
Installé sur le site du Disney Institute (lieu de la défunte expérience de Disney en matière de vacances éducatives), le Saratoga Springs, du nom d'un populaire centre de villégiature estival du nord-est de l'État de New York au tournant du XXe siècle, abrite plus de 800 logements de une, deux ou trois chambres à coucher. Le complexe – qui regarde vers Downtown Disney – s'avère idéal pour les amants de la vie nocturne et du magasinage.

Le Disney Vacation Club

Le **Disney Vacation Club** *(800-500-3990, www.disneyvacationclub.com)* reprend en quelque sorte la formule du *time sharing* (multipropriété), en l'apprêtant bien sûr à la sauce Disney. Ainsi, pour devenir membre du club, il faut investir dans le programme immobilier de Disney. Votre investissement est converti en un certain nombre de points, renouvelables chaque année, qui vous donnent le droit de résider dans des studios, appartements et villas pour une durée qui varie en fonction des dimensions et du niveau de luxe de l'unité d'hébergement choisie.

Les complexes d'hébergement participants sont situés à Disney World, mais aussi à Vero Beach sur la côte est de la Floride (Disney's Vero Beach Resort), en Caroline du Sud (Disney's Hilton Head Island Resort), à Anaheim en Californie (Villa's at Disney's Grand Californian Resort & Spa) et à Oahu, à Hawaii (le tout récent Aulani Ko Olina, inauguré à la fin de 2011).

Les complexes d'hébergement situés à Disney World même sont les suivants: Bay Lake Tower at Disney's Contemporary Resort, Beach Club Villas, Disney's BoardWalk Villas, Old Key West Resort, Disney's Animal Kingdom Villas, Wilderness Lodge Villas et Saratoga Springs Resort & Spa.

Au cours des années qui suivent l'acquisition d'une participation, les membres peuvent séjourner dans quelque 500 établissements se trouvant un peu partout dans le monde, en plus des complexes cités plus haut, prendre part à des croisières de la Disney Cruise Line et choisir d'autres formules de vacances.

Il est à noter que les non-membres du Disney Vacation Club peuvent tout de même louer des studios, appartements et villas dans les complexes de Disney World qui participent à ce programme, mais seulement lorsque ceux-ci sont inoccupés par les membres en règle.

Le spa, quant à lui, permet aux parents de se détendre après leur journée en compagnie d'enfants survoltés… À l'été 2009 ont été inaugurées les Treehouse Villas, au nombre de 60, qui ont la particularité d'être aménagées à 3 m du sol dans un environnement boisé. Cet établissement s'inscrit dans le programme **Disney Vacation Club** (voir l'encadré ci-dessus).

Disney's Yacht and Beach Club Resorts
$$$$$
1700 et 1800 Epcot Resorts Blvd., 407-934-7000 (Yacht Club), 407-934-0000 (Beach Club)
Ces deux hôtels jumeaux, qui font face au Disney's BoardWalk Inn, situé de l'autre côté du lac, prennent la forme d'un centre de villégiature balnéaire avec leur plage de sable, leur petit port de plaisance et leur splendide piscine avec glissoire. Grâce à leur situation privilégiée, ils permettent de profiter des restaurants et des bars du BoardWalk d'en face et de se rendre à pied jusqu'à Epcot.

Le camping à Walt Disney World

Peu d'expériences vous rapprochent davantage de la «vraie» Floride que le camping. Des douzaines de terrains aménagés à cet effet aux portes de Disney vous permettent de dormir au pied des pins et des palmiers nains, couverts de mousse, ou dans des champs ouverts, parsemés de lacs. Vous pouvez vous y rendre avec votre véhicule récréatif, y planter votre propre tente ou encore en louer une sur place dans bon nombre de campings. De plus, il y a un terrain de camping superbe à Walt Disney World même.

Pour les familles, le camping peut constituer la parfaite solution de rechange aux hôtels et aux motels. Les enfants y ont tout l'espace voulu pour courir (plus de courses dans les couloirs ni de voisins réveillés) et peuvent s'adonner à une myriade d'activités. Il y a des promenades en charrette de foin, des feux de camp, du canot, de la baignade, du vélo, des arbres à grimper, des sentiers à explorer et des lacs où pêcher. Il va sans dire que le camping coûte moins cher que l'hébergement à l'hôtel, et vous avez de plus l'occasion de cuisiner vos propres repas et, bien souvent, d'emmener votre animal de compagnie. Enfin, aucun service aux chambres de luxe ne peut remplacer l'esprit de camaraderie des campeurs, surtout entre familles. Tout bien considéré, il s'agit d'un bon moyen d'échapper à la folie des parcs thématiques.

Disney's Fort Wilderness Resort & Campground
$-$$ emplacements de camping
$$$$-$$$$$ caravanes à louer
4510 N. Fort Wilderness Trail, 407-824-2900

C'est Walt Disney World (qui s'en étonnera?) qui possède le terrain de camping le plus raffiné. Le Fort Wilderness Resort offre tous les aménagements imaginables, du zoo interactif aux films de Disney en soirée. Les salles de douche sont si complètes, disait une mère, *«que nous pouvions nous y mettre en grande toilette tous les soirs pour le dîner»*. Même le chant des oiseaux est au rendez-vous.

Parmi les nombreuses particularités du camping de Disney World, mentionnons:

- des bateaux qui font la navette entre le camping et le Magic Kingdom, et un service d'autobus vers toute autre destination à Disney World;
- des installations climatisées comprenant toilettes, douches à l'eau chaude, vestiaires spacieux, distributeurs de glace et laverie automatique;
- plusieurs épiceries fines et casse-croûte, un restaurant de catégorie moyenne et une taverne;
- le Pioneer Hall, où a lieu la revue musicale *Hoop-Dee-Doo* et où les enfants peuvent prendre le petit déjeuner avec Tic et Tac;
- des chevaux d'équitation, des sentiers dans la nature, des courts de tennis, des piscines, des salles de jeux vidéo, des terrains de jeu, un lac pittoresque avec une plage, des canaux pour le canot et une marina avec location de bateaux à voiles et de skis nautiques, sans oublier les excursions de pêche au bar.

Malgré tout, bien des gens refusent de séjourner à Fort Wilderness, de peur d'avoir la vie trop dure. Ils se trompent! Ce refuge boisé de 300 ha dispose de caravancs qui donneraient de sérieux complexes à plus d'une chambre de motel. Blotties dans une pinède, les 408 roulottes climatisées offrent une cuisine et une salle de bain complètes, une chambre à coucher, un téléviseur, un téléphone et un service quotidien de bonne. Les prix en sont très élevés (entre 289$ et 426$ par nuitée), mais elles peuvent héberger jusqu'à quatre ou six personnes selon les modèles. Dehors, on retrouve devant chacune d'entre elles un petit jardin avec table de pique-nique et gril de plein air.

Pour ceux qui voyagent avec leur propre caravane, tente-caravane ou tente, Fort Wilderness compte 799 emplacements à travers les arbres. Ils sont tous munis de prises électriques, de tables de pique-nique et de grils au charbon de bois, et plusieurs d'entre eux disposent de raccordements sanitaires (eau courante et égout). Les tarifs varient de modiques à moyens selon la distance qui vous sépare du lac de Fort Wilderness (à partir de 48$ par nuitée).

Pour l'été, Fort Wilderness est souvent complet à compter de Pâques. Si vous y allez durant cette période, réservez donc **plusieurs mois à l'avance** (pour plus de détails, consultez le chapitre intitulé «Ailleurs à Disney», p. 174).

Universal Orlando

Soucieux de proposer une solution de rechange valable au concurrent qu'est Walt Disney World, le complexe d'Universal Orlando (Universal Studios, Islands of Adventure, Universal CityWalk) a réalisé, il y a quelques années déjà, un ambitieux développement visant à en faire une destination à part entière. La construction de trois hôtels d'envergure sur le site même d'Universal Orland a constitué l'élément central de ce développement.

À noter que les occupants de ces hôtels se voient octroyer divers privilèges, comme celui de passer devant les files d'attente aux attractions des parcs thématiques Universal Studios et Islands of Adventure. Des

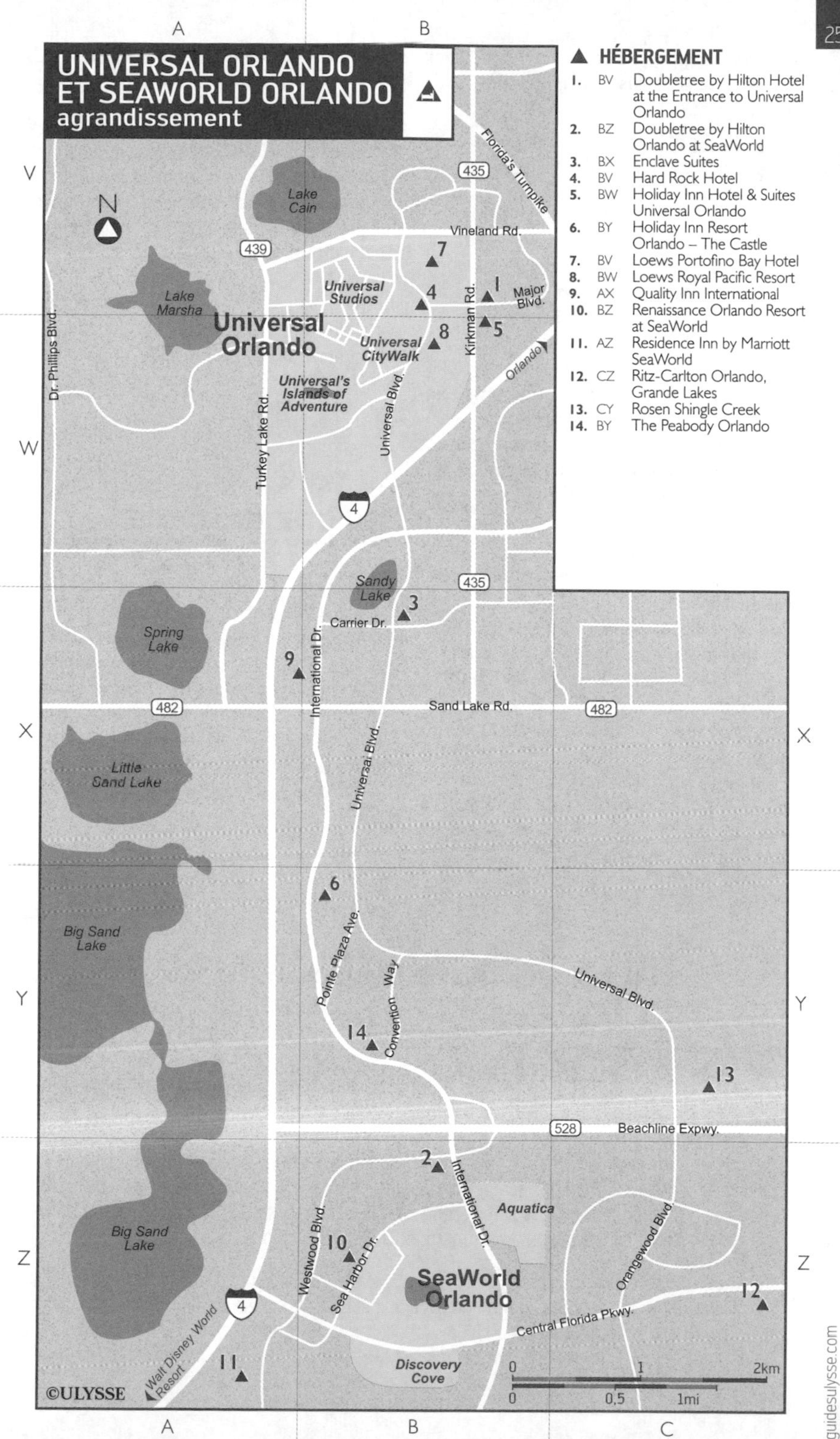
UNIVERSAL ORLANDO
ET SEAWORLD ORLANDO
agrandissement
HÉBERGEMENT
1. BV Doubletree by Hilton Hotel at the Entrance to Universal Orlando
2. BZ Doubletree by Hilton Orlando at SeaWorld
3. BX Enclave Suites
4. BV Hard Rock Hotel
5. BW Holiday Inn Hotel & Suites Universal Orlando
6. BY Holiday Inn Resort Orlando – The Castle
7. BV Loews Portofino Bay Hotel
8. BW Loews Royal Pacific Resort
9. AX Quality Inn International
10. BZ Renaissance Orlando Resort at SeaWorld
11. AZ Residence Inn by Marriott SeaWorld
12. CZ Ritz-Carlton Orlando, Grande Lakes
13. CY Rosen Shingle Creek
14. BY The Peabody Orlando
Lake Cain
Lake Marsha
Universal Studios
Universal Orlando
Universal CityWalk
Universal's Islands of Adventure
Vineland Rd.
Florida's Turnpike
Major Blvd.
Kirkman Rd.
Orlando
Dr. Phillips Blvd.
Turkey Lake Rd.
Universal Blvd.
Sandy Lake
Carrier Dr.
Spring Lake
International Dr.
Sand Lake Rd.
Little Sand Lake
Big Sand Lake
Pointe Plaza Ave.
Convention Way
Beachline Expwy.
Aquatica
Westwood Blvd.
Sea Harbor Dr.
SeaWorld Orlando
Orangewood Blvd.
Central Florida Pkwy.
Walt Disney World Resort
Discovery Cove
©ULYSSE

navettes lacustres ou routières conduisent de plus les clients jusqu'à l'entrée des parcs gratuitement.

Loews Royal Pacific Resort *$$$-$$$$*
6300 Universal Blvd., 407-503-3000 ou 888-273-1311, www.usf.com

Au Loews Royal Pacific Resort, le thème retenu se veut tropical. Ainsi, l'aménagement extérieur rappelle les îles du Pacifique Sud: piscine en forme de lagon bordée d'une petite plage, présence de nombreux palmiers dans de luxuriants jardins. Inauguré à l'été de 2002, cet hôtel de plus de 1 000 chambres est le plus récent du complexe d'Universal Orlando. On y propose aussi des suites à l'intention des familles, avec une chambre séparée pour les enfants, dont la décoration s'inspire des films de la série *Parc jurassique*.

Hard Rock Hotel *$$$$-$$$$$*
5800 Universal Blvd., 407-503-2000 ou 888-273-1311, www.usf.com

On s'en doute, le thème du Hard Rock Hotel est l'histoire du rock-and-roll. Aussi vous ne serez pas surpris de voir d'innombrables souvenirs ayant appartenu à des idoles du rock en exposition un peu partout dans l'hôtel (guitares, disques d'or, costumes, photographies autographiées, etc.). Il y a même des haut-parleurs diffusant des *hits* pop sous l'eau de la piscine... L'hôtel compte 650 chambres vastes et confortables.

Loews Portofino Bay Hotel *$$$$-$$$$$*
5601 Universal Blvd., 407-503-1000 ou 888-273-1311, www.usf.com

Érigé en bordure d'un lac artificiel, le Loews Portofino Bay Hotel évoque la Riviera italienne. Quelque 750 chambres de luxe meublées à l'italienne sont ici dissimulées derrière les façades de belles maisons en rangée. Toutes offrent une vue sur le plan d'eau où les gondoles se baladent. Des suites thématiques inspirées de l'univers très particulier du Dr. Seuss ont été aménagées à l'intention des familles. Elles comportent des chambres séparées pour les parents et les enfants.

Au-delà des grands parcs

À deux pas des barrières de Disney et d'Universal Orlando se trouvent plus de lieux d'hébergement que vous ne pouvez l'imaginer. La quasi-totalité des grands hôtels connus y sont représentés, et il y en a même parfois deux ou trois de la même chaîne à quelques kilomètres seulement l'un de l'autre. Entre ces hôtels, vous en découvrirez d'autres bon marché, mais aussi des adresses huppées se classant parmi les meilleures au pays.

Un nouvel hôtel à Universal Orlando

Après une pause de quelques années, le dernier établissement hôtelier y ayant ouvert ses portes étant le Royal Pacific en 2002, Universal a renoué avec ses ambitions de devenir une destination à part entière, à l'image de son illustre concurrent Disney. C'est ainsi que furent lancés les travaux de construction du Cabana Bay Beach Resort, dont l'ouverture est prévue pour le début de 2014.

Ce nouvel hôtel proposera des formules plus économiques que ce à quoi Universal a habitué ses clients avec ses établissements précédents. Ainsi, des suites de diverses dimensions à l'intention des familles seront proposées, de même que des chambres standards de type motel, le tout dans un environnement thématique coloré.

Cela vous rappelle quelque chose? À n'en point douter, les penseurs d'Universal ont décidé de s'attaquer à un segment de marché avec lequel Disney connaît un flamboyant succès grâce à ses resorts de catégorie value (All-Star, Pop Century et Art of Animation). La guerre est donc déclarée. Espérons (sans trop se faire d'illusions toutefois...) que cette concurrence aura pour effet de contenir le prix des chambres.

Orlando

Quality Inn International *$-$$*
7600 International Dr., 407-996-1600 ou 800-825-7600, www.orlandoqualityinn.com
Le Quality Inn propose 728 chambres simples mais confortables, aménagées dans quatre immeubles disposés autour d'un joli jardin. Four à micro-ondes et cafetière complètent les commodités mises à la disposition des clients dans les chambres.

Holiday Inn Hotel & Suites Universal Orlando *$$*
5905 Kirkman Rd., 407-351-3333 ou 888-465-4329, www.hiuniversal.com
Parmi les nombreux hôtels situés à proximité d'Universal Orlando, ce membre de la chaîne Holiday Inn propose un bon rapport qualité/prix. Il représente aussi une bonne option pour les familles grâce à ses suites avec cuisinette, salon avec canapé-lit et chambre à coucher séparée. Les suites, au nombre de 134, s'ajoutent aux 256 chambres traditionnelles de bon confort de l'établissement.

Holiday Inn Resort Lake Buena Vista *$$*
13351 State Rd. 535, 407-239-4500 ou 866-808-8833, www.hiresortlbv.com
Situé près de Walt Disney World, cet hôtel présente un bon rapport qualité/prix pour les familles avec jeunes enfants. Il est composé de mini-suites avec une grande chambre pour les adultes, un coin séparé pour les enfants comprenant des lits superposés, ainsi qu'un petit coin repas avec four à micro-ondes.

Doubletree by Hilton Hotel at the Entrance to Universal Orlando *$$-$$$*
5780 Major Blvd., 407-351-1000, www.doubletree.com
Situé littéralement aux portes d'Universal Orlando, cet établissement représente une option légèrement moins onéreuse que les hôtels installés sur le site même. Ses 742 chambres sont réparties dans deux tours jumelles.

Holiday Inn Resort Orlando – The Castle *$$-$$$*
8629 International Drive, 407-345-1511 ou 800-465-4329, www.thecastleorlando.com
Éclaboussé de rose, de pourpre et de corail, et surmonté de hautes flèches dignes des contes de fées, The Castle ressemble à un rêve d'enfant. Des chants d'oiseaux et de la musique médiévale s'échappent des haut-parleurs éparpillés à travers cette création fantaisiste, dont les sept étages abritent des chambres royalement rehaussées de couvre-lits et tentures en satin pourpre, de fauteuils en brocard de satin et d'autres éléments décoratifs à saveur moyenâgeuse. Les familles y trouveront par ailleurs leur compte, puisque chaque chambre renferme une cafetière et un petit réfrigérateur, sans oublier la laverie et la grande piscine circulaire chauffée, enrichie d'une fontaine.

Residence Inn by Marriott SeaWorld *$$$*
11000 Westwood Blvd., 407-313-3600 ou 800-889-9728, www.residenceinnseaworld.com
Cet hôtel conviendra parfaitement aux familles à la recherche d'un studio ou d'une suite avec cuisine entièrement équipée. L'établissement propose en effet des studios avec un lit et un canapé-lit, de même que des suites avec chambre à coucher séparée. On trouve de plus sur place une immense piscine dans laquelle les bambins s'amuseront follement.

Residence Inn Orlando Lake Buena Vista *$$$*
11450 Marbella Palm Court, 407-465-0075, www.marriott.com
Des cascades rehaussent l'agréable aménagement paysager de ce complexe d'hébergement de style caribéen, qui propose des studios et des suites de une ou deux chambres. Les installations comprennent une piscine extérieure, une salle d'exercices et une laverie.

Enclave Suites *$$$*
6165 Carrier Dr., 800-457-0077, www.enclavesuites.com
Option intéressante pour les familles désireuses d'économiser un peu sur les frais de restaurants, les 321 appartements de l'Enclave Suites sont répartis à l'intérieur de trois immeubles vaguement pyramidaux de 10 étages. Ils se présentent sous la forme de grands studios pour quatre personnes ou de suites de deux chambres à coucher pouvant accueillir jusqu'à six personnes.

Sheraton Lake Buena Vista Resort *$$$*
12205 S. Apopka-Vineland Rd., 407-239-0444 ou 800-325-3535, www.sheratonlakebuenavistaresort.com
Ce maillon de la chaîne internationale Sheraton, qui se distinguait autrefois par son thème de safari, a connu récemment une transformation en profondeur. Il en résulte un décor plus sobre et moins amusant, mais

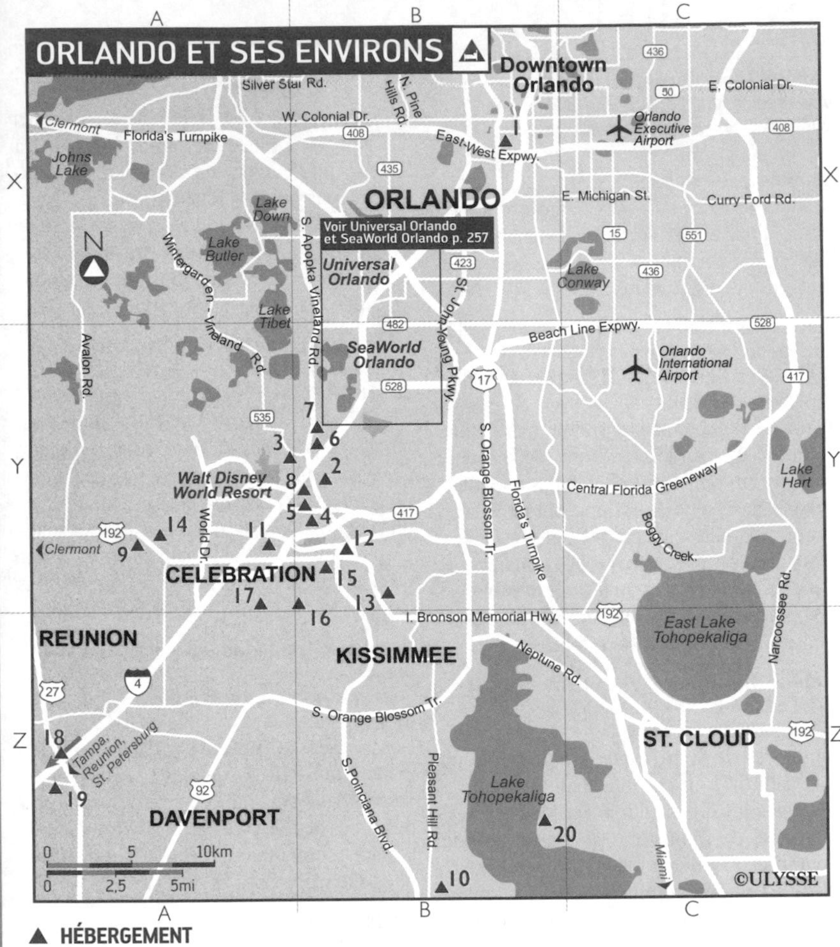

▲ HÉBERGEMENT

1. BV Doubletree by Hilton Hotel at the Entrance to Universal Orlando
2. BZ Doubletree by Hilton Orlando at SeaWorld
3. BX Enclave Suites
4. BV Hard Rock Hotel
5. BW Holiday Inn Hotel & Suites Universal Orlando
6. BY Holiday Inn Resort Orlando – The Castle
7. BV Loews Portofino Bay Hotel
8. BW Loews Royal Pacific Resort
9. AX Quality Inn International
10. BZ Renaissance Orlando Resort at SeaWorld
11. AZ Residence Inn by Marriott SeaWorld
12. CZ Ritz-Carlton Orlando, Grande Lakes
13. CY Rosen Shingle Creek
14. BY The Peabody Orlando

un établissement confortable et joliment aménagé autour de ses deux piscines.

ULYSSE

Nickelodeon Suites Resort ***$$$-$$$$***
14500 Continental Gateway, 407-387-5437 ou 877-642-5111, www.nickhotel.com
Autrefois connu sous le nom de «Holiday Inn Family Suites Resort», cet hôtel s'est muté en un complexe thématique du genre des populaires **All-Star Resorts** (voir p. 249) de Disney World, sauf que ce sont ici les personnages du réseau de télévision pour enfants Nickelodeon (Bob l'éponge, Jimmy Neutron et compagnie) qui prennent la vedette. On y trouve plus de 800 suites réparties dans 14 immeubles. Chacune comprend deux chambres à coucher, une cuisinette équipée et trois téléviseurs. Plusieurs piscines, un parc aquatique et un immense terrain de jeu complètent les installations de ce lieu d'hébergement qui plaira grandement aux enfants ainsi qu'aux parents qui, pour leur part, apprécieront la proximité de Disney World et le fait de pouvoir économiser sur les repas en les préparant eux-mêmes. À

noter que les petits déjeuners sont animés par les personnages du réseau Nickelodeon.

Doubletree by Hilton Orlando at SeaWorld *$$$-$$$$*
10100 International Dr., 407-352-1100 ou 800-327-0363, www.doubletreeorlandoidrive.com
La belle tour du Doubletree s'élève tout près de SeaWorld. Avec plus de 1 100 chambres, réparties sur les 17 étages du bâtiment principal, mais aussi dans une vingtaine de petits immeubles, ce géant impressionne vraiment.

Rosen Shingle Creek *$$$-$$$$*
9939 Universal Blvd., 407-996-9939 ou 866-996-9939, www.rosenshinglecreek.com
Inauguré en 2006, le chic et imposant Rosen Shingle Creek, qui compte 1 500 chambres, s'élève sur un vaste domaine qui inclut un terrain de golf de 18 trous. Les chambres, toutes de bonnes dimensions, présentent un décor classique et sont munies d'un téléviseur à écran plat grand format.

Sheraton Vistana Resort *$$$-$$$$$*
8800 Vistana Center Drive, 407-239-3100, www.starwoodhotels.com
Les amateurs de tennis qui ne sont pas restreints par leur budget devraient opter pour le Sheraton Vistana Resort. Les quelque 1 000 unités de ce complexe peuvent accueillir des groupes importants, que ce soit dans des villas ou des maisons de ville, toutes dotées d'une cuisine complète. Les neuf courts de tennis s'entourent de 55 ha d'aménagements paysagers luxuriants, et sept piscines de même que trois centres de conditionnement physique complètent les installations.

ULYSSE

Grand Bohemian Hotel *$$$$*
325 S. Orange Ave., 407-313-9000 ou 866-663-0024, www.grandbohemianhotel.com
Faisant face à l'hôtel de ville, le Grand Bohemian Hotel se veut l'établissement chic du centre-ville d'Orlando. Pour demeurer dans le ton du Downtown Arts District où il se trouve, l'hôtel de 250 chambres possède sa propre galerie d'art, et son splendide hall est agrémenté de plusieurs œuvres intéressantes. La collection de l'hôtel compte d'ailleurs une centaine d'œuvres d'artistes internationaux. Les chambres, confortables et habillées de couleurs chaudes, sont richement décorées tout en demeurant de très bon goût. Jolie piscine chauffée sur le toit de l'établissement.

> Après Las Vegas, l'agglomération d'Orlando possède plus de chambres d'hôtel que toute autre région métropolitaine aux États-Unis!

Orlando World Center Marriott *$$$$*
8701 World Center Dr., 407-239-4200 ou 800-380-7931, www.marriottworldcenter.com
On ne peut manquer la spectaculaire silhouette de ce vaste et chic complexe de 2 000 chambres situé à proximité d'un terrain de golf. Le hall, au haut plafond en partie vitré, mérite aussi un coup d'œil. Quant aux chambres, elles sont spacieuses, confortables, et donnent toutes sur une terrasse. Quatre piscines, entourées de palmiers, de jardins tropicaux et de fontaines, font par ailleurs la joie des occupants.

Renaissance Orlando Resort at SeaWorld *$$$$*
6677 Sea Harbor Dr., 407-351-5555 ou 800-327-6677, www.renaissanceseaworld.com
Le très chic Renaissance Orlando Resort fait littéralement face à SeaWorld. Son élégante silhouette s'élève en effet juste à côté du parc thématique. Les résidents de l'hôtel obtiennent d'ailleurs d'office l'option Quick Queue, qui permet de passer devant les files d'attente à SeaWorld.

ULYSSE

Hyatt Regency Grand Cypress *$$$$-$$$$$*
1 Grand Cypress Blvd., 407-239-1234, www.hyattgrandcypress.com
Si vous n'aviez pas à vous préoccuper de l'argent et que vous pouviez séjourner dans n'importe quel hôtel de la Floride, vous logeriez sûrement au Hyatt Regency Grand Cypress. Érigée sur un terrain de 600 ha, cette tour miroitante au toit en gradins, avec son spectaculaire atrium de verre d'une hauteur de 15 étages, offre tout un spectacle. Cet univers à l'extérieur de Disney World représente vraiment le summum en matière d'hébergement : une piscine de rêve sur trois niveaux où coulent des cascades, de belles plages au bord d'un lac, des ponts, des collines verdoyantes et des sentiers sinueux, bordés de sculptures en bronze et de jardins d'herbes aromatiques. Des ruisseaux au doux murmure, une flore tropicale florissante et des œuvres d'art mettent en valeur le hall. Et il y a plus encore : une réserve naturelle de 18 ha parrainée par la société

Audubon, des courts de tennis, des chevaux d'équitation, des sentiers de jogging, un terrain de golf de 45 trous dessiné par Jack Nicklaus, un lac de 8 ha pourvu d'un centre de voile, un centre de conditionnement physique et quatre restaurants somptueux. On a aussi apporté de l'attention aux chambres, avec leurs canapés en osier, leurs causeuses et leurs décors à motifs de fleurs et à rayures.

The Peabody Orlando *$$$$-$$$$$*
9801 International Dr., 407-352-4000, www.peabodyorlando.com
À l'intérieur du Peabody Orlando, situé tout juste à côté de l'Orlando/Orange County Convention Center, cinq canards malards (des vrais) se dandinent sur un tapis rouge spécialement déroulé pour leurs processions quotidiennes vers l'étang. Les clients de l'établissement s'assemblent deux fois par jour pour assister à cet événement, qui se déroule dans le hall élégant et très élevé, gorgé de soleil, de marbre et de vigoureux plants d'orchidées, de fougères et de broméliacées. Les chambres sont pour leur part tout aussi chics que le hall. Au troisième étage, vous découvrirez un centre récréatif réunissant quatre courts de tennis éclairés, une piscine olympique chauffée double grandeur, un centre de conditionnement physique et un spa, sans oublier le «palais des canards», où ceux-ci se retirent le soir venu. Un agrandissement réalisé au coût de 450 millions de dollars et achevé à l'automne 2010 a permis l'ajout d'une nouvelle tour de 34 étages comprenant 750 chambres (pour un total de 1 641).

Ritz-Carlton Orlando, Grande Lakes *$$$$$*
4040 Central Florida Pkwy., 407-206-2400 ou 800-682-3665, www.grandelakes.com
Comme il se doit, le Ritz-Carlton est l'hôtel le plus élégant des environs. Son architecture inspirée de palaces italiens, ses splendides jardins, ses chambres vastes et douillettes, son terrain de golf dessiné par le champion de ce sport, Greg Norman, bref, tout concourt à positionner l'établissement au-dessus de la mêlée.

Kissimmee

Golden Link Motel *$*
4914 W. Route 192, 407-396-0555 ou 800-654-3957, www.goldenlinkmotel.com
Le Golden Link Motel repose en bordure du lac Cecile. Il s'élève sur deux étages et arbore une façade en brique. Une piscine chauffée ainsi qu'une jetée pour la pêche complètent les installations de cet hôtel de 84 chambres, propres et convenables.

Maingate Lakeside Resort *$-$$*
7769 W. Route 192, 407-396-2222 ou 800-848-0801, www.maingatelakesideresort.com
Le Maingate Lakeside Resort possède son propre lac et est situé dans une pinède de 9,6 ha rehaussée d'un aménagement paysager à saveur tropicale. Les installations offrent divers avantages : trois piscines, deux bassins pour enfants, deux terrains de jeu, une salle de jeux vidéo, un centre de conditionnement physique, un minigolf, des courts de tennis et un comptoir d'épicerie fine ouvert tard le soir.

All Star Vacation Homes *$$-$$$$$*
7822 W. Irlo Bronson Memorial Hwy., 407-997-0733 ou 800-592-5568, www.allstarvacationhomes.com
Pour les familles ou pour les groupes d'amis, la location d'une maison ou d'un appartement situé à proximité de Walt Disney World peut s'avérer une solution aux nombreux avantages : confort, économies relatives, impression de rentrer chez soi après une dure journée de files d'attente... La société All Star Vacation Homes propose une gamme étendue de maisons et d'appartements de construction récente, entièrement équipés et disponibles pour location à court ou long terme. Tous se trouvent à moins de 7 km de Disney World. La sélection comprend des appartements de deux chambres à coucher pouvant loger jusqu'à six personnes, d'autres de trois chambres pour au plus huit occupants, ainsi que des maisons de trois à sept chambres pour des groupes de 8 à 16 personnes. Chacune des maisons individuelles comprend un garage et une piscine chauffée protégée par une moustiquaire.

ULYSSE

Gaylord Palms Resort & Convention Center *$$$$-$$$$$*
6000 W. Osceola Pkwy., 407-586-2000,
www.gaylordpalms.com
Ce spectaculaire hôtel rend hommage de façon grandiose à l'État de la Floride. Ainsi, dans un immense atrium, des sites célèbres du *Sunshine State* sont littéralement reproduits en miniature: les Everglades, Key West et ses fameux couchers de soleil, le Castillo de San Marcos à St. Augustine, le quartier Art déco de Miami Beach, etc. L'établissement possède en outre un magnifique spa baptisé le Relâche Spa, ainsi que plusieurs restaurants qui exploitent également des thèmes propres à la Floride. Chaque chambre, fort joliment décorée, donne sur un balcon qui surplombe les reconstitutions de paysages floridiens.

Celebration

Bohemian Hotel Celebration *$$$-$$$$*
700 Bloom St., 407-566-6000 ou 888-249-4007,
www.celebrationhotel.com
Le Bohemian Hotel Celebration jouit d'une belle localisation en bordure d'un lac, tout en se trouvant en plein cœur de la ville de Celebration, que Disney a construite de toutes pièces à partir des années 1990, avant de se retirer graduellement au cours des dernières années. D'abord connu sous le nom de Celebration Hotel et géré directement par Disney, cet établissement surprend le visiteur par sa modeste taille (115 chambres); on est bien loin de la démesure à laquelle Disney nous a habitués. On remarque toutefois la présence d'une petite galerie d'art attenante au hall. Celui-ci donne aussi accès à une agréable terrasse du côté du lac, où se trouve la piscine. Les chambres présentent un élégant décor à l'ancienne. L'établissement est situé à deux pas des boutiques, restaurants et cafés du secteur de Market Street.

Reunion

Reunion Resort and Club *$$$$-$$$$$*
7593 Gathering Dr., 407-662-1000 ou 866-880-8563,
www.reunionresort.com
Le Reunion Resort and Club occupe un si vaste espace au sud-ouest d'Orlando (sortie 58 de la route I-4) qu'on pourrait croire qu'une nouvelle ville y a vu le jour. Les lieux d'hébergement y sont variés, depuis les suites de une ou deux chambres à coucher de l'hôtel principal jusqu'aux villas et appartements répartis dans divers «quartiers». Les trois terrains de golf signés Jack Nicklaus, Tom Watson et Arnold Palmer, de même que l'Annika Academy, parrainée par Annika Sorenstam, constituent toutefois le clou du spectacle et fait du Reunion Resort and Club une sorte de paradis pour les golfeurs. Les familles en ont aussi pour leur argent avec un parc aquatique muni de toboggans et un programme d'activités complet s'adressant aux enfants de 4 à 12 ans. Un spa et des courts de tennis sont également à signaler.

Campings

Des vastes emplacements pour caravanes et des camps de pêche reculés jusqu'aux centres de villégiature pour nudistes, vous trouverez mille et une formules de camping aux environs de Walt Disney World. Au moment de réserver un emplacement, demandez toujours à quelle distance précise de Disney World vous vous trouverez; il vaut mieux s'en tenir à quelques kilomètres seulement, sinon vous passerez un temps fou à vous rendre aux parcs thématiques et à en revenir. La plupart des terrains de camping offrent un service de navette (payant) jusqu'aux parcs, mais il est plus commode de voyager en voiture. Pour obtenir une liste complète des terrains disponibles, communiquez avec la **Florida Association of RV Parks and Campgrounds** *(1340 Vickers Rd., Tallahassee, FL 32303-3041, 850-562-7151, www.campflorida.com)*.

Voici quelques terrains de camping familiaux de choix:

Fort Summit KOA Campground *$*
2525 Frontage Rd., Davenport, 863-424-1880 ou
888-562-4712, www.fortsummit.com
Parmi les avantages offerts par le Fort Summit KOA Campground, mentionnons les chalets climatisés de bois rond et les bains publics. Les chalets peuvent accueillir jusqu'à quatre personnes grâce à leurs lits doubles et superposés. Il y a en outre 300 emplacements pour caravanes et tentes disposés le long d'un pâturage plat, ainsi qu'une piscine chauffée, une autre pour les enfants, un terrain de jeu clôturé et une salle

de jeux vidéo. Le fait que Fort Summit se trouve à 11,5 km de Disney World représente un inconvénient, mais on offre en revanche un service de navette gratuit.

KOA Campground ***$***
2644 Happy Camper Place, Kissimmee, 407-396-2400 ou 800-562-7791, www.koa.com
Ce beau terrain de camping est celui situé le plus près de Disney World. Comptez autour de 50$ par jour pour un emplacement avec eau et électricité. On y fait aussi la location de chalets pour quatre à six personnes ***($$)***.

Lake Toho Resort ***$***
4715 Kissimmee Park Rd., St. Cloud, 407-892-8795, www.laketohoresort.com
Le Lake Toho Resort est éloigné de Disney World (environ 40 km), mais offre un camping idyllique en bordure du magnifique lac Tohopekaliga. Les 280 emplacements pour caravanes sont équipés de raccordements (eau, égout, électricité). À noter qu'il n'y a pas d'emplacement pour les tentes.

Sherwood Forest RV Resort ***$***
5300 W. Route 192, Kissimmee, 407-396-7431 ou 877-570-2267
Le Sherwood Forest RV Resort a beau être densément boisé, il n'en revêt pas moins une allure rangée et proprette. Plus de 500 emplacements pour caravanes et tentes sont disponibles, sans compter la piscine chauffée, le minigolf, les courts de tennis et le lac. Les familles fréquentent le parc durant l'été, alors que les personnes âgées forment le plus gros de sa clientèle hivernale.

Tropical Palms Resort and Campground ***$***
2650 Holiday Trail, en bordure de l'East Route 192, Kissimmee, 407-396-4595 ou 800-647-2567, www.tropicalpalmsrv.com
Ce terrain de camping considéré comme haut de gamme est situé à environ 10 km de Walt Disney World. Il s'agit de l'exemple parfait du camping qui propose une panoplie sans fin d'activités pour toute la famille et qui se trouve à proximité d'un milieu urbain et de ses nombreux commerces.

Cypress Cove Nudist Resort & Spa
$ camping
$$-$$$ bungalows
4425 Pleasant Hill Rd., Kissimmee, 407-933-5870 ou 888-683-3140, www.cypresscoveresort.com
Si vous êtes un adepte du naturisme, songez au Cypress Cove Nudist Resort & Spa. Blottie dans une forêt de 105 ha, cette retraite accueille aussi bien les couples que les familles possédant une caravane ou une tente. Vous pouvez camper dans la pinède ou en bordure du lac de 20 ha. Il y a aussi des bungalows, de style motel, pour ceux qui recherchent un plus grand confort.

Restaurants

Les centaines de restaurants de Walt Disney World peuvent se diviser en trois grandes catégories: restauration rapide infecte au coût excessif, restauration rapide convenable au coût excessif et cuisine recherchée de haute qualité.

Bon nombre d'entre eux se classent malheureusement dans le premier groupe, surtout au Magic Kingdom, où les familles passent beaucoup de temps et où, pour la simple commodité de manger au royaume de Mickey, il faut souvent attendre longtemps en ligne devant des comptoirs bondés. Même aux restaurants quatre-étoiles d'Epcot, les tables sont accolées les unes aux autres, et l'on presse parfois les clients de terminer rapidement leur repas.

Mais le fait de manger à Disney World n'a pas que du mauvais. Ainsi dans quel autre lieu pouvez-vous trouver un restaurant chic qui vous accueille en bermudas et en chaussures de sport, avec vos enfants et votre poussette? Mieux encore, la plupart des établissements offrent de bons menus pour enfants (bien que les prix ne soient pas toujours à leur taille) ainsi que divers avantages tels que livres à colorier et visites-surprises de personnages de Disney. Quant aux restaurants situés à l'extérieur de Walt Disney World, on n'y apporte peut-être pas autant d'attention, mais vous n'y trouverez pas moins des adresses intéressantes loin du brouhaha des parcs thématiques.

Un minimum de planification vous évitera de longues attentes, et ce, à n'importe quel restaurant. Si vous voyagez en haute saison, évitez les heures d'affluence (11h30 à 13h30 et 17h à 20h). Vous pouvez même carrément sauter le repas du midi en prenant un petit déjeuner copieux avant de vous rendre aux parcs thématiques, puis acheter un casse-croûte en milieu d'après-midi dans un des kiosques qui foisonnent à Disney World, offrant de tout, des bretzels aux hot-dogs, en passant par les pommes de terre au four et les glaces.

Dans ce chapitre, les restaurants sont regroupés par parcs thématiques, et chacun d'entre eux affiche le prix moyen d'un repas complet pour une personne, avant les boissons, les taxes et le pourboire: **$** (petit budget – moins de 15$), **$$** (catégorie moyenne – de 15$ à 25$), **$$$** (catégorie moyenne-élevée – de 26$ à 35$) ou **$$$$** (catégorie supérieure – plus de 35$).

Si vous logez dans un complexe hôtelier de Disney, vous pouvez demander une réservation prioritaire pour le déjeuner et le dîner dans la plupart des restaurants offrant un service complet, en appelant jusqu'à 180 jours à l'avance au 407-939-3463. Il est aussi possible depuis peu de le faire via le site Internet de Disney *(www.disneyworld.com)*, ainsi qu'à l'aide de l'application mobile My Disney Experience. À noter que certains restaurants de Walt Disney World exigent dorénavant un No-Show Fee, soit des frais de 10$ si vous annulez votre réservation moins de 24 heures d'avance (une carte de crédit est donc requise pour faire ces réservations). Prenez donc la peine de vérifier si cette politique est en vigueur dans l'établissement de votre choix au moment d'y réserver une table.

Magic Kingdom

La restauration rapide du Magic Kingdom se passe de présentation, car sa réputation d'insipidité la précède de loin. Mais comme tout visiteur finit tôt ou tard par y recourir, ne serait-ce que par nécessité, voici un petit guide des meilleurs établissements parmi les pires.

Columbia Harbour House $
Ce restaurant de Liberty Square sert un sandwich Monte Cristo convenable (dinde, jambon et fromage sur pain frit) de même qu'une bonne chaudrée de palourdes. Vous pourrez vous installer dans une grande salle assez confortable et relativement tranquille, surtout à l'étage. Son mobilier à l'ancienne confère à la Columbia Harbour House une atmosphère chaleureuse qui la distingue des autres établissements de type *fast food*.

Cosmic Ray's Starflight Cafe $
Le Cosmic Ray's Starlight Cafe de Tomorrowland concocte un hamburger végétarien convenable et propose également du poulet

rôti. Les salades du chef et César sont préparées sur commande, mais sans être toujours très fraîches pour autant.

Gaston's Tavern $
Ce comptoir de restauration rapide donne sur une jolie place ornée d'une fontaine élevée à la gloire de Gaston, le détestable personnage du film *La Belle et la Bête*, dans le Village de Belle du New Fantasyland. Par temps chaud, prenez-y une rafraîchissante Le Fou's Brew, un jus de pomme gelé surmonté de guimauve pour simuler le collet de mousse d'une bière. Disney n'allait tout de même pas se laisser damer le pion aussi facilement par Universal, qui a créé sa «bièraubeurre» dans la section consacrée à Harry Potter des Universal's Islands of Adventure… L'autre élément vedette du menu proposé ici est le jarret de porc rôti, un mets pour le moins consistant.

Pecos Bill Cafe $
L'un des bons *fast foods* du Magic Kingdom. Les *cheeseburgers* s'avèrent ici délicieux, et le choix de garnitures est étonnant: sauces variées, salades, champignons, *pickles* et autres légumes. Le joli décor d'hacienda de ce resto de Frontierland, à la limite d'Adventureland, retient aussi l'attention.

Pinocchio Village Haus $
Installée dans une belle maison de la section classique de Fantasyland, tout près du manège It's a Small World, dont il est possible d'apercevoir l'aire d'embarquement par de grandes fenêtres du restaurant, la Pinocchio Village Haus propose salades, sandwichs et pizzas dans un cadre agréable rappelant l'ambiance du film d'animation qui mettait en vedette le célèbre pantin de bois.

Sleepy Hollow $
Cet autre comptoir de Liberty Square, ouvert en saison, fait le bonheur des enfants avec ses *brownies*, ses biscuits fourrés et ses «flotteurs» à la racinette.

Tomorrowland Terrace Restaurant $
Ce comptoir propose, en plus des sous-marins et hamburgers habituels, des guédilles au homard et des plats à base de nouilles. Grande et agréable terrasse.

Tortuga Tavern $
Pour des *tacos*, des *nachos*, des *empanadas* ou une salade, vous devez choisir ce comptoir autrefois connu sous le nom d'El Pirata Y El Perico Restaurante et situé à Adventureland aux abords du manège Pirates of the Caribbean.

Le Disney Dining Plan

Vous comptez prendre tous vos repas dans les restaurants de Disney World pendant votre séjour? Adhérez alors au Disney Dining Plan, qui vous fera économiser quelques précieux dollars.

La formule est simple: au moment de réserver votre forfait comprenant l'hébergement à Disney World et vos billets d'entrée aux parcs thématiques, vous pouvez y ajouter le Disney Dining Plan pour le nombre de jours que durera votre visite. Vous obtiendrez alors une réduction pouvant atteindre 30%, prétend-on chez Disney, sur les prix (taxe incluse, mais avant service) d'un repas par jour à un restaurant avec service aux tables, d'un repas par jour dans un établissement de type *fast food* et d'une collation par jour (glace, maïs soufflé ou autres).

Plusieurs déclinaisons de ce «plan de base» sont maintenant possibles: plan n'incluant que des repas *fast food*, ou diverses formules enrichies comprenant les petits déjeuners ou plus de collations, par exemple.

Plus d'une centaine de restaurants, situés aussi bien dans les parcs que dans le secteur Downtown Disney ou dans les complexes hôteliers de Disney World, participent à ce programme.

ULYSSE

Crystal Palace $$
Plus joli restaurant du Magic Kingdom, le Crystal Palace est entouré de portes-fenêtres et couronné d'un étincelant dôme de verre. Situé dans Main Street, U.S.A., il se pare de délicats filigranes blancs et domine des palmiers ainsi que des plates-bandes sculptées. Le petit déjeuner, le déjeuner et le dîner y sont ponctués d'apparitions de Winnie l'ourson, Tigrou et Bourriquet. On y a un bon choix de petits déjeuners copieux (bacon, œufs, omelettes, etc.) pour commencer la journée du bon pied. Les enfants trouveront au buffet des gaufres Mickey le matin et, le midi et le soir, du macaroni au fromage, de la pizza et des hot-dogs. Le buffet du matin est le meilleur du Royaume magique.

Liberty Tree Tavern $$
Avec son foyer en pierre, son plancher de bois et son papier peint à motifs coloniaux, la Liberty Tree Tavern est chaleureuse et douillette. Situé au Liberty Square du Magic Kingdom, cet établissement charmant se présente comme une véritable oasis de l'Amérique d'autrefois. S'y trouvent un ancien rouet, des chaises à haut dossier et des stores vénitiens en bois. De pair avec ce décor, le menu propose au déjeuner un «Yankee Peddler» (sandwich au bœuf), un «Boston Seafood Melt» (combinaison de fruits de mer dans une sauce au vin) et un «Minuteman Club» (sandwich à trois étages). Au dîner, on sert du poulet, du steak et des fruits de mer, y compris du homard du Maine en saison. Le service est adéquat et la nourriture, au-dessus de la moyenne. À moins que vous ne projetiez de dîner tôt, une réservation s'impose.

Plaza Restaurant $$
Le Plaza Restaurant, dans Main Street, U.S.A., ne sert que le déjeuner et le dîner. Situé en face du Plaza Ice Cream Parlor, cet établissement aéré, tout en miroirs et en fenêtres, propose des repas minute bien présentés. Les enfants apprécient particulièrement les hamburgers et les laits fouettés, tandis que leurs parents préfèrent en général la salade du chef, la quiche ou le pâté de poulet en croûte.

ULYSSE

Be Our Guest $$-$$$$
Voici la nouvelle coqueluche des restaurants du Magic Kingdom, et même de tout Walt Disney World. Installé au pied du château de la Bête dans le New Fantasyland, ce resto propose des spécialités inspirées de la cuisine française, en formule «restauration rapide» le midi (quiches, croque-monsieur, salade niçoise, sandwich à la dinde) et plus élaborée avec service complet en soirée (soupe à l'oignon gratinée, moules provençales, ratatouille). Il est aussi possible d'accompagner le repas du soir de vin ou de bière, une grande première au Magic Kingdom. Dans ses différentes salles, vous retrouverez les décors du dessin animé *La Belle et la Bête* reconstitués de manière rien de moins que renversante: la somptueuse salle de bal, la Rose Gallery et l'interdite aile ouest. Réservations indispensables pour le repas du soir. Le midi, préparez-vous à faire la queue…

Tony's Town Square Restaurant $$$
Le Tony's Town Square Restaurant est un adorable café italien situé non loin de l'entrée du Magic Kingdom. Des scènes du film *La Belle et le Clochard* ornent les murs de sa salle principale, où l'on remarque par ailleurs le plancher de carreaux noirs et blancs, les grands miroirs, le mobilier de bois foncé et les jolis vitraux. Une seconde salle, aux allures de verrière, s'avère tout aussi agréable avec ses grandes fenêtres, ses plantes vertes et ses murs de briques. Comme dans plusieurs restaurants de Disney World, on a porté plus d'attention au décor qu'à la nourriture (mets italiens communs servis en portions copieuses). Les enfants reçoivent un menu à colorier rempli d'images du célèbre dessin animé (les crayons de couleur sont fournis).

ULYSSE

Cinderella's Royal Table $$$-$$$$
Les petites filles adorent la Cinderella's Royal Table parce qu'elles peuvent y voir Cendrillon. La princesse aux cheveux d'un blond renversant, vêtue d'une robe en mousseline et couronnée d'un diadème orné de joyaux, y fait en effet plusieurs apparitions au petit déjeuner et au déjeuner. Une autre bonne

Où manger avec les personnages

Pour beaucoup de jeunes enfants (et parfois de moins jeunes...), prendre un repas dans l'un des établissements où des personnages de Disney sont présents constitue le clou de leur voyage. Voici donc la liste des restaurants qui proposent ce type d'animation. Tout au long du présent chapitre, un pictogramme (🐭) vous aidera également à les repérer. Souvenez-vous toutefois que des changements sont apportés de temps à autre dans la distribution des personnages.

1900 Park Fare (voir p. 279)
Disney's Grand Floridian Resort & Spa
Mary Poppins et ses amis au petit déjeuner, et Cendrillon pendant le repas du soir.

Akershus Royal Banquet Hall (voir p. 271)
Pavillon de la Norvège, Epcot
Les princesses des contes adaptés par Disney font ici leur apparition tout au long de la journée.

Cape May Café (voir p. 279)
Disney's Beach Club Resort
Petit déjeuner animé par Goofy et ses amis.

Chef Mickey's (voir p. 279)
Disney's Contemporary Resort
Buffet au petit déjeuner et au dîner où c'est le chef Mickey Mouse en personne qui reçoit.

Cinderella's Royal Table (voir p. 268)
Magic Kingdom
Pour un repas magique en compagnie de Cendrillon, dans son splendide château.

Crystal Palace (voir p. 268)
Magic Kingdom
Winnie l'ourson et ses amis accueillent les enfants toute la journée.

The Garden Grill Restaurant (voir p. 270)
The Land, Epcot
Pour un repas du soir en compagnie des tamias Chip & Dale (Tic et Tac), ainsi que de Minnie et Mickey.

Garden Grove (voir p.280)
Walt Disney World Swan
Goofy et Pluto animent les petits déjeuners de la fin de semaine, alors qu'ils partagent ce rôle avec Timon et Rafiki au dîner, tous les jours.

Hollywood & Vine (voir p. 274)
Disney's Hollywood Studios
Les personnages du Disney Channel chantent et dansent avec les enfants à l'heure du petit déjeuner et du lunch.

'Ohana (voir p. 280)
Disney's Polynesian Resort
Petit déjeuner avec Lilo, Stitch, Mickey et Pluto.

Tusker House (voir p. 275)
Disney's Animal Kingdom
Le petit déjeuner et le déjeuner sont animés par Donald le canard et sa bande.

Du côté d'Universal Orlando, on a emprunté la formule dans un établissement des Universal Studios:

Café La Bamba (voir p. 282)
Hollywood
Du jeudi au samedi, de 9h à 11h, les personnages qui prennent part à l'Universal's Superstar Parade animent le petit déjeuner.

raison pour s'y rendre est qu'il s'agit du seul moyen de pénétrer à l'intérieur du château de Cendrillon, à Fantasyland. Au déjeuner, on sert des sandwichs au bœuf et une gamme complète de salades. Au dîner, on offre des côtelettes, des fruits de mer et des plats de poulet. La nourriture n'est malheureusement que passable, mais le décor fabuleux et l'engouement des enfants vous feront vite oublier votre assiette. Réservations indispensables.

Epcot

Les gens se rendent au Magic Kingdom pour rêver, et à Epcot pour manger (entre autres). Epcot comble en effet le vide qu'accuse le Magic Kingdom en matière de nourriture, offrant des mets beaucoup plus frais et originaux dans des décors absolument adorables. Chose étrange, même les stands de rue semblent y offrir de la meilleure nourriture que ceux du Magic Kingdom! Une autre grande différence: vous ne pouvez vous procurer des boissons alcoolisées au Magic Kingdom (sauf au tout nouveau Be Our Guest), alors que cela est possible dans presque tous les établissements d'Epcot.

Les restaurants les plus populaires d'Epcot (Les Chefs de France et le Coral Reef Restaurant, par exemple) sont très souvent complets; des réservations pour le jour même peuvent cependant être obtenues au bureau des *Guest Relations* et, si vous logez dans un des hôtels de Disney, vous pouvez obtenir une réservation prioritaire jusqu'à 180 jours à l'avance en composant le 407-939-3463, via le site *www.disneyworld.com* ou à l'aide de l'application mobile My Disney Experience.

Future World

Electric Umbrella *$*

Ce vaste établissement de type *fast food* situé près d'Innovations East propose hamburgers, sandwichs à la dinde et salades. Il est possible de manger à l'intérieur, dans la salle qui s'étend sur deux étages, ou à la terrasse qui donne sur la place où se trouve la Fountain of Nations.

Fountain View Ice Cream *$*

Tel que son nom l'indique, ce comptoir de glaces offre une jolie vue sur la grande fontaine qui orne l'Innoventions Place, tout juste à l'arrière du Spaceship Earth. Comme il se doit, on y sert des glaces en coupe ou en cornet, dans une grande variété de parfums.

Sunshine Seasons *$*

Sous le Garden Grill du pavillon The Land, le Sunshine Seasons se présente comme une aire de restauration animée, aménagée à l'intérieur d'une immense rotonde où pendent des mini-montgolfières. Cet espace coloré propose une kyrielle de mets frais, nourrissants et appétissants. Il y a entre autres des soupes fumantes et des bouchées de toutes sortes, des salades de pâtes, des pains pita farcis, des sandwichs de viandes fines et du poulet rôti. Les enfants tournent autour du comptoir à glaces, tandis que les parents privilégient les cocktails glacés et les barbotines aux fruits.

The Garden Grill Restaurant *$$$*

Au Garden Grill du pavillon The Land, vous pourrez prendre le repas du soir (seul repas servi ici) en compagnie de Mickey, Minnie, Chip et Dale, auprès de qui vous aurez la possibilité de vous faire photographier. Le menu change constamment, mais comporte toujours une abondance de légumes, de poissons et de fines herbes provenant du site même de The Land. Vous pourriez ainsi déguster une truite ou un tilapia sauté, du maïs en épi, des pommes de terre en purée, de petites côtes levées ou du poulet rôti. Les dîners sont servis dans des box intimes, tous de velours habillés, qui (puisque c'est un restaurant tournant) vous offrent des vues imprenables sur la forêt tropicale, les prairies et les autres paysages aperçus au cours de la promenade en bateau autour de The Land.

Coral Reef Restaurant *$$$-$$$$*

Le principal attrait du Coral Reef Restaurant du pavillon The Seas with Nemo & Friends est la vue qu'il offre sur un gigantesque aquarium de coraux. Sous un éclairage tamisé, et assis à des tables disposées en gradins, les convives peuvent observer les requins, les dauphins et les crevettes (ces dernières étant d'ailleurs au menu). On fait mijoter les crevettes avec des tomates, des poireaux et des oignons, et griller le *mahi-mahi* badigeonné de beurre aux câpres citronnées. Les menus du midi et du soir se composent principalement de fruits de mer et de poissons, tels le thon en sashimi et l'espadon sauté à la poêle.

World Showcase

Plusieurs des restaurants du World Showcase sont d'étonnantes reconstitutions d'établissements connus des différents pays qu'ils représentent, et offrent une cuisine ethnique et continentale typique. Serveurs et serveuses sont toujours natifs du pays à l'honneur, et ils adorent parler de leur patrie; ne soyez donc pas avare de questions.

États-Unis

Fife & Drum Tavern $

Il est possible de commander à ce comptoir l'une de ces immenses *turkey legs* (cuisses de dinde) avec lesquelles on voit beaucoup de gens se promener dans les parcs thématiques de Disney. Si vous avez l'estomac solide... Vous pourrez vous installer à la terrasse du Liberty Inn, qui se trouve tout juste à l'arrière.

Liberty Inn $

Quel dommage que le restaurant principal représentant les États-Unis en soit un de type *fast food* (tous les autres pays du World Showcase ont au moins un établissement de bonne chère, et certains en ont même deux). Quoi qu'il en soit, le Liberty Inn est une vraie bénédiction pour les familles, et les enfants adorent ses hamburgers, ses hot-dogs et ses biscuits aux pépites de chocolat, sans compter que les places extérieures vous donnent amplement d'espace.

Canada

Le Cellier SteakHouse $$

Le bien nommé Le Cellier SteakHouse du pavillon du Canada sert une nourriture bonne et copieuse dans une salle à manger conventionnelle au menu complet (steaks, hamburgers grillés, salades, fruits de mer et pâtes). Décor de pierres de style château, de bois sombre et chaleureux, de lampes en fer forgé et de banquettes en cuir.

Mexique

La Cantina de San Angel $-$$

La Cantina de San Angel se trouve tout juste en face du pavillon du Mexique. Installé à une terrasse donnant sur le lagon, vous pourrez y déguster *tacos*, *nachos* et autres *empanadas*, avec une *cerveza* ou une *margarita*.

ULYSSE

San Angel Inn Restaurante $$-$$$

Vous croyez sans doute que le restaurant le plus romantique d'Epcot se trouve au pavillon de la France ou de l'Italie. Mais détrompez-vous, car c'est plutôt au pavillon du Mexique qu'il est situé. Le San Angel Inn Restaurante repose en bordure d'une sombre rivière coulant sous un ciel factice émaillé d'étoiles. L'air est frais, et les tables, recouvertes de nappes roses et de lampes à l'huile aux flammes dansantes, sont bien espacées. Au déjeuner et au dîner, on sert un mélange de mets mexicains et texans tels qu'*enchiladas* au poulet, *chile rellenos* ainsi que d'autres mets latino-américains intéressants. Le *cochinita pibil*, entre autres, se compose de porc cuit au four dans une marmelade épicée. Le San Angel Inn est aussi un bon établissement où emmener les enfants, qui peuvent alors explorer le marché mexicain adjacent pendant que vous attendez le repas ou l'addition.

La Hacienda de San Angel $$$

Aménagé dans une belle demeure traditionnelle attenante à La Cantina de San Angel, cet établissement récent propose une variété impressionnante de mets régionaux mexicains dans un cadre assez chic. Voilà une solution de rechange intéressante au toujours bondé San Angel Inn Restaurante. En soirée seulement.

Norvège

Akershus Royal Banquet Hall $$-$$$

La Scandinavie n'a jamais été célèbre pour son art culinaire, et c'est sans doute la raison pour laquelle beaucoup de visiteurs boudent l'Akershus Royal Banquet Hall du pavillon de la Norvège. Pour ceux qui n'hésitent pas à s'aventurer en terre inconnue, ce restaurant propose un buffet chaud et froid, ou *koldtbord*, regorgeant de saumon fumé, de hareng apprêté de diverses façons, de poulet rôti froid, de rutabagas, d'agneau, de chou et d'autres mets nationaux. Pour les enfants, il y a des boulettes de viande et du macaroni au fromage. La nourriture n'est pas exceptionnelle, mais les plafonds de bois sculpté, les salles coiffées de tourelles et les arcs-boutants sont absolument magnifiques. De plus, les princesses des contes adaptés par Disney sont présentes à chaque repas.

Allemagne

Biergarten Restaurant $$-$$$

Au Biergarten du pavillon de l'Allemagne, chaque repas est comme un banquet. Les accordéonistes, les iodleurs et l'orchestre à flonflons égaient les clients qui se régalent du buffet à volonté. Cette ambiance animée convient parfaitement aux familles, d'autant plus que les enfants aiment bien le décor sympa de ce «château». Bien qu'on y mette l'accent sur la bonne chère typiquement allemande, cette succulente nourriture fortifiante – allant des saucisses au poulet rôti – en a pour tous les goûts.

Italie

Via Napoli $

Cette pizzeria napolitaine a ouvert ses portes à l'automne 2010 dans une nouvelle section du pavillon de l'Italie aménagée au fond de la place autour de laquelle il se déploie. Vous y dégusterez de succulentes pizzas cuites au four à bois. L'établissement compte d'ailleurs trois fours de ce genre, chacun baptisé du nom d'un volcan italien: Etna, Vésuve et Stromboli. La salle principale est toute simple et très lumineuse, alors qu'une autre, tout en longueur et dont les portes-fenêtres permettent de créer une quasi-terrasse, s'étire le long de la place.

Tutto Gusto Wine Cellar $$

Nouveau venu et voisin du Tutto Italia Ristaurante (voir ci-dessous), cet établissement est d'abord un bar à vin, mais on y sert aussi des mets italiens en petites portions, genre tapas.

Tutto Italia Ristorante $$$

Le Tutto Italia Ristorante occupe de jolis locaux au rez-de-chaussée du pavillon italien. Cet établissement se veut une vitrine sur les différentes cuisines régionales italiennes. Vous y mangerez dans la belle grande salle principale, décorée de fresques murales et de chandeliers, dans l'une des deux salles plus petites qui lui sont attenantes, ou à son agréable terrasse.

Royaume-Uni

Rose & Crown Pub and Dining Room $$-$$$

Au Rose & Crown Pub and Dining Room du Royaume-Uni, de jeunes gens se pressent autour des clients avec des plateaux remplis de simples mets anglais tels que poisson frites, œufs au scotch et tourte au steak et aux rognons. Vous pouvez manger à l'intérieur, dans un décor de laiton et de verre gravé à l'eau-forte, ou à la terrasse, au bord du lagon.

Chine

Lotus Blossom Cafe $

Si vous vous sentez l'âme chinoise, rendez-vous au Lotus Blossom Cafe du pavillon de la Chine, où l'on sert du bœuf sauté, du riz frit accompagné de rouleaux impériaux, du poulet aigre-doux, des bols de nouilles au bœuf et des glaces aux haricots rouges. Ce comptoir est attenant au Nine Dragons Restaurant, et c'est sur une terrasse en partie couverte que l'on s'installe pour manger.

Nine Dragons Restaurant $$$

C'est dans un opulent décor, composé de tapis rouge grenat, de paravents en bois de rose et de tables en bois laqué, que se drape ce restaurant du pavillon de la Chine. La cuisine ne s'avère toutefois pas à la hauteur de cette riche mise en scène, puisqu'elle se limite aux classiques de la cuisine chinoise américanisée. Qui plus est, les prix en sont élevés.

Japon

Katsura Grill $-$$

Cet établissement a remplacé la Yakitori House du côté gauche de la place du pavillon du Japon. Poulet teriyaki, sushis, sakés et bières japonaises y sont proposés, et il est possible de savourer le tout dans un paisible jardin.

Teppan Edo $$

Dans ce type de restaurant japonais, les clients s'installent autour de grands grils, sur lesquels les chefs coupent les aliments, puis les font griller en se livrant à un véritable spectacle.

Tokyo Dining $$

Le Tokyo Dining abrite une grande salle qui peut accueillir 140 convives. Au centre de cette salle, un chef prépare quelque 50 variétés de sushis et de sashimis. On trouve aussi au menu de ce restaurant des tempuras, du steak grillé et des fruits de mer.

France

Boulangerie Pâtisserie Les Halles $-$$

L'adorable Boulangerie Pâtisserie Les Halles, située tout juste à la sortie de la salle de cinéma où est projeté Impressions de France, est probablement le comptoir rapide le plus réputé (et bondé) d'Epcot. On s'y arrête le temps d'un café au lait avec croissant, d'une quiche ou d'une mousse au chocolat.

ULYSSE

Les Chefs de France $$$

Au pavillon de la France, Les Chefs de France propose un menu complet dans une belle salle à manger aux accents Art nouveau. Au menu figurent tous les classiques de la cuisine de l'Hexagone. Il est également possible de s'installer sur une agréable terrasse. La liste des vins et la carte des desserts sont par ailleurs fort bien garnies.

Monsieur Paul *$$$$*
Un nouveau restaurant haut de gamme a ouvert ses portes à la fin de 2012 à l'étage du pavillon de la France, au-dessus de Les Chefs de France, en lieu et place du Bistro de Paris. Le Monsieur Paul en question est nul autre que le chef français Paul Bocuse, à qui le menu rend ici hommage: soupe aux truffes noires, grande spécialité qui a contribué à la légende de Bocuse, canard rôti, homard, soufflé au Grand Marnier. Cadre élégant, mais ambiance décontractée.

Maroc

Tangierine Café *$-$$*
Ce petit comptoir sert des mets typiquement marocains à prix économiques. Attablé à la terrasse attenante, vous pourrez ainsi goûter, sans vous ruiner, à des spécialités telles que *shawarma* d'agneau, taboulé et baklava.

Restaurant Marrakesh *$$$*
Le couscous et la pastilla sont deux exemples de mets exotiques servis au Restaurant Marrakesh du pavillon marocain. Le premier se compose de minuscules grains de semoule arrosés d'un ragoût de légumes, alors que le second est un mélange d'amandes épicées, de safran et de cannelle entrelacé de poulet ou de fruits de mer. On y retrouve une ambiance typique de l'Afrique du Nord, avec de ravissantes danseuses du ventre accompagnées de musiciens. Si les enfants (ou papa...) désirent faire partie du spectacle, faites-en part à votre serveur; les danseuses aiment bien faire participer les enfants.

Disney's Hollywood Studios

Comme vous pouvez vous en douter, les restaurants des Disney's Hollywood Studios reflètent la passion du cinéma et de tout l'univers d'Hollywood. Malheureusement, la pensée et l'imagination de Disney se limitent aux décors et n'honorent en rien les menus. La plupart des mets proposés sont tout de même passables, et l'attention portée aux vedettes comble les attentes du plus grand nombre.

ABC Commissary *$*
Commissary Lane
Outre le **50's Prime Time Café** (voir p. 274), d'autres restaurants vous font remonter dans le passé d'Hollywood. L'ABC Commissary, de style cafétéria Art déco des années 1930, propose de la salade aux haricots et aux fruits de mer, des bâtonnets de poisson frit, des hamburgers et, au dessert, un petit pain roulé aux bananes.

Backlot Express *$*
Echo Lake
Le Backlot Express prépare des hamburgers et des hot-dogs convenables.

Dinosaur Gertie's Ice Cream of Extinction *$*
Echo Lake
Pour le dessert, faites un saut au Dinosaur Gertie's Ice Cream of Extinction, où l'on vous servira un délice glacé depuis le ventre d'un brachiosaure.

Pizza Planet *$*
Streets of America
Le Pizza Planet – le restaurant thématique de *Toy Story* (*Histoire de Jouets*) –, du nom du restaurant où, dans le film, Buzz Lightyear rencontre les petits hommes verts, propose des salades et de bonnes pizzas bien garnies. De plus, comme dans le film, l'établissement est aussi une bruyante arcade remplie d'innombrables jeux vidéo.

Starring Rolls Bakery *$*
Sunset Boulevard
Pour un petit déjeuner léger, la Starring Rolls Bakery sert des *bagels*, des muffins et des pâtisseries géantes. Il ouvre ses portes 30 min avant le reste des Disney's Hollywood Studios, de sorte que vous pouvez y prendre une bouchée avant d'entamer votre visite. Plus tard dans la journée, venez y savourer l'un de ses desserts succulents.

Studio Catering Co. *$-$$*
Streets of America
Autre restaurant minute sans surprise, le Studio Catering Co. présente l'avantage d'être tellement bien caché qu'il est rarement bondé. De plus, il se trouve tout près du terrain de jeu **Honey, I Shrunk the Kids Movie Set Adventure** (voir p. 151), ce qui en fait une halte que les familles apprécieront tout particulièrement.

Hollywood & Vine *$$*
près de l'Echo Lake
Le Hollywood & Vine propose un buffet dans un décor des années 1950 et se spécialise dans les steaks, le poisson et le poulet grillés ou rôtis. Choisissez une table donnant sur l'immense murale reproduisant différents points de repère d'Hollywood. À l'heure du petit déjeuner et du lunch, des personnages du Disney Channel chantent et dansent avec les enfants.

Mama Melrose's Ristorante Italiano *$$*
Streets of America
Perdu dans une rue secondaire du secteur Streets of America, le Mama Melrose's Ristorante Italiano compte parmi les favoris des Disney's Hollywood Studios. Son intérieur vous rappellera les bonnes vieilles et chaleureuses pizzerias avec ses banquettes intimes, ses nappes à carreaux rouges et blancs, ses lampes à huile vacillantes et la chaleur qui s'échappe du four en brique. Les pizzas au fromage bouillonnant font l'unanimité, mais la lasagne aux légumes et les poitrines de poulet arrosées d'une sauce au basilic et à l'ail, puis couronnées de mozzarella et de parmesan, sont également excellentes. Autre avantage: un important menu pour enfants. Mama sert les repas du midi et du soir, quoique sa fermeture précède généralement celle du parc. Prenez donc la peine de vous en informer au préalable.

ULYSSE

50's Prime Time Café *$$-$$$*
Echo Lake
Le 50's Prime Time Café est idéal pour les familles. Ses tables en stratifié entourées de chaises en vinyle et la présence de téléviseurs anciens un peu partout créent une ambiance tout ce qu'il y a de plus cordial, d'autant plus que la matrone des lieux vous enjoint de ne rien laisser sur votre plateau. La nourriture, composée de pain de viande, de pommes de terre en purée, de rôti, de salade au poulet et de soupe à l'alphabet, vous est servie dans de grandes assiettes à compartiments, et «maman» apporte des livres à colorier et des crayons aux enfants tout en vérifiant s'ils se sont bien lavé les mains avant de manger. (Gardez-vous bien de mettre vos coudes sur la table et surveillez votre langage, sinon *Mom* risque de vous mettre en pénitence!)

ULYSSE

Sci-Fi Dine-In Theater Restaurant *$$-$$$*
Commissary Lane
Le Sci-Fi Dine-In Theater Restaurant offre un service complet. Ses sandwichs clubs, ses hamburgers et ses fruits de mer sont tout juste passables, mais le décor – qui recrée intérieurement un ciné-parc – vaut à lui seul le détour. Vous y mangerez à bord de «voitures» à la mode d'autrefois et pourrez regarder des extraits de films de science-fiction sur grand écran tout en prenant votre repas. On ne parle pas ici de chefs-d'œuvre cinématographiques, mais de films de série B d'une époque révolue, du genre de *The Attack of the 50 Foot Woman* (*L'attaque de la femme de 15 m*), *The Teenagers from Outer Space* (*Les adolescents extraterrestres*) ou *The Cat Women of the Moon* (*Les femmes-chats de la Lune*)... Vraiment unique en son genre.

Hollywood Brown Derby *$$$*
Hollywood Boulevard
Le réputé restaurant Brown Derby d'Hollywood n'est plus, mais son sosie prospère aux Disney's Hollywood Studios. Le Hollywood Brown Derby arbore des lambris en teck, des lustres et des caricatures de stars qui lui confèrent une élégance feutrée. Au déjeuner et au dîner, le menu propose des pâtes, du veau, des fruits de mer et une salade *cobb* très colorée. Celle-ci, rendue célèbre par le restaurant d'origine, se compose de légumes verts frais garnis de bacon haché, d'avocat, de tomates, de fromage bleu et de dinde. Les portions sont de taille, mais le service est lent et les prix sont élevés. Pour les familles pressées ou soucieuses de leur budget, le Brown Derby ne constitue pas un bon choix.

Disney's Animal Kingdom

À la différence des autres parcs thématiques, le Disney's Animal Kingdom ne fait pas de la restauration une attraction en soi, et les établissements en cause n'ont visiblement pas tout le caractère et l'éclat de ceux du Magic Kingdom ou d'Epcot, par exemple. La nourriture n'est cependant pas mauvaise pour autant – en fait, certains petits cafés offrant des produits de boulangerie s'avèrent exceptionnellement bons.

Flame Tree Barbecue *$*

Sur Discovery Island, il y a fort à parier que vous humerez les effluves émanant du Flame Tree Barbecue avant même de l'apercevoir; son menu odorant de poulet rôti, de côtes levées, de porc et de bœuf grillé constitue d'ailleurs une solution de rechange on ne peut plus savoureuse aux sempiternels hamburgers, d'autant plus que vous pourrez déguster le tout sur une confortable place extérieure au bord de l'eau.

Kusafiri Coffee Shop & Bakery *$*

Si vous n'en avez que pour les sucreries, sachez que vous en trouverez partout dans le parc; parmi les grands favoris, retenez le Kusafiri Coffee Shop & Bakery de l'«Afrique» pour ses pâtisseries fraîches à souhait et son bon café.

Pizzafari *$*

Une fournée n'attend pas l'autre au Pizzafari, situé sur la Discovery Island, où vous pourrez tout aussi bien commander une salade ou un sandwich sur le pouce.

Restaurantosaurus *$-$$*

À DinoLand U.S.A., le Restaurantosaurus, à saveur résolument paléontologique, sert des hamburgers, hot-dogs et autres classiques du genre le midi et le soir. À noter que ce restaurant ne propose plus de petits déjeuners animés par des personnages de Disney comme ce fut longtemps le cas; pour cela, il faut plutôt maintenant se rendre à la Tusker House (voir plus loin).

Tusker House *$$*

Autrefois une cafétéria sans grand intérêt, la Tusker House, située dans le secteur «Afrique», a subi une transformation majeure à la fin de 2007, pour devenir un établissement plus haut de gamme qui propose une formule de type buffet de qualité. On y trouve des stations où sont notamment servis poulet rôti, côtes levées et rôti de porc, ainsi qu'un immense comptoir à salades. À noter que, le matin à l'heure du petit déjeuner ainsi que le midi pour le déjeuner, Donald le canard et ses amis animent les repas.

ULYSSE

Yak & Yeti *$$$*

Situé dans le secteur «Asie», le Yak & Yeti constitue la plus récente addition à la sélection de restaurants du Disney's Animal Kingdom (automne 2007). Il s'agit d'un établissement avec service aux tables, l'un des trois seuls du parc avec le Rainforest Cafe et le Tusker House. On y propose des spécialités de diverses cuisines orientales, depuis la soupe *wonton* jusqu'aux tempuras de crevettes, en passant par les filets de *mahi-mahi*, que l'on accompagnera d'un cocktail exotique ou d'une bière japonaise. Statues de Bouddha, affiches de films, sculptures et tapisseries composent ici un décor élaboré, sur deux étages.

Rainforest Cafe *$$$*

www.rainforestcafe.com

L'un des rares restaurants à service complet de l'Animal Kingdom, le Rainforest Cafe se trouve à proprement parler hors du parc. Vous n'avez d'ailleurs pas à acquitter le droit d'entrée au parc pour y manger (en fait, vous devrez vous faire estampiller la main pour pouvoir retourner dans le parc

Un repas en compagnie d'un *Imagineer*

Chez Disney, on appelle les créatifs qui ont pour tâche de concevoir les attractions, défilés et spectacles des *Imagineers*, une contraction, en anglais, des mots «imagination» et «ingénieur». Si vous souhaitez en savoir plus sur le travail d'un *Imagineer*, sachez qu'il est possible de prendre un repas avec l'un d'eux aux restaurants Hollywood Brown Derby des Disney's Hollywood Studios et Flying Fish Cafe du Disney's Boardwalk.

Lors de ces repas un peu spéciaux, jusqu'à 10 personnes s'installent à la table d'un *Imagineer* et ont tout le loisir de converser avec lui. Une bonne façon d'en apprendre davantage sur le processus créatif et, qui sait, d'obtenir quelques scoops sur les attractions actuellement en développement.

Comptez 61$ pour les adultes, avant taxe et service, le midi (au Hollywood Brown Derby) et 85$ pour le repas du soir (au Flying Fish Cafe). Pour réserver, composez le 407-939-3463.

si vous le quittez pour y prendre votre repas), quoique vous devrez là aussi faire la queue. Ce restaurant de chaîne aménagé sur le thème de la jungle bénéficie en effet d'une extrême popularité et impose souvent une attente d'une heure ou plus. Quant à la nourriture (hamburgers, côtes levées, pépites de poulet), elle n'est pas mauvaise du tout, et les enfants apprécieront à n'en point douter les animaux audio-animatroniques (entre autres l'éléphant qui lance de l'eau avec sa trompe à l'extérieur) et les simulations d'orages périodiques. Cela dit, le service s'avère parfois un peu expéditif.

Downtown Disney

Loin des grands parcs thématiques, Disney offre davantage de restaurants aux visiteurs. Certains d'entre eux attirent une foule moins nombreuse, surtout le midi, à l'heure où les parcs sont bondés, tandis que d'autres ont leurs habitués, ce qui vous oblige à réserver ou à vous présenter à des heures improbables.

Le «centre-ville de Disney World», baptisé Downtown Disney, compte de nombreux établissements répartis dans les secteurs Marketplace, Pleasure Island et West Side.

Earl of Sandwich $

Earl of Sandwich, situé dans le secteur du Marketplace, propose une belle variété de savoureux sandwichs, ainsi que des salades et de délicieux desserts. Vous avez le choix entre la vaste salle à manger et la terrasse. On y sert aussi le petit déjeuner.

Ghirardelli Soda Fountain & Chocolate Shop $

L'irrésistible chocolaterie de San Francisco a pignon sur rue dans le Downtown Disney Marketplace. Pour un immense lait fouetté ou une extravagante glace garnie de sauce au chocolat, c'est ici qu'il faut faire escale.

Pollo Campero $-$$

Plusieurs ont applaudi lorsque l'immense McDonald's du Marketplace a fermé ses portes au printemps 2010. Toutefois, ces mêmes personnes ont probablement déchanté quand ils ont vu une autre chaîne de restauration rapide succéder au roi du hamburger. Ainsi, le Pollo Campero, que l'on présente comme une rôtisserie servant du poulet à la mode latino, n'est en fait rien d'autre qu'un *fast food* bas de gamme où des comptoirs distribuent des portions de poulet rôti ou frit.

ULYSSE

Wolfgang Puck Express $-$$

Au Marketplace, le Wolfgang Puck Express propose une restauration rapide haute en panache. Ce restaurant coloré, émaillé de tables de bistro, brille par ses pizzas cuites au four à bois de même que par diverses spécialités telles que le gaspacho (soupe froide à base de tomates, piments et épices), la salade chinoise, les pommes de terre à l'ail en purée et les sandwichs César au poulet rôti. On trouve un autre Wolfgang Puck Express dans le secteur West Side de Downtown Disney.

AMC Dine-In Theatres $$

Le complexe cinématographique de 24 salles du West Side propose une formule originale baptisée «Fork & Screen», qui permet de manger tout en assistant à la projection du *blockbuster* de l'heure. Menu simple mais varié: ailes de poulet, salades, hamburgers, *quesadillas*, pizzas, steaks, poulet Alfredo.

Cap'n Jack's Restaurant $$

Le Cap'n Jack's Restaurant du Marketplace offre une jolie vue sur le Buena Vista Lagoon. Dans une ambiance détendue, on y sert des fruits de mer, des steaks et des pâtes.

Cookes of Dublin $$

Attenant au Ragland Road Irish Pub and Restaurant, dans le secteur Pleasure Island, le Cookes of Dublin est un comptoir spécialisé dans le traditionnel *fish and chips* (très bon!). On peut s'installer dans la petite salle à manger ou, et c'est là à n'en point douter un meilleur choix, à la terrasse.

Splitsville Luxury Lanes & Dinner Lounge $$

407-938-7467, www.splitsvillelanes.com

Ce vaste établissement du West Side est d'abord un lieu de divertissement où il est possible de jouer aux quilles dans un environnement pour le moins ludique (voir le chapitre «Sorties», p. 291). Mais il s'agit aussi d'un resto-bar animé et bruyant. À l'intérieur, les tables et les banquettes sont réparties sur deux niveaux de manière aléatoire à travers les allées de quilles et les tables de billard. On peut aussi choisir de s'installer à la jolie terrasse à l'étage, avec vue sur l'animation du West Side, ou à celle du rez-de-chaussée. Le menu s'avère pour sa part fort varié: steaks, salades, sandwichs, pizzas et même sushis.

Bongos Cuban Cafe *$$-$$$*
Si vous appréciez les rythmes latins, prenez la direction du Bongos Cuban Cafe de la chanteuse Gloria Estefan, où vous trouverez une cuisine cubaine accompagnée d'une riche musique du Sud. On ne peut manquer, dans le secteur West Side, la chic maison blanche flanquée de colonnes qui abrite ce restaurant.

Crossroads at House of Blues *$$-$$$*
Cet établissement du West Side fait partie de la célèbre chaîne appartenant à Dan Aykroyd, Jim Belushi, John Goodman et certains membres du groupe Aerosmith. On y propose une cuisine «inspirée du delta» (du Mississippi) avec, entre autres, *jambalaya*, étouffée d'écrevisse et pudding au pain maison. Des musiciens animent le repas du soir du jeudi au samedi. Le dimanche matin, on y propose le fameux House of Blues Gospel Brunch, une célébration populaire au cours de laquelle vous entendrez de la musique et des chants gospel en direct.

Paradiso 37 *$$-$$$*
Établissement récent inauguré en mai 2009 sur Pleasure Island, le Paradiso 37 met en lumière les différentes cuisines des pays latino-américains. Bien situé en bordure du lac, l'établissement possède une agréable terrasse, ainsi qu'un bar à tequilas bien garni.

Planet Hollywood *$$-$$$*
S'il est un établissement où tout le monde veut manger, boire, être vu ou simplement s'imprégner de l'air que respirent les vedettes de cinéma, c'est bien le Planet Hollywood, qui fait partie de la chaîne internationale lancée par Bruce Willis, Sylvester Stallone et Arnold Schwarzenegger. D'une immense popularité, files d'attente à l'appui, cette énorme boule bleue flanquée d'un vaisseau spatial se trouve à la limite entre le West Side et Pleasure Island. Quant à la nourriture et à l'atmosphère, elles sont bonnes, et même très bonnes, depuis le décor planétaire éclaté et les clips projetés sur écrans géants jusqu'aux savoureuses portions de poulet, de poisson et de pizzas cuites sur feu de bois. La «planète», qui présente trois étages, est ouverte et remplie de curiosités, telles ces pierres gemmes rutilantes sous le verre des bars, ces tapis à motifs de léopard et ces nappes aux rayures de zèbre, ou encore la Coccinelle et le canot suspendus au plafond, les douzaines d'accessoires de cinéma sous verre accrochés aux murs et les serveuses qui utilisent le micro accroché à leur casque pour appeler l'heureuse tablée suivante.

Rainforest Cafe *$$-$$$*
www.rainforestcafe.com
Le Rainforest Cafe est en quelque sorte une attraction en soi. Campé au pied du volcan actif qui se dresse à l'une des extrémités du Marketplace, cet établissement vous offre aussi bien une aventure qu'un repas puisque, ici, on ne fait pas que manger: on part aussi en safari. Les salles à manger renferment en effet de véritables jungles peuplées d'animaux sauvages, et un orage tropical sévit toutes les 20 min. Créé à des fins de divertissement certes, mais aussi de sensibilisation aux problèmes environnementaux, ce restaurant se veut résolument authentique avec ses brumes tropicales (qui ont cependant un effet désastreux sur les coiffures de ces dames), ses cascades d'eau, ses perroquets à demeure ainsi que sa faune et sa flore tropicales. Y flotte même une exotique odeur de forêt tropicale humide! Au menu, Rasta Pastas (pâtes nappées d'une sauce crémeuse à l'ail et garnies de poulet grillé et d'épinards frais) et Tuscan Chicken (poulet, concombres et olives Kalamata), pour ne mentionner que ces deux plats. Les enfants adoreront les gorilles et les éléphants audio-animatroniques, et que dire de Tracy, l'arbre parlant? Tous les gadgets qu'on retrouve ici en font un restaurant couru, si bien qu'il n'est pas rare d'y faire la queue avant de manger. Réservez votre table ou arrivez tôt, soit avant midi pour le déjeuner, et avant 17h pour le dîner. À noter qu'on y déplore parfois un service quelque peu expéditif.

Raglan Road Irish Pub and Restaurant *$$$*
Situé dans le secteur Pleasure Island, le Ragland Road est un restaurant qui peut aussi devenir un établissement pour faire la fête. Il s'agit en fait d'un pub irlandais où la bière coule à flots, et des musiciens invitent

les convives à chanter et à danser. Brunch le dimanche de 11h à 15h animé par la présence de danseurs irlandais.

T-Rex *$$$*
Ce restaurant thématique du Marketplace, à la limite de Pleasure Island, reprend la formule gagnante du Rainforest Cafe, mais sur le thème des animaux préhistoriques cette fois: décor flamboyant composé de cascades et de geysers, présence de dinosaures audio-animatroniques, menu sur lequel figurent des mets baptisés «Bronto Burger», «Jurassic Salad» ou «Prehistoric Pot Pie».

ULYSSE

Wolfgang Puck Grand Café *$$$-$$$$*
Dans le West Side, le Wolfgang Puck Grand Café, qui porte le nom du chef de réputation mondiale du Spago, met en vedette ses créations californiennes uniques, y compris ses pizzas au four à bois sans égales, mais aussi ses potages et ses plats de résistance à mourir d'envie. On y donne même souvent de la pâte aux enfants pour qu'ils fassent eux-mêmes leur pizza au comptoir des pizzas! Vous avez le choix entre la formule buffet de type cafétéria sur la terrasse ou le service complet à l'intérieur. Cette seconde option permet d'apprécier le beau décor de mosaïques colorées de la salle à manger, bruyante certes, mais dont l'atmosphère enjouée est irrésistible. Si vous le pouvez, choisissez une table vers l'arrière pour jouir de la vue sur le lagon.

ULYSSE

Fulton's Crab House *$$$$*
Si vous voulez manger assis sans avoir à attendre, faites une réservation à la Fulton's Crab House, aménagée à l'intérieur du bateau à aubes amarré en permanence à la limite entre Pleasure Island et le Marketplace. Déjeuner et dîner y sont servis tous les jours. Les fruits de mer sont à l'honneur, mais les vrais carnivores trouveront tout de même du bifteck et du poulet au menu. Quant aux enfants, ils auront le choix entre la pizza, les hamburgers et les hot-dogs.

Portobello *$$$$*
Cette *trattoria* installée dans le secteur Pleasure Island, non loin de la Fulton's Crab House, est sans conteste l'établissement le plus chic des environs. On y propose les classiques de la cuisine italienne dans une ambiance chaleureuse, voire romantique. Belle sélection de vins.

Les complexes hôteliers de Disney

Les hôtels du Walt Disney World Resort renferment de nombreux restaurants, depuis le comptoir de restauration rapide jusqu'à la table gastronomique, en passant par le restaurant thématique où divers personnages sont présents.

Boardwalk Bakery *$*
Disney's BoardWalk Inn, 2101 Epcot Resorts Blvd., 407-939-5100
Flanquée de pittoresques tables de bistro au bord de l'eau, la Boardwalk Bakery est idéale pour faire une pause devant un cappuccino et une danoise ou un muffin démesuré.

Captain Cook's Snack and Ice Cream Company *$*
Disney's Polynesian Resort, 1600 Seas Dr.
Cet établissement dont la formule a récemment été modernisée demeure ouvert 24 heures sur 24. On peut s'y approvisionner en salades, sandwichs, fruits frais et nouilles asiatiques.

Seashore Sweets *$*
Disney's BoardWalk Inn, 2101 Epcot Resorts Blvd., 407-939-5100
Comme tous les lieux de promenade estivaux, le BoardWalk s'avère riche en comptoirs de friandises. Fondant au chocolat maison, bretzels enrobés de chocolat et autres confections garnissent l'étalage de Seashore Sweets, tout à côté de l'ESPN Club.

Contempo Cafe *$-$$*
Disney's Contemporary Resort, 4600 N. World Dr., 407-824-1000
Ce café *high tech* a été inauguré au quatrième niveau du Contemporary Resort à l'automne 2008, non loin du restaurant Chef Mickey's. On y commande son repas à l'aide d'un menu électronique affiché sur écran tactile.

Les casse-croûte situés en bordure des piscines des hôtels de Disney World servent les repas les plus rapides (et souvent les moins chers).

Beaches & Cream Soda Shop $$
Disney's Beach Club Resort, 1700 Epcot Resorts Blvd.
Le Beaches & Cream du Beach Club tient une buvette fantaisiste et colorée où l'on sert de riches coupes glacées et des hamburgers à la mode du Fenway Park (le stade de baseball des Red Sox de Boston).

Boma – Flavors of Africa $$
Disney's Animal Kingdom Lodge, 2901 Osceola Pkwy.
Cet établissement fort apprécié a toutes les allures d'un marché africain. On y propose un buffet hors du commun composé de mets d'à peu près tous les pays du continent africain.

Cape May Café $$
Disney's Beach Club Resort, 1700 Epcot Resorts Blvd.
Ce restaurant, à l'ambiance tout ce qu'il y a de plus décontractée, sert au dîner un impressionnant buffet de fruits de mer au bord de la plage. Le petit déjeuner est quant à lui animé par le chien Goofy et ses amis.

ULYSSE

Chef Mickey's $$
Disney's Contemporary Resort, 4600 N. World Dr.
Voici probablement le restaurant le plus apprécié des familles qui souhaitent que leurs enfants puissent s'approcher de Mickey Mouse en personne. Dans cet immense atrium haut de plus de 27 m, là où glisse le monorail au-dessus des convives, c'est en effet le chef Mickey qui reçoit et propose à ses invités les plats qu'il a mitonnés pour le buffet du petit déjeuner et du repas du soir.

ESPN Club $$
Disney's BoardWalk Inn, 2101 N. Epcot Resorts Dr., Lake Buena Vista
Les sportifs de salon découvriront avec plaisir l'ESPN Club, dont les 90 écrans de télévision diffusent constamment divers événements sportifs. Des athlètes réputés sont parfois sur place les lundis soir de la saison régulière de football américain pour offrir leurs commentaires sur chaque jeu. Vous pouvez prendre place au bar ou dans la salle, qui prend la forme d'un vaste espace octogonal. Quant à la nourriture, délicieuse et abondante, elle n'étonnera pas les habitués des stades: hot-dogs, sandwichs au bifteck, hamburgers, côtes levées, etc.

Grand Floridian Café $$
Disney's Grand Floridian Resort & Spa, 4401 Floridian Way
Les familles apprécient particulièrement le Grand Floridian Café pour son atmosphère décontractée, ses prix raisonnables et ses mets originaux. Dans ces lieux imprégnés de tons de pêche, de vert menthe et de crème, parsemés de tables en marbre et remplis de bruits d'assiettes et de cris d'enfants, on sert du poulet, du porc, du bœuf et des fruits de mer à saveur souvent tropicale. Nous vous recommandons les *quesadillas* au poulet sauce barbecue ainsi que les pâtes Key Largo (au vin blanc et à l'ail).

Trail's End Buffet $$
Disney's Fort Wilderness Resort & Campground, 4510 N. Fort Wilderness Trail, 407-824-2900
Pour un repas terre à terre de type familial, rendez-vous au Trail's End Buffet du Fort Wilderness Campground. Cette construction en rondins arbore des chandeliers en forme de roues de charrette, et l'on y sert à volonté des mets du sud des États-Unis tels que poulet frit, ainsi que des côtes levées cuites sur le gril. Les omelettes et les gaufres offertes au petit déjeuner sont particulièrement bourratives. On trouve aussi au Trail's End Buffet un comptoir à pizzas ouvert de 16h à 22h.

1900 Park Fare $$-$$$
matin et soir; Disney's Grand Floridian Resort & Spa, 4401 Floridian Way
Si vous recherchez un buffet hors du commun, foncez tout droit vers le 1900 Park Fare du Grand Floridian Resort & Spa. Vous y trouverez des tonnes de nourriture, un menu pour enfants et un bel assortiment de desserts. Divers personnages animent le petit déjeuner et le repas du soir.

Big River Grill & Brewing Works $$-$$$
Disney's BoardWalk Inn, 2101 N. Epcot Resorts Dr., Lake Buena Vista
Le Big River Grill & Brewing Works propose de bons vieux plats de pub tels que côtes levées, bretzels chauds à la bière, steak accompagné de crevettes et salade de poulet grillé. Et n'oubliez pas d'essayer certaines ales maison, dont vous pouvez observer la fabrication à travers de larges baies vitrées. Le menu pour enfants, imprimé sur une feuille à colorier (crayons de cire fournis), fera sûrement aussi l'affaire: hamburger

régulier, hamburger au fromage, hot-dog, sandwich au fromage grillé... À l'intérieur, il y a une salle traditionnelle sur la gauche et une autre de type bar, avec chaises et tables hautes, sur la droite. Par temps frais, n'hésitez toutefois pas à vous installer à la terrasse, que l'on chauffe, plutôt qu'à l'intérieur, où sévit en permanence l'air conditionné.

Kona Cafe *$$-$$$*
Disney's Polynesian Resort, 600 Seas Dr., Lake Buena Vista
Si vous aimez les petits déjeuners copieux, rendez-vous au Kona Cafe et commandez du pain Tonga, soit du pain au levain fourré de bananes en crème et revenu dans la friture jusqu'à ce qu'il gonfle, le tout saupoudré de sucre à la cannelle. Ce café sans prétention sert aussi des œufs et des céréales au petit déjeuner, de même que des sandwichs et de grosses salades au déjeuner et au dîner, et propose également un menu pour enfants. Un seul inconvénient : les foules ont découvert cet établissement (et son fabuleux pain Tonga), si bien qu'il est généralement bondé.

Kouzzina by Cat Cora *$$-$$$*
Disney's BoardWalk Resort, 2101 Epcot Resorts Blvd., 407-939-5100
Ce restaurant familial lancé par une vedette de l'art culinaire télévisuel américain (Cat Cora) se trouve dans les locaux autrefois occupés par Spoodles. On y propose des spécialités de cuisine grecque (*kouzzina* signifie «cuisine» en grec) et méditerranéenne, à déguster dans une grande salle d'où l'on peut observer les cuistots.

Olivia's Café *$$-$$$*
Disney's Old Key West Resort, 1510 N. Cove Rd., Lake Buena Vista
Les chaleureuses concoctions familiales de l'Olivia's Café cadrent parfaitement dans le décor de l'Old Key West Resort, qu'il s'agisse du pâté de poulet, de la purée de pommes de terre ou des soupes maison. Il y a même des plats spécialement conçus à l'intention des enfants (mais évitez les hot-dogs).

The Wave... of American Flavors *$$-$$$*
Disney's Contemporary Resort, 4600 N. World Dr., 407-824-1000
The Wave a ouvert ses portes en juin 2008. Il s'agit d'une adresse haut de gamme qui met de l'avant un menu de nouvelle cuisine américaine aux accents biologiques. La carte des vins n'est composée que de bouteilles avec capsule dévissable...

Whispering Canyon Cafe *$$-$$$*
Disney's Wilderness Lodge, 901 Timberline Dr., 407-824-3200
Les grillades au barbecue sont généreuses et servies de façon familiale au Whispering Canyon Cafe. Mieux encore, son personnel vous fera passer un excellent moment.

'Ohana *$$-$$$$*
matin et soir; Disney's Polynesian Resort, 1600 Seas Dr., Lake Buena Vista
Au restaurant 'Ohana du Polynesian Resort, vous vous retrouverez dans une ambiance festive de *luau* polynésien. Fruits de mer, volailles et viandes, tous grillés, y sont servis en brochettes par un personnel en tenue hawaïenne. Le succès du spectacle tient également beaucoup au gril ouvert de 5 m où l'on cuit la nourriture. Repas familiaux à prix fixe avec boissons et desserts à la carte. Assurez-vous d'avoir une faim de loup, car il y a beaucoup à manger. Les personnages Lilo, Stitch, Mickey et Pluto sont présents au petit déjeuner.

Cítricos *$$$*
en soirée seulement; Disney's Grand Floridian Resort & Spa, 4401 Floridian Way
Cet établissement propose un menu relevé de spécialités méditerranéennes de type cuisine du marché. Le choix de vins est fort bon, et le menu en suggère même un pour chaque plat. Belle vue sur le Seven Seas Lagoon.

Garden Grove *$$$*
Walt Disney World Swan, 1500 Epcot Resorts Blvd.
Ce vaste établissement, installé dans une rotonde à très haut plafond, propose un buffet le matin et le soir, et un menu à la carte le midi. La présence de personnages tels que Goofy, Pluto, Rafiki ou Timon tous les soirs, ainsi qu'au petit déjeuner le week-end, rend le Garden Grove très populaire.

Artist Point *$$$-$$$$*
en soirée seulement; Disney's Wilderness Lodge, 901 Timberline Dr., 407-824-3200
L'Artist Point est un restaurant à la mode du «Pacific Northwest», dont les salles à manger imitent le style rustique de celles qu'on retrouve dans les grands parcs nationaux américains. La maison se spécialise dans le gibier et les fruits de mer frais.

ULYSSE

California Grill $$$$

en soirée seulement; Disney's Contemporary Resort, 4600 N. World Dr., Lake Buena Vista

Le California Grill porte Disney World un peu plus loin au-delà de son image de capitale du hot-dog et du hamburger. Situé au 15e étage du Disney's Contemporary Resort, il propose une fraîche cuisine californienne et offre des vues parmi les plus belles du Magic Kingdom. Le raffinement de cet établissement lui confère une image recherchée. Le menu change régulièrement, mais vous pourriez y déguster des mets aussi branchés que les raviolis au fromage de chèvre de Sonoma, accompagnés de champignons shiitakes, ou du tofu grillé sur lit de riz basmati, aux légumes printaniers. Le menu pour enfants (qui va des macaronis au fromage au poulet rôti) est à prix raisonnable, mais l'atmosphère des lieux se prête résolument davantage à une sortie en tête-à-tête. À noter que l'établissement a fermé ses portes pendant quelques mois au début de 2013 afin que puissent y être menés d'importants travaux de rénovation. Allez-y le soir pour admirer le feu d'artifice du Magic Kingdom. Tenue de ville requise.

Flying Fish Cafe $$$$

en soirée seulement; Disney's BoardWalk Inn, 2101 N. Epcot Resorts Dr., Lake Buena Vista

Les fruits de mer sont la spécialité du Flying Fish Cafe, dont l'ambiance est celle d'un «restaurant de jetée» du centre de la côte Atlantique. Ainsi nommé en mémoire de la première voiture d'un manège de montagnes russes d'Atlantic City dans les années 1930, ce restaurant se pare de bleus sombres et d'appliques murales Art déco, sans parler de la grande roue en verre et des montagnes russes d'apparat. Son menu, comparable à celui de son homologue, le California Grill du Disney's Contemporary Resort, comprend un filet de saumon grillé sur feu de chêne de même qu'un bar rayé enrobé de pommes de terre. Les végétariens et les carnivores n'y seront pas en reste non plus. Menu pour enfants de poisson-frites, de bâtonnets de poulet et de hot-dogs. Réservations recommandées.

Jiko – The Cooking Place $$$$

en soirée seulement; Disney's Animal Kingdom Lodge, 2901 Osceola Pkwy., 407-938-3000

Ce très estimé restaurant du Disney's Animal Kingdom Lodge propose steaks, fruits de mer et spécialités végétariennes cuisinés et présentés de manière à évoquer l'Afrique. La décoration de sa vaste salle rappelle d'ailleurs le film d'animation *Le Roi Lion*, et la carte des vins offre un fabuleux choix de crus sud-africains.

Shula's Steak House $$$$

en soirée seulement; Walt Disney World Dolphin, 1200 Epcot Resorts Blvd.

Ce restaurant fait partie de la chaîne mise sur pied par le légendaire ex-entraîneur de l'équipe de football des Dolphins de Miami, Don Shula. Ambiance chic, steaks juteux et bon choix de vins constituent les ingrédients qui en ont fait le succès.

ULYSSE

Todd English's Bluezoo $$$$

en soirée seulement; Walt Disney World Dolphin, 1200 Epcot Resorts Blvd., 407-934-1111

Au premier abord, ce restaurant installé au rez-de-chaussée du Walt Disney World Dolphin a toutes les allures d'une boîte de nuit branchée. C'est qu'il faut traverser son *lounge* au décor contemporain recherché pour se rendre à sa tout aussi magnifique salle à manger, située à l'arrière. Chef vedette présent dans différentes séries de télévision américaines, Todd English s'est d'abord fait connaître grâce à son fameux restaurant Olives, à Boston. Ici, ce sont les poissons et les fruits de mer qui sont à l'honneur : huîtres, tartare de thon, homard du Maine. Réservations recommandées.

ULYSSE

Victoria & Albert's $$$$

en soirée seulement; Disney's Grand Floridian Resort & Spa, 4401 Floridian Way

Étant donné la forte concurrence que se livrent entre eux les hôtels, plusieurs des meilleurs restaurants de la région se trouvent dans les grands complexes d'hébergement. Pour un dîner à son meilleur, avec ou sans les enfants, le Victoria & Albert's propose un repas à six services à prix fixe, servi par des employés vêtus en reines et en rois. Le menu change quotidiennement, mais il contient habituellement du poisson, de la volaille, du veau, du bœuf et de l'agneau, souvent suivis des célèbres desserts soufflés de cet établissement. Pour couronner le tout, on offre aux convives des roses à longue tige. Tenue vestimentaire de mise et réservations requises.

Universal Orlando

Universal Orlando surpasse Disney en ce qui a trait à la qualité de la nourriture. De la restauration rapide à la fine cuisine, les restaurants dépassent ici en effet d'un cran leurs homologues des parcs thématiques en général.

À noter qu'il est possible de se procurer un forfait qui permet, pour un prix fixe, de prendre tous les repas de la journée dans une sélection de restaurants des Universal Studios ou des Universal's Islands of Adventure. Ce forfait a été baptisé **Universal Meal Deal**. Comptez 22$ pour les adultes et 12$ pour les enfants dans le cas de la visite d'un seul parc, ou 26$ par adulte et 13$ par enfant pour un forfait d'un jour dans les deux parcs, avant taxe et service.

Universal Studios

Beverly Hills Boulangerie *$*
Hollywood
Il y a beaucoup d'établissements où vous pouvez vous procurer un repas rapide et économique. C'est par exemple le cas à la Beverly Hills Boulangerie, qui sert des croissants, des pâtisseries et des sandwichs.

Louie's Italian Restaurant *$*
New York
Un des meilleurs établissements où se procurer un repas rapide et satisfaisant est le Louie's Italian Restaurant, qui imite un bistro de la Petite Italie. La pizza, la lasagne et les autres plats de pâtes y sont proposés en libre-service. Pour ceux qui préfèrent manger plus léger, il y a aussi de la soupe minestrone et des salades de pâtes.

ULYSSE

Mel's Drive-In *$*
Hollywood
Peu de familles ne peuvent passer outre sans s'arrêter au Mel's Drive-In. Les enfants adorent ses hamburgers, ses laits fouettés et ses banquettes rouges assorties de juke-box individuels, alors que les parents jouissent de la nostalgie dont s'imprègnent les lieux. Ce restaurant, qu'on dirait tiré du film *American Graffiti*, est placardé de mélodies des années 1950 et 1960 (Elvis, Jerry Lee Lewis, les Beach Boys...), et décoré de néons roses et de métal argenté.

Café La Bamba *$$*
Hollywood
Aménagé dans une jolie maison située de biais avec le Mel's Drive-In, ce café n'ouvre ses portes que quelques matins par semaine *(jeu-sam 9h à 11h)*, le temps d'un petit déjeuner animé par les personnages qui prennent part à l'**Universal's Superstar Parade** (voir p. 204). Les participants bénéficient en prime d'un emplacement spécial d'où observer le défilé, plus tard dans la journée. Réservations requises au 407-224-7554.

Finnegan's Bar and Grill *$$*
New York
On trouve aux Universal Studios un pub irlandais tout ce qu'il y a de plus typique, avec *shepherd's pie* et *fish and chips* au menu, bon choix de bières pression et chanteur pour animer le repas du soir.

Lombard's Seafood Grille *$$*
San Francisco
Si vous recherchez l'élégance, allez faire un tour du côté du Lombard's Seafood Grille. Établissement situé dans un entrepôt en bordure d'un lagon, il comporte des plafonds de planches, et ses tables en teck lustré s'entourent d'arches, d'un aquarium en forme de bulle et de fontaines en cuivre. Des fruits de mer et des poissons, comme le saumon grillé et les beignets de crabe, composent le menu, où figurent également la côte de bœuf, le poulet et les plats destinés aux enfants. Il est possible de réserver un forfait comprenant le dîner au Lombard's et l'accès à un poste d'observation privilégié pour le spectacle nocturne **Universal's Cinematic Spectacular** (voir p. 203).

Universal's Islands of Adventure

Blondie's *$*
Toon Lagoon
Pour un sandwich géant, c'est ici qu'il faut faire halte.

Captain America *$*
Marvel Super Hero Island
De simples hamburgers, salades, frites et rondelles d'oignons composent le menu de cet établissement, mais les reproductions géantes de super-héros de son décor le

rendent irrésistible aux yeux des adolescents et des plus jeunes.

Comic Strip Cafe $
Toon Lagoon
À ce comptoir de restauration rapide, vous aurez le choix entre les traditionnels hamburgers, les morceaux de poisson frit, les pâtes et les mets asiatiques.

Croissant Moon Bakery $
Port of Entry
À la Croissant Moon Bakery, le comptoir de pâtisseries ne manquera pas de vous envoûter; les douceurs de la maison prennent en effet des proportions gargantuesques et s'avèrent tout aussi délectables qu'irrésistibles.

The Burger Digs $
Jurassic Park
Si vous vous sentez l'âme carnivore, sachez que The Burger Digs concocte d'énormes hamburgers et sandwichs à même de satisfaire un appétit de dinosaure.

Circus McGurkus Cafe Stoo-pendous $$
Seuss Landing
Manger sous le «grand chapiteau» du trépidant Circus McGurkus Cafe Stoo-pendous du poulet frit, des spaghettis ou de la pizza fera sans nul doute le bonheur des enfants, tout comme l'atmosphère de cirque rehaussée de «numéros de trapèze» ininterrompus.

Confisco Grille $$
Port of Entry
Le Confisco Grille, un établissement à service complet, propose un menu de pâtes, de grillades et de salades, servies dans une salle remplie d'objets hétéroclites, tandis que les serveurs exploitent à fond le thème des lieux – le nom du restaurant fait référence aux objets «confisqués» aux aventuriers peu méfiants, d'où tout ce que vous voyez sur les murs –, de sorte que vous pouvez vous attendre à être temporairement délesté de certaines de vos possessions!

Three Broomsticks $$
The Wizarding World of Harry Potter
La reconstitution de l'univers d'Harry Potter imposait que l'on reproduise le restaurant Three Broomsticks (Les Trois Balais, pour les lecteurs francophones). *Fish and chips*, *shepherd's pie*, soupes et autres plats de type *comfort food* sont servis dans cette taverne aux allures rustiques. Et vous pourrez accompagner le tout d'une authentique «bièraubeurre»... ou d'une véritable bière pression.

Mythos Restaurant $$$
The Lost Continent
Ce restaurant grec installé dans la section du Lost Continent constitue le meilleur choix du parc pour un bon dîner. Fruits de mer et grillades composent le menu de l'établissement, qui propose en outre un décor spectaculaire de grotte sous-marine et offre une vue saisissante sur le lagon central.

Universal CityWalk

L'Universal CityWalk compte une douzaine de restaurants. Pour réserver une table à l'un ou l'autre de ces établissements, composez le 407-224-3663.

Pastamoré Ristorante & Market $-$$
Si les spécialités italiennes vous intéressent, rendez-vous au Pastamoré, un restaurant où vous pourrez vous attabler sur une place de marché à ciel ouvert ou dans une salle au décor coloré, avec cuisine à aire ouverte permettant d'observer les cuistots. Les pizzas cuites au four à bois sont ici particulièrement appréciées. Au dessert, gardez-vous un peu de place pour un *gelato* et un bon café à l'italienne.

Bob Marley – A Tribute to Freedom $$
Dans cet établissement, c'est bien sûr la musique reggae et la cuisine jamaïquaine qui sont à l'honneur.

Jimmy Buffett's Margaritaville $$
Le chanteur Jimmy Buffett est une grande star en Floride et ailleurs aux États-Unis, et sa chaîne de restos-bars y obtient un franc succès. On y sert des spécialités des Keys floridiennes et des Antilles, et des musiciens animent la soirée avec d'irrésistibles airs caribéens.

Latin Quarter $$
Au Latin Quarter, le riche menu affiche des spécialités inspirées des cuisines de pas moins de 21 pays latino-américains. En soirée, des musiciens sur scène s'assurent que la piste de danse se remplisse rapidement. Agréable terrasse.

NASCAR Sports Grille $$
Les amateurs de course automobile se donnent rendez-vous dans cet établissement consacré à la célèbre série américaine. Au rez-de-chaussée, cette thématique s'avère toutefois quelque peu discrète, mis à part les quelques affiches disséminées çà et là. À l'étage par contre, la présence de voitures et de la reproduction d'un tableau des résultats de course ne laisse plus de doute quant à la vocation des lieux. Au menu: côtes levées, steaks, poulets grillés et autres classiques du genre. S'y trouvent de nombreux écrans pour suivre des événements sportifs divers, dont certains, que vous pouvez contrôler vous-même à l'aide d'une télécommande, sont installés aux tables.

NBA City $$
C'est au basket-ball professionnel que rend hommage ce restaurant qui sert hamburgers, pâtes et pizzas. D'innombrables écrans vidéo présentent les performances des meilleurs joueurs professionnels.

The Bubba Gump Shrimp Co. Restaurant & Market $$
Voici l'endroit tout désigné pour déguster des crevettes apprêtées de mille et une façons ou d'autres fruits de mer, dans une ambiance inspirée du fameux film *Forrest Gump*.

Hard Rock Cafe $$$
L'incontournable Hard Rock Cafe du CityWalk s'enorgueillit d'être le plus vaste maillon de cette célèbre chaîne internationale vouée au culte des idoles du rock-and-roll. Comme d'habitude, l'endroit est autant un musée, avec ses souvenirs de stars exposés partout, qu'un restaurant. Qui plus est, un immense amphithéâtre en forme d'arène romaine où sont présentés des concerts rock avoisine l'établissement.

ULYSSE

Emeril's Restaurant Orlando $$$-$$$$
Outre le fait d'avoir apporté d'indéniables additions aux possibilités de vie nocturne dans la région d'Orlando, le CityWalk a rehaussé le niveau gastronomique local. Entre autres, le chef Emeril Lagasse de La Nouvelle-Orléans y a ouvert son propre restaurant, l'Emeril's Restaurant Orlando. Que vous ayez ou non eu l'occasion de voir ses émissions à la télé, vous ne pourrez qu'être conquis par sa cuisine inspirée du sud des États-Unis, servie dans une élégante salle vitrée.

SeaWorld Orlando

Comme c'est toujours le cas dans les parcs d'attractions, il y a de nombreux comptoirs de restauration rapide un peu partout sur le site de SeaWorld. Bien peu cependant méritent qu'on s'y attarde, à part peut-être ceux aménagés sur le **Waterfront at SeaWorld**. Cependant, dans la foulée de la rénovation du parc menée par ses nouveaux propriétaires, des salles à manger hors du commun se trouvent maintenant aux abords de certaines attractions.

Par ailleurs, sachez que SeaWorld propose un forfait à prix fixe baptisé **All-Day Dining Deal**, qui permet de manger autant qu'on veut dans une sélection de ses restaurants. Il en coûte 33$ pour les adultes et 18$ pour les enfants.

Spice Mill Café $
Le menu de ce resto situé non loin de la Sky Tower n'a rien d'original (hamburgers, sandwichs clubs, salades César), mais sa salle à manger s'avère fort jolie et sa terrasse agréable.

Voyagers Smokehouse $
Ce restaurant a toutes les allures d'une grande cafétéria, mais la nourriture y est d'une qualité très acceptable. On y propose du poulet rôti, des côtes levées, des pizzas et des salades.

Seafire Inn Restaurant $$
Pâtes, *fish and chips*, dinde rôtie, salades et sandwichs s'alignent sur le menu de ce restaurant qui se prolonge d'une belle terrasse au bord du lagon. Situé tout près du pont piétonnier qui permet de franchir le plan d'eau.

Terrace Garden Buffet $$
Situé dans un grand bâtiment devant lequel s'étendent de beaux jardins, le Terrace Garden Buffet permet une pause appréciée par les jours de grandes chaleurs. On y propose un buffet à prix fixe de pâtes et pizzas.

Dine With Shamu $$$
888-800-5447
Un buffet est servi dans une salle attenante au bassin de l'épaulard Shamu, ce qui

permet de l'observer de près et de le voir en interaction avec ses entraîneurs. Il en coûte 29$ par adulte et 19$ par enfant de 3 à 9 ans. Réservations requises. En haute saison seulement.

Sharks Underwater Grill *$$$*
888-800-5447
Installé à l'intérieur de l'attraction Shark Encounter, ce bon restaurant, avec service aux tables, est probablement le plus intéressant de SeaWorld. Vous y déjeunez ou y dînez en compagnie d'une cinquantaine de requins... qui nagent dans un grand bassin situé derrière une épaisse baie vitrée. Steaks, poulet et fruits de mer figurent au menu.

Au-delà des grands parcs

Orlando

Si vous êtes à la recherche d'établissements de type *fast food* ou membres de chaînes familiales à prix économiques, vous en trouverez de nombreux tout au long de l'International Drive. La ville d'Orlando compte par ailleurs plusieurs restaurants de qualité vers lesquels vous pourrez choisir de vous diriger pour un repas un peu plus relevé.

Café Tu Tu Tango *$ $$$*
8625 International Dr., 407-248-2222, www.cafetututango.com
Avec ses airs de loft d'artiste à l'espagnole, ses murs jaunes défraîchis, ses œuvres originales et ses planchers de bois usés, tout comme d'ailleurs ses tables et ses banquettes, le Café Tu Tu Tango propose une nourriture «pour artistes affamés». Filiale des bars à tapas de Miami et d'Atlanta, ce restaurant renferme un bar bruyant, mais convient aussi aux familles. Les enfants peuvent y commander un sandwich au fromage, des spaghettis ou des bâtonnets de poulet, tandis que leurs parents préféreront sans doute les pizzas cuites au four de briques, l'espadon grillé, les *empanadas* au crabe ou les bâtonnets d'alligator, de même que les plats méditerranéens et la nouvelle cuisine servie au compte-gouttes. Le prix varie en fonction du nombre d'amuse-gueule que vous vous offrez.

Dinner theaters

La région d'Orlando et de Kissimmee compte une impressionnante quantité de salles vouées à la présentation de dîners-spectacles thématiques. Ces *dinner theaters*, comme on les appelle, exploitent tous un thème particulier et mettent en vedette chanteurs, danseurs et autres amuseurs qui s'exécutent pendant le dîner. La plupart des établissements se trouvent à Kissimmee, le long de l'Irlo Bronson Memorial Highway (route 192), ou à Orlando, dans le secteur d'International Drive. En ce qui a trait aux prix d'entrée, il faut en général compter entre 40$ et 50$ pour les adultes et autour de 35$ pour les enfants, incluant le repas. Consultez le chapitre «Sorties» du présent guide afin de découvrir certains de ces établissements.

Ming Court *$$*
9188 International Dr., 407-351-9988, www.ming-court.com
On ne peut manquer cet immense restaurant chinois dont l'entrée évoque la queue de 80 m de long d'un dragon. La cuisine y est diversifiée et délicieuse, et les prix sont fort raisonnables.

Numero Uno *$$*
dim fermé; 2499 S. Orange Ave., 407-841-3840, www.numero-uno-restaurant.com
Ce petit resto cubain est l'une des adresses favorites des résidents de la région, qui y vont principalement pour la fameuse paella, spécialité de l'établissement. Cependant, le riz aux haricots noirs et la soupe aux lentilles constituent également de bons choix.

Le Coq au Vin *$$$*
en soirée seulement, lun fermé; 4800 S. Orange Ave., 407-851-6980, www.lecoqauvinrestaurant.com
L'une des bonnes tables d'Orlando, Le Coq au Vin sert une fine cuisine française dans une atmosphère décontractée modelée par un décor sans prétention. Le pâté de foie de poulet s'avère succulent, alors que le canard rôti constitue une valeur sûre. Au dessert, la crème brûlée vous comblera de bonheur.

Christini's $$$$
en soirée seulement; 7600 Dr. Phillips Blvd., 407-345-8770, www.christinis.com
Ce chic restaurant italien, probablement le meilleur des environs, s'est bâti une solide réputation grâce à sa cuisine imaginative. Pâtes fraîches fabriquées sur place et compositions comprenant poissons, fruits de mer ou agneau valent à cette adresse les plus grands éloges. Tenue soignée exigée.

The Capital Grille $$$$
9101 International Dr., 407-370-4392, www.thecapitalgrille.com
Situé non loin du centre de congrès d'Orlando, The Capital Grille accueille les amateurs de grilladerie classique à la new-yorkaise, dont le décor rappelle celui d'un club privé. Il est à noter que les steaks, délicieux, sont servis seuls: tous les mets d'accompagnement doivent être choisis séparément à la carte.

Kissimmee

Tout le long de la route 192, aussi dénommée «Irlo Bronson Memorial Highway», vous trouverez des comptoirs de restauration rapide, des restos familiaux bon marché et plusieurs *dinner theaters*.

Giordano's of Kissimmee $
7866 W. Irlo Bronson Memorial Hwy., 407-397-0044, www.giordanos.com
Ce resto membre de la populaire chaîne Giordano's, créée dans la région de Chicago, constitue un bon choix pour les familles. Tous se régaleront à prix raisonnable en choisissant la spécialité de la maison: la succulente *stuffed pizza* (la pâte même est farcie de garnitures à pizza). Il y a aussi la pizza à pâte mince (*thin crust pizza*), devenue presque aussi célèbre que la *stuffed pizza*. Les chaleureux murs de briques de la salle à manger sont couverts d'affiches, de photos et autres souvenirs qui évoquent la Ville des Vents.

Lake Buena Vista

Pizzeria Uno $$
Crossroads Shopping Center, 12553 State Rd. 535, 407-827-1212, www.unos.com
Vous trouverez de nombreux restaurants familiaux relativement bon marché dans le centre commercial Crossroads, commodément situé tout juste à la sortie de Disney World, non loin de Downtown Disney. Le plus intéressant de ces établissements est Pizzeria Uno, maillon d'une chaîne établie en 1943 à Chicago. On y sert la *deep-dish pizza*, célèbre mets créé dans la Ville des Vents. On prépare cette pizza dans un moule profond qui, à sa sortie du four (après 45 min), libère une pizza de 6 ou 7 cm d'épaisseur qui convient bien aux gros appétits.

Buffet à volonté

Le buffet constitue, pour les familles, une bonne façon d'économiser sur les repas. Bon nombre de restaurants à proximité de Disney World s'en sont d'ailleurs fait une spécialité et vous proposent des festins à volonté à prix modiques ou moyens. La majorité de ces établissements se trouvent le long de la route 192 et d'International Drive.

Le **Golden Corral** *(7702 W. Route 192, Kissimmee, 407-390-9615, www.goldencorral.com)* est un petit restaurant sans prétention servant les trois repas de la journée. Vous pouvez également essayer les chaînes de restaurants suivantes: **Ponderosa Steakhouses** *(5771 W. Irlo Bronson Dr., Kissimmee, 407-397-2100, www.ponderosasteakhouses.com)* et **Olive Garden Italian Restaurant** *(5021 W. Irlo Bronson Hwy., Kissimmee, 407-396-1680, www.olivegarden.com).*

Sorties

La région de Walt Disney World, si riche en attraits touristiques, a aussi beaucoup à proposer en termes de divertissements nocturnes: bars, boîtes de nuit, spectacles, événements sportifs et plus encore.

À Disney World même, c'est vers **Downtown Disney** qu'il faut surtout se tourner. Deux des trois secteurs qui composent le «centre-ville» de Disney World sont en effet consacrés à la vie nocturne: le **West Side**, de conception relativement récente, et **Pleasure Island**, partie plus ancienne, actuellement en cours de transformation.

Du côté d'Universal Orlando, on a toutefois riposté de manière éclatante en créant le secteur **Universal CityWalk**, couvert lui aussi de restaurants, de bars et de salles de spectacle.

En dehors des grands parcs d'attractions, il faut noter l'existence de nombreux dîners-spectacles présentés dans des restaurants qui se transforment dans certains cas en de véritables amphithéâtres (voir l'encadré *Dinner theaters*, p. 285. Vous retrouverez dans le présent chapitre les principales attractions du genre, mais aussi d'autres bars et lieux de rencontre plus modestes.

Magic Kingdom

Les défilés nocturnes constituent le haut fait du *nightlife* version Magic Kingdom. Deux présentations de ce genre coexistent maintenant, mais quelle que soit celle qui sera à l'affiche lors de votre visite, vous êtes assuré de passer un bon moment.

La **SpectroMagic Parade** est composée de 26 spectaculaires chars allégoriques, illuminés de milliers d'ampoules électriques, qui se succèdent dans une sorte de célébration rien de moins que féerique.

Quant à la **Main Street Electrical Parade**, son concept est très proche, mais en plus coloré encore. Chacun de ses chars thématiques illuminés compose un éblouissant tableau qui évoque un film d'animation classique de Disney.

Présenté tous les soirs (horaire variable en fonction des saisons), le défilé de nuit est suivi d'un grandiose feu d'artifice intitulé **Wishes** au-dessus du château de Cendrillon.

Du début du mois de juin jusqu'à la mi-août, tout le monde est invité à aller s'éclater devant le Rockettower Plaza Stage du secteur Tomorrowland entre 18h et 23h, alors que se tient le **Club 626 Dance Party**. Les personnages Stitch, Pluto, Goofy et les tamias Chip et Dale, ainsi qu'un disque-jockey animateur, invitent alors la foule à danser, transformant les environs en une sorte de discothèque familiale à ciel ouvert. À noter que cette présentation peut également être programmée en d'autres périodes de l'année et même, en période de grande affluence, tout au long de la journée.

Epcot

Vous devez absolument voir **IllumiNations: Reflections of Earth** d'Epcot, car cette grande finale nocturne pourrait très bien être le clou de votre séjour à Disney. Présenté tous les soirs (horaire variable en fonction des saisons) au-dessus du lagon du World Showcase, ce spectacle s'impose comme une éblouissante symphonie de fontaines multicolores, de musique émouvante et de projections laser décrivant des arabesques dans un ciel d'encre (Epcot éteint alors tous ses feux). IllumiNations va en effet beaucoup plus loin qu'un simple spectacle laser, créant des images d'une netteté renversante aussi bien à travers les jets d'eau des fontaines que sur le globe du Spaceship Earth ou les pavillons internationaux du World Showcase.

Considéré comme le plus grandiose et le plus perfectionné des spectacles laser au monde, IllumiNations utilise deux sortes de lasers: celui à l'argon pour le vert et le bleu, et celui au krypton pour le rouge. Certains des projecteurs sont juchés sur le toit des pavillons du World Showcase, tandis que d'autres sont montés sur une barge de 45 t se trouvant dans le lagon. La finale pyrotechnique de ce spectacle fait éclater quelque 650 fusées en l'espace de 6 min, soit près de deux par seconde!

Situé au bord de l'eau, le **Rose & Crown Pub** du pavillon du Royaume-Uni, à Epcot, est un établissement de choix pour prendre une bière. Son atmosphère s'avère chaleureuse et animée, et son magnifique décor de bois de chêne poli, de vitraux et de laiton le rend encore plus charmant. Que ce soit l'après-midi ou le soir, on y trouve toujours une foule joyeuse.

Au pavillon de l'Allemagne d'Epcot, le **Biergarten** vous offre de passer un bon moment dans une atmosphère de café bavarois. Un orchestre accompagné de iodleurs assure l'animation. Juste devant, le bar-terrasse Sommerfest propose bières, vins et schnaps.

La sympathique **Cava del Tequila** donne sur la place faussement extérieure située en fait dans l'enceinte du pavillon du Mexique. Vous trouverez ce bar sur la droite en entrant dans la partie principale du pavillon.

Au pavillon de l'Italie, le Tutto Gusto Wine Cellar propose des dégustations de vins italiens, de grappas et de cafés-cocktails, ainsi qu'un menu de mets en petites portions, genre tapas.

Des spectacles de natures diverses sont présentés à l'America Gardens Theatre, un amphithéâtre extérieur aménagé en bordure du lagon central, devant le pavillon des États-Unis.

Disney's Hollywood Studios

C'est dans un amphithéâtre à ciel ouvert pouvant accueillir au-delà de 6 500 personnes qu'est présenté **Fantasmic!**, qu'il ne faut manquer sous aucun prétexte (horaire variable; en-dehors des périodes de pointe, le spectacle n'est plus à l'affiche tous les soirs). Au cours de ce spectacle, Mickey lui-même doit combattre à lui seul tous les vilains des films d'animation de Disney. Effets pyrotechniques, flammes et jets d'eau sur lesquels sont projetés des extraits des dessins animés sont mis à contribution afin de créer un spectacle haut en couleur dont vous vous souviendrez longtemps. À noter qu'il faut prévoir arriver très tôt, soit quelque 2h avant la représentation, pour avoir de bonnes places.

Disney's Animal Kingdom

Le Disney's Animal Kingdom n'est pas réputé pour ses folles nuits. Aucun spectacle pyrotechnique ou autre n'anime en effet les soirées à l'intérieur des limites de ce parc, pour ne pas perturber indûment le rythme de vie des nombreux animaux présents.

Ceux qui le souhaitent peuvent toutefois prendre un verre au bar du **Rainforest Cafe**, situé tout juste à l'entrée du parc (on peut d'ailleurs y accéder sans avoir à défrayer le prix d'entrée au Disney's Animal Kingdom). Il y a aussi le **Dawa Bar**, attenant au Tusker House Restaurant dans le secteur de l'«Afrique», où l'on peut s'installer à une terrasse avec vue sur la Discovery River pour déguster une bière de microbrasserie ou un cocktail sur fond de musique africaine.

Un dîner-spectacle Fantasmic!

Obtenir une bonne place pour le spectacle **Fantasmic!**, présenté en soirée aux Disney's Hollywood Studios, peut s'avérer une véritable corvée. En haute saison, les gens commencent en effet à faire la file jusqu'à 2h avant le début de la représentation! Épargnez-vous donc cette torture en prenant un forfait dîner-spectacle; vous pourrez ainsi manger au Mama Melrose's Ristorante Italiano, au Hollywood Brown Derby ou au Hollywood & Vine, et obtenir un coupon vous assurant une place dans l'enceinte. Le piège : vous devrez fort probablement dîner en fin d'après-midi (plutôt que le soir), ce qui n'est sans doute pas plus mal si vous voyagez avec des enfants. Il est possible de réserver jusqu'à 180 jours à l'avance son **Fantasmic! Dining Package** sur le site Internet de Disney World *(www.disneyworld.com)* ou par téléphone au 407-939-3463.

Downtown Disney

Pleasure Island

Autrefois LE lieu de divertissement pour les noctambules à Disney World, Pleasure Island est aujourd'hui en pleine redéfinition, et ce, depuis que Disney a décidé de fermer les portes de toutes les boîtes de nuit qui s'y trouvaient à l'automne 2008. De nouveaux restaurants et bars y verront peu à peu le jour, à mesure que le secteur se transformera.

Pour l'heure toutefois, bien peu de nouveaux établissements y sont apparus. Il y a bien le **Raglan Road**, un pub irlandais typique qui propose, comme il se doit, un bon choix de bières et où des musiciens se produisent le soir venu.

Il convient aussi de mentionner le bar à tequilas du **Paradiso 37**, un tout nouveau restaurant qui sert des spécialités des différents pays des trois Amériques et qu'on a agréablement aménagé au bord de l'eau. On peut s'y offrir l'une des 37 variétés de tequilas proposées, dans une salle ou en terrasse.

Non loin de là, notons aussi le **Fuego by Sosa Cigars**, un *cigar bar* où l'on peut aussi siroter un verre de vin.

Pour le reste, des spectacles de rue et des stands qui vendent bières et alcools contribuent à créer une certaine animation dans le secteur une fois le soleil couché. Mais force est d'admettre que Pleasure Island, pour l'instant à tout le moins, ne joue plus qu'un rôle de zone de transition entre les secteurs West Side et Marketplace de Downtown Disney.

West Side

Les possibilités de divertissements nocturnes semblent s'être multipliées à l'infini depuis l'ouverture de la chic zone de West Side. Sous les spots et les néons, cette portion du Downtown Disney fait en effet naître nombre de restaurants et bars à la mode, dont plusieurs présentent des spectacles sur scène.

Vous pourriez vous contenter de prendre un verre au **Planet Hollywood**, mais ce n'est pas le cas de la majorité des gens. Vous trouverez certes à l'intérieur de cette énorme boule bleue, incarnant tout le kitsch d'Hollywood, plusieurs bars bondés, mais aussi des centaines de tables où l'on déjeune et dîne, sans parler des repas de fin de soirée. Il y a presque tous les soirs une file d'attente d'au moins une heure pour prendre un simple verre; si vous comptez vous y attabler, ajoutez une bonne demi-heure!

Par ailleurs, vous entendrez des rythmes latins au **Bongos Cuban Cafe** de la chanteuse Gloria Estefan et du blues (sept jours sur sept) à la **House of Blues** de Dan Aykroyd, Jim Belushi, John Goodman et certains membres du groupe Aerosmith.

Pour quelque chose de complètement différent, procurez-vous un billet pour assister au spectacle ***La Nouba*** du **Cirque du Soleil** *(407-939-1298 ou 407-939-7600)*, cette réputée troupe québécoise de comédiens et d'acrobates ayant érigé un chapiteau permanent dans le West Side. La prestation vaut sans nul doute le détour, mais, en raison du prix des billets (de 73$ à 128$ pour les adultes selon l'emplacement des sièges), vous y penserez probablement à deux fois avant d'emmener toute la famille.

Les amateurs de cinéma apprécieront pour leur part le gigantesque **AMC Theater**, ses 24 salles et ses quelque 6 000 places (dont beaucoup en gradins), ce qui en fait le plus vaste complexe du genre en Floride. On y a même lancé le concept du *dine-in theatre*, qui permet de combiner repas et séance de cinéma (voir AMC Dine-In Theatres dans le chapitre «Restaurants», p. 276).

Vous connaissez les moindres courbes et pentes des montagnes russes de Disney? Eh bien, pourquoi ne pas concevoir les vôtres, pour ensuite les essayer? **DisneyQuest** vous offre en effet un lieu de divertissement virtuel de quelque 10 000 m² où vous pourrez dévaler des rapides, flotter sur un tapis volant et créer de toutes pièces les montagnes russes de vos rêves sans avoir à quitter la pièce. Et il ne s'agit pas que d'un terrain de jeu pour adultes; les jeunes génies de l'informatique adoreront eux-mêmes y faire valoir leurs prouesses, et peut-être même en remontrer à maman et à papa. Les quatre zones (Explore, Score, Create et Replay) de DisneyQuest ne sont limitées que par votre imagination... et votre portefeuille, puisque les prix se révèlent à la mesure des véritables parcs thématiques (jeux illimités pour environ 46$).

L'ouverture du **Splitsville Luxury Lanes & Dinner Lounge** *(407-938-7467, www.splitsvillelanes.com)* dans le secteur West Side en décembre 2012 a amené de nouvelles possibilités de divertissement à Downtown Disney. Aménagé sur deux étages dans l'ancien Virgin Mega Store, ce vaste établissement est à la fois un salon de quilles à l'ambiance rétro comptant 30 allées, un bar et un resto agrémenté de nombreux écrans qui diffusent clips musicaux ou événements sportifs. La tarification pour jouer aux quilles (grosses boules) fluctue en fonction de la période choisie: 15$ par personne en semaine entre 10h et 16h, 20$ après 16h, ainsi que toute la journée le samedi et le dimanche. Ces prix incluent la location de souliers et s'appliquent pour une durée qui varie selon le nombre de joueurs: 1h pour une à trois personnes, 1h15 pour les groupes de quatre personnes, 1h30 pour cinq personnes et 1h45 pour six à huit joueurs.

Les complexes hôteliers de Disney

Chaque soir, le calme et sombre Seven Seas Lagoon s'électrifie. Comme sous l'effet d'une force mystérieuse, les eaux prennent soudain vie durant l'**Electrical Water Pageant**. Cette caravane longue de 300 m fait apparaître des milliers d'ampoules minuscules assemblées de manière à former diverses créatures marines qui, en se déplaçant sur le lagon, s'y reflètent et semblent y nager.

Vous pouvez voir ce splendide spectacle à partir du Polynesian Resort, du Grand Floridian Resort & Spa, du Contemporary Resort, du Fort Wilderness Resort et de devant l'entrée du Magic Kingdom. Le défilé débute habituellement à 21h. Si vous ne logez dans aucun des lieux d'hébergement mentionnés ci-dessus, rendez-vous à n'importe lequel d'entre eux par monorail ou par autobus Disney. Le belvédère qui se trouve en bordure du lac du Grand Floridian Resort & Spa offre une vue particulièrement impressionnante sur ce spectacle.

Le **Spirit of Aloha** *(adultes 59$ à 68$, enfants 30$ à 35$; Polynesian Resort, 1600 Seas Dr., Lake Buena Vista)* est un spectacle qui attire aussi bien les adultes que les enfants dans un décor extérieur des mers du Sud. Dans cette revue, des danseuses du ventre, des jongleurs de torches enflammées et les personnages du film d'animation *Lilo et Stitch* divertissent une foule se régalant de grillades.

De toutes les activités offertes à Walt Disney World, bien peu suscitent autant d'intérêt auprès des familles que le **Fort Wilderness Campfire**. Ce rassemblement à l'ancienne, accessible aux seuls clients des complexes d'hébergement de Disney, a lieu chaque soir devant un poste de traite en rondins caché dans une pinède. Il s'agit d'un événement populaire, avec guimauves grillées et chansons à répondre bien connues des campeurs. Quant aux enfants, ils sautent de joie lorsqu'ils voient apparaître les tamias Tic et Tac à l'affût de biscuits aux pépites de chocolat (apportez-en une poignée). Pour terminer cette soirée en beauté, un film de Disney est présenté en version intégrale sur un écran extérieur.

Dans la **Hoop-Dee-Doo Musical Revue** *(Fort Wilderness Resort)*, les Pioneer Hall Players vous proposent une comédie western à l'ancienne tandis que vous dégustez des plats de circonstance. Il s'agit, et de loin, de la revue la plus courue de Disney (il faut parfois des mois pour obtenir une place), mais aussi, il faut bien l'avouer, d'une des moins divertissantes. Les danses et les chants sont quelconques, et les blagues souvent sans saveur. Pis encore, les billets se vendent au prix fort (compter entre 59$ et 68$ pour les adultes, et entre 30$ et 35$ pour les enfants).

Une seconde revue musicale est présentée de façon saisonnière à Fort Wilderness: le **Mickey's Backyard Barbecue**. Des musiciens et chanteurs country initient les spectateurs aux rudiments de la danse en ligne, et plusieurs personnages de Disney font leur apparition tout au long du repas. Comptez 55$ pour les adultes et 32$ pour les enfants.

Le **BoardWalk**, près duquel se trouvent plusieurs hôtels (Disney's BoardWalk Resort, Disney's Yacht and Beach Club Resorts, Walt Disney World Swan et Walt Disney World Dolphin), est un secteur comprenant restaurants, bars et boîtes de nuit, développé sur le thème des promenades de bord de mer classiques de la côte Atlantique dans les années 1930. Ainsi, des soirées dansantes se tiennent à compter de 21h du mardi au samedi soir à l'**Atlantic Dance Hall**. À noter que les personnes âgées de moins de 21 ans doivent être accompagnées d'un adulte.

Non loin de là, toujours sur le BoardWalk, un duo de pianistes se produit chaque soir au **Jerryrolls**, où vous pouvez siroter un cocktail tout en appréciant les prestations de deux musiciens de talent à la verve intarissable. La foule est d'ailleurs toujours enchantée, au point même d'entonner spontanément les succès joués par nos deux virtuoses.

Les amateurs de sport trouveront quant à eux leur bonheur devant une bonne bière, des bretzels chauds et les 80 écrans de télévision de l'**ESPN Club**. Lors des événements sportifs importants, les hôtes de la boîte commentent parfois les rencontres. Menu complet au bar et dans la salle à manger.

Toujours sur le BoardWalk, vous pouvez aussi choisir de goûter à l'une des bières brassées au **Big River Grille & Brewing Works**.

Au rez-de-chaussée du Walt Disney World Dolphin, le *lounge* du restaurant Todd English's Bluezoo vaut le détour. Décor contemporain recherché, ambiance feutrée, sièges et banquettes confortables, grands choix de cocktails, hôtesses et barmaids en robes moulantes… À se demander si l'on est toujours à Disney World.

La boîte de nuit **Rix Lounge** a ouvert ses portes à la fin 2007 au Disney's Coronado Springs Resort. Ce vaste espace au décor feutré et coloré propose musique, tapas, cocktails et spectacles occasionnels. Sans doute un des établissements les plus branchés de Disney World à l'heure actuelle.

Universal Orlando

Universal Studios

Les soirées aux Universal Studios sont illuminées par le spectacle **Universal's Cinematic Spectacular – 100 Years of Movie Memories**, qui combine effets pyrotechniques, musique et projection de séquences cinématographiques sur de grands jets d'eau propulsés à la surface du lagon central. Horaire variable.

Si la lutte professionnelle vous intéresse, sachez qu'il est possible d'assister à l'enregistrement de l'émission de télévision **IMPACT WRESTLING** plusieurs fois par mois aux Universal Studios. Le public est invité à assister à ces enregistrements au studio Sound Stage 21. Il est possible de réserver des places au Studio Audience Center, situé à l'intérieur du parc, sur la droite non loin de l'entrée, ou encore sur le site Internet *www.universalorlando.com*.

Universal CityWalk

Afin de concurrencer Downtown Disney, Universal Orlando a développé son **CityWalk** *(407-363-8000)*, un regroupement de bars, restos et boîtes de nuit. L'atmosphère est ici on ne peut plus festive et la qualité des établissements assez remarquable, de quoi bien s'amuser jusqu'à 2h du matin. À noter qu'un laissez-passer, le *Party Pass*, donne accès à toutes les boîtes et coûte 11,99$.

Hard Rock Live
Attenant au Hard Rock Cafe local, cet amphithéâtre en forme de Colisée compte plus de 3 000 places. Des vedettes rock s'y donnent régulièrement en spectacle.

Blue Man Group
La troupe des étranges hommes peints en bleu s'est installée à demeure dans le Sharp Aquos Theatre, situé à deux pas de l'entrée du parc thématique Universal Studios. Chansons, comédie et multimédia sont à l'honneur dans ce spectacle unique en son genre. Le prix des places pour assister à ce spectacle débute à 69$.

CityWalk's Rising Star
Addition récente à la collection de boîtes de nuit de CityWalk, ce bar de karaoké vous

offre l'occasion de faire valoir vos talents de chanteur.

Bob Marley – A Tribute to Freedom
Du côté de chez Bob Marley, on se doute bien que la musique reggae régnera toute la soirée, à la belle étoile.

The Groove
Une discothèque où l'on peut s'éclater sur une piste de danse jusqu'à épuisement? Il en existe une à CityWalk: The Groove.

Hollywood Drive-In Golf
Inauguré au début de 2012, ce minigolf constitué de deux parcours de 18 trous des plus ludiques s'inspire, dans son aménagement comme dans ses nombreux éléments interactifs, des films d'horreur et de science-fiction de série B des années 1950.

Jimmy Buffett's Margaritaville
Des musiciens se produisent tous les soirs dans ce resto-bar, propriété du chanteur Jimmy Buffett, pour le plus grand plaisir des visiteurs friands de musique folk-rock, blues et funk.

Pat O'Brien's
Un piano-bar comme on en trouve dans le Vieux Carré français (French Quarter) de La Nouvelle-Orléans, voilà ce que propose le Pat O'Brien's.

Red Coconut Club
Cette boîte de nuit de CityWalk prend l'allure d'un *superclub*. On y va pour les martinis, la musique, et pour y faire des rencontres à l'un de ses nombreux bars.

Latin Quarter
Resto-bar où la danse et les musiques de 21 pays latino-américains sont à l'honneur.

NASCAR Sports Grille
Resto-bar sur le thème de la course automobile.

NBA City
Bar sportif tablant sur la popularité des stars professionnelles du basket-ball.

AMC Universal Cineplex
Ce complexe cinématographique compte 20 salles où sont projetées les superproductions hollywoodiennes de l'heure.

SeaWorld Orlando

Le soir venu, le Shamu Stadium se transforme en amphithéâtre rock. Au cours d'un spectacle intitulé **Shamu Rocks**, l'épaulard-vedette et ses comparses effectuent leurs pirouettes habituelles, mais sur des airs endiablés joués par des musiciens présents sur scène. À noter que ce spectacle n'est présenté que de façon saisonnière.

La présentation pyrotechnique **Reflections Fireworks and Fountain Spectacular** termine habituellement la soirée en beauté à SeaWorld. Ce spectacle de feux d'artifice et d'eaux dansantes peut être admiré depuis le Bayside Stadium ou d'autres points d'observation aux abords du lagon central. Ce spectacle n'est présenté que de façon saisonnière.

Au-delà des grands parcs

Orlando

› Bars et boîtes de nuit

Les amateurs de blues ont accueilli avec ravissement l'ouverture du **B.B. King's Blues Club** *(9101 International Dr., 407-370-4550, www.bbkingclubs.com)*, un resto-bar où l'on sert des spécialités culinaires du sud des États-Unis et où des musiciens se produisent chaque soir. Il y a peu de chance que vous tombiez sur la légende du blues en personne, mais la musique s'avère en général tout de même fort bonne.

The Imperial Wine Bar & Beer Garden *(1800 N. Orange Ave., 407-228-4992, www.theimperialwinebar.com)* est un établissement sans prétention où l'on propose une sélection de quelque 40 bières artisanales et 45 vins dont plusieurs disponibles au verre.

› Dîners-spectacles

Le **Pirate's Dinner Adventure** *(6400 Carrier Dr., 407-248-0590, www.piratesdinneradventure.com)* propose une aventure en haute mer avec des pirates qui livrent des combats à l'épée et au mousquet.

› Spectacles et concerts

Le **Bob Carr Performing Arts Center** *(401 W. Livingston St., 407-849-2577, www.orlandovenues.net)* est la plus importante salle de la ville. Comédies musicales de Broadway, concerts de l'**Orlando Philharmonic Orchestra** *(407-896-6700, www.orlandophil.org)*, représentations de l'**Orlando Ballet** *(407-426-1733, www.orlandoballet.org)* et variétés y sont présentés.

En plus des matchs de basketball de l'Orlando Magic (voir ci-dessous), des spectacles rock et pop sont à l'affiche à l'**Amway Center** *(400 W. Church St., 407-440-7000, www.amwaycenter.com)*.

Le **Walt Disney Amphitheater** *(195 N. Rosalind Ave., 407-246-2827)*, un amphithéâtre extérieur, se trouve au cœur du Lake Eola Park. On y propose divers événements tout au long de l'année, dont un festival shakespearien du mois de mars au mois de mai.

› Sports professionnels

Baseball

Orlando ne possède pas de franchise professionnelle de baseball. Par contre, plusieurs équipes professionnelles tiennent leur camp d'entraînement printanier dans les environs au mois de mars. Outre les **Braves d'Atlanta**, qui jouent leurs matchs pré-saison à l'ESPN Wide World of Sports Complex de Disney World, il y a les **Astros de Houston** qui disputent leurs rencontres préparatoires à l'**Osceola County Stadium** *(631 Heritage Park Way, www.osceolastadium.com)*.

Basketball

L'**Orlando Magic** représente la ville au sein du circuit professionnel de la National Basketball Association. La saison régulière s'étend d'octobre à avril, et les matchs locaux ont lieu à l'**Amway Center** *(400 W. Church St., 407-440-7000, www.orlandomagic.com)*. Cet amphithéâtre construit au coût de 380 millions de dollars a été inauguré en octobre 2010, remplaçant ainsi l'Amway Arena à titre de demeure officielle du Magic. On ne peut manquer son impressionnante silhouette visible de l'autoroute 4.

Football

Le **Florida Citrus Bowl** *(One Citrus Bowl, 407-423-2476, www.fcsports.com)* est le stade de football américain d'Orlando. Aucune équipe professionnelle ne représente la ville, mais des matchs annuels de football collégial, comme le Capital One Bowl (1er janvier), sont présentés dans ce stade qui peut accueillir quelque 70 000 spectateurs.

Kissimmee

› Dîners-spectacles

Le dîner-spectacle de l'**Arabian Nights** *(3081 Arabian Nights Blvd., 407-239-9223, www.arabian-nights.com)* présente des courses de chars, une chorégraphie de chevaux arabes et des démonstrations de lippizans blancs.

Le **Medieval Times Dinner & Tournament** *(4510 W. Irlo Bronson Memorial Hwy., 866-543-9637, www.medievaltimes.com)* innove à sa façon en vous transportant au Moyen Âge. Vous pouvez y manger du gibier avec vos doigts tout en assistant à une joute à laquelle prennent part des chevaliers protégés par leurs armures. Un classique du genre.

La comédie musicale du **Capone's Dinner & Show** *(4740 W. Irlo Bronson Memorial Hwy., 800-220-8428, www.alcapones.com)* vous ramènera à l'époque des gangsters des années 1920.

Achats

Aussi bien à Walt Disney World qu'à l'extérieur de ses murs, vous aurez facilement l'occasion de dépenser vos dollars en achats de toutes sortes. Au Magic Kingdom, à Epcot et aux Disney's Hollywood Studios notamment, ce sont des boutiques fantaisistes qui ajoutent à l'atmosphère de rêve de ces lieux.

Certains commerces proposent également tout ce qui peut avoir trait à Disney, que ce soit des sous-vêtements ou des écrans protecteurs contre le soleil à l'effigie de Mickey, ou encore des accessoires de cuisine à l'effigie de Donald. On peut facilement passer des heures (et dépenser des centaines de dollars) dans les boutiques de Disney, mais ne vous laissez pas prendre au piège, sans quoi vous perdrez un temps considérable que vous feriez mieux d'utiliser pour visiter le site. Sauf si vous ne pouvez vous empêcher d'acheter tout ce que vous voyez, gardez donc votre argent pour les centres commerciaux. Retenez cependant que certaines boutiques, parmi les meilleures, sont si originales qu'elles méritent d'être visitées au même titre que des attractions à part entière.

Le service Disney's PhotoPass

Un peu partout dans les parcs thématiques de Disney World, des photographes sont à l'œuvre pour vous aider à immortaliser votre séjour. Si vous donnez votre accord pour qu'ils prennent votre portrait à la suite de leur souriante sollicitation (ils ne poussent jamais trop la vente, d'ailleurs), ils réaliseront pour vous des clichés d'une qualité la plupart du temps remarquable.

Ils vous remettront alors une carte appelée Disney's PhotoPass, qui vous permettra de visionner ces photographies en basse résolution sur le site *www.disneyphotopass.com*. Vous pourrez aussi, si vous le souhaitez, commander sur ce site des impressions en haute résolution, ainsi que des albums et autres souvenirs mettant en valeur ces photos.

Magic Kingdom

Les commerces de Main Street, U.S.A. contribuent à créer une atmosphère de charmante petite ville américaine. L'odorante **Main Street Market House** propose entre autres des herbes séchées, des thés et des emporte-pièces en forme de Mickey. Quant à la **Main Street Confectionery**, il s'agit d'une confiserie à l'ancienne aux rayons éclairés et chargés de chocolats et de pâte brisée aux arachides.

Pour un souvenir Disney (peluches à l'effigie des personnages, t-shirts, casquettes ou autres), l'**Emporium** de Main Street, U.S.A. est l'endroit où s'arrêter.

Dans le Main Street Cinema, bien qu'un écran diffuse toujours des dessins animés classiques de Disney, vous trouverez plutôt la boutique **The Art of Disney**, qui propose des reproductions limitées de dessins originaux des films de Disney, ainsi que de belles figurines de porcelaine à l'effigie de vos personnages favoris.

Non loin de là, la splendide boutique **Crystal Arts** déborde de personnages, de châteaux et de carrosses de Cendrillon en verre soufflé et en cristal. Des artisans travaillent le verre tout au long de la journée afin de faire apprécier leur art aux visiteurs.

Près de l'entrée du parc, vous pouvez par ailleurs vous arrêter au **Town Square Exposition Hall**, qui abrite un magasin de photos.

Le **Frontier Trading Post**, dans le secteur Frontierland, se surpasse lorsqu'il s'agit d'idées-cadeaux et d'articles de cuir d'inspiration western ou mexicaine.

Une des plus intéressantes boutiques du Magic Kingdom est le **Yankee Trader** de Liberty Square. Tel un authentique magasin général de la Nouvelle-Angleterre, il déborde de confitures et de gelées, de beaux meubles campagnards et de gadgets de cuisine plus géniaux les uns que les autres.

Tomorrowland ne possède pas beaucoup de boutiques intéressantes. Si vous tenez à y dénicher quelque chose, rendez-vous chez **Merchant of Venus** pour ses idées-cadeaux «futuristes», ou au **Mickey's Star Traders**, qui offre une impressionnante sélection de souvenirs Disney.

Une très jolie boutique est à signaler dans le New Fantasyland: **Bonjour! Village Gifts**. Elle donne sur la place ornée d'une fontaine à la gloire du détestable Gaston dans le Village de Belle, et déborde de vaisselle, de coupes et de verres à l'effigie de la Belle et la Bête.

Finalement, dans le château de Cendrillon ne subsiste plus que **The Bibbidi Bobbidi Boutique**, qui, sur rendez-vous *(407-939-7895)*, transforme les petites filles en princesses.

Epcot

Le Future World d'Epcot recèle quelques commerces originaux. Ainsi, aux environs des pavillons Innoventions, vous trouverez la délicieuse boutique **The Art of Disney**, qui propose des reproductions d'images tirées de films d'animation, de même que de jolies porcelaines à l'effigie des personnages. Cher, mais de qualité.

Non loin de là, **Mouse Gear** est une immense (vraiment immense!) boutique de souvenirs Disney.

Les boutiques du World Showcase font par contre partie intégrante de l'expérience culturelle d'Epcot. Chaque pavillon abrite des denrées et des objets représentatifs du pays hôte, et expose bien souvent des œuvres d'artistes et artisans de passage. L'architecture des boutiques rappelle en général les traits propres à chaque culture et méritent que vous les observiez de plus près.

Conçue tel un square de petite ville le soir, la **Plaza de Los Amigos** *(Mexique)* prend des allures de marché animé où s'entassent paniers, poteries, *piñatas*, objets en papier mâché et autres produits du Mexique.

Au Moyen Âge, les paysans scandinaves peignaient leurs vieux meubles pour leur redonner vie. Le **Puffin's Roost** de la Norvège reprend cette tradition en faisant appel à une technique utilisant des motifs floraux et diverses inscriptions. De plus, cette boutique aux plafonds et aux sols également peints de façon ravissante étale des souvenirs norvégiens en bois et en étain.

La **House of Good Fortune** de la Chine s'impose comme une galerie somptueuse de tapisseries de soie, de coffrets sculptés, de bijoux, de robes et d'autres trésors asiatiques. Pour les enfants, on y trouve en outre des pandas en peluche.

Le pavillon de l'Allemagne compte de nombreuses boutiques, incluant la toute récente **Karamell-Küche**, installée dans l'espace autrefois occupé par Glas und Porzellan. Son nom signifiant «cuisine caramel» en allemand, on comprend rapidement qu'on y dénichera d'innombrables friandises caramélisées faites maison. **Der Teddybar** est quant à lui rempli à craquer de coffres bondés de

Service de collecte des paquets

Si vous êtes amateur de t-shirts de Mickey, de casquettes de Goofy et d'autres souvenirs farfelus (et ne vous en cachez pas, car nous savons que vous l'êtes), voici une bonne nouvelle: vous n'aurez pas à traîner vos sacs toute la journée. Chaque fois que vous ferez un achat dans les parcs thématiques de Walt Disney World, d'Universal Orlando ou de SeaWorld Orlando, vous pourrez en effet demander au commis d'acheminer vos sacs au centre de collecte des paquets. Il ne vous restera plus alors qu'à les récupérer au moment de quitter le parc. Pour connaître l'emplacement des centres de collecte, référez-vous aux sections «Renseignements utiles» au début de chacun des chapitres du présent guide consacrés aux grands parcs thématiques.

jouets allemands traditionnels, tandis que **Volkskunst** propose des horloges à coucou et des chopes à bière.

Au pavillon de l'Italie, **Il Bel Cristallo** propose des sacs à main et des portefeuilles en cuir fin, pendant que l'**Enoteca Castello** présente une belle sélection de vins et de cafés italiens.

Les enfants trouveront leur chapeau en raton laveur et leur fusil de Daniel Boone chez **Heritage Manor Gifts** *(États-Unis)*. Devant la boutique, on vend également des tympanons ainsi que des drapeaux américains.

Dans la plus pure tradition capitaliste, le pavillon japonais possède son propre grand magasin, le **Mitsukoshi Merchandise Store**, où vous découvrirez un riche assortiment d'œuvres artisanales, de poupées, de porcelaines fines, de bijoux, de kimonos et bien d'autres choses encore.

Les marchands de l'exotique pavillon marocain vous proposent des objets authentiques tels que fez, bagues à clochettes, tapis tissés et soufflets. Le bruit des cornes et des tambours ne manquera pas d'égayer votre passage en ses murs.

La France est un véritable paradis du magasinage. **Plume et Palette** vend des parfums et des savons, en plus d'abriter la première boutique Givenchy aux États-Unis, alors que **Vins de France** offre un bon choix de vins français.

Chacune des boutiques du pavillon du Royaume-Uni révèle une architecture propre à une époque particulière. Ainsi, le **Tea Caddy**, fournisseur de thés anglais, ressemble à un cottage de chaume du XVIe siècle; **The Toy Soldier**, de style Tudor, propose des objets aux couleurs des Beatles et autres légendaires groupes rock anglais, alors que **Queen's Table**, de style Queen Anne cette fois, expose du Royal Doulton, des figurines de porcelaine et des tasses Toby.

Finalement, vêtements Roots, sirop d'érable et chandails de hockey sont à l'honneur chez **Northwest Mercantile**, une cabane en rondins située dans l'enceinte du pavillon du Canada.

Disney's Hollywood Studios

L'une des boutiques les plus amusantes des Disney's Hollywood Studios, parce que délicieusement subversive, se nomme **Villains in Vogue** et déborde d'articles à l'effigie de tous les vilains qui ont hanté les dessins animés de Disney. Vous la trouverez dans le secteur «Sunset Boulevard» du parc.

Sid Cahuenga's One-of-a-Kind *(Hollywood Boulevard)* est l'établissement tout désigné pour vous procurer des souvenirs d'Hollywood, qu'il s'agisse de trésors rares en rapport avec le cinéma ou la télévision, ou encore d'autographes de vedettes comme Al Pacino et Burt Reynolds.

Une autre boutique inspirée du cinéma a pour nom **In Character** (dans l'enceinte de «The Voyage of the Little Mermaid»), qui propose costumes, accessoires, cadeaux et vêtements liés à *La Petite Sirène* et à d'autres films de «princesse».

Vous trouverez certains des plus beaux toutous, jouets et vêtements de Disney au **L.A. Cinema Storage** *(Hollywood Boulevard)*.

Après votre visite de l'attraction The Magic of Disney Animation, ne manquez pas de vous arrêter à la très jolie **Animation Gallery**. Vous y découvrirez des œuvres d'art inspirées des dessins animés de Disney, des reproductions miniatures des bâtiments de la Main Street du Magic Kingdom et de nombreux autres objets de qualité.

Disney's Animal Kingdom

C'est sans doute le thème naturaliste des lieux qui a incité Disney à restreindre le nombre des commerces dans l'Animal Kingdom, tant et si bien qu'on en dénombre tout au plus une douzaine. Cela dit, les articles en vente ici comptent souvent parmi les plus intéressants.

Après DINOSAUR, songez à passer un peu de temps chez **Chester and Hester Dinosaur Treasures**, où vous dénicherez entre autres tout ce qu'il faut pour faire le bonheur des paléontologues en herbe, y compris des casques surmontés de lampes.

Le **Mombasa Marketplace and Ziwani Traders** de l'«Afrique» propose pour sa part des articles exotiques d'une tout autre espèce, dont une bonne partie provient directement du continent noir.

C'est toutefois sur la Discovery Island que vous trouverez la plus grande concentration de magasins, et vos tout-petits risquent d'ailleurs fort de vous entraîner malgré vous à l'intérieur de **Creature Comforts** pour voir de plus près son assortiment d'animaux en peluche et de jouets recherchés, à moins que ce ne soit au **Beastly Bazaar**, où vous attend toute la panoplie des objets à collectionner du film *Vie de bestiole*. Enfin, **Island Mercantile** vend des souvenirs de vos *lands* favoris, et **Disney Outfitters** dispose encore plus de fétiches et de cadeaux du royaume de l'animation.

Downtown Disney

Dans le **West Side**, il n'y a pas que la nourriture et les boissons qui délesteront votre porte-monnaie. On y dénombre en effet une douzaine de boutiques, dont certaines d'ailleurs associées à des franchises de restauration et de divertissement (Cirque du Soleil, Planet Hollywood). Vous pourrez par exemple dépenser quelques dollars en friandises au **Candy Cauldron** et dénicher bijoux, mobiles, vases et autres objets décoratifs en verre dans la jolie boutique **Hoypoloi**. Quant aux amateurs de cigares, ils trouveront leur bonheur au **Sosa Family Cigar Company**, situé juste en face du Bongos Cuban Cafe.

Il faut aussi signaler l'arrivée à l'été 2011 d'**Orlando Harley-Davidson**, auparavant installé dans le secteur Pleasure Island, qui propose une panoplie d'objets de collection portant la signature de la célèbre marque de motocyclette.

Le **Marketplace** a été créé pour vous permettre d'acheter des souvenirs de Disney sans avoir à défrayer le prix d'entrée des parcs thématiques. Ce chapelet lacustre de boutiques et de restaurants plus jolis les uns que les autres constitue un bon endroit où passer un après-midi pluvieux ou une soirée de détente (les commerces sont ouverts jusqu'à 23h en saison; hors saison, prenez la peine de vous en informer au préalable).

Un magasin en particulier, **The World of Disney**, propose encore plus d'articles de Disney que tout autre; vous y trouverez près de 5 000 m² de Mickey, Minnie et Goofy en peluche, en céramique et en strass, sans parler des jouets, des objets de collection et de la boutique de costumes, à même de combler les rêves de toute petite fille. À l'intérieur de ce magasin toujours bondé, il y a même une salle dénommée **The Bibbidi Bobbidi Boutique**, où, sur réservation *(407-939-7895)*, on transforme les petites filles en princesses.

Le **LEGO Imagination Center** voisin, où l'on peut aussi bien admirer qu'acheter, expose 75 modèles Lego fantaisistes, une grue de construction haute comme trois étages de même que diverses créatures en Lego, des serpents de mer aux dinosaures.

Les collectionneurs d'art à la Disney se tourneront pour leur part vers **The Art of Disney**, qui propose des reproductions limitées de dessins tirés de films d'animation et des sculptures de qualité prenant les personnages de Disney pour modèles.

Chez **Arribas Brothers**, ce sont de superbes objets en cristal, en verre taillé et en verre soufflé que vous trouverez. Des artisans sont d'ailleurs à l'œuvre sur place. Parmi les articles les plus étonnants, mentionnons les reproductions de personnages de Disney à 650$ pièce ou celle du château de Cendrillon à... 37 500$!

Inaugurée en février 2009, la boutique **Tren-D** vend des vêtements et accessoires à la mode qui s'adressent aux adolescents et sur lesquels la marque Disney se fait plus discrète qu'à son habitude... mais demeure toujours présente.

Votre fille adolescente s'amuse à porter des bas dépareillés (*mis-matched* en anglais)? Elle n'est pas la seule, comme vous le constaterez à la boutique **LittleMissMatched**, qui a érigé cette manie en un véritable concept de vente au détail. Vous y dénicherez donc des milliers de chaussettes multicolores vendues en paquets de trois plutôt qu'en paires.

Au magasin **Disney Design-A-Tee**, il est possible de personnaliser son t-shirt à l'aide de bornes interactives qui permettent de choisir la couleur, le design et le message.

Autrefois installé dans l'immense bâtiment où loge aujourd'hui le Splitsville Luxury Lanes & Dinner Lounge dans le West Side, le surprenant marchand de voitures miniatures téléguidées **Ridemakerz** a été déplacé dans un local plus modeste, et mieux adapté, du secteur Marketplace. Le concept ici a ceci de particulier qu'il est possible de personnaliser son bolide en choisissant ses couleurs, pièces et autres éléments, puis de le «construire» à l'aide de ce qui a toutes les allures d'une chaîne de montage.

Parmi les autres haltes dignes de mention du Marketplace, citons le **Team Mickey Athletic Club** et sa sélection d'articles liés au monde du sport, **Disney's Days of Christmas** (décorations de Noël), **Goofy's Candy Co.** (confiserie), **Disney's Wonderful World of Memories** (papeterie), **Disney's Pin Traders** (pour les collectionneurs d'épinglettes) et **Once Upon a Toy** (jouets en tout genre).

Universal Orlando

Universal Studios

Les boutiques imaginatives des Universal Studios sauront certes retenir votre attention. Arrêtez-vous chez **Cyber Image** *(Hollywood)*, qui propose des articles uniques qui feront le bonheur des admirateurs de *Terminator*. Si vous êtes à la recherche d'une tenue décontractée à faire craquer n'importe qui, sachez que **Studio Styles** *(Hollywood)* vous offre le tout dernier cri en matière de strings et autres «minis» fluo.

Les jeunes enfants peuvent passer un après-midi complet au **SpongeBob StorePants** *(Woody Woodpecker's KidZone)*, où ils seront entourés de Bob l'éponge, de panthères roses, de Woody Woodpeckers et d'autres personnages de dessins animés en peluche.

La boutique la plus imposante du parc est cependant l'**Universal Studios Store** *(Production Central)*, situé non loin de la sortie. Vêtements, souvenirs et babioles en tout genre arborant le logo des studios y sont proposés.

Universal's Islands of Adventure

Vous aurez immanquablement l'occasion de vous procurer des souvenirs de votre aventure aux Universal's Islands of Adventure. Au Port of Entry, l'**Island Market and Export Candy Shoppe** présente un choix complet et varié de douceurs provenant des quatre coins du monde. Vous trouverez tout ce qu'il vous faut pour compléter votre collection d'objets liés à la série *Betty Boop* au **Betty Boop Store** du Toon Lagoon. Il vous manque des numéros de votre bande dessinée préférée? Inutile de chercher plus loin que la **Comic Book Shop** de la Marvel Super Hero Island. Tous les titres voulus de la collection du Dr. Seuss vous attendent chez **All the Books U Can Read** *(Seuss Landing)*. Et pour les articles en peluche, rendez-vous sans hésiter au **Mulberry Street Store** *(Seuss Landing)*.

Mais c'est du côté de la nouvelle zone thématique **The Wizarding World of Harry Potter** que l'effervescence est à son comble en matière de magasinage. Ne vous surprenez pas d'ailleurs de devoir faire la file avant d'accéder à l'une des boutiques citées dans les romans et les films mettant en vedette l'apprenti sorcier à lunettes rondes, et que l'on a ici recréées avec un renversant souci du détail.

La plus courue de ces boutiques est sans contredit **Ollivander**, une véritable attraction en soi. Les visiteurs sont d'abord invités à prendre part à une présentation interactive dans laquelle l'hôte des lieux révèle les qualités propres à certaines des baguettes magiques en vente dans son magasin. Vous pourrez ensuite (enfin! diront certains) entrer dans la boutique même, qui en abrite en fait deux, soit l'Owl Post et Dervish and Banges.

L'**Owl Post** est un authentique comptoir postal duquel vous pourrez expédier des cartes postales estampillées du sigle d'Hogsmeade (Pré-au-lard). Quant à **Dervish and Banges**, il s'agit d'un marchand d'articles de magie. C'est là que vous pourrez vous procurer l'une de ces fameuses baguettes magiques vendues à plus de 30$ pièce (!), un balai de sorcier, une cape d'Harry Potter ou une marionnette à l'effigie d'Edwidge.

Parmi les autres commerces tout droit sortis de l'univers imaginé par J.K. Rowling, mentionnons la boutique de farces et attrapes **Zonko's Joke Shop**, le marchand de confiseries **Honeydukes** et le **Filch's Emporium of Confiscated Goods**, qui déborde de souvenirs liés au monde magique d'Harry Potter.

Universal CityWalk

En plus d'être une «mecque» de la restauration et de la vie nocturne, l'Universal CityWalk s'impose comme le royaume des objets à collectionner et des articles fantaisistes. Outre l'incontournable **Universal Studios Store**, on dénombre ici une dizaine de détaillants. **Fresh Produce** vend des vêtements aux couleurs de vos fruits et légumes préférés, et la **Quiet Flight Surf Shop** affiche des planches de surf sur mesure et des fringues assorties. Et pour tout accessoire de cigare, songez à **Cigarz at CityWalk**, qui dispose par ailleurs de cordiaux et de cafés.

SeaWorld Orlando

De manière générale, les boutiques que l'on retrouve à SeaWorld Orlando proposent des marchandises de belle qualité. Vous y dénicherez bien entendu les éternels t-shirts, de même que des Shamu, des dauphins et des otaries en peluche, mais aussi une variété d'autres beaux objets liés aux thèmes de la mer et de la faune.

Les plus belles boutiques sont situées au **Waterfront at SeaWorld** ou sont rattachées à certaines des attractions-vedettes du parc: **Antarctica Empire of the Penguin**, **Journey to Atlantis** et **The Polar Express Experience**.

Le **Shamu Emporium**, situé à l'entrée du parc, est pour sa part l'endroit idéal où dénicher des souvenirs en tous genres de SeaWorld.

Au-delà des grands parcs

Orlando

Un des plus importants regroupements de magasins d'usines qui soit, l'**Orlando Premium Outlets – International Drive** *(4951 International Dr., 407-352-9600, www.premiumoutlets.com)* réunit plus de 180 fournisseurs vendant de tout, des livres à rabais aux appareils électroniques, en passant par les vêtements, les bijoux et la vaisselle. Il y a aussi l'**Orlando Premium Outlets – Vineland Avenue** *(8200 Vineland Ave., 407-238-7787)*, qui regroupe pour sa part 150 magasins, dont plusieurs arborent des noms prestigieux (Armani, Prada, Nike, Tommy Hilfiger et compagnie).

Le chic et moderne centre commercial **The Mall at Millenia** *(4200 Coroy Rd., 407-363-3555, www.mallatmillenia.com)* ravira les adeptes du lèche-vitrine. De grands magasins comme Macy's, Bloomingdale's, Neiman Marcus et Crate & Barrel y ont élu domicile, de même que de nombreuses boutiques de luxe spécialisées comme Cartier, Chanel, Gucci, Louis Vuitton, Tiffany et quelque 140

Des supermarchés qui font la livraison

Vous avez loué une suite, un appartement ou une villa avec cuisine, mais n'avez pas le temps de faire vos courses ou ne disposez pas d'une voiture? Voici deux entreprises qui peuvent se charger pour vous de cette corvée, et qui feront [illegible] la livraison à votre lieu de résidence:

Garden Grocer
866-855-4350, www.gardengrocer.com
Vous indiquez ce dont vous avez besoin par téléphone ou Internet, et ils se chargent de faire vos courses.

Gooding's
www.goodings.com
Une épicerie locale qui propose un service de commande en ligne.

autres. Ce centre commercial d'une grande élégance est situé au sud-ouest du centre-ville d'Orlando, à la hauteur de la sortie 78 de la route I-4.

Kissimmee

L'**Old Town** *(5770 W. Route 192, 407-396-4888, www.myoldtownusa.com)* est un centre commercial périphérique proposant des articles branchés et recherchés dans une atmosphère vieillotte. Ses allées pavées de briques s'entourent de petites places, de carrousels, de manèges, de comptoirs à glaces et d'enseignes de Coke métallisées recréant une ambiance nostalgique.

À l'intérieur d'Old Town, **Tiki Jim's** vend toutes sortes de t-shirts comiques et a plein d'autres idées-cadeaux humoristiques. **The General Store**, toujours dans l'enceinte d'Old Town, possède tous les objets rigolos à l'ancienne dont vous pouvez rêver, qu'il s'agisse d'anciens verres ou bouteilles de Coca-Cola ou de Budweiser. Enfin, Puppets vend des marionnettes originales que l'on vous apprend à manipuler.

Lake Buena Vista

Crossroads of Lake Buena Vista *(12521 route 535, 407-827-7300)* est le centre commercial le plus près de Disney World. Il est commodément situé tout juste en face de l'entrée du Royaume donnant sur l'Apopka-Vineland Road (route 535), au bout de l'Hotel Plaza Boulevard, non loin de Downtown Disney. On y trouve de nombreux restaurants familiaux, ainsi que des magasins de toutes sortes parmi lesquels un marché d'alimentation ouvert 24 heures sur 24.

Références

Index

Les numéros de page en **gras** renvoient aux cartes.

A

B

C

D

E

I

J

K

L

M

N

O

P

Q

R

Restaurants *(suite)*

S

T